LANGENSCHEIDTS
UNIVERSAL-WÖRTERBUCH

RUSSISCH

RUSSISCH-DEUTSCH
DEUTSCH-RUSSISCH

LANGENSCHEIDT
BERLIN · MÜNCHEN · WIEN · ZÜRICH

Inhaltsverzeichnis

Auflage: 19. | *Letzte Zahlen*
Jahr: 1982 81 | *maßgeblich*

© *1958 Langenscheidt KG, Berlin und München*
Druck: Druckhaus Langenscheidt, Berlin-Schöneberg
Printed in Germany · ISBN 3-468-18290-2

Vorbemerkungen

Предварительные сведения

Die Tilde (~, bei veränderter Schreibung ⌾) ersetzt das ganze Stichwort oder bei Anwendung eines senkrechten Striches (|) nur den vor diesem Strich stehenden Teil und bei Verben meist auch beide Aspekte, z. B.:

брить, (п)о~ = обри́ть *и.* побри́ть; ~ся = бри́ться *и.* (по)бри́ться; ~ё = бритьё
завёр|тывать, ~ну́ть = заверну́ть
доку|ча́ть, '~чить = докучи́ть
кремль, ⌾ = Кремль
Гре́ц|ия, ⌾кий = гре́цкий

Augen|arzt ...; ~blick = Augenblick; ⌾blicklich = augenblicklich
leben ...; ⌾ = Leben
Antwort ...; ⌾en = antworten.

Das Betonungszeichen vor der Tilde ('~) gibt an, daß der letzte Vokal des durch die Tilde ersetzten Stichwort(teil)es betont ist. Trägt ein durch die Tilde gebildetes Stichwort zwei Tonzeichen, so ist das letzte für die Betonung des Wortes maßgebend, z. B.:

во́лос ...; ~а́тый = волоса́тый.

Aspekte. – Der vollendete Aspekt (*pf.*) steht im russisch-deutschen Teil nach dem unvollendeten (*impf.*), z. B.:

писа́ть, ...   *impf.* писа́ть   *pf.* написа́ть
соста|вля́ть, '~вить *impf.* составля́ть *pf.* соста́вить
стыд ...; ~и́ть, (при~) *impf.* стыди́ть   *pf.* пристыди́ть; (~ся) = стыди́ться.

Der mit einer Vorsilbe (в, во, вы, за, на usw.) gebildete vollendete Aspekt ist an alphabetischer Stelle nicht besonders aufgeführt, man suche also z. B. написа́ть unter писа́ть. Wohl aber verweist взять auf брать, пойти́ auf идти́ usw.

Der vollendete Aspekt (pf.) steht im deutsch-russischen Teil in eckigen Klammern [], z. B.:
[на]писа́ть   *impf.* писа́ть   *pf.* написа́ть
составля́ть [-а́вить] *impf.* составля́ть *pf.* соста́вить

Der unvollendete Aspekt steht in beiden Teilen des Wörterbuches in runden Klammern ( ), z. B.:
зада́(ва́)ть   *impf.* задава́ть   *pf.* зада́ть
сбы(ва́)ъ   *impf.* сбыва́ть   *pf.* сбыть
заб(и)ра́ть   *impf.* забира́ть   *pf.* забра́ть

Da die Vorsilbe вы im vollendeten Aspekt stets den Ton trägt, bleibt sie meist ohne Tonzeichen, z. B.:
выяс|ня́ть, -нить *impf.* выясня́ть   *pf.* вы́яснить
выб(и)ра́ть   *impf.* выбира́ть   *pf.* вы́брать

Das grammatische Geschlecht ist im Russischen nur dann angegeben, wenn es von folgenden Regeln abweicht:

  a) Substantive auf Konsonanten oder й sind männlich (*m*);
  b) Substantive auf a oder я sind weiblich (*f*);
  c) Substantive auf o oder e sind sächlich (*n*).

Bei Wörtern auf ь ist das Geschlecht angegeben, wenn es vom Deutschen abweicht, z. B. Abgrund *m* про́пасть *f*, Pferd *n* ло́шадь *f*.

Wörter beiderlei Geschlechts (*m* und *f*) sind mit *m/f* bezeichnet: Angestellte(r) *m/f*, d. h. der (ein) Angestellte(r), die (eine) Angestellte, сирота́ *m/f*, пустоме́ля *m/f*.

Stimmt das Geschlecht des übersetzten deutschen Substantivs mit dem Geschlecht des russischen Stichwortes überein, so ist es nicht angegeben.

Der substantivierte Infinitiv und das Verbalsubstantiv auf ...ung (meist bezeichnet durch *Su.*) sowie Wörter auf ...heit und ...keit, die meist durch die Endungen ...ание, ...ение oder ...яние, ...ние oder ...тие, ...ность oder ...ство wiedergegeben werden können, sind oft weggelassen worden.

Der Kasus nach den deutschen und russischen Präpositionen, die in Verbindung mit einem Verb usw. stehen, ist nur dann angegeben, wenn die Präposition mehr als einen Kasus regiert.

Zeichen — Знаки

† Handel, торговля.
⚓ Schiffahrt, судоходство.
✕ Militär, военное дело.
⚙ Technik, техника.
⊕ Bergbau, горное дело.
🚆 Eisenbahn(wesen), железнодорожное дело.
✈ Flugwesen, авиация.
✉ Post, почта.
♪ Musik, музыка.
♫ Pflanzenkunde, ботаника.

△ Baukunst, архитектура. [тика.]
Å Mathematik, математика.
🜍 Chemie, химия.
✿ Acker-, Gartenbau, хлебопашество, садоводство.
⚡ Elektrotechnik, электричество.
⚕ Medizin, медицина.
⚖ Rechtswissenschaft, юриспруденция.
F familiär, фамильярное выражение.
= gleich, равно.

Abkürzungen — Сокращения

a. auch также.
A. Akkusativ винительный падеж.
Abk. Abkürzung сокращение.
adj. Adjektiv имя прилагательное.
adv. Adverb наречие.
Anat. Anatomie анатомия.
bsd. besonders особенно.
cj. Konjunktion союз.

D. Dativ дательный падеж. [деж.]
e-e eine. [деж.]
e-m, e-n einem, einen.
e-r, e-s einer, eines.
et. etwas что-нибудь.
f Femininum женский род.
fig. figürlich, bildlich в переносном смысле.
Fot. Fotografie фотография.
f/pl. Femininum Pluralis

множественное число женского рода.

G. *Genitiv* родительный падёж.   [матика.)

Gram. Grammatik грам-{

hist. historisch исторический.

impf. imperfektiv = unvollendet(er Aspekt) несовершённый вид.

j-m *jemandem* кому́-нибудь.

j-n *jemanden* кого-нибудь

j-s *jemandes* кого́-нибудь.

m *Maskulinum* мужской род.

m-e *meine.*

m/f *Substantiv (beiderlei Geschlechts, vgl. Seite 4)* имя существительное (мужского и женского рода).

m-m, m-n *meinem meinen.*

m/pl. *Maskulinum Pluralis* мно́жественное число́ мужского рода.

m-r, m-s *meiner, meines.*

mst *meist* бо́льшей ча́стью.

n *Neutrum* сре́дний род.

n/pl. *Neutrum Pluralis* мно́жественное число́ сре́днего рода.

od. *oder* или.

pf. *perfektiv = vollendet(er Aspekt)* совершённый вид.

Phys. Physik фи́зика.

pl. *Plural* мно́жественное число.

Pol. Politik поли́тика

prp. *Präposition* предлог.

s. *siehe* смотри́.

sg. *Singular* еди́нственное число.

s-n, s-r, s-s *seinen, seiner, seines.*

Su. = substantivierter Infinitiv und Verbalsubstantiv auf ...ung, z.B. abreiben ...; *Su. =* Abreiben n *und* Abreibung f.

Tel. Telefon телефо́н.

Thea. Theater теа́тр.

Typ. Typographie типогра́фское де́ло.

u. *und* и.

usw. *und so weiter* и т. д. (= и так да́лее).

v. *von, vom.*

vgl. *vergleiche* сравни́.

v/i. *intransitives Verb* непереходный глагол.

v/t. *transitives Verb* переходный глагол.

z.B. *zum Beispiel* например.

Zo. *Zoologie* зооло́гия.

zs. *zusammen* вме́сте.

Zssg(n) Zusammensetzung (-en) сло́жное сло́во.

Russische Abkürzungen

Русские сокращения

Р родительный падеж *Genitiv* [*Dativ*]	Т творительный падеж *Instrumental*(*is*)
Д дательный падеж)	П предложный падеж *Präpositiv*
В винительный падеж *Akkusativ*	

Das russische Alphabet

Русский алфавит

A a (a) = *a*	T т (te) = *t*
Б б (be) = *b*	У y (u) = *u*
B в (we) = *w*	Ф ф (ef) = *f*
Г г (ge) = *g*	X x (cha) = *ch*
Д д (de) = *d*	Ц ц (ze) = *z*
E e (je) = *je*; Ё ё (jo) = *jo*	Ч ч (tsche) = *tsch*
Ж ж (že) = *wie j in Journal*	Ш ш (scha) = *sch*
З з (se) = *wie s in See*	Щ щ (schtscha) = *schtsch*
И и (i) = *i*	Ъ ъ (jer) (*hat keinen Lautwert, dient zur Silbentrennung vor weichem Vokal*)
Й й ('kratkoje) = *kurzes i*	
K к (ka) = *k*	Ы ы (je'ry) = *etwa wie i in Tisch*
Л л (el) = *l*	Ь ь (jerj) (*dient zur Erweichung des vorhergehenden Konsonanten*)
M м (em) = *m*	
H н (en) = *n*	
O o (o) = *o*	Э э (obo'rotnoje) = *ä*
П п (pe) = *p*	Ю ю (ju) = *ju*
P p (er) = *r*	Я я (ja) = *ja*
C с (eß) = *ß*	

A

a aber; und; sondern; ~ **то** sonst.

абажу́р Lampenschirm.

абони́ровать(ся) abonnieren.

абрико́с Aprikose(nbaum *m*) *f*.

абсу́рд Unsinn.

ава́нс Vorschuß.

авантюри́ст Abenteurer.

а́вгуст August. [rer.]

авиа́|тика Flugwesen *n*; ~**тор** Flieger; ~**ция** *s.* ~**тика**.

австри́|ец Österreicher; ~**йский** österreichisch.

авто|ба́за Kraftwagendepot *n*; ~**бус** Autobus; ~**жи́р** Hubschrauber; ~**ма́т** Automat, Maschinenpistole *f*; ~**маши́на**, ~**моби́ль** *m* Kraftwagen *m*, Auto *n*; ~**мотри́са** Triebwagen *m*.

автоно́мный autonom, selbstverwaltend.

а́втор *m/f* Autor(in *f*), Verfasser(in *f*); ~**итет** Autorität *f*, Ansehen *n*.

автостра́да Autobahn.

аге́нт Vertreter, Agent; ~**ство**, ~**у́ра** Vertretung *f*.

ага́т|ка Werbe-blatt *n*, -stück *n*; ~**про́п** (агитацио́нно-пропаганди́стский отде́л) Agitations- und Propaganda-abteilung *f*; ~**пу́нкт** Aufklärungslokal *n*.

аго́ния Todeskampf *m*.

агра́р|ий Agrarier; ~**ный** agrarisch, Agrar-.

администра́|тор Verwalter; ~**ция** Verwaltung(sbehörde).

адмиралте́йство Admiralität *f*.

а́дрес Adresse *f*; ~**а́т** Empfänger; ~**ная кни́га** Adreßbuch *n*.

аза́рт Hasard(spiel) *n*; Heftigkeit *f*; ~**ный** heftig; hitzig; Hasard-, Glücks... [Fibel.]

а́збука Alphabet *n*;)

азо́т Stickstoff.

а́ист Storch.

акаде́мия Akademie.

аккомпа|неме́нт ♪ Begleitung *f*; ~**ни́ровать** *impf.* begleiten.

аккредитова́ть beglaubigen, bevollmächtigen.

аккура́тный genau; пу́нктлich.

акт Handlung *f*; Akt.

актёр Schauspieler.

акти́в Aktiv *n*; Funktionäre *m/pl.*; ~ный aktiv, tätig.

а́ктовый зал Aula *f*.

актри́са Schauspielerin.

аку́ла Hai(fisch) *m*.

аку|шёр Geburtshelfer; ~шёрка Hebamme.

акци́з Verbrauchssteuer *f*, Akzise *f*.

алкого́ль *m* Alkohol.

алле́я Allee.

алма́з Diamant.

алта́рь *m* Altar.

алфави́т Alphabet *n*.

а́лч|ность *f* Gier, Habsucht; ~ный gierig.

а́лый (blut)rot, purpurn.

альбо́м Album *n*.

альпи́йский Alpen...; ~ини́ст Bergsteiger.

а́льфа-лучи́ *m/pl.* Alpha-Strahlen.

амба́р Speicher.

Аме́рик|а Amerika *n*, Соединённые Шта́ты ~и Vereinigte Staaten von Amerika.

америка́нец Amerikaner.

амни́стия Straferlaß *m*.

амортиза́ция Amortisation; Schuldentilgung.

ана́лиз Analyse *f*.

анархи́ст Anarchist; ~ский anarchistisch.

анга́р Flugzeugschup-)

а́нгел Engel. [pen.)

англи́йский englisch.

англича́нин Engländer.

'А́нглия England *n*.

анке́та Umfrage; Fragebogen *m*.

анне́ксия Annexion.

аннули́ровать annullieren.

ано́д Anode *f*.

анса́мбль *m* Ensemble *n*.

анте́нна Antenne.

анти ... *in Zssgn* Anti..., anti...

анти́чный altertümlich.

антра́кт *Thea.* Pause *f*.

анчо́ус Anschovis *f*.

апельси́н Apfelsine *f*.

апло|ди́ровать *(Beifall)* klatschen; ~сме́нты *pl.* Beifall *m*.

аппара́т Vorrichtung *f*, Apparat.

аппендици́т ⚕ Blinddarmentzündung *f*.

апре́ль *m* April.

апте́|ка Apotheke; ~карь *m* Apotheker.

ара́б Araber; ~ский arabisch.

аранжи́ровать ♪ bearbeiten.

арби́тр Schiedsrichter; ~а́ж Schiedsspruch;

Schiedsgericht *n*; Effektenhandel.

арбу́з Wassermelone *f*.

аргенти́нец Argentinier.

аргуме́нт Argument *n*, Beweis.

аре́н|да Pacht; **~да́тор** Pächter; **~дова́ть** pachten.

аре́ст Haft *f*, Beschlagnahme *f*.

арестова́ть verhaften, beschlagnahmen.

арифмо́метр Rechenmaschine *f*.

арка́да Bogengang *m*.

арка́н Fangschlinge *f*, Lasso *m. od. n*.

'Аркти́ка Arktis.

аркти́ческий arktisch, Polar...

арме́йский Armee...

а́рмия Armee; **Кра́сная ♀ Rote Armee**.

арома́т Aroma *n*; Duft.

арсена́л Zeughaus *n*, Arsenal *n*.

арт. (артилле́рийский) Artillerie.

арте́ль *f* (Arbeiter-)Genossenschaft.

арти́ст(ка) Künstler(in); Schauspieler(in).

а́рфа Harfe.

архео́лог Archäologe, Altertumsforscher.

архиепи́скоп Erzbischof.

архите́к|тор Architekt, Baumeister; **~ту́ра** Architektur, Baukunst.

а́спидная доска́ Schiefertafel.

ассигно́вка Geldanweisung.

астроно́мия Sternkunde.

асфа́льт Asphalt.

ата́к|а Angriff *m*; **~ова́ть** angreifen.

а́том Atom *n*; **~исти́ческая тео́рия** Atomtheorie; **~ный Atom...**; **~ная бо́мба** Atombombe; **~ная эне́ргия** Atomenergie.

АТС (автомати́ческая телефо́нная ста́нция) Selbstanschluß(fernsprech)amt *n*.

аттеста́т Zeugnis *n*; Bescheinigung *f*.

аудито́рия Hörsaal *m*, Auditorium *n*.

афи́ша Anschlagzettel *m*.

африка́нец Afrikaner.

аэро|дро́м Flugplatz, ~хафен; **~на́вт** Aeronaut, Luftschiffer; **~пла́н** Flugzeug *n*; **пассажи́рский ~пла́н** Verkehrsflugzeug *n*; **~по́чта** Luftpost; **~са́ни** *pl.* Propellerschlitten *m*; **~ста́т** (Luft)ballon *m*.

Б

бáба *verächtlich*: Weib *n*; zylinderförmiger Topfkuchen *m*; снéжная ~ Schneemann *m*.

бáбье лéто Altweibersommer *m*.

бáбочка Schmetterling *m*.

бáбушка Großmutter.

багáж Gepäck *n*; ~ный Gepäck...; ~ная квитáнция Gepäckschein *m*.

багрянéц Purpurröte *f*.

бадья́ Kübel *m*.

бáза Basis; ✕ Stützpunkt *m*; Grundlage; Depot *n*.

базáр Markt.

байдáрка Paddelboot *n*.

бак Wasserbehälter, Tank.

бака|лéйная лáвка Kolonialwarenhandlung; ~лея Kolonialwaren *pl*.

бáкен Bake *f*, Boje *f*.

бал Ball (Tanz); *s*. балл.

балагáн Schau-, marktbude *f*; ~щик Schaubudenbesitzer; Gaukler.

балéт Ballett *n*.

бáлка Balken *m*.

балл Zensur *f*.

баловáть 1. ~ся Un-

sinn treiben; 2. из~ verwöhnen.

Балтúйское мóре Baltisches Meer, Ostsee *f*.

балы́к gedörrter Stör (*od.* Hausen-)rücken *m*.

банáльный banal, abgeschmackt.

банáн Banane *f*.

бандáж Bandage *f*; Binde *f*.

бандерóль *f* Kreuz-, Streif-band *n*.

банк † Bank *f*; Spielbank *f*.

бáнка (Konserven-) Büchse, Einmachglas *n*; Sandbank.

банкéт Fest-mahl *n*, -essen *n*.

банкúр Bankier.

бáнков|ский, ~ый Bank...

банкрóтство Bankrott *m*.

бант Schleife *f*.

бáнщик Badewärter.

бáня Badestube, Badeanstalt; Dampfbad *n*.

бар Imbißstube *f*.

барабáн Trommel *f*; ~щик Trommler.

барáн Hammel *m*; ~ина Hammelfleisch *n*.

барс Panther.

ба́рский herrschaftlich.

барсу́к Dachs.

ба́рхат Samt. [ke f.]

барье́р Hürde f, Schran-|**бас**|**опи́сец** Fabeldich-|ter; **'~я** Fabel.

басто́вать, за~ streiken.

батаре́|йка Taschen-lampenbatterie; **~я** Batterie.

ба́тюшка Väterchen n; russischer Priester m.

башлы́к Kapuze f.

башма́к Schuh.

ба́шня Turm m.

бди́тельность f Wachsamkeit.

бег Lauf m; **~á** pl. (Pferde-) Rennen n.

бе́ганье (на конька́х Schlittschuh-)Laufen.

бегемо́т Nilpferd n.

бег|**ле́ц** Flüchtige(r); **'~лый** geläufig; flüchtig; **~óм** im Laufschritt; **'~ство** Flucht f; **~ýн** Läufer, Schnelläufer.

бед|**á** Unglück n; Übel n; что за **~á?** was schadet es?; в тóм-то и **~á** das ist eben die Schlimme; **'~ный** arm; elend; **'~няк** armer Mensch.

бедро́ Hüfte f; Schenkel m.

бе́дств|**енный** unheil-voll; elend; **~ие** Elend, Not f.

бежа́ть, по~ (hin)lau-fen; fliehen.

бе́женец Flüchtling.

без, безо (P) ohne (A); **~ тогó** ohnehin.

безбо́жие Atheismus m.

безве́стн|**ый** unbe-kannt; в **~ом отсу́тст-вии** verschollen.

безвку́сица Geschmack-losigkeit.

безвла́стие Machtlosig-keit f.

безво́дный wasser-arm, -los; **~** wasserfrei.

безвоз|**вра́тный** unwie-derbringlich; **~ду́шный** luftleer; **~ме́здный** un-entgeltlich.

безво́льный willenlos.

безвре́дный unschäd-lich.

безвы́ходный ausweg-los.

безгра́мотный unwis-send; Analphabet.

безграни́чный grenzen-los.

безда́рный unbegabt; talentlos.

безде́йствие Untätig-keit f.

безде́лица Kleinigkeit.

безде́льни|**к** Müßig-gänger; **~чать** faulen-zen.

безде́нежье Geldmangel m.

безде́тный kinderlos.

безде́ятельный untätig.

бе́здна Abgrund *m*.

бездо́ждье Dürre *f*, Regenmangel *m*.

бездо́мный obdachlos.

бездохо́дный uneinträglich, unrentabel.

безду́шный unbeseelt; herzlos.

безды́мный rauchlos.

безжи́зненный leblos.

беззабо́тный sorglos.

беззако́нный gesetzwidrig.

беззасте́нчивый unverschämt.

беззащи́тный schutzlos, wehrlos.

безли́чный unpersönlich.

безлю́дный menschenleer, schwach bevölkert.

безмо́лвие Schweigen, Stille *f*.

безнадёжный hoffnungslos. [straft.]

безнака́занный unge-]

безнра́вственный unsittlich, unmoralisch.

безоби́дный harmlos.

безо́блачный unbewölkt; heiter.

безобра́зие Häßlichkeit *f*; **~ный** häßlich.

безопа́сный gefahrlos.

безотлага́тельный unaufschiebbar.

безотра́дный trostlos.

безрабо́т|ица Arbeitslosigkeit; **~ный** arbeitslos; Arbeitslose(r).

безразли́чный gleichgültig.

безрассу́дный unbesonnen.

безукори́зненный tadellos.

безу́мный unsinnig.

безусло́вный unbedingt.

бек Verteidiger (*Sport*).

беле́ть, по~ weiß werden.

бе́лка Eichhörnchen *n*.

бело... weiß...; **~боро́дый** weißbärtig; **~гварде́йский** weißgardistisch.

бело́к Weiße *n* (*im Auge od. Ei*).

бело|ку́рый (hell-)blond; **~шве́йка** Weißnäherin.

бе́лый weiß.

бельги́ец Belgier.

бельё Wäsche *f*; **спи́сок белья́** Wäschezettel.

бельмо́ *f* Star *m*.

бельэта́ж erster Stock; *Thea.* erster Rang.

бензи́н Benzin *n*; **~овый** Benzin...; **~овый бак** Benzintank; **~омёр** Benzinuhr *f*.

бе́рег Ufer *n*; **~á** *pl.* Küste *f*.

бе́режный behutsam.

берёза Birke.

бере́мен|ная schwanger; **~ность** *f* Schwangerschaft.

бере́чь, по~ hüten; **с~** sparen.

берло́га Bärenhöhle.

бес Teufel.

бесе́д|а Unterhaltung, Besprechung, Interview *n*; **~ка** Laube; **~овать, (по~)** sich unterhalten; **~чик** Leiter einer Besprechung.

беси́ться, вз~ wüten; *§* tollwütig.

бескла́ссовый klassenlos.   [lich, endlos.\

бесконе́чный unend-)

бескоры́стный uneigennützig.

бескро́вный blutleer; unblutig.

беснова́ться toben.

беспа́мятный vergeßlich.

беспарти́йный parteilos, Parteilose(r).

беспла́новый planlos.

беспла́тный unentgeltlich, Gratis...

беспло́дный unfruchtbar.

беспово́ротный unwiderruflich.

беспо́добный unvergleichlich; beispiellos.

беспоко́ить beunruhigen; stören.

бесполе́зный nutzlos.

беспомо́щный hilflos.

беспоса́дочный перелёт Flug ohne Zwischenlandung.

беспоща́дный erbarmungslos; schonungslos.   [zenlos.\

беспреде́льный gren-)

беспрекосло́вный unbedingt.   [spiellos.\

беспримерный bei-)

бесприю́тный obdachlos.

беспрово́лочный drahtlos.

беспу́тный liederlich.

бессеме́йный ohne Familie.

бессерде́чный herzlos, gefühllos.

бесси́лие Schwäche *f*, Unvermögen.

бессме́ртный unsterblich.   [los.\

бессмы́сленный sinn-)

бессо́вестный gewissenlos.

бессозна́тельный unbewußt, bewußtlos.

бессо́нница Schlaflosigkeit.

бессро́чный unbefristet.

бессты́дный schamlos.

бестолко́вый unverständig, sinnlos.

бесхозяйственность f Mißwirtschaft.

бесчеловечный unmenschlich.

бесчестье Unehre f; Schmach f.

бесчинство Ausschreitung f; Unfug m.

бесчувств|енный gefühllos; ~ие Gefühllosigkeit f; Ohnmacht f.

беше|нство Toll-heit f, -wut f; ~ный toll, besessen.

библиотека Bücherei.

билет Billett n, Fahrkarte f, -schein; ~ный партийный ~ Parteibuch n; членский ~ Mitglieds-karte f, -ausweis.

бинокль m Opernglas n.

бинт Binde f; Verband.

биржа Börse; ~ труда Arbeitsnachweis m.

бирюза Türkis m.

битва Schlacht.

битком набитый vollgepfropft.

биток Fleischkloß.

бить, по~ schlagen; битые сливки f/pl. Schlagsahne f.

бич Peitsche f.

благо Wohl, Heil.

благо|воние Duft m; ~воспитанный wohlerzogen; ~говейный

андачтиг; ~дарить, (по~, от~) danken; ~дарность f Dankbarkeit; Dank m; ~дарный dankbar; ~датель m Wohltäter; ~звучный wohlklingend; ~получный glücklich; günstig; ~приятный günstig; ~разумный einsichtsvoll; ~родный adlig; edel; ~склонный (wohl)geneigt, gewogen; ~словлять, ~словить segnen; ~состояние Wohlstand m; ~творный wohltuend; ~устроенный wohlgeordnet, gut eingerichtet; ~ухание Wohlgeruch m; Duft m; ~ухать duften.

блаженный (glück)selig.

бланк Formular n; ~овый Blanko...

блед|неть, (по~) blaß werden; ~ный blaß, bleich.

блеск Glanz, Schein.

блестеть, за~ (er)glänzen.

ближ|айший nähere(r), nächste(r); ~е näher; nächst; Nächste(r); 2ний Восток der Nahe Osten.

близ (P) nahe (bei *D.*); **~кий** nahe; **~нец** Zwilling; **~орукий** kurzsichtig; '**~ость** *f* Nähe.

блин Plinse *f*, Pfannkuchen. [Block.]

блок *Pol.* Block; ⊕

блокада Blockade.

блокнот Notizblock.

блоха Floh *m*.

блуждать, **про~** umher-irren, -schweifen.

блуза Bluse, Kittelhemd *n*; **~ка** (Damen-)Bluse.

блюдечко Untertasse *f*.

блюдо Schüssel *f*; Gericht.

блюдце *s.* блюдечко.

бляха Blechschild *n*;

боб Bohne *f*. [Schild.]

бобр Biber.

бог Gott; **боже мой!** mein Gott!

богатеть, (**раз~**) reich werden; '**~ство** Reichtum *m*: '**~ый** reich.

богатырь *m* Held, Recke.

богач Reiche(r).

богородица Mutter Gottes; **~слов** Theologe; **~словие** Theologie *f*; **~служение** Gottesdienst *m*; **~творить** vergöttern; **~хульник** Gotteslästerer.

бодрствовать wachen; **~ый** munter, rüstig.

боевой Kampf... Kriegs...

боец Kämpfer.

божеский *s.* бог; **~ий** Gottes...

бой Schlacht *f*, Kampf; **~кий** gewandt, flink.

бойня Schlachthof *m*; Blutbad *n*, Gemetzel *n*.

бок Seite *f*; **на ~** zur Seite; **~овой** Seiten...; seitlich; '**~ом** seitwärts.

бокс Boxkampf; **~ёр** Boxer; **~ировать** boxen.

болгарин Bulgare.

более mehr (P als).

болезнь *f* Krankheit.

болеть krank sein; schmerzen, weh tun.

болеутоляющее средство schmerzstillendes Mittel.

болото Sumpf *m*.

болтливый schwatzhaft. [bes Ei *n*.]

болтун Schwätzer; tau~

боль *f* Schmerz *m*; **~ница** Krankenhaus *n*.

больно schmerzhaft; **мне ~** es tut mir weh; **~й** krank; Kranke(r).

больше größer; mehr; **~ всего** am meisten; **~визм** Bolschewismus; **~вик** Bolschewist; **~вистский** bolschewistisch.

бо́ль|ший der größere; по ~шей ча́сти größtenteils; meist(ens); ~шинство́ Mehrheit *f*; ~шо́й groß.

боля́чка (kleine) Wunde.

бо́мба Bombe; ~ро́вщик Bombenflugzeug *n*.

бомбоубе́жище Luftschutzraum *m*.

бо́нна Kinderwärterin.

бор Nadelwald *m*; ♃ Bohrer; ♎ Bor *n*.

боре́ц Ringer, Kämpfer.

борза́я Windhund *m*.

бормота́ть, про~ murmeln, brummen.

бо́ров Eber.

борови́к Steinpilz.

борода́ Bart *m*.

борода́вка Warze.

борозда́ Furche.

борона́ Egge. [kämpfen.]

боро́ться, по~ ringen,[

борт Borte *f*; ⚓ Bord.

борщ Beten-, (rote) Rüben-suppe *f*.

борьба́ Kampf *m*; Ringkampf *m*.

босико́м barfuß.

босоно́гий barfüßig.

Босфо́р Bosporus.

боса́к Pennbruder, Landstreicher.

бота́н|ик Botaniker; ~и́ческий сад botanischer Garten.

ботви́нья kaltes russisches Gericht *n*.

боти́нок Schuh, Schnürstiefel, Halbschuh.

бо́чка Faß *n*.

боя́знь *f* Furcht, Angst.

боя́ться, по~ fürchten, sich fürchten (P vor *D*.).

брак Ehe *f*; Ausschuß (-ware *f*); ~о́ванный Ausschuß...

брани́ть schelten; ~ся sich streiten; schimpfen.

бра́нный Schmäh...

брань *f* Zank *m*, Geschimpf *n*.

брасле́т Armband *n*.

брат Bruder; ~а́нье Verbrüderung *f*; '~ец Brüderchen *n*; lieber Bruder; '~ия *f* Brüderschaft; '~ский brüderlich, Bruder...

брать, взять nehmen; ergreifen; '~ся за (B) auf sich nehmen; ergreifen.

бра́чный ehelich; Ehe...

бревно́ Balken *m*.

бред Fieberphantasie *f*; в ~у́ im Fieberwahn.

бре́згать, по~ sich ekeln (T vor *D*.), verschmähen.

брезе́нт Plane *f*, Zeltleinwand *f*.

бре́мя *n* Last *f*, Bürde *f*.

бре́ющий полёт Tiefflug. [Gruppe.\]

брига́да Brigade.\

брита́нский britisch.

брит|ва Rasiermesser n; ~венный Rasier...; ~венный прибо́р Rasierzeug n.

брить, (по)~ (~ся sich) rasieren; ~ Rasieren.

бровь f Augenbraue.

броди́ть, по~ umherstreifen; gären (z. B. Bier), fermentieren.

бродя́|га m/f Landstreicher(in f); ~чий umherwandernd, -ziehend.

броне|ви́к Panzer(kraft)wagen, Tank; ~во́й gepanzert, Panzer...; ~но́сец Gürteltier n; Panzerschiff n; ~по́езд Panzerzug n; ~си́лы f/pl. Panzerstreitkraft.

бро́нза Bronze.

броса́ть, бро́сить werfen; (ver)lassen; aufgeben; ~ся в глаза́ auffallen.

бро́шка Brosche.

брус Balken.

брусни́ка Preiselbeere.

брусо́к Vierkant.

бры́з|гать, ~нуть bespritzen.

брюзгли́вый mürrisch.

брю́ки f/pl. Hose(n pl.) f.

бу́бны f/pl. Karo n, Schellen.

буго́р Hügel; (туберкулёзный ~) Tuberkel.

буди́льник Wecker (-uhr f).

буди́ть, раз~ (wecken.\]

бу́дка Wärterhäuschen n; Schilderhaus n; телефо́нная ~ Fernsprechzelle.

бу́дн|ий день m Werktag, Alltag; ~й, ~чный all-täglich, werk-; Alltags...

бу́дто (a. ~ бы) als ob.

бу́дущ|ее Zukunft f; ~ий (zu)künftig.

бу́ер Segelschlitten.

бужени́на gekochtes Schweinefleisch n.

бузина́ Holunder m.

бу́йвол Büffel.

бу́йный ungestüm, stürmisch.

бук Buche f.

бука́шка Käfer(chen n) m.

бу́к|ва Buchstabe m; ~ва́льный buchstäblich; ~ва́рь m Fibel f.

буке́т (Blumen-)Strauß.

бу́ковый Buchen...

букси́р Schleppdampfer; Schlepptau n.

була́вка Stecknadel; Schlipsnadel; англи́йская~ Sicherheitsnadel.

бу́лка Semmel, Weißbrot *n*.

бу́лоч|ная Bäckerei (-laden *m*); **~ник** (Weißbrot-)Bäcker.

булы́жная мостова́я Steinpflaster *n*.

бульо́н Fleischbrühe *f*.

бума́га Papier *n*; Schriftstück *n*; **хлопча́тая ~** Baumwolle.

бума́ж|ка Schriftstück *n*; Zettel *m*; **~ник** Brieftasche *f*; Papierarbeiter; **~ный** Papier...; Baumwoll(en)...

бунт Aufstand.

бунтов|а́ть, взбунтова́ться empören, rebellieren; **~щик** Empörer, Aufständische(r).

бура́в Bohrer; **~ить** bohren.

бура́н Schneegestöber *n*.

буржуа́ *m/f* Bürger(in *f*), Bourgeois *m*; **~зия** Bürgertum *n*.

бу́рный stürmisch.

бу́рый graubraun; **~ у́голь** *m* Braunkohle *f*.

бу́ря Unwetter *n*, Sturm *m*.   [Brot *n*.]

бутербро́д belegtes]

буто́н Knospe *f*.

буты́лка Flasche *f*.

бу́фер 🚃 Puffer.

буфе́т Büfett *n*, Schenktisch; Wirtschaft *f*.

бухга́лтер Buchhalter; **~ия** Buchführung.

бу́хнуть, раз~ aufquellen.

бу́хта Bucht.

бушева́ть, за~ brausen; tosen.

буя́н Lärm(mach)er.

бы: я сказа́л **~**, е́сли **~** я знал ich würde es sagen, wenn ich es wüßte.

быва́ть 1. vorkommen; sich befinden; **2. по~** besuchen.

бы́вший gewesen; ehemalig.

бык 1. Stier, Bulle; **2.** Brückenpfeiler.

бы́ло (чуть ~) fast, beinahe.

былóй vergangen.

быль *f* wahre Geschichte.

быстротá Schnelligkeit; Geschwindigkeit.

бы́стрый schnell, rasch.

быт Lebens-art *f*, -weise *f*; **~ué** Dasein; **~ово́й** Lebens...; Sitten...

быть 1. sein; sich ereignen; stattfinden; **2. по~** sich aufhalten.

бюро́ Büro; Schreibtisch *m*; **спра́вочное ~** Auskunftsbüro.

бюрокра́т Bürokrat; **~и́зм** Bürokratismus; **~ия** Bürokratie.

В

в, во (В П) in, nach; während, innerhalb; an, um; zu, von; **в о́тпуске** auf Urlaub; **в дождь** bei Regen.

ваго́н 🚂 Wagen; **~ресто́ран** Speisewagen; **спа́льный ~** Schlafwagen.

вагоновожа́тый Wagenführer.

ва́ж|ность f Wichtigkeit; Bedeutung; Hochmut m; **~ный** wichtig; gewichtig.

ва́за Vase.

ва́кса (Schuh-)Wichse.

вакцина́ция Impfung.

вал Wall; Walze f, Welle f.

ва́ленки m/pl. Filzstiefel.

вале́т Spiel: Bube.

вали́ть, по~ (um)werfen, umstoßen; **~ся** (um)fallen.

валово́й Brutto...; Roh-.

вальс Walzer.

валю́та Valuta, Währung.

валя́ть, по~ (umher)wälzen.

вам euch; Ihnen; **~и** durch euch od. Sie.

вани́ль f Vanille.

ва́нна Wanne; Badewanne; Bad n; **~я (ко́мната)** Bade-zimmer n, -stube.

ва́рвар Barbar.

варе́нье Eingemachte(s); Konfitüre f.

вари́ть, с~ kochen, sieden, brauen; verdauen.

вас euer; euch, Sie.

ва́та Watte.

ва́фля Waffel.

ва́хта Wache, Wacht.

ваш, ~а, ~е, pl.: **~и** euer, eure; Ihr(e).

вбега́ть, вбежа́ть hin-ein-laufen, -rennen.

вби(ва́)ть einschlagen.

вблизи́ in der Nähe, unweit.

введе́ние Einführung f; Einleitung f.

вверх nach oben; **~у́** oben.

ввиду́ (Р) angesichts.

вви́н|чивать, ~ти́ть einschrauben.

вводи́ть, ввести́ (hin-)einführen.

ввоз Einfuhr f; **~и́ть, ввезти́** einführen.

BBC (вое́нно-возду́ш-ные си́лы) Luftstreitkräfte f/pl.

вгиба́ть, вогну́ть einbiegen.

вгоня́ть, вогна́ть hineintreiben. [ragen.]

вда́(ва́)ться hinein-

вда́|вливать, ~ви́ть (hin)ein-drücken, -pressen.

вдали́ in der Ferne.

вдаль in die Ferne.

вдвижно́й einschiebbar; Schub...

вдвоём zu zweit.

вде(ва́)ть einfädeln.

вде́л(ыв)ать einsetzen.

вдо|ва́ Witwe; ~ве́ц Witwer.

вдоль (P) längs, entlang.

вдохно|ве́ние Eingebung f, Anregung f, ~вля́ть, ~ви́ть begeistern; anregen.

вдохну́ть s. вдыха́ть.

вдруг plötzlich.

вду́(ва́)ть(hin)einblasen.

вду́м(ыв)аться sich hineindenken.

вдыха́|ние Einatmung f; ~ть, вдохну́ть einatmen; fig. einsaugen.

веде́ние[1] Führung f.

ве́дение[2] Kompetenz f.

ве́домство Behörde f; Amt.

ведро́ Eimer m.

ведь doch, ja.

ве́жливый höflich.

везде́ überall.

везти́, по~ fahren; ему́ везёт er hat Glück.

век Jahrhundert n; Zeitalter n; во '~и ~о́в in (alle) Ewigkeit, ewig (-lich).

ве́ко (mst pl.) Augenlid.

веково́й hundertjährig; uralt.

веле́ть befehlen.

велика́н Riese.

вели́к|ий groß; ~не держа́вы //pl. Großmächte; Пётр 2ий Peter der Große.

Велико|брита́ния Großbritannien n; 2-ду́шный großmütig; 2ле́пный prächtig; herrlich; 2ру́сский großrussisch.

вели́|ча́вый erhaben; '~чественный erhaben; ~чина́ Größe.

велодро́м Radrennbahn f.

велосипе́д Fahrrad n; ~и́ст Radler, Radfahrer; ~ная го́нка Radrennen n; ~ная доро́жка Radfahrweg m.

ве́на Vene, Blutader f.

венге́рец Ungar m.

Ве́нгрия Ungarn n.

ве́ник (Birken-)Rute f.

вено́к Kranz.

венча́|льный (kirchlich) Trau..., Trauungs...; ~

ние Trauung f; ~ть, (об~, по~) trauen.

вепрь m Wildschwein n.

вéра Glaube m; Vertrauen n.

верблю́д Kamel n.

вербова́ть, за~ (an-) werben.

верёв|ка Strick m, Leine; ~очка Bindfaden m.

верени́ца (lange) Reihe; Kette.

вéрить, по~ (Д od. в В) glauben; (j-m) trauen.

вермише́ль f Nudeln f/pl.

вéрно sicher(lich); ~сть f Treue; Richtigkeit.

верну́ть zurückgeben; wiedergewinnen; ~ся zurückkehren.

вéрный treu; richtig.

вероисповéдание Konfession f.

вероло́мный treulos; verräterisch.

вероя́тный wahrscheinlich.

верста́к Werktisch, Hobelbank f.

вертéть, по~ drehen.

верфь f Werft.

верх Obere(s) n; Oberteil n; fig. Gipfel; ¹~ний obere(r), Ober...

верхо́|вный oberste(r) ²вный Совéт СССР der Oberste Rat der Ud-

SSR; ~вное кома́ндование oberste Heeresleitung f; ~во́й Reit...; ~ва́я езда́ Reiten n; ~вье Oberlauf m; éхать ~м reiten.

верху́шка, верши́на Gipfel m, Spitze, Wipfel m.

вес Gewicht n; fig. Ansehen n.

весели́ть, по~ (~ся sich) belustigen, ergötzen.

весё|лость f Heiterkeit; Fröhlichkeit; ~лый froh, fröhlich.

весéл|ье Fröhlichkeit f; Heiterkeit f.

весло́ Ruder.

весéнний Frühlings...

весн|á Frühling m; ~о́й im Frühling.

весну́шка (mst pl.) Sommersprosse. [Waage...]

весово́й Gewichts...

вести́, по~ führen, leiten.

вéстник Bote.

весть f Nachricht, Gerücht n.

весы́ m/pl. Waage f.

весь, вся, всё, pl.: все all(e); ganz; s. все.

весьма́ sehr.

ветвь f Zweig m.

вéтер Wind; вéтры pl. Blähungen f/pl.

вéто Veto; наложи́ть ~ Veto einlegen.

ве́треный windig.

ве́тхий alt; abgenutzt; baufällig.

ветчина́ Schinken m.

ве́чер Abend m. ~и́нка Abendgesellschaft; (Tanz-)Kränzchen n; '~ний abendlich; Abend...; ~ом am Abend, abends.

ве́ч|ность f Ewigkeit; ~ный ewig; lebenslänglich; ~ное перо́ Füllfederhalter m.

ве́шалка Kleiderhaken m; Aufhänger m.

ве́шать, пове́сить (an-) hängen; erhängen.

веще|во́й мешо́к Rucksack; ~ство́ Stoff m, Materie f; взры́в-чатое ~ство́ Sprengstoff m.

вещь f Sache; Ding n; Stück n.

ве́ять, по~ wehen.

взад: ~ и вперёд auf und ab; ни ~ ни вперёд weder vor- noch rückwärts.

взаи́мный gegenseitig. взаимо|де́йствие Zusammenwirken; ~по́мощь f gegenseitige Unterstützung.

взаймы́: дать ~ (ver-) leihen; взять ~ borgen.

взаме́н anstatt.

взбе|га́ть, ~жа́ть hinauflaufen.

взби|ва́)ть aufschütteln; schlagen (Sahne).

взве́|шивать, ~сить (ab)wiegen; erwägen.

взвод ⚔ Zug.

взгля|д Blick; Ansicht f; '~дывать, ~ну́ть (на B) anblicken.

вздор Unsinn.

вздох Seufzer; ~ну́ть s. вздыха́ть.

вздра́гивать, вздро́гнуть auffahren, zusammenfahren.

взду|ва́)ть aufwirbeln.

вздыха́ть, вздохну́ть Atem schöpfen, seufzen.

взима́ть erheben, einziehen.

взле́з(а́)ть hinaufklettern.

взлёт Aufflug; ~ самолёта Start des Flugzeugs.

взле|та́ть, ~те́ть auffliegen; abfliegen, starten. взлом Einbruch; '~щик Einbrecher.

взмо́рье Strand m; Küste f.

взнос Einzahlung f.

взойти́ s. восходи́ть u. всходи́ть.

взор Blick.

взро́слый er-, aus-gewachsen;Erwachsene(r).

взры|в Explosion *f*, Sprengung *f*; ～ва́ть

1. взорва́ть sprengen; **2.** взрыть aufwühlen.

взъезжа́ть, взъе́хать hinauffahren.

взыска́|ние Eintreibung *f*; Strafe *f*; ～тельный anspruchsvoll.

взы́скивать, взыска́ть eintreiben, einkassieren; erheben (*Gebühr*).

взя́т|ка *Spiel*: Stich *m*; Schmiergeld *n*; ～очничество Bestechlich-

взять *s.* брать. [keit *f*.]

вид Anblick; Ansicht *f*; Aussicht *f*; Gattung *f*; Aussehen *n*; Zustand; Aspekt; *fig.* Seite; име́ть в ～у́ im Auge haben, auf (*j-n*) rechnen; в ～е als, in der Gestalt; ～ на жи́тельство Aufenthaltsbescheinigung *f*.

ви́деть, у～ sehen.

ви́димый sichtbar, sichtlich.

вид|но man sieht; ～ный sichtbar; ansehnlich.

видоизмене́ние Abart *f*; Änderung *f*.

ви́за Visum *n*; ～ на въезд Einreisevisum *n*; ～ на вы́езд *od.* вы́ездная ～ Ausreisevisum *n*.

визг Gewinsel *n*.

визжа́ть, за～ winseln, kreischen.

ви́лка Gabel; ште́псельная ～ Steckkontakt *m.* [deln.]

виля́ть, вильну́ть we-

вина́ Schuld; Ursache.

вини́ть, об～ beschuldigen.

ви́нный Wein...; Branntwein...; ～ая я́года (getrocknete) Feige.

вино́ Wein *m*; Branntwein *m.*

винова́т! entschuldigen Sie!; ～ый schuldig; schuldbewußt.

вино́в|ник Urheber; ～ный schuldig.

виногра́д Weintrauben *f/pl.*; Weinstock.

вино́дел Winzer; ～ие Weinbau *m.*

винокуренный заво́д Branntweinbrennerei *f.*

виноторго́|вец Weinhändler *m*; ～вля Weinhandlung *f.*

винт Schraube *f*; ～и́ть, (по～) schrauben.

винто́вка Büchse, Gewehr *n.*

ви́селица Galgen *m.*

висе́ть, по～ hängen, schweben.

висо́к Schläfe *f.*

високо́сный год Schaltjahr *n.*

висячий hängend; Hänge...; **~ замо́к** Vorhängeschloß n.

вить, с~ winden; bauen (Nester); **~ся** sich ranken; wirbeln; schlängeln; sich kräuseln.

вихрь m Wirbelwind.

вишнёвка Kirschlikör m; **~нёвый** Kirsch...; kirschfarbig; **~ня** Kirschbaum m; Kirsche.

вклад Einlage f; Beitrag; **~но́й** einlegbar; Einlage...; **~ывать, вложи́ть** hineinlegen.

включи́ть, ~а́ть, ~, ein-einschließen, (ein)schalten; **~чи́тельно** einschließlich.

вкорени́ть, ~ня́ть einprägen, -schärfen.

ВКП (б) [Всесою́зная Коммунисти́ческая па́ртия (большевико́в)] KPdSU (B) [Kommunistische Partei der Sowjet-Union (Bolschewiki)] (vor dem 19. Parteitag im Oktober 1952, jetzt s. **КПСС**.

вкра́дываться, ~сться sich einschleichen; fig. erschleichen.

вкра́тце in Kürze, kurz.

вкруту́ю: яйцо́ ~ hartgekochtes Ei.

вкус Geschmack; **~ный** schmackhaft.

вла́га Feuchtigkeit.

владе́|лец Besitzer; **~ние** Besitz m; **~ть** (T) besitzen; beherrschen.

вла́жный feucht.

власть f Macht; Gewalt; bsd. pl. Behörde.

вле́во (hin)zielen.

влез(а́)ть hineinklettern; hinaufklettern; eindringen.

влече́ние Trieb m.

влечь (hin)ziehen.

вли(ва́)ть eingießen.

влия́|ние Einfluß m; **~тельный** einflußreich; **~ть, (по~)** Einfluß haben.

вложе́|ние Einlage f; Investition f; **~ить** s. **вкла́дывать**.

влю|бля́ться, ~би́ться sich verlieben; **~блённый** verliebt.

вме|ня́ть, ~ни́ть beimessen, anrechnen.

вме́сте zusammen; gemeinschaftlich; **~ с тем** meinschaftlich; **~ с тем** zugleich.

вмести́|мость f Raum (-inhalt) m; **~тельный** geräumig.

вме́сто (P) (an)statt (G.).

вмеша́тельство Einmischung f.

вме́|шиваться,

шаться sich einmischen

вме|щать, ~стить (hin-)einlegen; unterbringen; fassen; (~ся) hineingehen; Platz haben.

вмиг im Nu.

внаём od. внаймы: отдать ~ vermieten; взять ~ mieten.

вначале anfangs.

вне (P) außer(halb).

внезапный plötzlich.

внепартийный außerhalb der Partei stehend.

внести s. вносить.

внешний äußerlich; Außen...

вниз nach unten; ~y unten; ~ (P) unter (D.).

вник|ать, '~нуть (в B) eindringen (in A.), ergründen.

внима́|ние Aufmerksamkeit f; принять во ~ние in Betracht ziehen; ~тельность f Zuvorkommenheit; ~тельный aufmerksam.

вничью́: (сыгра́ть) ~ unentschieden (spielen).

вновь von neuem.

вносить, внести́ eintragen; einzahlen; hineintragen; hineinbringen; beitragen.

внук Enkel.

вну́тренний innerlich; inwendig; Innen...; Binnen...

внутри́ (P) innerhalb (G.), im Innern.

вну|шать, ~шить einflößen.

вня́тный deutlich, vernehmlich.

во s. в.

вовле|ка́ть, '~чь hineinziehen; verleiten (zu).

во́время rechtzeitig.

вогнать s. вгоня́ть.

во́гнутый konkav; nach innen gewölbt.

вогну́ть s. вгиба́ть.

вод|а́ Wasser n; '~ы pl. Gewässer n; на ~а́х im Kurort.

води́ть, по~ führen, leiten; ~ся vorkommen.

во́дка Branntwein m.

водо-... Wasser...; ~боязнь f Wasserscheu; ~воро́т Wasserstrudel; ~измеще́ние Wasserverdrängung f; ~ла́з Taucher; ~па́д Wasserfall; ~прово́д Wasserleitung f; ~прово́дный Wasserleitungs...; ~ро́д Wasserstoff; ~снабже́ние Wasserversorgung f.

воева́ть Krieg führen.

военно-возду́шный Luftstreit...; ~-возду́шные си́лы f/pl. Luftstreitkräfte; ~-морско́й

Kriegsmarine...; ~обя́занный wehrpflichtig; ~пле́нный Kriegsgefangene(r).

вое́нный militärisch; Милита́р...; Кригс...; Wehr...; Soldat.

вожа́тый (пионе́ров) Pionierleiter.

вожжа́ Zügel m.

воз Fuhre f.

возбу|жда́ть, ~ди́ть anregen, aufwiegeln; aufpeitschen; hervorrufen.

возведе́ние Erhebung f.; Errichtung f.

возводи́ть, возвести́ erheben; errichten.

возвра|ща́ть, ~ти́ть zurückgeben; ersetzen; (~ся) zurück-, wiederkehren.

возвы|ша́ть, '~сить erhöhen; erheben (Stimme); ~ше́ние Erhöhung f.

во́зглас Ausruf m.

возда́(ва́)ть vergelten.

воздви|га́ть, ~гнуть erbauen; errichten.

воздер|жа́ние Enthaltsamkeit f.; '~живаться, ~жа́ться sich enthalten.

во́здух Luft f.; на ~е im Freien.

возду́шн|ый luftig;

Luft...; ~ый насо́с Luftpumpe f; ~ая по́чта Luftpost; ~ая разве́дка Luftaufklärung; ~ое сообще́ние Luftverkehr m.

воззва́ние Aufruf m.

воззре́ниеAnschauung f.

вози́ть s. везти́; ~ся toben; sich abmühen.

воз|лага́ть, ~ложи́ть auferlegen; ~лага́ть наде́жды (на В) Hoffnungen setzen (auf A.).

во́зле (P) neben, bei.

возме́здие Vergeltung f.

возме|ща́ть, ~сти́ть vergüten, ersetzen; ~ще́ниеEntschädigung f.

возмо́ж|но es ist möglich; ~ность f Möglichkeit; ~ный möglich.

возмути́тельный empörend.

возму|ща́ть, ~ти́ть empören.

вознагра|жда́ть, ~ди́ть belohnen; entschädigen; ~жде́ние Entschädigung f, Lohn m.

возненави́деть s. ненави́деть.

возник|а́ть, '~нуть entstehen.

возобно|вля́ть, ~ви́ть erneuern; wiederaufnehmen (Arbeit).

возра|жа́ть, ~зи́ть entgegnen, einwenden.

во́зраст (Lebens-)Alter n.

возро|жда́ть, ~ди́ть erneuern; ~жде́ние Wiederaufleben, Erneuerung f.

во́ин Krieger; ~ский Kriegs..., Heer..., Militär...; ~ская пови́нность f, ~ская обя́занность f Wehrpflicht.

вой Geheul n. [Filz..]

во́йло|к Filz; ~чный)

война́ Krieg m.

войск|а́ n/pl. Truppen f/pl.; ~ово́й Truppen..., Heeres...; Heer n.

войти́ s. входи́ть.

вокза́л Bahnhof.

вокру́г (P) (her)um.

вол Ochs(e).

во́лжский Wolga...

волк Wolf.

волна́ Welle, Woge.

волне́ние Wallung f; Aufregung f; Aufruhr m; ~ на мо́ре Seegang m.

волнова́ть, вз~ bewegen; aufregen.

волокно́ Faser f.

во́лос Haar n; ~а́тый haarig; ~о́к Härchen n.

волочи́ть, по~ ⊕ ziehen.

во́л|чий wölfisch, Wolfs...; ~чи́ца Wölfin.

волше́б|ник Zauberer; ~ный zauberhaft; Zauber...

во́льность f Freiheit; ~ный frei, ungebunden.

во́ля Wille m, Freiheit; дать во́лю freien Lauf lassen.

вон hinaus; fort; weg.

вонь f Gestank m.

воню́чий stinkend.

вообра|жа́ть, ~зи́ть sich einbilden; (sich) denken; ~же́ние Einbildung f.

вообще́ überhaupt, im allgemeinen.

воодуше|вле́ние Begeisterung f; ~вля́ть, ~ви́ть (~ся sich) begeistern.

воору|жа́ть, ~жи́ть bewaffnen, (aus)rüsten; ~жа́ть aufreizen; ~же́ние Ausrüstung f; (Auf-)Rüstung f.

вопло|ща́ть, ~ти́ть (~ся sich) verkörpern.

вопреки́ (Д) (zu)wider; trotz; gegen; entgegen.

вопро́с Frage f; ~и́тельный fragend; Frage...

вор Dieb.

ворва́ться s. врыва́ться.

воробе́й Sperling, Spatz.

воров|а́ть stehlen; ~ство́ Diebstahl m.

во́рон Rabe; ⌐а Krähe.

воро́нка Trichter m.

во́рот Winde f; Kragen; ⌐а pl. Tor n; Pforte f; ⌐ни́к Kragen.

ворча́ть, по⌐ brummen, knurren.

воск Wachs n.

воскли|ца́ние Ausruf m, ⌐кнуть pf. (laut) ausrufen.

восково́й Wachs...

воскре|са́ть, ⌐сну́ть auferstehen; ⌐се́ние Auferstehung f; ⌐се́нье Sonntag m.

воспа|ле́ние Entzündung f; ⌐лённый entzündet; ⌐ля́ться, ⌐ли́ться sich entzünden.

воспита́ние Erziehung f.

воспита́тель m Erzieher; ⌐ный Erziehungs...

воспи́|тывать, ⌐та́ть erziehen.

воспламе|ня́ть, ⌐ни́ть entflammen, entzünden.

воспо́льзоваться pf. ausnutzen.

воспомина́ние Erinnerung f.

воспре|ща́ть, ⌐ти́ть verbieten; ⌐ща́ется! Rauchen verboten!; ⌐ще́ние Verbot.

восприи́мчивый empfänglich.

воспри|нима́ть, ⌐ня́ть empfangen; auffassen.

воспроизведе́ние Reproduktion.

восста́|(ва́)ть sich empören; sich erheben; ⌐ние Aufstand m; ⌐новле́ние Wiederherstellung f, Wiederaufbau m; Auffrischung f; ⌐новля́ть, ⌐нови́ть wiederherstellen; aufreizen.

восто́к Ost(en); ② Orient.

восто́р|г Entzücken n; Begeisterung f; ⌐женный entzückt, begeistert.

восто́чный östlich; Ost...; orientalisch.

востре́бовани|е: до ⌐я postlagernd.

восхо́д Aufstieg; ⌐ со́лнца Sonnenaufgang; ⌐и́ть, взойти́ aufgehen; (hin)aufsteigen.

вот hier (ist), da (ist); sieh da!; ⌐ ещё! da fehlte noch!

вошь f Laus.

вощи́ть, на⌐ wachsen, bohnern.

вою́ющий kriegführend.

впа|да́ть, ⌐сть (hinein-) fallen; münden; verfallen; ⌐де́ние Mündung f. [Augenhöhle.)

впа́дина: глазна́я ⌐)

впа́лый eingefallen (Augen, Wangen).

впервы́е zuerst.

вперёд vorwärts; (im) voraus; voran.

впереди́ (P) vorn(e), voran.

впечат|ле́ние Eindruck m; ~ли́тельный empfänglich.

впи́|сывать, ~са́ть einschreiben; eintragen.

вплотну́ю dicht (an, bei).

вплоть до bis an, bis zu.

вполго́лоса halblaut.

вполне́ völlig, gänzlich.

впо́ру: быть ~ passend sein.

впосле́дствии späterhin.

впра́во (nach) rechts.

впредь künftig(hin).

впро́чем übrigens, sonst.

впры́с|кивание Einspritzung f; Injektion f; ~кивать, ~нуть (hin-)einspritzen.

впу|ска́ть, ~сти́ть (hin-)einlassen.

враг Feind; Gegner.

враж|да́ Feindschaft; ~де́бный, вра́жеский feindlich.

врач Arzt; ~-специали́ст Facharzt; ~е́бный ärztlich; Heil...; ~женщина ~ Ärztin f.

вра́|ща́ть (um)drehen;

~ще́ние Drehung f; Kreisen.

вред Schaden; ~и́тель m Schädling; ~и́ть, (по~) schaden; ~ный schädlich.

вре́менный zeitweilig; Interims...

вре́мя n Zeit f; во ~ während; на ~ auf einige Zeit; ~исчисле́ние Zeitrechnung f; ~препровожде́ние Zeitvertreib m.

вро́де in der Art (von).

врождённый angeboren.

в ро́зницу einzeln.

врозь getrennt.

вру|ча́ть, ~чи́ть einhändigen, übergeben.

врыва́ться, ворва́ться eindringen, hereinstürmen.

вряд ли kaum, schwerlich.

всё all(es); ~ ещё immer noch; ~ всего́ im ganzen.

все... all(er)...; ~возмо́жный allmöglich.

всегда́ immer, stets; раз на ~ ein für allemal.

все|ле́нная Weltall n; ~ля́ть, ~ли́ть einquartieren; ~ми́рный Welt...; ~ми́рная исто́рия Weltgeschichte f; ~могу́щий allmächtig.

~общий (ganz) allgemein; ~союзный die ganze (Sowjet-)Union betreffend; Allunions...; ~сторонний allseitig.

всё-таки dennoch, trotzdem. [ständig, völlig.]

всецело gänzlich; voll-

вскакивать, вскочить aufspringen.

вскоре bald, binnen kurzem.

вскри|кивать, ~кнуть aufschreien.

вскры|(ва)ть aufmachen, öffnen; sezieren; aufdecken; '~тие Öffnen; Obduktion f.

вслед hinterher; nach...; '~ствие infolge.

вслух laut (lesen usw.).

всмятку: яйцо ~ weichgekochtes Ei.

всплы|(ва)ть auftauchen; an der Oberfläche erscheinen.

вспо|минать, '~мнить sich erinnern; zurückdenken.

вспомогательный Hilfs...

вспотеть s. потеть.

вспыльчивый heftig, hitzig.

вста|(ва)ть aufstehen; sich stellen; aufgehen; '~вка Einsatz m; ~влять, '~вить ein-

setzen, -fügen; ~вной Einsatz...; ~вные зубы m/pl. falsche Zähne.

встре́|ча Begegnung; Empfang m; ~ча́ть, ~тить begegnen; empfangen; ~чный entgegenkommend; ~чный поезд ⚙ Gegenzug.

всту|пать, ~пить antreten; eintreten; beginnen; ~пать в брак (sich ver)heiraten; ~пительный einleitend; Antritts...

всходить, взойти (hin)aufgehen.

всюду überall.

всякий jeder(mann).

втайне heimlich.

вта́лкивать, втолкну́ть hineinstoßen.

втекать einfließen; münden.

втира́|ние Einreibung f; ~ть, втереть einreiben.

втор|га́ться, ~гнуться ein-fallen, -dringen; sich einmischen; ~жение (feindlicher) Einfall m.

вторичн|ый abermals; ~ый wiederholt; sekundär.

вторник Dienstag.

второ|пя́х in der Eile; ~степенный nebensächlich; Neben...; zweitrangig.

втуз (вы́сшее техни́ческое уче́бное заве́дение) Technische Hochschule f.

вуз (вы́сшее уче́бное заведе́ние) Hochschule f.

вход Eingang; Eintritt.

входи́ть, войти́ hineingehen, (~ в ваго́н) einsteigen; ~ в сноше́ния in Verbindung treten.

входно́й Eintritts...

ВЦСПС (Всесою́зный Центра́льный Сове́т Профессиона́льных Сою́зов) Zentralrat der Gewerkschaften der Sowjetunion.

вчера́ gestern; ~шний gestrig.   [reise f.]

въезд Einfahrt f; Ein-]

въезжа́ть, въе́хать (hin)einfahren; einziehen.

вы ihr; Ihr, Sie.

выб(и)ра́ть (aus)wählen; herausnehmen.

вы́бор Wahl f; Auswahl f; ~ы pl. Wahlen f/pl; ~ный (aus)gewählt; Abgeordnete(r); ~щик Wähler.

выбра́сывать, вы́бросить hinauswerfen.

вы́везти s. **вывози́ть**.

вы́веска Aushängeschild n; Aushang m.

вы́вести s. **выводи́ть**.

вы́ветри(ва)ть auslüften.

выве́|шивать, ~сить aushängen; abwägen.

вы́вих Verrenkung f; ~нуть pf. verrenken.

вы́вод Folgerung f; Zurückziehen n; ~и́ть, вы́вести hinausführen; entfernen; ~ок Brut f.

вы́воз Ausfuhr f; Abfuhr f; ~и́ть, вы́везти (hin)aus-führen, -fahren.

выгля|дывать, ~нуть hinaussehen; hervorlugen.

вы́говор Aussprache f; Tadel.

вы́год|а Vorteil m, Nutzen m; ~ный vorteilhaft.

вы́гон Viehweide f; ~я́ть, вы́гнать hinaustreiben; destillieren.

выго|ра́ть, ~реть ausbrennen; verschießen (Farbe).

выгру|жа́ть, ~зить ausladen.

вы́грузка Ausladung f; Löschung.

выда(ва́)ть (her)ausgeben; ausstellen.

выдава́ться hervortreten, hervorragen.

вы́дача Ausgabe f; Auszahlung f. Auslieferung f.

выдвижнóй Schub...

выде|лка Zubereitung; Ausführung; Gerbung; **'~л(ыв)ать** bearbeiten, fabrizieren; austreiben.

выде|лять, **~лить** zu-(er)teilen; auszeichnen; absondern.

выдéрж(ив)ать aushalten; ertragen; bestehen.

выдержка Ausdauer; Auszug *m*; Zitat *n*.

выдум|ка Einfall *m*; **'~(ыв)ать** ausdenken.

выдыхáть, **выдохнуть** ausatmen; **~ся** ausdünsten.

выезд Ausfahrt *f*; Abreise *f*.

выезжáть, **выехать** weg-, ab-fahren *od.* -reisen; ausziehen.

выздо|ровлéние Genesung *f*; **~рáвливать**, **~роветь** genesen.

вызов Anruf; Vorladung *f*.

выз(ы)вáть hervorrufen; anrufen; (auf-)fordern.

выйгр(ыв)ать gewinnen.

вы́игрыш Gewinn.

вы́йти *s.* выходи́ть.

вы́кидыш Fehlgeburt *f*.

выклю|чáтель *m* Aus-schalter; **~чáть**, **~чить** ausschalten.

выкрáивать, **выкро-ить** zuschneiden.

вы́куп Lösegeld *n*; **~áть**, **~ить** loskaufen, aus-lösen.

вы́лез(á)ть herauskrie-chen; ausgehen (*Haar*).

вы́лет Ausflug; **~еть** (hin-)ausfliegen.

вылéчи(ва)ть (**~ся** sich) auskurieren.

вымáни(ва)ть heraus-locken.

вымéри(ва)ть ausmes-sen. [fegen.]

выме|тáть, **~сти** aus-)

вымо|гáтельство Er-pressung *f*; **~гáть** er-pressen.

вы́мысел *fig.* Erfin-dung *f*; Lüge *f*.

вы́мя *n* Euter.

вынимáть, **вы́нуть** (her-)ausnehmen.

выноси́ть, **вы́нести** (hin-)austragen; ertra-gen; *Resolution*: anneh-men; *fig.* aushalten.

выну|ждáть, **~дить** nö-tigen; **вы́нужденная посáдка** Notlandung *f*.

вы́нуть *s.* вынимáть.

выша|дáть, **~сть** (her-)ausfallen.

вы́пи(вá)ть (aus-)trin-ken.

вы́пили(ва)ть aussägen; ausfeilen.

вы́пи|ска Auszug m;
Bezug m; Abmeldung;
'∼сывать, ∼сать aus-
schreiben; abschreiben;
bestellen; beziehen; ab-
melden.

вы́пить s. вышива́ть.

вы́пла|та Auszahlung f;
'∼чивать, ∼тить aus-
zahlen.

выпол|за́ть, ∼зти (her)-
auskriechen.

выпол|ня́ть, ∼нить er-
füllen; ausführen.

выпра|вля́ть, ∼вить
zurechtmachen; ver-
bessern; gerade biegen.

выпра́|шивать, вы́про-
сить er- aus-bitten.

выпря|га́ть, ∼чь aus-
spannen.

вы́пуклый gewölbt,
konvex.

вы́пуск Entlassung f;
Austritt; Ausgabe f; Be-
lieferung f; ∼ами liefe-
rungsweise; ∼а́ть, вы́-
пустить hinaus-, her-
aus-lassen; entlassen;
beliefern; ∼а́ть (на
свобо́ду) freilassen;
(her)ausgeben; ∼ной
Entlassung..., Schluß...

выра|ба́тывать, ∼бо-
тать ausarbeiten; her-
stellen; ausbauen.

выра́внивать, вы́ров-
нять ebnen; richten.

выра|жа́ть, ∼зить aus-
drücken; äußern; ∼же́-
ние Ausdruck m; Äuße-
rung f; ∼зи́тельный
ausdrucksvoll.

выра|ста́ть, ∼сти auf-
wachsen; anwachsen.

вы́рвать s. вырыва́ть.

выреза́|ть, ∼ть (her)-
ausschneiden; gravieren.

вы́ровнять s. выра́в-
нивать.

вырожде́ние Aus-, Ent-
artung f.

выру|ба́ть, вы́рубить
abholzen; heraushacken.

выр(ы)ва́ть, (her)aus-
reißen; entreißen.

вы́са|дка Landung f; Ver-
pflanzung f; '∼живать,
∼дить (на бе́рег) aus-
schiffen, landen.

высе|ля́ть, ∼лить aus-
siedeln; ausweisen.

выси́|живать, ∼деть
ausbrüten.

выска́з(ыв)ать aus-
sagen; ausdrücken.

выслу́ш(ив)ать an-
ab-, zu Ende hören.

высме́ивать, вы́сме-
ять auslachen.

высо́вывать, вы́сунуть
heraus-, hinaus-st(r)ek-
ken.

высо́к|ий hoch; groß;
∼ое напряже́ние
Hochspannung f.

высоко|ка́чественный hochwertig; Qualitäts...; ме́рие Hochmut *m*; ме́рный hochmütig; па́рный schwülstig, hochtrabend.

высота́ Höhe.

высохнуть *s.* высыха́ть.

выста́|вка Ausstellung; вля́ть, вить (her-), (hin)ausstellen; vorwärtsschieben.

выст(и)ла́ть belegen, auslegen.

вы́стрел Schuß.

вы́ступ Vorsprung; а́ть, ить hervortreten; austreten; auftreten.

вы́сунуть *s.* высо́вывать.

вы́сший höchst; höher; Hoch...

выс(ы)ла́ть abschicken; ausweisen.

высыха́ть, вы́сохнуть ver-, aus-trocknen.

выта́|скивать, щить heraus-ziehen, -schleppen.

выте|ка́ть, чь (her-) ausfließen; entspringen; folgen.

вытес|ня́ть, нить verdrängen; vertreiben.

вы́течь *s.* вытека́ть.

вытира́ть, вы́тереть abreiben; abtrocknen; wischen.

выть heulen.

выта́|гивать, нуть (her)ausziehen; strecken.

вы́учи(ва)ть lehren; (er)lernen; ся (Д) (er)lernen.

выхва́|тывать, тить herausreißen, herausziehen.

вы́ход Ausgang; Ausweg; *Thea.* Auftritt; и́ть, вы́йти (hin)ausgehen; aussteigen; ausscheiden; erscheinen; herrühren; geraten; (*a.* вы́йти) за́муж за (В) sich verheiraten mit (*von Frauen*).

выцве|та́ть, сти ausbleichen; verschießen (*Farbe*).

вычёркивать, вы́черкнуть ausstreichen.

вы́честь *s.* вычита́ть.

вы́чет Abzug; за о́м abzüglich [rechnen].

вычис|ля́ть, лить berechnen, výchislить abziehen (из von).

вычи|ща́ть, стить reinigen, putzen.

вы́ше höher; oben; über; означенный, сказанный oben-erwähnt; -genannt.

вышина́ Höhe.

вы́шка Söller m; Turm m; Wachtturm m.

выяс|ни́ть, ~ня́ть aufklären, erläutern.

вью́га Schneegestöber n.

вяз Ulme f.

вяза́|ные Strickzeug, Strickerei f.

вяза́ть, с~ (zs.-)binden; zs.-ziehen; stricken; häkeln.

вя́зкий kleb(e)rig, zähe; sumpfig.

вя́знуть, у~ einsinken.

вя́лый schlaff; flau.

вя́|нуть, за~, у~ (ver)welken; fig. erschlaffen.

Г

га́вань f Hafen m.

гадю́ка Viper, Natter.

га́ечный ключ Schraubenschlüssel.

газ Gas n; Gaze f.

газе́т|а Zeitung f; ~ный Zeitungs...; ~чик Zeitungsverkäufer.

га́зо|вый Gaze...; Gas...; ~ме́(т)р Gasmesser.

газо́н Rasen(fläche f).

газопрово́д Gasleitung f.

га́йка Schraubenmutter.

галантере́йные това́ры m/pl. Galanterie-, Kurz-waren f/pl.

галере́я Galerie.

гало́ша s. кало́ша.

га́лстук Krawatte f.

гама́к Hängematte f.

гама́ши f/pl. Gamaschen.

гангре́на ☞ Brand m.

гара́ж Auto(mobil)halle f, Garage f.

гара́нтия Garantie.

гардеро́б Garderobe(nzimmer n) f; Kleiderschrank; ~щица Garderobenfrau. [Gardine.

гарди́на Vorhang m,]

гармо́ни|ка (Zieh-)Harmonika; ~ческий, ~чный harmonisch.

гарни́р Beilage f.

гарь f Brandgeruch m.

гаси́ть, по~ (aus-) löschen.

га́снуть, по~ erlöschen, ausgehen.

гастро|лёр Gastspieler; ~лировать Gastrollen geben; ~ль f Gastrolle, Gastspiel n.

гастрономи́ческий магази́н Feinkost-, Delikatessen-handlung f.

гва́рдия Garde.

гвоз|ди́ка Nelke; Gewürznelke; ~дь m Na

gel; ~дь сезо́на Zug-
stück n, Schlager.
где wo; ~либо, ~ни-
будь, ~то irgendwo.
гекта́р Hektar.
ген|ера́льный Gene-
ral...; Haupt...; ~шта́б
(генера́льный штаб)
Generalstab.
генниа́льный genial,
hochbegabt.
ге́ний Genius; Genie n.
герб Wappen n; ~овый
Wappen...; ~овая бу-
ма́га Stempelpapier n.
герма́н|ец Germane,
Deutsche(r); ~ия
Deutschland n; ~ский
deutsch, germanisch.
гермети́ческий luft-
dicht.
геро́й Held.
ги́бель f Verderben n.
ги́б|кий biegsam; ge-
wandt; ~нуть, (по,)~
zugrunde gehen, um-
kommen.
гигие́на Hygiene f.
гидро|пла́н Wasserflug-
zeug n; ~ста́нция
Wasserkraftwerk n.
ги́льза Hülse f.
гимн Hymne f.
гимна́ст Turner; ~ика
Turnen n, Gymnastik.
гипс Gips(abdruck) m.
глав in Zssgn Abk. für
гла́вный.

глава́ 1. f Haupt n;
Kuppel; Kapitel n; 2. m
Oberhaupt n; Chef.
главнокома́ндующий
Oberbefehlshaber.
гла́вный hauptsächlich;
Haupt...; Ober...
гла́дить 1. вы́- (aus-)
plätten; bügeln; 2. по~
streicheln.
гла́дкий glatt, eben.
глаз Auge n.
глазоме́р Augenmaß n.
глазу́нья Spiegeleier
n/pl.
гла́сный öffentlich;
Vokal.
гли́на Ton m, Lehm m.
глинозём Tonerde f.
гли́няный tönern; ir-
den; Ton..., Lehm...
глист Wurm; (лё́н-
точный) ~ Bandwurm
m.
глота́ть schlucken.
гло́тка Anat. Schlund m.
глото́к Schluck m.
глубина́ Tiefe; Thea.
~сце́ны Hintergrund m.
глубо́кий tief; hoch
(Alter).
глубокому́сленный
tiefsinnig.
глуми́ться, по~ spot-
ten.
глуп|е́ц m Dummkopf;
~ость f Dummheit;
~ый dumm.

глухо́|й taub; dumpf; öde; ~немо́й taubstumm; ~та́ Taubheit.

глуши́ть betäuben; ersticken.

глушь f abgelegener Ort m, Krähwinkel m.

глы́ба Klumpen m.

гляде́ть, по~ (на В) schauen (auf A.), ansehen.

гля́нец Glanz, Politur f.

гнать, по~ jagen, treiben; ~ся за (Т) nachstellen (D.), trachten nach.

гнев Zorn; '~ный zornig, erzürnt.

гнездо́ Nest.

гнести́ (be)drücken.

гнёт Bedrückung f; Druck; Presse f.

гнило́й verfault, faul; feucht (Wetter).

гнить, с~ faulen.

гнои́ть, с~ faulen lassen; ~ся eitern.

гной Eiter.

гну́сный abscheulich; schamlos.

гнуть, по~ biegen, krümmen.

гобо́й ♩ Hoboe f.

го́вор Gerede n; Gemurmel n; Dialekt; ~и́ть, (по~) sprechen; sagen; ~я́т, ~я́тся man sagt; es heißt.

говя́дина Rindfleisch n.

год Jahr n.

годи́ться, (при~) taugen, sich eignen; '~ный tauglich, geeignet.

годовщи́на Jahrestag m.

гол Sport Tor n.

го́лень f Schienbein n.

голова́ Kopf m; Haupt n, Spitze.

голо́в|ка Köpfchen n; Kopf m (e-r Stecknadel); ~но́й Kopf..., ~но́й Kopf..., Spitzen...

голово|круже́ние n Schwindel m.

го́лод Hunger(snot f); ~а́ть, (и[з]о~) hungern; '~ный hungrig; ~о́вка Hungerstreik m.

гололе́дица Glatteis n.

го́лос Stimme f; ~ова́ние Abstimmung f; ~ова́ть abstimmen.

голу́|бка f Täubchen n; ~бо́й hell-, himmel-blau; ~бчик mein Lieber.

го́лубь m Taube f; почто́вый ~ Brieftaube f.   [rein.]

го́лый nackt; kahl;/

гомеопа́тия Homöopathie.

гоне́ние Verfolgung f.

го́н|ки f/pl. Regatta f; Rennen n; ~очный Renn...

гонча́р Töpfer.

гор.(городско́й) Stadt-)

гора́ Berg *m*. [...]

гора́здо viel, weit.

горб Buckel, Höcker; **~а́тый** bucklig.

гор|ди́ться, (воз~) stolz sein; **~дость** *f* Stolz *m*; **~дый** stolz (Т auf А.).

го́ре Kummer *m*, Unglück; **~ва́ть, (по~)** unbetrübt sein, trauern.

горе́|лка Brenner *m*; **~лый** brandig. [keln.\

горе́ть brennen, fun-

го́рец Bergbewohner.

го́речь *f* Bitterkeit; Trübsal. [birgig.\

гори́стый bergig; ge-

го́рло Gurgel *f*, Kehle *f*; (= **го́рлышко**) (*Gefäß*-)Hals *m*.

горно|заво́дский Hütten..., Bergbau...; **~рабо́чий** Bergarbeiter.

горноста́й Hermelin *n*.

го́рный gebirgig; Gebirgs...; Berg(werks)..., Bergbau...

горня́к Bergarbeiter.

го́род Stadt *f*; **~ско́й** städtisch; Stadt...

горо́|х Erbse(n *pl*.) *f*; **~шек** kleine Erbsen *f/pl.*; **зелёный ~шек** Schoten *f/pl.*

горсть *f* Handvoll; hohle Hand.

горта́нь *f* Kehlkopf *m*.

горчи́|ца Senf *m*; **~чница** Senftopf *m*.

горшо́к Topf.

го́ры *f/pl.* Gebirge *n*.

го́рький bitter.

горю́чий brennbar; Brenn...

горя́|чий heiß; hitzig; heftig; **~чить, (раз~)** erhitzen; **(~ся)** sich ereifern; **~чка** (*hitziges*) Fieber *n*.

гос... (**госуда́рственный**) Staats..., staatlich.

Гос|ба́нк Staatsbank *f*; **~изда́т** Государственное изда́тельство Staatsverlag *m*.

го́спиталь *m* Krankenhaus *n*, Hospital *n*.

Госпла́н (**Госуда́рственная пла́новая коми́ссия**) Staatliche Plankommission *f*.

госпо|да́! meine Herren *od*. Herrschaften!; **~ди́н** Herr; **~дство** Herrschaft *f*; **~дствовать** (vor)herrschen; **~дь** *m* Gott (der Herr); **~жа́** Frau, Fräulein *n*.

гостеприи́мный gastfreundlich.

гости́|ная Gastzimmer *n*; **~ница** Gasthof *m*, Hotel *n*.

гости́ть, по~ zu Gast (od. Besuch) sein.

гость m Gast; '~я (weiblicher) Gast m.

госуда́р|ственный staatlich Staats...; ~ст-во Staat m.

гото́ва́льня Reißzeug n.

гото́вить I. при~, за~ anschaffen; 2. при~, с~ (zu)bereiten; 3. ~(ся), приготовить(ся)(sich) vorbereiten.

гото́вый fertig; bereit (-willig), geneigt.

грабёж Raub, Plünderung f.

граби́тель m Räuber.

гра́бить, раз~ rauben, plündern. [Rechen m.]

гра́бли f/pl. Harke f,]

град Hagel; ~ идёт es hagelt.

гра́дус Grad.

граждани́н, '~ка Bürger(in f); ~ский bürgerlich; Bürger.

гра́мот|а Urkunde; ~ный des Lesens und Schreibens kundig.

грана́та Granate; руч-на́я ~ Handgranate.

грани́ный geschliffen.

грани́|ца Grenze; за ~цу ins Ausland; за ~цей im Auslande.

графа́ Rubrik, Feld n (e-r Tabelle).

графи́н Karaffe f.

граци|о́зный graziös, anmutig.

гра́ция Grazie, Anmut.

гре́бень m Kamm; ~ (гор) Bergrücken; гребно́й Ruder...

гре́лка Wärmflasche.

гре|ме́ть, (за~, про~), гря́нуть donnern; klirren; klappern; гром мит es donnert.

гренки́ m/pl. geröstete Brotschnitten f/pl.; Toaste.

грести́, по~ rudern.

греть, по~ (er)wärmen.

грех Sünde f.

Гре́ц|ия Griechenland n; ~кий оре́х Walnuß f.

гре́ческий griechisch.

гречи́ха Buchweizen m.

греш|и́ть, (со~) sündigen; ~ник Sünder; ~ный sündig.

гриб Pilz.

гри́ва Mähne f. [ke f.]

грим Maske f; Schmin-]

гримирова́ть, за~ schminken.

грипп 🞄 Grippe f.

гроб Sarg; ~ни́ца Grab n.

гроза́ Gewitter n; Schrecken m.

грози́ть, (по~, при~) drohen; '~ный furchtbar; streng, hart; drohend.

гром Donner; Getöse *n*.

грома́д|**а** große Masse; Riesenbau *m*; **~ный** ungeheuer, riesig, kolossal.

гро́мкий laut; (welt-)bekannt.

громкоговори́тель *m* Lautsprecher.

громоотво́д Blitzableiter.

гро́хот Krachen *n*, Rollen *n*; ⊕ Sieb *n*; **~а́ть**, (**про~**) krachen; rasseln; rollen; ⊕ **~и́ть**, (**про~**) sieben.

груб|**е́ть**, (за~, о~) grob werden; **~ость** *f* Grobheit; **~ый** grob.

груд|**но́й** ребёнок Säugling; **~обрю́шная прегра́да** Zwerchfell *n*.

грудь *f* Brust; Busen *m*.

груз Ladung *f*, Fracht *f*.

грузи́ло Senkblei; Lot.

грузи́н Georgier.

грузи́ть 1. **по~** beladen; 2. **за**, **на~** laden.

грузово́й Lastauto *n*; **~о́й** Fracht...; Last...

гру́ппа Gruppe.

груст|**и́ть** (о *od.* по II) trauern (um); sich grämen (über *A.*); **~ный** traurig; schwermütig; **~ь** *f* Gram *m*.

гру́ш|**а** Birne; Birnbaum *m*; **~о́вка** Birnbranntwein *m*.

гры́жа ⚕ Bruch *m*.

грыз|**ть**, раз~ nagen.

гряду́щий (zu)künftig.

гря́зи *f/pl.* Moorbäder *n/pl.*

гря́зный schmutzig.

грязь *f* Schmutz *m*.

гря́нуть *s.* греме́ть.

ГТО (Гото́в к труду́ и оборо́не) zur Arbeit und Verteidigung bereit; значо́к ~ GTO-Abzeichen *n*.

губа́ Lippe; Bucht.

губе́рния Gouvernement *n*; Verwaltungsbezirk *m*.

губи́ть, по~ verderben; zugrunde richten.

гу́бка Schwamm *m*.

гуде́ть, за~ (er)tönen; *Sirene:* heulen.

гудо́к (Dampf-)Signal *n*, Dampfpfeife *f*; (Auto-)Hupe *f*.

гуля́|**нье** Spazieren (-fahren *od.* -gehen); Fest (*unter freiem Himmel*); **~ть**, (по~) spazieren(gehen), (-fahren) bummeln.

гуртовщи́к Viehhändler; Viehtreiber; (sig).

густо́й dicht; dick(flüs-)

гусь *m* Gans *f*; (жа́реный) ~ Gänsebraten *m*.

гу́ща (Boden-)Satz *m*; Dickicht *n*.

Д

да ja; und; aber; doch; ~ здра́вствует es lebe (hoch); ~ что вы! was Sie sagen!

да(ва́)ть geben; lassen.

дави́ть (er-, be)drücken; lasten; pressen.

давле́ние Druck m; Beklemmung f.

да́вний längst gewesen.

давн|о́ längst, (seit) lange(m); ~ность f Verjährung.

да́же sogar; ~ не einmal. [fernt.]

далёкий weit fern, entдаль f Weite, Ferne; ~ний weit, entfernt.

дально|ви́дный scharfsichtig; umsichtig; ~зо́ркий weitsichtig.

да́льше weiter.

да́м|а Dame; ~ка Dame (im Brettspiel).

да́нные n/pl. Daten, Angaben f/pl.; Tatbestand m.

данти́ст Dentist, Zahntechniker.

дань f Tribut m.

дар Geschenk n; ~ять, (по-) schenken.

даро|ва́ние Begabung f; ~ва́ть schenken; ~ви́тый begabt.

да́ром umsonst.

да́та Datum n.

дать s. дава́ть.

да́ч|а Landhaus n; Sommerwohnung; на ~е auf dem Lande, in der Sommerfrische; ~ная ме́стность f Sommerfrische; ~ник Sommerfrischler.

две́рца Türchen n; (Wagen-)Schlag m.

дверь f Tür. [Motor.]

дви́гатель m Beweger; дви́|гать, ~нуть bewegen; (~ся) sich rühren; sich bewegen; ~же́ние Bewegung f; Verkehr m.

движи́|мость f bewegliche Habe; ~мый beweglich.

двои́ть, раз~ (in zwei Teile) teilen.

двойно́й doppelt.

двор Hof.

дворе́ц Palast, Schloß n.

дво́рник Hausknecht; Portier.

дворян|и́н Adelige(r); ~ский ad(e)lig, Adels...; ~ство Adel m.

двою́родный брат Vetter; ~ая сестра́ Base.

дву|бо́ртный zweireihig; ~ли́чный heuchlerisch,

falsch; ~смысленный zweideutig, doppelsinnig.

двух|местный автомобиль m Zweisitzer; ~моторный самолёт zweimotoriges Flugzeug n. [tung.)

девальва́ция Entwer-)

де́верь m Schwager (des Mannes Bruder).

деви́з Devise f.

деви́|ца Mädchen n, Jungfrau, ~чий jungfräulich; Mädchen...

де́вочка kleines Mädchen n.

де́вственный jungfräulich; keusch.

де́вушка (erwachsenes) Mädchen n.

дёготь m Teer.

дед Großvater; двою́родный ~ Großonkel.

де́душка m Großväterchen n.

дежу́р|ить Dienst haben; ~ный diensthabend; Diensttuende(r), Wachhabende(r).

дезерти́р Deserteur; ~овать desertieren.

де́йствие Handlung f; Akt m; Wirkung f; Einfluß m; Tätigkeit f; привести́ в ~ in Gang bringen.

действи́тельн|о tat-

sächlich; ~ый wirklich, gültig; wirkend.

де́йствовать I. handeln; gültig sein; funktionieren; 2. по~ wirken.

дека́брь m Dezember.

деклара́ция Deklaration.

де́лать, с~ tun, machen; herstellen; leisten (Zahlung); ~ся werden (T); geschehen. [vision f.)

деле́ние Teilung f; Di-)

делика́тный zart(fühlend); höflich. [vidieren.)

дели́ть, раз~ teilen; di-)

де́ло Sache f; Angelegenheit f; Tat f; Geschäft(sunternehmen); Prozeß m; в чём ~? um was handelt es sich? на (od. в) са́мом де́ле in der Tat.

делово́й Geschäfts...

де́льный tüchtig.

демокра́т Demokrat; ~и́ческий demokratisch.

демонстра́ция Demonstration; Kundgebung; Vorführung.

день m Tag.

де́ньги f/pl. Geld n.

депута́т Deputierte(r), Abgeordnete(r); ~ский Deputierten...; Abgeordneten...

дере́вня Dorf n.

де́рево Baum *m*; Holz.

деревя́нный hölzern, Holz....

держа́в|а Reich *n*; Macht; ~ный mächtig.

держа́ть, по~ halten; ~ пари́ wetten.

дерз|а́ть, ~ну́ть wagen; ~кий frech, dreist.

деса́нт ✕ Landung *f*.

десна́ Zahnfleisch *n*.

десятиле́тие Jahrzehnt.

деся|ти́чный dezimal; ~ти́чная дробь *f* Dezimalbruch *m*; ~тка Zehn (*im Spiel*).

дет|и́ *n/pl. s.* дитя́; ~ский kindlich; Kinder...; ~ская Kinderstube; ~ство Kindheit *f*.

дешеви́зна Billigkeit.

дешёвый billig, wohlfeil.

де́ятель *m* Wirkende(r); госуда́рственный ~ Staatsmann; ~ность *f* Tätigkeit; ~ный tätig.

диалекти́ческий материали́зм dialektischer Materialismus.

диа́метр Durchmesser.

дие́та Krankenkost; Diät.

ди́зель *m* Dieselmotor.

дизентери́я ⚕ Ruhr.

ди́кий wild; roh; öde, wüst.

диктату́ра Diktatur.

диплома́т Diplomat; ~-

и́ческий ко́рпус diplomatisches Korps *n*.

дирижа́бль *m* (lenkbares) Luftschiff *n*.

дирижёр Dirigent, Kapellmeister.

диск Wurfscheibe *f*; Scheibe *f*.

дитя́ (*pl.* де́ти) *n* Kind.

дичь *f* Wild *n*; Wildbret.

длина́ Länge.   [*n*.]

дли́нный lang.

дли́ться, про~ währen, dauern.

для (P) für, zu; ~ того́ dazu; ~ чего́? wozu?

дневни́к Tagebuch *n*; ~но́й Tages...

днём am Tage.

дно Boden *m*, Grund *m*.

до (P) bis (auf), bis zu; etwa, gegen; vor.

доба|вля́ть, ~вить hinzufügen, ergänzen; ~-вочный Zuschlags..., Zusatz...

доби(ва́)ться (P) erreichen.

до́блесть *f* Mut *m*.

добро́ Gute(s); Habseligkeit *f*.

добро|во́льный freiwillig; ~де́тель *f* Tugend; ~ду́шный gutmütig; ~ка́чественный von guter Qualität; ~со́вестный gewissenhaft.

доброта́ Güte.

до́брый gut; gutherzig.

добы́|(ва́)ть erwerben; ausbeuten; **~ча** Ausbeute; Gewinnung.

довезти́ s. **довози́ть.**

дове́ренност|ь f Vollmacht; **по ~и** in Vollmacht.

дове́|рие Vertrauen; **~рять, ~рить** (anver-)trauen.

до́вод Beweis(grund); **~и́ть, довести́** (до) (hin)führen (bis [zu]); bringen (zu).

дово́ль|но (das ist) genug; **~ный** zufrieden; **~ство** Zufriedenheit f; **~ствоваться, (у~)** sich begnügen; versorgt werden.

дога́дка Vermutung.

дога́дываться, догада́ться (о П) erraten, mutmaßen.

дого|ва́риваться, ~вори́ться (о П) verabreden, abmachen; **~во́р** Vertrag; Abkommen n; **~во́р о ненападе́нии** Nichtangriffspakt.

догоня́ть, догна́ть einholen.

дожд|ево́й Regen...; **~ли́вый** regnerisch.

дождь m Regen; **идёт (си́льный) ~** es regnet (stark).

дожи(ва́)ть (до) erleben; leben (bis zu).

дож(и)да́ться (P) erwarten, warten (auf A.).

дои́ть melken.

дойти́ s. **доходи́ть.**

дока|за́тельство Beweis(grund) m; Nachweis m; **~зу́емый** beweisbar; **~зывать, ~за́ть** beweisen.

до́кер Dockarbeiter.

докла́д Vortrag, Bericht; Anmeldung f; **~ывать доложи́ть** vortragen; (о П) (an)melden; referieren; vortragen; berichten.

докуме́нт Dokument n; **~ы** pl. Personalausweis m.

долг Schuld f; Pflicht f; **в ~** auf Kredit.

до́лгий lang(e während).

долговре́менный lange während, langfristig.

долгота́ Länge(ngrad m).

долж|ни́к Schuldner; **~но́** man muß; **~но́ быть** wahrscheinlich; **~ность** f Amt n, Dienst m; **~ный** gebührend; gehörig; **~ное** Gebührende(s); **он до́лжен** был er mußte.

доли́на Tal n.

доложи́ть s. **докла́дывать.**

доло́й nieder!; hin-, herunter (damit)!

до́ля Teil m; Anteil m; Schicksal n.

дом Haus n; Heim n.

до́ма zu Hause; **'̴шний** häuslich; Haus...

до́мна Hochofen m.

домо|владе́лец Hausbesitzer; **̴й** nach Hause; **̴управле́ние** Hausverwaltung f; **̴хозя́ин** Hauswirt; **̴хозя́йство** Haushalt m.

Донба́сс (Доне́цкий бассе́йн) Donez-Kohlenbecken n.

донесе́ние Bericht(erstattung f) m.

доно́с Anzeige f; Denunziation f; **̴и́ть**, донести́ bringen (bis), angeben, anzeigen; berichten; **̴чик** Denunziant. [nachzahlen.\

допла́|чивать, **̴ти́ть**\

допол|не́ние Ergänzung f; Nachtrag m; **̴ни́тельный** Ergänzungs...; Zuschlags...; **̴ня́ть**, **'̴нить** ergänzen.

допра́|шивать, **допроси́ть** verhören.

допро́с Verhör n.

допу|ска́ть, **̴сти́ть** zugeben, gestatten; zulassen; **̴ще́ние** Annahme f.

доро́г|а Weg m; **желе́зная ̴а** Eisenbahn; **по od. в ̴е** unterwegs.

доро|говизна Teuerung; **̴го́й** teuer; **̴жа́ть**, (вз̴, по̴) teuer werden; **'̴же** teurer; **̴жи́ть** (T) (hoch)schätzen, viel geben (auf A.).

доро́ж|ка Pfad m; (Treppen- usw.) Läufer m; **̴ный** Wege...; Reise...

доса́д|а Verdruß m; **̴ный** verdrießlich, ärgerlich. [Tafel.\

доска́ Brett n; (Wand-)\

досло́вный wörtlich.

доста́|(ва́)ть (sich) verschaffen; v/i. (aus)reichen; **̴(ва́)ться** zuteil werden; **̴вка**, **̴вле́ние** Lieferung f, Zustellung f; **̴вля́ть**, **̴вить** liefern, zustellen; bereiten; **̴точный** hinreichend.

дости|га́ть, **'̴гнуть** (P) erreichen, erlangen; **̴же́ние** Errungenschaft f; Leistung f.

досто́инство Wert m; Würde f. [dig.\

досто́йный wert; wür-\

достопримеча́тель|ность f Sehenswürdigkeit; **̴ный** sehenswert.

достоя́ние Vermögen n; Eigentum.

доступ Zutritt; '~ный zugänglich.

досуг Muße f.

дотла völlig.

дохлый krepiert, verendet.

доход Einnahme f; ~ы pl. Einkünfte; ~ить, дойти (до) gelangen, gehen (bis [zu]); ~ный einträglich.

дочка Töchterchen n.

дочь f Tochter.

драгоценный kostbar; ~ камень m Edelstein.

дразнить, по~ necken, reizen.

драка Schlägerei.

драма Thea. Schauspiel n, Drama n.

драться, по~ sich schlagen; kämpfen.

древесный Baum...; Holz...

древний alt, altertümlich; ~ность f Altertum n.

дремота Schläfrigkeit; Schlummer m; ~учий лес dichter Wald.

дренаж Entwässerung (-sanlage) f.

дрессировать, вы~ dressieren; abrichten.

дробить, (раз~) zerstückeln; ~ь f Bruch (-teil) m; Schrot m od. n.

дрова n/pl. Brennholz n.

дрогнуть pf. 1. (er)zittern; 2. про~ frieren.

дрожать, за~ zittern, beben; besorgt sein (за B um).

дрожжи f/pl. Hefe f.

дрожь f Schauder m, Frösteln n.

друг Freund m, ~ друга einander; c ~ом miteinander; ~ой ander(e)r; zweite(r); один за ~им nacheinander.

дружба Freundschaft.

дру|желюбие Freundlichkeit f; '~жеский, '~жественный freundschaftlich; Freundes...; Freundschafts...

дру|жить 1. gut Freund sein; 2. (по~) befreunden; ~ный freundschaftlich; einmütig.

дрянь f Schmutz m; Schund m.

дряхлый altersschwach, hinfällig.

дуб Eiche f.

дубина Knüppel m.

думать, по~ (be-, ge-) denken, überlegen; мей~ мнению; ~ мне.

Дунай Donau f. [nen.]

дунуть s. дуть.

дупло Höhlung f; Zahnhöhle f.

дура Närrin f; '~к Narr.

дурной schlecht; häßlich; übel; мне дурно mir ist übel.

дуть, по~, ду́нуть blasen; wehen; ду́ет es zieht.

дух Geist; Stimmung f; Gespenst n; ~и́ pl. Parfüm n.

духо́|ве́нство Geistlichkeit f; Klerus m; ~вни́к Beichtvater; '~вный geistlich; '~вный оте́ц Beichtvater; ~во́й Luft..., Blas...

духота́ Schwüle.

душ Dusche f, Brause f.

душа́ Seele; Gemüt n.

душе́вный Seelen..., Herzens...; herzlich; gemütvoll.

души́стый duftend.

души́ть 1. за~ erwürgen; unterdrücken; ersticken; 2. на~ parfümieren.

ду́шный schwül.

ды́бом: во́лосы вста́-

ли ~ die Haare sträuben sich; встать на дыбы́ sich bäumen.

дым Rauch; ~и́ть(ся), (за~, на~) rauchen; '~ка Dunst m; ~ово́й Rauch...; ~ова́я труба́ Schornstein m.

ды́ня Melone.

дыра́ Loch n.

дыха́|ние Atmen, Atem m; ~тельный Atmungs... [atmen.]

дыша́ть, по~, дохну́ть]

ды́шло Deichsel f.

дья́вол Teufel; ~ьский teuflisch.

дьячо́к Küster.

дю́жин|а Dutzend n; ~ный dutzendweise; gewöhnlich; ~ный челове́к Alltagsmensch.

дю́ны f/pl. Dünen.

дя́дя m Onkel, Oheim.

дя́тел Specht.

Е

ева́нгел|и́ческий, ~ьский evangelisch.

евре́й Hebräer, Jude; ~ский hebräisch, jüdisch.

Евро́|па Europa n; 2-пе́ец, (2пе́йка) Europäer(in); 2пе́йский europäisch.

Еги́пет Ägypten n.

его́ ihn; es; sein(er); desselben.

еда́ Essen n, Speise.

едва́ (ли) kaum; ~ не beinahe.

едини́ца Eins; Einheit f.

едино... (all)ein...; ~вре́менный gleichzeitig; ~гла́сный ein-

stimmig; ~ду́шный ein-
mütig; ~кро́вный bluts-
verwandt.

еди́н|ственный einzig; ~ство Einheit *f*; Einig-
keit *f*; ~ый Einheits...;
einheitlich; ein; einzig.

е́дкий scharf; ätzend;
Ätz... [rende(r).
е́дущий fahrend; Fah-
её sie; ihrer; ihr(e).
ёж Igel.
ежеви́ка Brombeere.
еже|го́дник Jahres-
schrift *f*; ~го́дный (all)-
jährlich; ~дне́вный
(all)täglich.
ежеме́сяч|ник Monats-
schrift *f*; ~ный (all)-
monatlich.
еженеде́ль|ник Wo-
chenschrift *f*; ~ный
(all)wöchentlich.
ёжиться, с~ sich krüm-
ежо́вый Igel... [men.
езда́ Fahrt; верхова́я ~
Reiten *n*; Ritt *m*.
е́здить, по~, съ~ (hin-)
fahren; *s.* е́хать.
ездо́к Reiter; Fahrer.

ей ihr; *s.* е́ю.
е́ле: ~~ kaum.
ёлка, ель *f* Tanne.
ёмкий geräumig.
ёмкост|ь *f* Geräumig-
keit; Rauminhalt *m*;
~ме́ра ~и Hohlmaß *n*.
ему́ ihm.
епи́скоп Bischof.
е́сли wenn, falls.
есте́ственный natür-
lich; Natur...; selbstver-
ständlich.
естество́ Wesen; ~ве́-
дение Naturkunde *f*;
~зна́ние Naturwissen-
schaft *f*.
есть[1] (es) ist, es gibt;
~ ли у вас? haben Sie?
есть[2], съ~ essen; ешь
(-те) на здоро́вье!
wohl bekomm's!
есть[3] zu Befehl!
е́хать, по~ fahren; rei-
sen; ~ на велосипе́де
radfahren, radeln;
верхо́м reiten.
ещё noch; schon; всё ~
noch immer; нет ~ noch
е́ю durch sie. [nicht.]

Ж

жа́ба Kröte.
жа́воронок Lerche *f*.
жа́дный (be)gierig; hab-
süchtig.

жа́жда Durst *m*; Gier.
жа́ждать dürsten; heiß
verlangen (P nach).
жакт (жили́щно-

аре́ндное коопера́тивное това́рищество) Wohnungsgenossenschaft f.

жале́ть, по~ bedauern.

жа́лить, у~ stechen.

жа́лк|ий erbärmlich, kläglich; ~o (es ist) schade.

жа́ло Stachel m.

жа́лоб|а Klage; Beschwerde; ~ный kläglich; Beschwerde...; ~щик Kläger.

жа́лованье Gehalt.

жа́ловаться, по~ sich beklagen (на B über A.).

жа́лость f Mitleid(en) n.

жаль (es ist) schade; мне его́ ~ er tut mir leid.

жар (Fieber-)Hitze f; Glut f; Eifer.

жара́ (Sommer-)Hitze.

жа́рен|ый gebraten; ~ая свини́на Schweinebraten m.

жа́рить, из~, за~ braten; brennen (Sonne).

жа́ркий heiß; fig. heftig.

жарко́е Braten m.

жаропонижа́ющее Fiebermittel.

жа́т|ва Ernte; ~венная маши́на Mähmaschine.

жать[1] (aus)drücken; beengen (Kleidung).

жать[2], с~ ernten.

ждать, подо~ (P, B) warten (auf A.), erwarten.

же aber, doch, denn; всё~ trotzdem; там~ daselbst; тот~ derselbe.

жева́ть, с~ kauen.

жела́|ние Wunsch m; Begierde f; ~тельно es (ist) zu wünschen, wollen; ~тельный wünschenswert.

железа́ Drüse.

желе́з|истый eisenhaltig; Drüsen...; ~нодоро́жник Eisenbahn(beamt)er; ~нодоро́жный Eisenbahn..., Bahn...; ~нодоро́жное движе́ние Eisenbahnverkehr m; ~ный eisern; Eisen...; ~o Eisen; ~оде́лательная промы́шленность Eisenindustrie.

жёлоб Rinne f.

желто́к Eigelb n, Eidotter n; ~ту́ха 𝓼 Gelbsucht.

жёлтый gelb.

желу́док Magen.

жёлудь m Eichel f.

жёлчь f Galle.

жема́нство Ziererei f.

же́мчу|г (echte) Perlen f/pl.; ~жина Perle.

жена́ Ehefrau, Gattin; ~тый verheiratet (Mann).

Жене́ва Genf n.

жени́ть (e-n Mann) verheiraten (на П mit); ~ся (sich ver)heiraten; ~ба Heirat.

жени́х Bräutigam, Freier.

же́нский weiblich; Frauen...

же́нщина Frau; ~-врач Ärztin f.

жере|бёнок Füllen n; ~бе́ц Hengst.

жерло́ Schlund m; Krater m.

же́рт|ва Opfer n; ~вовать, (по~) opfern; spenden; ~вовать собо́й sich (auf)opfern.

жест Gebärde f; Geste f.

жёсткий rauh, hart; ~ ва́гон Wagen dritter Klasse.

жесто́к|ий grausam, hart; ~ость f Grausamkeit.

жесть f Blech n.

жестя́нка Blechbüchse.

жечь, с~ (ver)brennen; sengen.

живо́й lebendig; lebhaft.

жи́вопись f Malerei.

жи́вость f Lebhaftigkeit.

живо́т Bauch, Unter-

leib; ~ный tierisch, Tier...; ~ное Tier.

животрепе́щущий aktuell.

жи́д|кий flüssig, dünn; ~кость f Flüssigkeit.

жи́зненный Lebens...; lebenswichtig.

жизне|ра́достный lebens-lustig, -froh; ~спосо́бный lebensfähig.

жизнь f Leben n; при ~и bei Lebzeiten.

жи́ла Ader; Sehne.

жиле́ц, (жили́ца) Mieter(in). [muskulös.]

жи́листый sehnig;

жили́щ|е Wohnung f; ~ный Wohnungs...

жило́й bewohnbar; Wohn...

жир Fett n; ры́бий ~ Fisch-, Leber-tran.

жи́рный fett.

жите́йский Alltags...; alltagsmäßig.

жи́тель m Bewohner; ~ство Aufenthalt m; Wohnsitz m.

жить, по~leben (T von); wohnen; жил-был es war einmal.

жо́лоб s. жёлоб.

жо́лудь s. жёлудь.

жре́бий Los n.

жужжа́ть, за~, про~ summen.

жук Käfer.

журна́л Zeitschrift *f*;
Buch *n* für Eintragun-
gen; ~и́ст Journalist.
журча́ть, за~ rauschen;
fig. murmeln.

жу́ткий unheimlich;
мне жу́тко mir ist
(angst und) bange.
жюри́ *n* Jury *f*, Preis-
gericht.

З

за (В, Т) hinter; für,
während; vor; nach,
wegen; bei; an; mit;
jenseits; außerhalb; auf;
über; ~ то deshalb; ~
что? wofür?; ни ~ что
um keinen Preis; что
~ ...? was ist das für ...?
заба́в|а Erheiterung;
Vergnügen *n*; ~ля́ть,
(ся sich) erheitern, be-
lustigen; ~ный erhei-
ternd, spaßhaft.
забасто́в|ка Streik *m*;
~щик Streikende(r).
забве́ние Vergeßlichkeit
f; Vergessenheit *f*.
забе́г Wettlauf.
заби(ва́)ть einschlagen;
verstopfen; anfangen zu
schlagen.
заблаговре́менно zei-
tig, rechtzeitig.
заблу|жда́ться, ~ди́ть-
ся sich (ver)irren.
заболе(ва́)ть erkran-
ken.
забо́р Zaun.
забо́т|а Sorge (о П um);

~иться, (по~) (о П)
sorgen (für); sich küm-
mern (um); ~ливый
besorgt; sorgsam; vor-
sorglich.
забра́сывать, забро́-
сить (aus)werfen; ver-
nachlässigen.
забы(ва́)ть vergessen.
забытьё́ (leichter)
Schlummer *m*; Ohn-
macht *f*.
зав *in Zssgn Abk. für* 1.
заве́дующий Leiter,
Verwalter, Chef; 2. за-
во́дский Fabrik..., Be-
triebs...
зава́|ривать, ~ри́ть
aufbrühen (*Tee*).
заве́|дение Anstalt *f*;
'~дующий *s.* зав;
'~довать (Т) leiten,
verwalten.
заве́ртывать, заве́р-
ну́ть einwickeln; ein-
biegen; festschrauben.
завер|ша́ть, ~ши́ть
vollenden, beendigen;
~ше́ние Vollendung *f*.

завести́ s. **заводи́ть.**

завеща́|ние Vermächtnis, Testament n; **~тель** m Erblasser; **~ть** vermachen.

завива́ть winden; wellen (Haar).

зави́|дный beneidenswert; **~довать, (по~)** (Д) beneiden, neidisch sein (auf A.).

завин|чивать, ~ти́ть festschrauben.

зави́с|еть abhängen, abhängig sein (от von); **~симый** abhängig.

завистливый neidisch.

за́висть f Neid m.

завко́м (заво́дский комите́т) Betriebsausschuß (der Gewerkschaft).

заво́д Fabrik f; Werk n; Aufziehen n; Aufziehfeder f; кирпи́чный ~ Ziegelei f; лесопи́льный ~ Sägewerk n; **~и́ть, завести́** (hin-)führen (an einen unbekannten Ort); einführen; gründen; anknüpfen, anfangen; aufziehen (Uhr); **~чик** Fabrikbesitzer; Fabrikant.

завоева́тель m Eroberer.

за́втра morgen; **по́сле~**

übermorgen; **~к** Frühstück n; **~кать, (по~)** frühstücken; **~шний** morgig.

завхо́з (заве́дующий хозя́йством) Wirtschafts(abteilungs)leiter.

завя|за́ть, '~знуть steckenbleiben; versinken; '~зывать, ~за́ть (zu)binden; anknüpfen, anfangen.

зага́|дка Rätsel n; **~дочный** rätselhaft; **~дывать, ~да́ть** aufgeben (Rätsel).

загла́вие Titel m; Überschrift f.

за́говор Verschwörung f.

заго|ра́ть, ~ре́ть braun werden; (~ся) Feuer fangen.

заго́родный Vorort(s)-...; ~ дом Landhaus n.

загото|вля́ть, '~вить vorbereiten, besorgen; anschaffen.

загра|жда́ть, ~ди́ть versperren.

заграни́чный ausländisch.

ЗАГС a. загс (отде́л за́писи а́ктов гражда́нского состоя́ния) Standesamt n.

зад Hinterteil n; Gesäß n.

зада́(ва́)ть (auf)geben; angeben (*Ton*).

задави́ть *pf.* (z)erdrücken; überfahren.

зада́ток Anzahlung *f.*

зада́ча Aufgabe.

задви́жка Riegel *m*; Klappe.

задё(ва́)ть (за B.) an et. anstoßen, streifen.

задёр|живать, ~жа́ть aufhalten; verzögern; verhaften; ~жка Verzögerung; Störung.

за́д|ний hinter; ~ним число́м nachträglich.

задо́р Eifer; *fig.* Feuer *n.* [хаться.\

задохну́ться *s.* задыха́ться.\

задра́ть *s.* задира́ть.

заду́(ва́)ть ausblasen; anblasen.

заду́м|чивый nachdenklich; tiefsinnig; ~(ыв)ать sich vornehmen, vorhaben; (~ся) nachdenklich werden.

заду́ть *s.* задува́ть.

заду́шевный herzlich; offenherzig.

задыха́ться, задохну́ться ersticken.

заём Anleihe *f*; Darleh(e)n *n.*

зажи(ва́)ть (zu-, ver)heilen; зажи́ть *pf.* но́вой жи́знью ein neues Leben beginnen.

зажига́лка Feuerzeug *n.*

зажига́ть, заже́чь an- (~ся sich ent)zünden; entflammen.

зажи́точный wohlhabend.

заземля́ть, ~ли́ть erden (*Antenne*).

зазна́(ва́)ться sich überheben.

заи́к|а *m/f* Stotterer (Stotterin *f*); ~а́ться stottern.

займствовать entnehmen, entlehnen.

зайти́ *s.* заходи́ть.

зака́з Bestellung *f*, Auftrag; ~ной bestellt; ~ное письмо́ Einschreibebrief *m*; ~ное! einschreiben!; ~чик Besteller; ~ывать, ~а́ть bestellen.

зака́л|ивать, ~ли́ть, ~ли́ть härten.

зака́нчивать, зако́нчить beenden, abschließen. [(*Gestirne*).\

зака́т Untergang (*der*)

закла́д|ка Grundsteinlegung; Lesezeichen *n*; ~ывать, заложи́ть verpfänden; versetzen; anspannen; legen; verlegen; verstopfen; verstellen.

заклёпка Nietnagel *m*; Niete; Vernietung.

заключа́ть, ~чи́ть einschließen; folgern (из aus); (ab)schließen; ~чéние Einsperrung f; Folgerung f; Schluß m.

закля́тый geschworen; ~ враг Erzfeind.

закова́|вать, ~ва́ть anschmieden, fesseln.

зако́н Gesetz n; ~ный gesetzlich; Gesetz..., Rechts...; fig. berechtigt.

законо|да́тельство Gesetzgebung f; ~мéрный gesetzmäßig; ~проéкт Gesetzentwurf.

зако́нчить s. зака́нчивать.

закоренéлый eingewurzelt; hartnäckig.

закре|пля́ть, ~пи́ть befestigen, sichern; zuteilen; Fot. fixieren.

закры́|(ва́)ть ver-, zudecken; (ab)schließen; ~тие Schließung f; Schluß m.

закули́сный hinter den Kulissen (vorgehend); fig. verborgen.

закупа́|ть, ~и́ть ein- auf-kaufen.

заку́|ривать, ~ри́ть anrauchen, (Zigarre) anzünden.

заку́ска Imbiß m; Vor-

speise; Gabelfrühstück n.

зал Saal m.

зали́в Bucht f.

зали|(ва́)ть begießen (T mit); (aus)löschen (durch Begießen); überschwemmen.

заливно́е Sülze f.

зало́г Pfand n, Kaution f; да(ва́)ть в ~ verpfänden.

зало́|женный verpfändet; ~жи́ть s. закла́дывать.

зало́жник Geisel f.

залп Salve f.

зама́зка Kitt m.

зама́н|ивать, ~и́ть verlocken; ~чивый (ver)lockend.

замедлéние Verzögerung f; ~ля́ть, ~лить verzögern; verlangsamen.

замéна Ersatz m (T durch); ~ня́ть, ~ни́ть ersetzen; vertauschen.

замерза́ть, замёрзнуть (zu-, ge)frieren; erfrieren.

замести́тель m Stellvertreter, Abk. зам.

замета́ть, ~сти́ zsfegen; (Spuren) verwehen.

замéт|ка Aufzeichnung f; Zeichen n; Notiz f; ~ный

bemerkbar, merklich; bedeutend.

заме|ча́ние Bemerkung f; ~ча́тельный hervor-ragend; bemerkenswert; ~ча́ть, ~тить (be)mer-ken; sich merken.

замеша́тельство Ver-wirrung f; Verlegenheit f.

заме|ща́ть, ~сти́ть ver-treten; ersetzen (T durch); ~ще́ние Ver-tretung f; Ersatz m.

за́мкнутый abgeschlos-sen; verschlossen.

замо́к[1] Schloß n; Burg f.

замо́к[2] (Tür- usw.) Schloß n; францу́зский ~ Sicherheitsschloß n.

заморо́женное мя́со Gefrierfleisch.

заму́ж|ество Ehe f (der Frau); ~няя же́н-щина verheiratete Frau, Ehefrau.

за́м|ша Wildleder n; ~-шевый Wildleder-.

за́мысел Absicht f, Vor-haben n; Grundidee f (eines Werkes).

за́навес Vorhang m; '~ка Vorhang m, Gardine.

занн|ма́тельный anre-gend, interessant; ~-ма́ть, заня́ть ein-nehmen; besetzen; be-wohnen (Haus); be-schäftigen (T mit); un-terhalten; (sich) borgen (у v/on); (~ся) (T) sich beschäftigen (mit); ar-beiten (an D.).

заня́ти|е Beschäftigung f; Besetzung f; ~я pl. Studium n [seeisch.] заокеа́нский über-)

зао́чный in Abwesen-heit.

за́пад West(en); Abend-land n; ~ный westlich; West...; abendländisch.

западня́ Falle.

запако́|вывать, ~ва́ть ein-, ver-packen.

запа́с Vorrat, Bestand; Reserve f; ~а́ть, ~ти́ auf Vorrat anschaffen; ~но́й vorrätig; Ersatz-...; Reserve...; Not...

за́пах Geruch.

запе́|ва́)ть (allein) an-stimmen (Lied).

запеча́т(ыв)ать ver-siegeln.

запира́ть, запере́ть (ein-, ver)schließen.

запи́|ска Zettel m; (kur-zer) Brief m; ~ски pl. Aufzeichnungen; ~сно́й Notiz...; ~сывать, ~-са́ть einschreiben; no-tieren (зара́нее ~са́ть) vormerken; ~сыва́ть-ся, ~са́ться sich ein-schreiben; sich anmel-den.

запла́та Flick(lapp)en *m.*

заподо́зрить *s.* подозрева́ть.

запо́й Trunksucht *f.*

запом|ина́ть, ~нить im Gedächtnis behalten.

за́понка Kragen-, Manschetten-knopf *m.*

запо́р Riegel; ♂ Verstopfung *f.*

запра́шивать, запроси́ть schriftlich anfragen (B bei).

запре|ща́ть, ~ти́ть verbieten; **~ще́ние** Verbot; **~ще́нный** verboten.

запрода́жа Verkauf *m*; Vorverkauf *m.*

запро́с Anfrage *f*; **~ы** *pl.* geistige Ansprüche; **цена́ без ~а** fester Preis; **~и́ть** *s.* запра́шивать.

запря|га́ть, ~чь an-, vor-spannen.

запу́|гивать, ~га́ть (er)schrecken.

запу|ска́ть, ~сти́ть vernachlässigen.

запят|а́я Komma *n*; **то́чка с ~о́й** Strichpunkt *m.*

зара|ба́тывать, ~бо́тать verdienen.

за́работок Verdienst, Arbeitslohn.

зара|жа́ть, ~зи́ть ♂ anstecken; **~же́ние** Ansteckung *f.*

зара́|за Infektion *f*; **~зи́тельный, ~зный** ansteckend; **~** Infektions...

зара́нее beizeiten; im voraus.

за́рево Feuerschein *m.*

зарни́ца Wetterleuchten *n.*

заро́дыш Keim; Leibesfrucht *f.*

заро|жда́ть, ~ди́ть erzeugen, hervorrufen.

зарпла́та (за́работная пла́та) Gehalt *n*; (Arbeits-)Lohn *m.*

заря́ (у́тренняя, вече́рняя Morgen-, Abend-)Röte.

заря́|д Ladung *f*; **~жа́ть, ~ди́ть** laden.

заса́да Hinterhalt *m.*

засвиде́тельствовать *pf.* bezeugen; bescheinigen; beglaubigen.

заседа́|ние Sitzung *f*; **~тель** *m* Beisitzer; **~ть** beisitzen; Sitzung abhalten.

засе|ле́ние Besiedelung *f*; **~ля́ть, ~ли́ть** besiedeln.

засло́н|ка Ofenklappe; **~я́ть, ~ни́ть** verdekken; verhüllen.

заслу́|га Verdienst *n*; ~женный verdient; ~живать, ~жи́ть verdienen.

засну́ть *s.* засыпа́ть.

засоли́ть *pf.* einsalzen.

засо́хнуть *s.* засыха́ть.

заста́|(ва́)ть (an)treffen; ~вля́ть, ~вить veranlassen; zwingen; verstellen (T mit).

застё|гивать, застегну́ть zuknöpfen; ~жка Spange, Haken *m.*

засте́нчивый schüchtern.

засто́й Stillstand; ~ в дела́х Geschäftsstockung *f.*

засто́льный Tisch...

застрахо́|вывать, ~ва́ть versichern.

застрели́ть *pf.* erschießen, erlegen; ~ся sich erschießen.

засту́пничество Beistand *m*; Verteidigung *f.*

за́суха Trockenheit.

засу́|шивать, ~ши́ть vertrocknen lassen.

засы|па́ть 1. ~па́ть verschütten; 2. заснуть einschlafen.

засыха́ть, засо́хнуть (ver)trocknen.

затво́р Verschluß; ~я́ть, ~и́ть (ver)schließen; (~ся) zugehen; sich

absondern; sich einschließen.

затем hierauf, (als)dann.

зате́м|ня́ть, ~ни́ть verdunkeln.

затих|а́ть, '~нуть sich beruhigen; sich legen.

зати́шье (Wind-)Stille *f.*

затме́ние (Mond-, Sonnen-)Finsternis *f.*

зато|пля́ть, ~пи́ть einheizen; überschwemmen.

затр|а́гивать, ~о́нуть an-, be-rühren.

затра́|та Aufwand *m*; Ausgabe; ~чивать, ~тить aufwenden.

затру́д|не́ние Schwierigkeit *f*; ~ни́тельный schwierig; ~ня́ть, ~ни́ть erschweren; (~ся) Bedenken tragen; in Verlegenheit sein.

заты́лок Hinterkopf; *fig.* Nacken, Genick *n.*

затя́|гивать, ~ну́ть fest-, zu-ziehen.

зауны́вный wehmütig.

заура́дный mittelmäßig.

зау́треня Frühmesse.

зауч|и́вать, ~и́ть auswendig lernen.

захва́т Ergreifung *f*; Eroberung *f*; Festnahme *f*; ~чик Okkupant; ~ывать, ~и́ть festnehmen;

sich gewaltsam aneig-nen; mitnehmen; er-greifen.

захо́|д (Sonnen-)Unter-gang; ~ди́ть, зайти́ besuchen; hineingehen; vorbeikommen; vor-sprechen (к bei); unter-gehen (Gestirne).

захолу́стье abgelegene Gegend f, Krähwinkel m.

заче́м wozu, zu welchem Zweck.

зачи́нщик Anstifter.

зачис|ля́ть, '~лить an-rechnen, zuzählen.

зачи́тывать, заче́сть anrechnen.

защи́|та Verteidigung; Schutz m; ~тник Ver-teidiger; Beschützer; ~ща́ть, ~ти́ть (от) ver-teidigen (gegen); (be-)schützen (vor D., gegen).

заяв|ле́ние Anzeige f; Antrag m; ~ля́ть, ~и́ть anzeigen, aussagen.

за́яц Hase.

зва́ние (Ehren-)Titel m.

зва́ный (ein)geladen.

звать 1. m. rufen; ein-laden; 2. nennen, heißen (T bezeichnen als); как вас зову́т? wie heißen Sie?

звезда́ Stern m.

звене́ть, за~, про~ (er-)klingen.

звено́ (Ketten-)Glied.

зверосовхо́з Sowjet-wirtschaft f für Pelztier-zucht.

зве́рский tierisch.

зверь m (wildes) Tier n.

звон Klang; Geläute n; ~ в уша́х Ohrensausen n; ~а́рь m Glöckner; ~и́ть, (по~) läuten, klin-geln; ~кий hell tönend; stimmhaft; '~кая мо-не́та (klingende) Mün-ze; ~о́к Klingel f; (Glocken-)Zeichen n.

звук Laut, Klang, Ton.

звуч|а́ть, (про~) (er-)klingen; ~ный klang-voll.

зда́ние Gebäude n. [voll.]

здесь hier.

зде́шний hiesig; я не ~ ich bin hier fremd.

здоро́|ваться, (по~) (sich) begrüßen, ~вить-ся: мне не ~вится ich fühle mich nicht wohl; ~вый gesund, wohl; бу́дьте ~вы! leben Sie wohl!; ~вье Gesund-heit f; на ~вье! prosit!

здра́вница Heilstätte, Sanatorium n.

здравоохране́ние Ge-sundheitswesen.

здра́вству|й(те)! guten Tag!; да ~ет! es lebe!

зев Rachen, Schlund m.

~а́ть, ~ну́ть gähnen.

зелёный grün; unreif.

зе́лень f Grün n.

земе́льный Land..., Boden..., Grund...

земле|владе́лец Grundbesitzer; ~владе́ние Grundbesitz m; ~де́лие Ackerbau m; ~ме́р Landvermesser; Geodät; ~трясе́ние Erdbeben; ~черпа́лка Bagger m.

земля́ Erde, Land n; ~ни́ка Erdbeeren f/pl.; ~но́й Erd...

зе́ркало Spiegel m.

зерно́ (Samen-)Korn; ~во́й Getreide..., Korn...; ~совхо́з Sowjetwirtschaft f für Getreide.

зима́ Winter m.

зи́мний winterlich; Winter...

зимова́ть, за~, пере~, про~ überwintern.

зимо́й im Winter.

злить, обо~, разо~ ärgern, erzürnen; ~ся sich ärgern.

зло Böse(s), Übel n; на ~ zum Ärger od. Trotz.

зло́ба Bosheit; ~ дня Tagesfrage.

злободне́вный brennend, aktuell; Tages...

злове́щий unheilverkündend; Unglücks...

злово́ние Gestank m.

злоде́й Verbrecher, Missetäter.

злой böse, schlimm.

злонаме́ренный böswillig.

злопа́мятный nachtragend.

злора́д|ный schadenfroh; ~ство Schadenfreude f.

злоупотре|бле́ние Mißbrauch m; ~бля́ть, ~би́ть (T) mißbrauchen.

змей (Papier-)Drache.

змея́ Schlange.

знак Zeichen n, Merkmal n.

знако́мить, по~ bekannt machen; ~ся bekannt werden.

знако́м|ство Bekanntschaft f; ~ый bekannt; Bekannte(r).

знамени́тый berühmt.

зна́мя n Fahne f; Banner.

зна́ние Wissen, Kenntnis f.

зна́т|ный angesehen; ~о́к Kenner.

знать wissen; kennen.

значе́ние Bedeutung f.

значи́тельный bedeutend, erheblich.

зна́чить bedeuten; зна́чит das heißt; also.

зноб|и́ть: меня́ ~и́т es fröstelt mich.

зной (Sommer-)Hitze f;

'**~ный** (drückend) heiß, schwül.

зов Ruf.

зола́ Asche.

золо́вка Schwägerin (*Schwester des Mannes*).

зо́лото Gold; '**~й** golden; Gold...

золочёный vergoldet.

зо́на Zone; **пограни́чная ~** Grenzzone.

зонт (großer) Schirm; '**~ик** (Sonnen-, Regen-)Schirm.

зооло|ги́ческий zoologisch; **~гия** Zoologie.

зо́ркий scharfsichtig.

зрачо́к Pupille f.

зре́лище Schauspiel, Anblick m.

зре́|лость f Reife; **~лый** reif.

зре́ни|е Sehkraft f; **то́чка ~я** Gesichtspunkt m.

зреть, со~, вы~ reif werden, reifen.

зри́тель m Zuschauer; **~ный** Zuschauer...; Seh...; **~ная труба́** Fernrohr n.

зуб Zahn; **~е́ц** Zahn, Zacken; **~и́ло** Meißel m; **~но́й врач** Zahnarzt; **~на́я щётка** Zahnbürste.

зубочи́стка Zahnstocher m.

зубри́ть, за~, вы~ zähne(l)n; *fig.* einpauken.

зубча́т|ый gezähn(el)t; **~ая желе́зная доро́га** Zahnradbahn.

зуд Jucken n.

зя́б|лик Fink; **~нуть, (о~)** frieren.

зять m Schwiegersohn; Schwager (*Mann der Schwester*).

И

и und; auch; **и ... и** sowohl ... als auch.

и т. д. (**и так да́лее**) und so weiter.

и́бо denn; weil, da.

и́ва Weide.

игла́ Nadel; Stachel m.

иго́лка f Näh)Nadel.

игра́ Spiel(en) n; **~ в ка́рты** Kartenspiel n; **~**

на скри́пке Violinspiel n; **~ть, (по~), сыгра́ть** spielen (*Karten:* в В, *Instrument:* на П).

игри́вый spielerisch.

игро́к Spieler.

игру́шка Spielzeug n.

идеоло́гия Ideologie.

иде́я Gedanke m, Idee.

идти́, пойти́ gehen;

kommen; дождь (снег) идёт es regnet (schneit); что идёт (в теа́тре)? was wird gegeben?; ~ за (T) folgen; abholen, kommen nach *od.* wegen; э́то вам идёт das steht Ihnen (*od.* kleidet Sie) gut.

из, изо (P) aus; von (D.).

изба́ Bauernhütte.

изба|вле́ние Befreiung *f*; Rettung *f*; ~вля́ть, '~вить (от) befreien (von); verschonen.

избе|га́ть, ~жа́ть, '~гнуть (P) (ver)meiden; entgehen (D.); ~жа́ние Vermeidung *f*.

изби́(ва́)ть durchprügeln; zerschlagen.

избира́тель *m* Wähler. изб(и)ра́ть (auser)wählen.

изби́тый verprügelt; *fig.* abgedroschen.

избра́нник Auserwählte(r).

избы́ток Überfluß *f*; Überschuß.

извер|га́ть, '~гнуть ausstoßen; *Vulkan:* (aus)speien; ~же́ние Ausstoßung *f*; *Vulkan:* Ausbruch *m*.

извести́ *s.* изводи́ть.

изве́сти|е Nachricht *f*; ~ть *s.* извеща́ть.

изве́сти|о es ist bekannt; ~ый bekannt; berühmt; bestimmt.

изве́сть *f* Kalk *m*.

изве|ща́ть, ~сти́ть benachrichtigen, mitteilen; ~ще́ние Nachricht *f*, Mitteilung *f*.

изви́|ва́ться sich schlängeln; '~лина Krümmung.

изви|не́ние Entschuldigung *f*; ~ни́тельный verzeihlich; ~ня́ть, ~ verzeihen; entschuldigen; verzeihen; ~ни́(те)! entschuldige(n Sie)!; Verzeihung!

извле|ка́ть, '~чь herausziehen; ~че́ние Herausziehen; Auszug *m*.

изводи́ть, извести́ ausrotten.

изво́зчик Fuhrmann; Droschkenkutscher.

извра|ща́ть, ~ти́ть verdrehen; entstellen; ~щённый verzerrt; entstellt; widernatürlich; pervers. [Windung *f*.]

изги́б Krümmung *f*.]

изгна́н|ие Vertreibung *f*; Verbannung *f*; ~ник Verbannte(r).

изгоня́ть, изгна́ть vertreiben; ausweisen.

изгото|вля́ть, '~вить herstellen; anfertigen.

изда́(ва́)ть herausgeben; veröffentlichen; verlegen (*Buch*).

и́здавна seit langer Zeit.

и́здали von weitem.

изда́|ние Ausgabe *f*; Veröffentlichung *f*; Auflage *f*; ~тель *m* Verleger; ~тельство Verlag *m*; ~ть *s.* изда́ть.

издева́ться verhöhnen, sich lustig machen (над über *A.*).

изде́лие Erzeugnis; Ware *f*.

изжо́га Sodbrennen *n*.

из-за (P) hinter ... hervor; wegen; ~ чего́? weshalb?

излага́ть, изложи́ть darlegen, auseinandersetzen.

изле́|чение Heilung *f*; ~чивать, ~чи́ть heilen; ~чи́мый heilbar.

изли́ш|ек Überschuß *f*; ~ество Unmäßigkeit *f*; ~ний überflüssig; unnötig.

изло|же́ние Darlegung *f*; Wiedererzählung *f*; ~жи́ть *s.* излага́ть.

изме́на Verrat *m*; Untreue.

изме|не́ние (Ver-)Änderung *f*; ~нник Verräter *f*; ~ня́ть, ~ни́ть (ver)ändern; (Д) verraten; ~ря́ть, ~рить (aus)messen.

изна́нка Innenseite.

изнаси́ловать *pf.* notzüchtigen, vergewaltigen.

изне́жи(ва)ть verweichlichen.

изнемо|га́ть, ~чь sich entkräften.

изну|ря́ть, ~ри́ть erschöpfen, entkräften.

изнутри́ von innen.

и́зо *s.* из.

изоби́лие Überfluß *m*.

изобра|жа́ть, ~зи́ть darstellen; schildern; ~же́ние Darstellung *f*; ~зи́тельный darstellend; ~зи́тельное иску́сство bildende Kunst *f*.

изобре|та́тель *m* Erfinder; ~та́ть, ~сти́ erfinden.

изойти́ *s.* исходи́ть.

израсхо́довать *pf.* ausgeben.

и́зредка bisweilen, selten.

изуве́р (grausamer) Fanatiker; ~ство Fanatismus *m*; Grausamkeit *f*; Barbarei *f*.

изуве́чи(ва)ть verstümmeln; verkrüppeln.

изуми́тельный erstaunlich; ~ля́ть, ~и́ть

in Erstaunen setzen; (**~ся**) (er)staunen.

изу|ча́ть, **~чи́ть** erlernen; **~че́ние** Studium.

изъя́н Schaden m; fig. Mangel.

изы́ск|анный auserlesen; **~ивать**, **~а́ть** ermitteln, erforschen.

изю́м Rosinen f/pl.

изя́щный anmutig, schön.

ико́на Heiligenbild n.

ико́та Schluckauf m.

икра́ (Fisch-)Rogen m; Kaviar m; mst pl. Wade f.

ил Schlamm.

и́ли oder; **~ ... ~** entweder ... oder. [ihnen.]

им durch ihn, mit ihm;f

име́ние Gut; Landgut.

имени́н|ник Namenstagfeiernde(r); **~ы** f/pl. Namenstag m.

и́менно gerade, ausgerechnet; **a ~** nämlich.

име́ть haben; besitzen; **име́ется** es gibt.

и́ми durch sie, mit ihnen.

импе|ра́тор Kaiser; **~ра́трица** Kaiserin; **'~рия** Kaiserreich n.

иму́щество Habe f, Gut; Vermögen.

иму́щий besitzend; Besitz...

и́мя n (Vor-)Name m.

Uni Russ.

и́на́че anders.

инде́ец Indianer.

индустриализа́ция Industrialisierung

инду́стрия Industrie; **тяжёлая ~** Schwerindustrie.

индю́|к Truthahn; **~шка** Truthenne.

и́ней Reif.

инжене́р Ingenieur.

иногда́ bisweilen, manchmal.

иногоро́дний auswärtig (aus einer andern Stadt).

ино́й manche(r); andere(r); **~ ..., ~ ...** der eine ..., der andere ...

иностра́н|ец Ausländer; **~ный** ausländisch.

институ́т Institut n; **нау́чно - иссле́довательский** wissenschaftliches Forschungsinstitut n.

интеллиге́нция Intellektuelle(n) pl.

интере́сный interessant.

Интернациона́л Internationale f.

инфля́ция Inflation.

инъе́кция Einspritzung, Injektion.

ипоте́ка Hypothek.

иск gerichtliche Klage f od. Forderung f.

иска|жа́ть, **~зи́ть** ent-

3

stellen; ~жённе Entstellung f.

иска́тель m Sucher.

иска́ть, по~ (P od. B) suchen.

исклю|ча́ть, ~чи́ть ausschließen; ~ча́я ausgenommen; ~че́нне Ausschluß m; Ausnahme f; за ~че́нием mit Ausnahme (von), außer; ~чи́тельный ausschließlich; Ausnahme-.

искоре|ня́ть, ~ни́ть ausrotten, vernichten.

и́скра Funke(n) m.

и́скренний aufrichtig.

искри|вля́ть, ~ви́ть krümmen, (ver)biegen.

и́скриться blitzen, funkeln.

искус|ный kunstfertig, geschickt; ~ственный künstlich; ~ство Kunst f; Geschicklichkeit f.

испа́н|ец Spanier; ~ия Spanien n.

испаре́ние Verdampfung f; Verdunstung f.

испове́|дание Bekenntnis; ~дывать bekennen; beichten lassen; (~ся) beichten.

и́споведь f Beichte.

исполком (исполни́тельный комите́т) Exekutiv-Komitee n.

испол|не́ние Erfüllung

f; Ausführung f; Durchführung f; ~ни́тельный vollziehend; Exekutiv...; ~ня́ть, '~нить erfüllen, vollziehen; ausführen; Thea. vortragen, spielen.

испо́ртить s. по́ртить.

испо́рченный verdorben, schlecht.

испра|ви́тельный дом Besserungsanstalt f; ~вле́ние Besserung f.; ~вля́ть, '~вить (ver)bessern; berichtigen.

испраж|не́ние Stuhlgang m; ~ня́ться, ~ни́ться Stuhl(gang) haben.

испу́г Schreck; ~а́ть (-ся) s. пуга́ть(ся).

испы|та́ние Prüfung f; Untersuchung f; Probe f; '~тывать, ~та́ть prüfen; erproben; erdulden.

иссле́|дование Untersuchung f; Erforschung f; ~довать untersuchen; erforschen.

исте|ка́ть, '~чь ablaufen; ~ка́ть кро́вью verbluten.

исте́ц Kläger.

истече́ни|е Ablauf m; по ~н od. за ~ем nach Ablauf.

и́стин|а Wahrheit; ~ный wahr; echt.

исти́ца Klägerin.

исто́к Quelle f.

истолко́|вывать, ~ва́ть auslegen, erklären.

исто́пник Heizer.

истори́ческий historisch, geschichtlich.

исто́чник Quelle f.

исто́|щать, ~ща́ть erschöpfen.

истре|би́тель m ✕ Zerstörer; Jagdflugzeug n; ~би́тельный vernichtend, verwüstend; ✕ Jagd...; ~бля́ть, ~би́ть vernichten, vertilgen.

истя|за́ние Peinigung f; ~за́ть peinigen, quälen.

исхо́д Ausgang, Ende n; ~йти́, изойти́ ausgehen (von); durchwandern; ~йть кро́вью verbluten.

исце|ля́ть, ~ли́ть heilen.

исчеза́ть, '~нуть verschwinden.

ита́к also, somit.

италья́нец Italiener.

ито́г Betrag, Summa f; ~о́ im ganzen, insgesamt.

итти́ s. идти́.

их ihrer, sie; ihr(e).

ию́ль m Juli.

ию́нь m Juni.

К

к, ко (Д) zu; gegen; an.

каба́к Kneipe f.

ка́бель m Kabel n.

каби́на Kabine; телефо́нная ~ Telefonzelle.

кабине́т Arbeitszimmer n; Kabinett n.

каблу́к (Schuh-)Absatz.

каботажáж Küstenschifffahrt f.

Кавка́з Kaukasus.

кавы́чки f/pl. Anführungszeichen n/pl.

ка́дка Zuber m, Kufe.

кадр Kader m. [zelne).

ка́ждый jeder (ein-)

каза́к Kosak.

каза́рма Kaserne.

каза́ться, по~ scheinen; ка́жется es scheint.

каза́чка Kosakin.

казни́ть hinrichten.

казнь f Hinrichtung; (сме́ртная ~) Todesstrafe.

кайма́ Saum m; Rand m.

как wie; as; ~ бу́дто, ~ бы als ob, gleichsam; ~ ... так sowohl ... als auch; ~ то́лько sobald (nur); ~-нибудь irgendwie.

како́й was für ein(er)?; welcher; каки́м о́бра-зом wie, auf welche Weise?

ка́к-то irgendwie; ~ раз einmal; eines Tages.

кала́ч Kalatsch (Gebäck).

кале́ка *m/f* Krüppel *m*.

календа́рь *m* Kalender.

калёный glühend; geröstet.

кали́ть glühend machen; rösten.

калмы́к Kalmück.

калори́фер Heizapparat; Heizkörper; ~ы *pl.* Luftheizung *f*.

кало́ша Galosche; Überschuh *m*, [hosen *f/pl.*]

кальсо́ны *pl.* Unter-

ка́мбала Flunder, Scholle.

камен|е́ть, (o~) (sich) versteinern; ~и́стый steinig; ~ноу́гольный Steinkohlen...

ка́мен|ный steinern; Stein...; ~оло́мня Steinbruch *m*.

ка́мен|щик Maurer; ~ь *m* Stein.

ка́мера Kammer; Kamera; Zelle.

кампа́ния Kampagne.

камфора́ Kampfer *m*.

камфо́рка Ringaufsatz *m* (*beim Samowar*).

ками́ш Schilf(rohr) *n*.

кана́ва (Abfluß-)Graben *m*. [vogel *m*.]

канаре́йка Kanarien-

кана́т Seil *n*, Tau *n*; ~охо́дец Seiltänzer.

кани́кулы *pl.* Ferien.

каноне́рка Kanonenboot *n*.

кану́н Vorabend; ~ но́вого го́да Silvester *n*.

канцеля́рия Kanzlei.

ка́пать, ка́пнуть tröpfeln; tropfen.

капита́л Kapital *n*, Vermögen *n*.

капита́н Hauptmann; Kapitän; ~ский мо́стик Kommandobrücke *f*.

капка́н Falle *f*, Wolfs-, Fuchs-eisen *n*.

ка́пл|я Tropfen *m*; ~ями *od.* ~я по ~е tropfenweise. [*f*.]

ка́пор (*Frauen*-)Kapuze

капри́з Laune *f*; ~ный wetterwendisch, launenhaft.

ка́псула Kapsel.

капу́ста Kohl *m*.

кара́куль *m* Persianer.

каранда́ш Bleistift.

каранти́н Quarantäne *f*.

кара́ть, по~ (be)strafen.

карау́л Wache *f*; ~! (zu) Hilfe!; ~ить, (по~) bewachen; ~ка Wacht-

Schilder-haus n; ~ьная Wachstube.

каре́та Kutsche.

ка́рий (kastanien)braun.

карка́с Gerippe n; Gestell n. [zen.]

ка́рк|ать, ~нуть kräch-]

ка́рлик Zwerg.

карма́н Tasche f; ~ный Taschen...; ~ные часы́ pl. Taschenuhr f.

карп Karpfen.

ка́рта Karte; Speisekarte; (географи́ческая) ~ Landkarte; Spielkarte. [Bild n.]

карти́на Gemälde n;]

карто́н Pappe f; ~ка Pappschachtel; Karton m.

карто́фель m Kartoffeln f/pl.

ка́рточка Karte; (визи́тная) ~ Visitenkarte; почто́вая ~ Postkarte.

карту́з Schirmmütze f.

карьери́ст Streber.

каса́ться, косну́ться ([до] P) berühren; что меня́ каса́ется was mich anbelangt od. be-]

ка́ска Helm m. [trifft.]

ка́сса Kasse; (a. биле́тная ~) Schalter m.

кассацио́нная жа́лоба Revision, Berufung.

касси́р(ша) Kassierer (-in).

кастéт Schlagring.

касто́ровое ма́сло Rizinusöl.

кастрю́ля Kasserolle.

ката́льное кре́сло Rollstuhl m.

ката́ние Spazierenfahren; ~ на конька́х Schlittschuhlaufen.

ката́р Katarrh.

ката́ть, по~ j-n fahren; wälzen; rollen (Wäsche); ~ся spazierenfahren; ~ся на ло́дке (саня́х) Boot (Schlitten) fahren; ~ся на конька́х Schlittschuh laufen; ~ся с гор od. ~ся на сала́зках rodeln.

ка́тер Kutter; kleines Motorschiff n.

кати́ть, по~ (hin)rollen; schnell fahren.

като́д j~ Kathode f.

като́к Walze f; (Wäsche-) Rolle f; Eisbahn f.

ка́торга Zwangsarbeit.

кафé n Kaffee(haus), Café.

кача́ть 1. pumpen; 2. по~ schaukeln; wiegen; ~ голово́й den Kopf schütteln; ~ся taumeln; schaukeln.

каче́ли pl. Schaukel f.

ка́чество Eigenschaft f; Güte f, Qualität f.

ка́чка Schaukeln n; боковая (килевая) ~ Schlingern (Stampfen) n (des Schiffes) n.

каша Grütze.

кашель m Husten; ~лять husten.

каштан Kastanie(nbaum m) f.

каюта Kajüte.

квартал Stadtviertel n; Vierteljahr n.

квартира Wohnung; Quartier n.

квартплата (квартирная плата) Miete.

квас Kwaß (Getränk); ~ить (ein)säuern.

квасцы pl. Alaun m.

кверху hinauf, nach oben.

квитанция Quittung; (багажная) ~ Gepäckschein m.

кегля Kegel m; играть в ~и Kegel schieben.

кедр Zeder f. [wem.]

кем durch wen; c ~ mit]

керосин Petroleum n.

киль m Kiel.

кинжал Dolch.

кино Kino; Lichtspielhaus; Kinematographie f.

киноварь f Zinnober m.

кипа (Tuch-)Ballen m.

кипеть, за~, c~ kochen, sieden; brodeln; fig. aufwallen.

кипятить, (вс~) aufkochen, ~ток kochendes Wasser m.

кирка lutherische Kirche.

кирпич Ziegel(stein); ~ный завод Ziegelei f.

кисейный Voile...; Mull...

кисель m Kissel (angedickte Obst- od. Milchsuppe).

кисея Mull m; Voile m.

кислород Sauerstoff.

кис|лота Säure; ~лый sauer; ~нуть, (про~, c~, за~) sauer werden.

кисть f Quast(e f) m, Troddel; (малярная Maler-)Pinsel m; (виноградная) ~ Traube; ~ (руки) Hand(gelenk n).

кит Walfisch.

китаец Chinese.

Китай China n.

китаянка Chinesin.

китолов Walfischfänger.

кишеть, за~ wimmeln (T von).

кишка Darm m.

клавиш(а) Taste f.

клад Schatz; ~бище Friedhof m.

кладовая Vorratskammer; Lagerraum m.

кладь f Frachtgut n, (Wagen-)Ladung.

кланяться, поклониться (Д) sich verbeugen (vor *D.*); grüßen.

кла́пан Klappe *f*; Ventil *n*.

класс Klasse *f*; Klassenzimmer *n*; '~овая борьба́ Klassenkampf *m*.

класть, положи́ть (hin)legen.

кле́вер Klee.

клевета́ Verleumdung; ~ть, (о~, на~) (на B) verleumden.

кле́ить kleben, leimen.

клей Leim.

клеймо́ Stempel *m*; Brandmal; фабри́чное ~ Fabrikmarke *f*.

кле́тка Vogelbauer *n*; Käfig *m*; Karo *n*; *Anat.* Zelle.

клёцка Mehlkloß *m*.

клещи́ *pl.* Zange *f*.

кли́мат Klima *n*.

клин Keil.

кли́ника Klinik.

клино́к (Messer-)Klinge *f*.

клони́ть, на~, с~ (nieder)beugen; neigen.

клоп Wanze *f*.

клуб[1] Klub.

клуб[2] (ды́ма) Rauchwolke *f*.

клубни́ка (Garten-)Erdbeere.

клубо́к Knäuel *n*.

клык Hauer, Stoßzahn.

клюв Schnabel.

клю́ква Moosbeere(*n pl.*).

ключ Schlüssel; Quelle *f*; ~и́ца Schlüsselbein *n*.

кля́сться, по~ schwören.

клятв|а Eid *m*, Schwur *m*; ~опреступле́ние Meineid *m*.

кни́га Buch *n*.

книго|печа́тание Buchdruck(erkunst *f*) *m*; ~прода́вец Buchhändler; ~торго́вля Buchhandel *m*.

кни́ж|ка Büchlein *n*; ~ный Buch..., Bücher...

кни́зу nach unten (zu).

кно́пка Druckknopf *m*; Reißzwecke; Kontaktknopf *m*.

кнут Knute *f*, Peitsche *f*.

кня|ги́ня Fürstin; ~жество Fürstentum; ~жна́ Fürstentochter; ~зь *m* Fürst.

ко *s.* к.

коали́ция Koalition.

кобы́ла Stute.

кова́рный hinterlistig; tückisch.

кова́ть, с~ schmieden.

ковёр Teppich.

когда́ wann; *cj.* als; ~-нибудь irgendwann, einmal; ~-то einst; irgendwann.

кого́ wessen; wen.

коготь *m* Klaue *f*, Kralle *f*.

кое|-где irgendwo ~**как** mit Mühe und Not; halbwegs; nachlässig; ~**кто** irgendwer; ~**что** irgend(et)was, einiges.

кожа Haut; Fell *n*; Leder *n*: **~ный** Leder…

кожевенный завод Lederfabrik *f*.

кожица Häutchen *n*; (*Apfel-*)Schale.

коза Ziege.

козёл (Ziegen-)Bock.

козуля Reh *n*.

козырёк Schirm (*an Mützen*).

козырь *m* Trumpf.

койка Hängematte; Koje; Bett *n*.

коклюш Keuchhusten.

кол Pfahl.

колбаса Wurst; **~ник** Wurstmacher.

колдовство Zauberei *f*.

коле|бание Schwanken; Schwingung *f*; **~бать**, (вс~, за~, по~) bewegen (hin u. her); schwankend machen; (~ся) sich bewegen (hin u. her od. auf u. nieder); (sch)wanken.

колено Knie; Biegung *f*.

колесо Rad. [spur.]

колея Geleise *n*; Rad-)

количество Quantität *f*, Menge *f*.

колода (*Holz-*)Block *m*; ~ (карт) Kartenspiel *n*.

колодец Brunnen.

колодка Leisten *m*.

колокол Glocke *f*; **~ьня** Glockenturm *m*; **~ьчик** Schelle *f*; Glöcklein *n*; Glockenblume *f*.

колония Kolonie.

колонна Säule; Ko-)

колос Ähre *f*. [lonne.)

колотить (aus)klopfen; schlagen.

колоть 1. рас~ (zer-)spalten; hacken; **2. кольнуть** (er)stechen; **колотая рана** Stichwunde.

колпак Kappe *f*; Lampenschirm; (**стеклянный ~**) Glasglocke *f*.

колхоз (**коллективное хозяйство**) Kolchos, Kollektivwirtschaft *f*.

колыбель *f* Wiege.

колых|ать, **~нуть** sanft bewegen, schaukeln.

колыхнуть *s.* **колыхать**.

кольцо Ring *m*.

колючка Stachel *m*.

коляска Kalesche; **детская ~** Kinderwagen *m*.

ком Klumpen; **снежный ~** Schneeball.

ком²: о ~ von wem, über wen.

команда Befehl *m*; Kommando *n*; фут-

больная ~да Fußball-mannschaft; ~дир Befehlshaber.

комар Mücke f.

комбинат Kombinat n.

комедия Komödie, Lustspiel n.

комета Komet m.

комиссар Kommissar, Bevollmächtigte(r).

комисси|онный ~бн-ные (деньги) f/pl. Provision f; ~бнная контора Vermittlungsbüro n.

комиссия Auftrag m; Ausschuß m; Kommission.

комитет Komitee n, Ausschuß.

комический komisch, humoristisch.

коммер|сант (Groß-) Kaufmann; '~ческий Handels...

коммун|изм Kommunismus; ~истический kommunistisch.

комната Zimmer n, Stube.

комод Kommode f.

комок Klümpchen n.

компан|ия (Handels-) Gesellschaft; ~ьбн Mitinhaber; Teilhaber.

компартия (коммунистическая партия) Kommunistische Partei.

комплек|т Garnitur f; Satz; vollständige Anzahl f; ~товать, (с-, y~) komplettieren, vervollständigen.

композитор Komponist, Tondichter.

компот Kompott n, Dunstobst n.

Комсомол (Коммунистический Союз Молодёжи) Kommunistischer Jugendverband.

комсомол|ец,~ка Jungkommunist(in f).

кому wem.

конверт (Brief-)Umschlag. [torei.\
кондитерская Kondi-)

кондуктор Schaffner.

конёк Pferdchen n; Schlittschuh; fig. Steckenpferd n.

конец Ende n, Schluß; в конце концов schließlich, zuletzt.

конечно freilich, natürlich, gewiß; ~ный endlich; End...

конница Reiterei.

коннозаводство Pferdezucht f; Gestüt(verwaltung f).

конный Pferde...; beritten; ~ завод Gestüt n.

консер|вативный konservativ; ~ватория

Konservatorium n; ~вы m/pl. Konserven f/pl.; (a. очки-консе́рвы) Schutzbrille f.

ко́нский заво́д Gestüt n.

конститу́ция Konstitution, (Staats-)Verfassung.

ко́нсул Konsul; ~ьство Konsulat.

конто́ра Kontor n, Büro n, Geschäftszimmer n; почто́вая ~ Postamt n.

контраба́нда Schleichhandel m; Schmuggelware.

контро|лёр Kontrolleur; ~ли́ровать,(про-) kontrollieren, prüfen.

контро́ль m Kontrolle f.

контрреволю́ция Genrevolution.

конту́зить quetschen.

конура́ Hundehütte.

ко́нус Kegel.

конфе́та mst pl. Konfekt n, Zuckerwerk n.

конфискова́ть konfiszieren, beschlagnahmen.

концла́герь m (концентрацио́нный ла́герь) Konzentrationslager n.

кон|ча́ть, '~чить (be-)endigen, schließen; ко́нчено! Schluß!

конь m Roß n, Pferd n;

~кобе́жец Schlittschuhläufer.

конья́к Kognak.

коню́|х Stallknecht; '~шня Pferdestall m.

копа́ть graben.

копе́йка Kopeke.

копирова́ль|ый Kopier...; ~ая ле́нта Farbband n.

копи́ть, на~ (an)sammeln; sparen.

ко́пия Kopie, Abschrift; Fot. Abzug m.

копна́ Heu-, Getreidehaufen m.

копти́ть, за~, на~, räuchern; berußen.

копы́то Huf m.

копь ~ у́гольная ~ Kohlenbergwerk n.

копьё Lanze f, Speer m.

кора́ Rinde; Kruste.

корабле|круше́ние Schiffbruch m; ~строе́ние Schiffbau m.

кора́бль m Schiff n.

корен|а́стый stämmig; ~но́й Ur...; Stamm...; Grund...; ~но́й зуб Backenzahn.

ко́рень m Wurzel f.

корешо́к Rücken (eines Buches); Wurzelfaser f.

корзи́на Korb m.

коридо́рный Korridor...; Zimmerkellner.

кори́ца Zimt m.

ко́рка Schale; Rinde.

корм Futter n, Nahrung f; **~á** Schiffshinterteil n, Heck n; **~и́ть, (на~, по~)** füttern, ernähren; **~и́ть гру́дью** stillen.

коро́бка Schachtel; Gehäuse n.

коро́в|а Kuh; **~ник** Kuhstall.

коро|ле́ва Königin; **~ле́вство** Königreich; **~ль** m König.

коромы́сло Tragejoch; Waagebalken m.

коро́н|а Krone; **~а́ция** Krönung; **~ова́ть** krönen.

коро́тк|ий kurz; Kurz-...; **~ая волна́** Kurzwelle; **~ое замыка́ние** Kurzschluß m.

ко́рпус Korps n; Rumpf; Körper; Gehäuse n (e-r Uhr).

корреспонде́нт Korrespondent; Berichterstatter.

коры́|стный habsüchtig; **~столю́бие, ~сть** f Gewinnsucht f; Habsucht f.

коры́то Trog m.

корь f Masern f/pl.

коса́ Sense; Landzunge; **(~ во́лос)** Zopf m.

коси́ть 1. schief machen; **~ глаза́** od. **~** (v/i.)

(глаза́ми) schielen; **2. с~** mähen.

косме́тика Kosmetik; Schönheitsmittel n.

косну́ться s. каса́ться.

косо́й schief, schräg; schielend.

костёл (römisch-katholische) Kirche f.

костёр Scheiterhaufen m.

ко́сточка Knöchelchen n; Kern m, Stein m; **(ры́бья)~** Gräte; Fischbein n.

косты́ль m Krücke f.

кость f Knochen m; Gräte; **(игра́льная)~** Würfel m.

костю́м Kostüm n; Anzug.

кот Kater.

котёл Kessel.

кото́мка Rucksack m.

кото́р|ый welcher, der; **из ~ого** woraus; **~ый час?** wieviel Uhr ist es? **в ~ом часу́?** um wieviel Uhr?

ко́фе m Kaffee.

кофе́йник Kaffeekanne f.

коче|ва́ть nomadisieren; umherziehen; **'~вник** Nomade.

кочега́р Heizer.

кочерга́ Schüreisen n; Feuerhaken m.

кошелёк Geldbeutel; Portemonnaie n.

кóшка Katze.

КПСС (Коммунисти́ческая па́ртия Сове́тского Сою́за) Kommunistische Partei der Sowjetunion.

кра́жа Diebstahl m.

край Rand; Kante f; Land n; Gegend f; ~ли́ться че́рез ~ überfließen; '~не äußerst, sehr; '~ний äußerster; Höchst...; по '~ней ме́ре wenigstens.

кран Hahn (am Gefäß); (a. подъёмный ~) Kran.

крапи́ва (Brenn-)Nessel.

краса́вица Schöne, Schönheit.

краси́вый schön, hübsch.

краси́льня Färberei.

кра́с|ить, (по-) färben; ~ка Farbe; ~нѣть, (по-) rot werden, erröten.

красно|арме́ец Rotarmist; ~гварде́ец Rotgardist; ~ле́сье Nadelholz.

красно|ре́чие Redegewandtheit f; ~кунст f; ~та́ Röte.

кра́с|ный rot; 2ная 'А́рмия Rote Armee; ~ное де́рево Mahagoni (-holz).

красота́ Schönheit.

красть, у~ stehlen.

кра́т|кий kurz; ~кость f Kürze.

крахма́л Stärke(mehl n) f; ~ить, (на-) stärken.

креди́т|ный Kredit...; ~ биле́т Banknote f.

крейсер ⚓ Kreuzer.

кремато́рий Krematorium n.

кремль m Stadtfestung f; bsd. 2 Kreml (in Moskau).

кре́ндель m Kringel, Brezel f.

кре́пкий stark; fest; geistig (Getränke).

крепостно́й Festungs...; ~ (челове́к) hist. Leibeigene(r).

кре́пость f Festung, Festigkeit.

кре́сло Lehnstuhl m, Sessel m.

крест Kreuz n; ~е́ц Anat. Kreuz n; ~и́ны pl. Taufe f; ~и́ть 1. (о~) taufen; 2. (пере~) bekreuzen.

крёст|ный (оте́ц) Pate; ~ная (мать) f Patin.

крестья́н|ин Bauer; ~ка Bäuerin; ~ский bäuerlich; Bauer(n)...

криво́й krumm, schief.

крик Aufschrei; Ruf; Schrei; ~нуть pf. aufschreien; zurufen.

кри́тик Kritiker; ~a Kritik, Beurteilung; ~ова́ть kritisieren.

крича́ть, за~ schreien; zurufen.

кров Obdach n; **без** '~a obdachlos; ~а́вый blutig.

крова́ть f Bettstelle, Bett(gestell) n.

кровельщик Dachdecker.

кро́в|ный blutsverwandt; echt, Vollblut...; ~ный интере́с lebenswichtiges Interesse n; ~ная оби́да tödliche Beleidigung.

крово|обраще́ние Blutkreislauf m; ~проли́тие Blutvergießen; ~пуска́ние Aderlaß m; ~тече́ние Blutung f.

кровь f Blut n.

кровяно́й Blut...; blutrot.

крои́ть, с~ zuschneiden.

кро́лик Kaninchen n.

кро́ме (P) außer (D.); ~ того́ außerdem.

крот Maulwurf; '~кий sanft(mütig).

круг Kreis; Scheibe f; '~лый rund.

круго|во́й kreisförmig; Kreis...; Rund...

круго́м rings(her)um.

кружева́ n/pl. Spitze f.

кружи́ть(ся) kreisen; у меня́ кру́жится голова́ mir wird schwindlig.

кру́жка Kanne; (пивна́я Bier-)Seidel n.

кружо́к (kleiner) Kreis; (Tanz-)Kränzchen n; Vereinigung f, Zirkel.

крупа́ Grütze; Graupen pl.

кру́пный (grob)körnig; groß; Groß...

крути́ть drehen.

круто́й steil; hart(gekocht); streng.

круше́ние по́езда Entgleisung f.

крыжо́вник Stachelbeeren f/pl.; Stachelbeerstrauch m.

кры|ла́тый ge-, beflügelt; Flügel...; ~ло́ Flügel m; (~ло́ от гря́зи) Kotflügel m; ~льцо́ Außen-, Frei-treppe f.

Крым Krim f.

кры́са Ratte.

крыть, по~ (be)decken; überziehen (T mit).

кры́|ша Dach n; ~ка Deckel m.

крюк Haken.

кста́ти gelegen, eben recht.

кто wer?; der; welcher; ~ тако́й? wer ist (es)?; '~-либо, '~-нибудь, |

то (irgend) jemand, irgendein.

куб A: dritte Potenz *f*; '⌣(ик) Würfel.

куби́ческий würfelförmig; Kubik...

кувши́н (Wasser-)Krug, Kanne *f*.

куда́ wohin; ⌣-либо, ⌣-нибудь, ⌣-то irgendwohin.

кудря́вый kraus, lockig.

кузе́н Vetter.

кузи́на Base.

кузне́ц Schmied.

кузни́ца Schmiede.

ку́зов: автомоби́льный ⌣ Karosserie *f*.

ку́кла Puppe.

ку́кольный теа́тр Puppentheater *n*.

кукуру́за Mais *m*.

куку́шка Kuckuck *m*.

кула́к Faust *f*; Kulak, Großbauer; ⊕ Nocken.

кули́ч Osterkuchen.

культрабо́та (культу́рная рабо́та) Kulturarbeit.

культу́ра Kultur.

культфо́нд (культу́рный фонд) Fonds für kulturelle Zwecke.

куми́р Götze, Abgott.

купа́ль|ный Bade...; ⌣ня Bad *n* (*im Freien*); ⌣щик Badeanstalt; Badegast; Badende(r).

купа́ть(ся), вы́⌣ baden.

купе́ Kupee, Abteil.

купе́|ц Kaufmann; ⌣ческий kaufmännisch, Kaufmanns...

купи́ть *s.* покупа́ть.

ку́пол Kuppel *f*.

кури́льщик Raucher.

кури́ный Hühner...

кури́ть 1. brennen (*Schnaps*); 2. по⌣ rauchen; 3. на⌣ verqualmen.

ку́рица Huhn *n*, Henne.

куропа́тка Rebhuhn *n*.

курс Kursus; Kurs.

курт|ка Jacke; ⌣очка Jäckchen *n*.

ку́ры *f/pl.* Hühner *n/pl.*

курьёзный kurios, sonderbar.

курье́рский по́езд Schnellzug.

куря́|щий rauchend; Raucher(...); вагóн для ⌣щих Raucher(wagen).

куса́ть, укуси́ть beißen; *Insekt:* stechen.

кусо́к Stück *n*.

куст Strauch, Busch; Vereinigung *f*.

куста́р|ник Gesträuch *n*; ⌣ь *m* Handwerker, Heimarbeiter.

кути́ть zechen, kneipen.

кух|а́рка Köchin; ⌣ми́стерская Speisewirtschaft; '⌣ня Küche.

ку́ча Haufe(n) *m.*

ку́чер Kutscher.

куша́к (Leder-)Gurt, Gürtel.

ку́ша|нье Speise *f*,

Essen; **~ть**, (с**~** по**~**) essen.

кушétка Schlafsofa *n*, Chaiselongue.

кюве́тка *Fot.* Schale.

Л

ла́вка Laden *m*; (Sitz-)Bank.

лавро́вый Lorbeer...

ла́герь *m* (Feld-)Lager *n*.

лад Art und Weise *f*; Tonart *f*.

ладо́|нь *f* Handfläche; **как на ~ни** ganz deutlich.

лазаре́т Lazarett *n*, Militärkrankenhaus *n*.

лазу́тчик Kundschafter.

ла́й|ка Eskimohund *m*; Handschuhleder *n*; **~ковый** Glacé...

лак Lack, Firnis.

лакирова́ть, на**~** lackieren, firnissen.

ла́ком|ство Naschwerk; **~ый** lecker.

ла́мпа Lampe.

ла́мпочка Lämpchen *n*; Glühbirne. [*n*.]

ла́ндыш Maiglöckchen]

ла́па Pfote, Tatze.

ла́пка Pfötchen *n*.

ла́поть *m* Bastschuh.

лапша́ Nudeln *f/pl.*; Nudelsuppe.

ла́рчик Kästchen *n*.

ла́ска Liebkosung.

ласка́ть, по**~**, при**~** liebkosen.

ла́сковый zärtlich; liebkosend; freundlich.

ла́сточка Schwalbe.

лати́нск|ий lateinisch; **?ая Аме́рика** Lateinamerika *n*.

лату́нь *f* Messing *n*.

латы́ш Lette; **~ка** Lettin.

ла́ять, за**~** bellen.

лгать, со**~** lügen.

ле́бедь *m* Schwan.

лев Löwe.

левша́ *m/f* Linkshänder (-in *f*).

ле́вый linke(r).

лега́льный gesetzlich.

лёгк|ий leicht; **~ая промы́шленность** *f* Leichtindustrie.

легко́|ве́рный leichtgläubig; **~во́й автомоби́ль** *m* Personenkraftwagen.

лёгкое *mst pl.* Lunge *f*.

легкомы́сленный leichtsinnig.

лёгкость f Leichtigkeit; Gewandtheit.

лёгочный Lungen...

лёд Eis n.

леденéц Zuckerkandis.

лéдник¹ Eiskeller; Eisschrank.

ледни́к² Gletscher.

Ледо|ви́тый океáн Eismeer; **2хóд** Eisbrecher; **2хóд** Eisgang.

ледянóй eisig; Eis...

лежá|ть liegen; **~чий** liegend, Liegende(r).

лéзвие Schneide f.

лезть, по~ klettern; steigen.

лéйка Gießkanne.

лекáрство Arz(e)nei f, Medizin f.

лéкция Vorlesung; Vortrag m.

лелéять, вз~ hätscheln; verzärteln; hegen.

лён Flachs, Lein.

лени|вец Faulenzer; Faultier n; **~вый** faul, träge.

лéнта Band n; Farbband n.

лень f Faulheit; Trägheit.

лепетáть, про~ lallen; stammeln.

лес Wald; (Bau-)Holz n; **~á** pl. Baugerüst n; **~**

ни́чий Förster; **~нóй** Wald...; Forst...

лесопи́льня Sägemühle.

лесопромы́шленность f Holzindustrie.

лéстница Treppe; Leiter.

лéстный schmeichelhaft.

лесть f Schmeichelei.

лёт Flug; **на летý** während des Fluges.

летáть, по~ fliegen.

летéть, по~ (~ тудá hin)fliegen.

лéтний sommerlich; Sommer...

лётный Flug...; Flieger-...

лéт|о Sommer m; **~á** pl. Jahre; **~ом** im Sommer; **скóлько вам лет?** wie alt sind Sie?; **~опись** f Chronik; Jahrbuch n.

летýч|ий: ~ая мышь f Fledermaus.

лётчик Flieger.

лечéбница Klinik, Heilanstalt; **глазнáя ~** Augenklinik.

лечéние Heilbehandlung f; Kur f. [kurieren.]

лечи́ть, по~ behandeln.]

лечь s. ложи́ться.

лéший Waldgeist.

лжеприся́га Meineid m.

лжи́вый lügenhaft.

ли ob; **вéрно ~ э́то?** ist das richtig?

либера́лLiberale(r),Freisinnige(r).

ли́бо oder; ~ ... ~ entweder ... oder.

ли́вень m (Regen-)Guß.

ли́га Liga, Bund m.

лигни́т Braunkohle f.

ли́дер Schrittmacher; ~ (парти́и) Partei-, Wortführer.

лиза́ть, по~, лизну́ть (lecken).

ликёр Likör.

ликова́ть frohlocken, jubeln.

ли́лия Lilie.

лило́вый lila.

лими́т Limit n; Preisgrenze f.

лимо́нZitrone(nbaum m) f.

лимузи́н Limousine f.

лине́йка Lineal n; Linie.

ли́ния Linie; Strecke.

линя́ть, по~ verschießen, verbleichen; von Tieren: haaren; mausern; sich häuten.

ли́п|a Linde f; ~кий klebrig; ~овый Linden...

лиса́, лиси́ца Fuchs m.

лист Blatt n; (Papier-) Bogen; исполни́тельный ~ Vollstreckungsbefehl; ~ва́ Laub n; 'венница Lärche; ~о́вка Flugblatt n; ~ово́е о́лово Zinnblech, Stanniol.

лита́вры f/pl. Pauke f.

лите́йная Gießerei.

лить, по~ gießen; стрömen; ~ся fließen.

литьё Guß m.

лифт Fahrstuhl.

лихо́й verwegen.

лихора́дка Fieber n.

лицево́й Gesichts...; Stirn...; Vorder...; Außen...

лицеме́р Heuchler; ~ие Heuchelei f.

лицо́ Gesicht; Vorderseite f; Außenseite f; Person f.

личи́на fig. Maske.

ли́ч|ность f Persönlichkeit; ~ный persönlich; ~ный соста́в Personal n.

лиша́й Flechte f.

лиша́ть, лиши́ть (P) nehmen, berauben, bringen (um).

лише́ние Beraubung f; Verlust m.

ли́шн|ий überflüssig; übrig; ~ий вес Übergewicht n; взять ~ее с (P) übervorteilen.

лишь nur, bloß, kaum.

лоб Stirn f.

лов Fang; ~и́ть, пойма́ть fangen; erwischen; ~кий gewandt, geschickt.

ло́дка Boot n.

ло́жа Loge.

ложи́ться, лечь sich (hin)legen.

ло́жка Löffel m.

ло́жный unwahr, falsch.

ложь f Lüge.

лоза́: виногра́дная ~ Weinrebe.

ло́кон (Haar-)Locke f.

ло́коть m Ellbogen.

лом Brecheisen n; Bruch.

лома́ть, с~ (zer)brechen; (Haus) abreißen; ~ го́лову sich den Kopf (zer)brechen; ~ся (zer)brechen.

ломба́рд Pfandleihe f; снести́ в ~ versetzen.

лом|и́ть reißen; (sein) brechend voll sein; ~ся biegen; '~кий zerbrechlich.

ломо́ть m Stück n (Brot).

лопа́т|а Schaufel; ~ка Schulterblatt n; Spachtel. [platzen.]

ло́паться, ло́пнуть]

лопу́х Klette f.

лоску́т Lappen, Fetzen.

лосни́ться glänzen.

лососи́на Lachsfleisch n.

ло́сось m Lachs m.

лось m Elen(tier) n, Elch.

лотере́я Lotterie.

лото́к Tragbrett n; прода́жа с лотка́ Straßenverkauf m.

лохмо́тья n/pl. Lumpen m/pl.

ло́цман Lotse.

ло́шадь f Pferd n.

луг Wiese f.

луди́ть, вы́~ verzinnen.

лу́жа Pfütze, Lache.

лук Bogen (zum Schießen); Zwiebel f.

лука́вый (hinter)listig; verschmitzt.

лу́ковица Zwiebel(knolle).

луна́ Mond m; ~тик Mondsüchtige(r).

лу́нный Mond...

лу́па Lupe.

лупи́ть 1. об~ (ab)schälen; 2. с~ (с P) Rinde abreißen.

луч Strahl.

лучеза́рный helleuchtend.

лучи́на (Kien-)Span m.

лу́чше besser; ~ всего́ am besten.

лу́чший beste(r).

лы́жа mst pl. Schneeschuh m, Schi od. Ski m.

лы́ко (Linden-)Bast m.

лы́сина Glatze.

лы́сый kahl(köpfig).

льви́ца Löwin.

льго́т|а Vorrecht n, Vergünstigung; ~ный Vorzugs..., Frei...

льди́на Eis-scholle, -block m.

льняно́й Lein...;Flachs...
льстец Schmeichler.
льстить, по~ schmei-
cheln. [dig.)
любе́зный liebenswür-
люби́|мец Liebling; ~
мый beliebt; Lieblings-
...; мой ~мый! mein
Liebster!
люби́тель m Liebhaber,
Amateur.
люби́ть, по~ lieben, gern
haben.
любова́ться, на~, по~
(T) sich ergötzen (an D.).
любо́|вник Thea. Lieb-
haber; ~вь f Liebe.

любозна́тельный wiß-
begierig.
любо́й beliebig.
любопы́т|ный neu-
gierig; Neugierige(r);
~ство Neugier(de) f.
лю́д|и m/pl. Menschen,
Leute pl.; ~ный dicht
bevölkert, belebt.
людое́д Menschenfresser.
людско́й menschlich;
Menschen...
ляга́ть(ся), лягну́ть
(hinten) ausschlagen.
лягу́шка Frosch m.
ля́мка Trag-, Zieh-
riemen m.

M

мавзоле́й Mausoleum n.
магази́н Lager(haus) n;
Handlung f, Laden; Ma-
gazin n; универса́ль-
ный ~ Kaufhaus n.
ма́гний Magnesium n.
магни́т Magnet.
ма́зать, по~ bestreichen,
schmieren.
мазь f Schmiere, Salbe.
май Mai.
мак Mohn. [tel.)
макинто́ш Regenman-
ма́ленький (recht) klein;
unbedeutend.
мали́на Himbeere(n pl.);
Himbeerstrauch m.

ма́ло wenig; ~ того́, что
... nicht nur, daß ...;
~ва́жный geringfügig;
~ду́шие Kleinmut m;
~кро́вный blutarm;
~ле́тний minderjährig;
Minderjährige(r); ~по-
ма́лу nach und nach,
allmählich.
ма́лый klein; gering.
ма́льчик Junge; Bur-
sche; Knabe.
мальчи́шник Polter-
abend. [cher.)
маля́р Maler, Anstrei-
манда́т Mandat n; Voll-
macht f.

манёвр Manöver n.

манёж Reitbahn f.

манекéн Gliederpuppe f; Mannequin n.

манéра Art, Manier.

манжéта Manschette.

манить, по~ herbeiwinken; locken.

мáния Sucht.

мáрево Luftspiegelung f.

мáрка Mark; Marke; почтóвая ~Briefmarke.

март März.

мартышка Meerkatze.

маршрут Reiseroute f; Linie f, Strecke f.

маслёнка Butterdose; ⊕ Schmierbüchse.

мáсло Öl; (корóвье) ~ Butter f.

масóн Freimaurer.

мáсса Masse, Menge; ~ми massenhaft.

массажист Masseur.

массовик Massenagitator.

мáссовый Massen...

мáстер Meister; золотых дел ~ Juwelier; ~ская Werkstatt; Atelier n. [bar.]

маститый achtbar, ehr~ f Farbe.

мат Matt m (Schach).

материáльный materiell, Material...

материк Festland n, Kontinent.

матéрия Materie; Stoff m.

мáтка Gebärmutter; Weibchen n (bei Tieren); пчелиная ~ Bienenkönigin.

мáтовый matt, glanzlos.

матрáц Matratze f.

матрóс Matrose.

матч Match, Wettkampf.

мать f Mutter.

мах|áть, ~нуть (T) schwingen; wedeln; schwenken.

мáчеха Stiefmutter.

мáчта Mast m.

машина Maschine; ~нáльно mechanisch; ~нистка Stenotypistin, Maschinenschreiberin; ~нка: пишущая ~ Schreibmaschine; ~ностроéние Maschinenbau m.

маяк Leuchtturm.

мáятник Pendel.

мгла Nebel m; Finsternis. [pl.).]

мéбель f Möbel n (mst) меблирóвка (Wohnungs-)Einrichtung.

мёд Honig; Met.

медáль f Medaille.

медвéд|ица Bärin; ~ь m Bär.

медик Mediziner.

медицина Medizin, Heilkunde.

ме́дленный langsam.

меди́тельный langsam; zögernd.

ме́длить, про~ (ver-) zögern.

ме́дный kupfern; Kupfer...

медо́вый honigsüß; Honig...; **~ ме́сяц** Honigmonat, Flitterwochen f/pl.

медь f Kupfer n; **жёлтая ~** Messing n.

межа́ Grenze; Rain m.

ме́жду (T) zwischen, unter: **~ тем** inzwischen; **~наро́дный** international; **~наро́дный почто́вый сою́з** Weltpostverein.

межева́ть, от~ vermessen.

мел Kreide f.

ме́лкий fein; klein; unbedeutend; seicht, flach; klein...; fig. niedrig.

ме́лочный kleinlich.

ме́лочь f Kleinigkeit; Kleingeld n.

мель f Sandbank, Untiefe; **~ка́ть, ~кну́ть** flimmern; vorüberhuschen; **~ник** Müller; **~ница** Mühle.

ме́на Tausch m.

ме́нее: тем не ~ trotzdem.

ме́ньше kleiner; weni-

ger; **~ всего́** am wenigsten.

меньшеви́зм Menschewismus.

меньшинство́ Minderheit f.

меня́ meiner; mich.

меня́ть, по~ tauschen; wechseln; ändern.

ме́ра Maß n; Maßnahme; **по кра́йней ме́ре** wenigstens.

ме́рзкий abscheulich, garstig.

мёрзнуть frieren.

мери́ло Maß(stab m) n.

ме́рить, с~ (aus)messen; anprobieren.

мероприя́тие Maßnahme f.   [f.]

мертве́ц Tote(r), Leiche

мёртвый tot.

меси́ть, с~ kneten.

мести́ fegen, kehren.

ме́стность f Gegend.

ме́сто Ort m, Platz m; Stück (Gepäck); Stelle f, Posten m; **~жи́тельство** Wohnsitz m; **~пребыва́ние** Aufenthalts-, Wohn-ort m; **~рожде́ние** Geburtsort m; Fundstelle f (Bodenschätze).

месть f Rache(akt m).

меся́|ц Monat; Mond; **~чный** monatlich; Monats...

метéль f Schneegestöber n.

мéт|ить (по~) (be)zeichnen; ~ить (на od. в B) zielen; ~ка (Merk-)Zeichen n; ~кий (genau) treffend; treffsicher.

метлá Besen m.

метрúческое свидéтельство Geburtsschein m. [f.\

метрó Untergrundbahn|

мех Blasebalg; Pelz (-werk n); Schlauch.

механúк Mechaniker.

меховóй Pelz~.

мечéть f Moschee.

мечтá Einbildung; Trugbild n; Sehnsucht; ~ть, (по~) schwärmen, träumen.

мешáть, 1. за~, пере~, с~ (ver)mischen, (um)rühren; 2. по~ (Д) stören, hindern.

мешó|к Sack; ~чничество Hamsterei f.

мещанúн (Klein-)Bürger; Spießbürger.

миг Augenblick.

мигáть, мигнýть blinzeln; flimmern.

мúгом im Nu.

мизúне|ц kleiner Finger; ~ц kleine Zehe f.

микрофóн Mikrophon n.

милиционéр Milizsoldat; Schutzmann.

мúло|вать, (по~) begnadigen; помúлуй(те)! aber ich bitte dich (Sie)! ~сéрдие Barmherzigkeit f; ~сéрдный barmherzig; ~стивый gütig, gnädig; ~стыня Almosen n; ~сть f Gnade; Gewogenheit.

мúлый lieb(lich), hold; geliebt.

мúля Meile.

мúмо vorüber, vorbei; ~ (P) an ... (D.) vorüber, vorbei; ~ходом im Vorbeigehen.

мúна Mine; Miene.

миндáль m Mandeln f/pl.; Mandelbaum.

министéрство Ministerium.

минúстр Minister; ~ инострáнных дел Außenminister.

минoвáть übergehen; vermeiden; v/i. vorüber-, vergehen.

мúно|мéт Minenwerfer; ~нóсец Torpedoboot n.

минýт|а Minute; сию~у sofort, im Augenblick.

мир Friede(n); Welt (-all n) f.

мирúть, по~ ver-, aussöhnen. [dens...]

мúрный friedlich; Frie-\

мúро|воззрéние Weltanschauung f; ~вóй

Welt...; Friends...; ~вая сдéлка friedlicher Vergleich m; ~любúвый friedfertig; ~созерцáние s. ~воззрéние.

мúска Suppenschüssel.

мишéнь f Zielscheibe.

мишурá Flittergold n; fig. Tand m.

младéнец kleines Kind n, Säugling.

млáдший jüngerer; jüngster; Unter...

млекопитáющие n/pl. Säugetiere.

мне mir; обо ~ von mir; über mich.

мнéние Meinung f; Ansicht f; общéственное ~ öffentliche Meinung f.

мнúмый scheinbar; mutmaßlich; Schein...

мнóгий viel.

мнóго viel; ~крáтно wiederholt, mehrfach; ~крáтный vielfach; ~лю́дный belebt; ~уважáемый sehr geehrter; ~чúсленный zahlreich.

мнóжество Menge f.

мной, мнóю durch mich, von mir.

мобилизáция Mobilmachung.

могúла Grab(hügel m) n.

могúль|ный Grab...; ~щик Totengräber.

могý|чий, ~щéственный mächtig, stark; ~щество Macht f.

мóдный modern; Mode...

мóжет быть vielleicht.

мóжно man kann od. darf; как ~ möglichst.

мозг Gehirn n; (кóстный Knochen-)Mark n.

мозóль f Hühnerauge n.

мой, моя́, моё, pl.: мои мein(e).

мóкнуть, про~ naß werden.

мокрóта Schleim m; Auswurf m.

мóкрый naß.

мол Mole f.

молúтва Gebet n.

молúть flehen; inständig bitten; ~ся, помолúться beten.

мóлния Blitz m; ~ сверкáет es blitzt.

моло|дёжь f Jugend f; ~дéц kräftiger Bursche; ~дóй jung.

мóлодость f Jugend (-zeit).

молокó Milch f.

мóлот Hammer.

молотúлка Dreschmaschine.

молотúть, с~ dreschen.

молотóк Hammer.

молóть, с~ mahlen.

моло́ч|ный Milch...; ~ная Molkerei.

мол|ча́вый schweigsam; ~ча́ние Schweigen; ~ча́ть, (за~, по~) (still)schweigen.

моль *f* Motte; ~бе́рт Staffelei *f*.

момента́льный augenblicklich; **Moмент...**

монасты́рь *m* Kloster *n*.

мона́|х Mönch; ~хиня Nonne.

монет|а Münze; Geldstück *n*; ~ный двор Münze *f*.

моно|пла́н Eindecker; ~по́лия Monopol *n*.

мор... in Zssgn Abk. für морско́й.

морг|а́ть, ~ну́ть zwinkern, blinzeln.

мо́рда Maul *n*, Schnauze.

мо́ре Meer *n*, See *f*; ~м zur See.

морепла́вание Seefahrt *f*, Schiffahrt *f*.

мори́ть, у~ zu Tode quälen.

морко́вь *f* Mohrrübe.

моро́женое Gefrorene (-s), Speiseeis.

моро́з Frost; ~ить erfrieren lassen; ~нт es friert.

мороси́ть fein regnen.

морс Fruchtsaft.

морск|о́й Meeres...; See-

..., Marine...; ~ие си́лы *f/pl.* Seestreitkräfte, Marine *f*.

мо́рфий Morphium *n*.

морщи́на Runzel; Falte.

мо́рщить, на~, с~ runzeln; rümpfen.

моря́к Seemann.

Моск|ва́ Moskau *n*; ~ви́ч(ка) Moskauer(in).

мост Brücke *f*.

мости́ть, вы~ pflastern.

мостки́ *m/pl.* Fußsteg *m*.

мостова́я (Straßen-) Pflaster *n*, Fahrdamm *m*.

мота́ть, на~ aufwikkeln.

мото́р Motor.

мотоци́|кл(ет) Motorrad *n*; ~и́ст Motorradfahrer.

мотылёк Schmetterling.

мох Moos *n*.

мохна́тый zottig, haarig.

моча́ Harn *m*, Urin *m*.

мочи́ть, на~ anfeuchten; einweichen.

мочь, с~ können, vermögen.

моше́нник Spitzbube.

мо́шка Mücke.

мо́щность *f* Leistung (*e-r Maschine*); Stärke: Macht.

мощь *f* Macht, Kraft.

мрак Dunkel(heit *f*) *n*, Finsternis *f*.

мра́мор Marmor.

мра́чный dunkel, finster, trübe.

мстить, от(о)~ (sich) rächen.

МТС (маши́нно-тра́кторная ста́нция) Maschinen- und Traktorenstation.

му́др|ость *f* Weisheit; ~ый weise.

муж Ehemann.

му́же|ственный tapfer; mannhaft; ~ство Mut *m*, Tapferkeit *f*.

мужи́|к Bauer; ~цкий bäurisch; Bauern...

муж|ско́й Mannes...; Männer..., Herren...; männlich; ~чи́на *m* Mann.

музе́й Museum *n*.

му́зыка Musik.

музыка́льный musikalisch; Musik...

му́ка[1] Qual, Pein.

мука́[2] Mehl *n*.

мул Maul-esel, -tier *m*.

мунди́р Uniform *f*.

мураве́й Ameise *f*.

му́скул Muskel *m*.

му́сор Schutt, Müll.

мут|и́ть 1. (за~, вз~) trüben; 2. (по~) *fig.* trüben; ~ный trübe.

му́фта Muff *m*.

му́ха Fliege.

мухоло́вка Fliegenfänger *m*.

муче́ние Qual *f*.

му́чи́тельный qualvoll.

му́чить, по~, у~ mit sich fortreißen; ~ся rasen; (davon)jagen.

мы wir.

мы́лить, на~ (ein)seifen.

мы́ло Seife *f*.

мы́льница Seifennapf *m*.

мыс Kap *n*.

мы́сленно in Gedanken.

мы́слимый denkbar.

мы́слить (nach)denken.

мысль *f* Gedanke *m*.

мыть, по~ waschen.

мыш|ело́вка Mausefalle; ~ка Mäuschen *n*; ~ца Muskel *m*.

мышь *f* Maus.

мя́гкий weich; mild; sanft.

мяки́на Spreu.

мяки́ш Weiche(s) *n* (*des Brotes*).

мясн|о́й Fleisch...; ~а́я (ла́вка) Metzgerei.

мя́со Fleisch.

мяте́ж Aufruhr; ~ник Aufrührer, Rebell.

мять, с~, по~, из~ zerknittern; kneten; pressen; quetschen.

мяч (Spiel-)Ball.

Н

на¹ (В, П) auf, an, nach, gegen, für, zu; in, um; ~ **что?** wozu?, weshalb?

на² da!, nu(n)!; ~ **тебé!** da hast du's!

набáт Sturmläuten n; Alarm.

наби|(вáть) (voll)stopfen; polstern; bedrucken.

наб(и)рáть sammeln; erreichen; anwerben; *Тур.* setzen; *Tel.* ~ **нóмер** eine Nummer wählen.

набитый vollgestopft; überfüllt.

наблю|дáть beobachten; (**за** Т) beaufsichtigen, überwachen; ~**дéние** Überwachung f; Beobachtung f; Aufsicht f.

набóжный fromm.

набóр Garnitur f; Satz; Sammlung f; ~**щик** Schriftsetzer.

набрáсывать 1. набрáть entwerfen; auf et. werfen; **2. набрóсить** (*Mantel usw.*); ~**ся** herfallen (**на** В über *A.*).

набрáть s. **набирáть**.

навá|ливать, ~**лúть** aufhäufen.

навéк(и) auf immer.

навéрно(е) wahrscheinlich; sicherlich.

навéрх nach oben; herauf; ~**ý** oben.

навéс Schutzdach n.

навести s. **наводить**.

навигáция Schiffahrt f; Navigation; Nautik.

навле|кáть, ~**чь** herbeiführen; ~**кáть на себя́** zuziehen.

наводить, навести bringen; überziehen; auftragen; einziehen (*Erkundigungen*); verursachen; richten (**на** В auf *A.*).

навод|нéние Überschwemmung f; ~**ня́ть**, ~**нúть** überschwemmen.

навóз Mist, Dünger; ~**ить**, (у~) düngen.

нáволочка Kissenbezug m.

навсегдá auf (*od.* für) immer.

нáвык Gewohnheit f; Fertigkeit f (**в** П in *D.*).

навя́|зчивый aufdringlich; ~**зывать**, ~**зáть** auf-, an-binden; auf-zwingen.

нага́йка (Kosaken-) Peitsche.

нагиба́ть, нагну́ть (nieder)biegen.

нагла́зник Scheuklappe f.

на́глухо dicht, fest.

на́глый frech, unverschämt.

нагля́дный anschaulich; Anschauungs...

нагну́ть s. нагиба́ть.

нагоня́ть, нагна́ть einholen; zusammentreiben.

нагота́ Nacktheit.

награ́|да Belohnung; Preis m; ~жда́ть, ~ди́ть belohnen (T mit).

нагре́(ва́)ть(er)wärmen.

нагру|жа́ть, ~зи́ть befrachten, be-, ver-laden.

над, надо (T) über (D., A.).

надгро́бный па́мятник Grabmal n.

наде́(ва́)ть (~ на себя́ sich) anziehen; aufsetzen.

наде́жда Hoffnung.

наде́жный zuverlässig.

наде́л Anteil; ~я́ть, ~и́ть zu(er)teilen; fig. ausstatten.

наде́яться hoffen; sich verlassen (на B auf A.).

надзе́мный auf der Erdoberfläche.

ле́зная доро́га Hochbahn.

надзира́тель m Aufseher.

надзо́р Aufsicht f.

надлежа́щ|ий gebührend, gehörig; ~им о́бразом wie es sich gehört, gehörig.

надме́нный anmaßend, hochmütig.

на дня́х dieser Tage, nächstens.

на́до¹ s. ну́жно.

на́до² s. над.

надоеда́ть, надое́сть langweilen.

на́дпись f Über-, Auf-, In-schrift.

наду́(ва́)ть aufblasen.

наеда́ться, нае́сться sich satt essen.

наём Mieten n; Dingen n; (пла́та за ~) Miete f, Mietzins m.

нажи́|ва Gewinn m; Köder m; ~(ва́)ть erwerben, verdienen; ~(ва́)ть себе́ sich zuziehen.

наж(им)а́ть (auf)drücken; pressen.

наза́д zurück, rückwärts; три дня́ тому́ ~ vor drei Tagen.

назва́|ние Benennung f; Name m; ~ть s. называ́ть.

назида́тельный be-lehrend.

назло́ zum Ärger od. Trotz.

назна|ча́ть, '_чить bestimmen; ernennen (T zu); vorschreiben; anberaumen; _че́ние Bestimmung f; Ernennung f; Festsetzung f.

наз(ы)ва́ть nennen (T bezeichnen als).

нан... aller...; _бо́лее am meisten; _бо́льший allergrößter; Meist...

наи́вный naiv.

наизна́нку verkehrt, auf links.

наизу́сть auswendig.

найти́ s. находи́ть.

наказ|а́ние Strafe f; '_ывать, _а́ть (be-)strafen.

накал|ивать, _и́ть glühend machen.

накану́не am Vorabend; am Tag zuvor (P vor D.).

нака́|чивать, _ча́ть vollpumpen.

накла́д|ка Auflegestück n; Besatz m; _на́я Frachtbrief m; _ны́е расхо́ды m/pl. Spesen, Unkosten.

накле́|ивать, _ить aufkleben.

наклон|я́ть, _и́ть beugen; _ся sich bücken.

наконе́|ц endlich; schließlich; _чник Endstück n; Zwinge f.

накры́(ва́)ть (be)decken.

налага́ть, наложи́ть auferlegen; нало́женным платежо́м gegen Nachnahme.

нале́во (nach) links.

налив|а́ть, нали́ть eingießen, einschenken; _ка (Frucht-)Likör m.

налицо́ vorhanden, da.

нали́ч|ность f Barschaft; Bestand m; Vorhandensein n; в _ности (in) bar; vorrätig; _ный vorhanden, bar; _ные пла-тёж _ными (де́ньга́ми) Barzahlung f.

нало́г Steuer f, Abgabe f.

наложи́ть s. налага́ть.

нам uns (D.).

намёк Anspielung f, Wink, Andeutung f.

намерева́ться, вознаме́риться beabsichtigen.

наме́ре|ние Absicht f; Entschluß m; _нный absichtlich; я _н ich beabsichtige.

на́ми durch uns.

намо́рдник Maulkorb.

наня́ть, наня́ть mieten, einstellen.

наоборо́т umgekehrt; im Gegenteil.

напа|да́ть, '.сть (на В) angreifen (überfallen; ~де́ние Angriff m; Überfall m.

напереко́р zuwider.

напёрсток Fingerhut.

напеча́тать s. печа́тать.

напи|(ва́)ться (sich satt) trinken; sich betrinken (P an D.).

написа́ть s. писа́ть.

напи́ток Getränk n.

напол|не́ние Anfüllung f; ~ня́ть, '.нить (an-)füllen (T mit).

наполови́ну zur Hälfte, halb.   [erinnern.]

напом|ина́ть, '.нить

напо́р Andrang; Druck.

напра|вле́ние Richtung f; Kurs m; Beorderung f; ~вля́ть, '.вить richten, lenken; verweisen; schicken; (~ся) sich wenden (к nach), sich begeben.

напра́во (nach) rechts.

напра́сн|о unnütz(erweise), ~ый vergeblich.

наприме́р zum Beispiel.

напро́тив (Р) gegenüber (D.); hingegen; im Gegenteil.

напря|га́ть, '.чь anstrengen; fig. (an)spannen; ~же́ние Anstrengung f; Spannung f; высо́кое ~же́ние Hochspannung f.

напу|ска́ть, '.стить einlassen (z. B. Wasser).

напу́тственные Abschiedsworte n/pl.

наравне́ (с Т) ebenso wie, ebenso(wie).

наре́чие Mundart f.

наро́д Volk n, Nation f; ~ный in Zssgn Abk.

нар: volkstümlich, national; Volks...; **2ный комиссариа́т** (Р) Volkskommissariat n (für).

наро́чно absichtlich.

нару́жный äußerlich; Außen...

нару|ша́ть, '.шить stören; verletzen; übertreten; ~ше́ние Störung f; Übertretung f.

нары́в ✳ Abszess.

наря́|дный schmuck; ~жа́ть, ~ди́ть** schön kleiden.

нас unser; uns (A.).

насеко́мое Insekt n.

насе|ле́ние Bevölkerung f; ~ля́ть, ~ли́ть** besiedeln; bevölkern.

наси́лие Gewalt(tätig-keit) f. [durch.]

наскво́зь durch und

насла|жда́ться, ~ди́ться (T) genießen; ~жде́ние Genuß m (T an D.).

насле́д|не fig. Erbe; ~ник Erbe; Nachfolger; ~ник престо́ла Thronfolger; ~овать, (у~)(be-)erben; ~ственный erblich; Erb(schafts)...; ~ство Erbschaft f.

насме|ха́ться, ~я́ться spotten (над über A.).

насме́шка Spott m.

на́сморк Schnupfen.

насо́с Pumpe f.

наста|ва́ть, ~ть beginnen; anbrechen; ~вле́ние Belehrung f; Vorschrift f; ~вля́ть, '~вить ansetzen; ~вно́й angesetzt; Ansatz...

наста́ивать, настоя́ть ziehen lassen (на П auf D.); bestehen (на П auf D.).

насто́йчивый beharrlich.

настоя́тельный dringend; beharrlich.

настоя́щ|ий gegenwärtig; echt; в ~ee вре́мя zur Zeit, jetzt.

настрое́ние Stimmung f.

насту|па́ть, ~пи́ть tre-ten (на В auf A.);

(her)an-rücken, -nahen; angreifen; ~пле́ние Anbruch m; Angriff m.

на́сыпь f (Erd-)Aufwurf m; Damm m.

насы|ща́ть, '~тить sät-tigen.

натира́ть, натере́ть (ein-, wund)reiben (T mit).

на́тиск Druck, Andrang.

нату́ра Natur.

натя́гивать, натяну́ть (auf)spannen, straff zie-hen.

науда́чу auf gut Glück.

нау́ка Wissenschaft.

нау|ча́ть, ~чи́ть lehren; (~ся) (Д) (er)lernen.

нау́чный wissenschaft-lich.

нау́шник Ohrenklappe f.

наха́л Unverschämte(r); ~ьный frech.

находи́ть, найти́ (vor-)finden.

нахо́д|ка Fund m; бюро́ ~ок Fundbüro; ~чивый findig, gewandt.

на́ция Nation, Volk n.

нача́ло Anfang m.

нача́ль|ник Vorgesetz-te(r), Chef; ~ник ста́н-ции Bahnhofsvorsteher; ~ный anfänglich; An-fangs...; Elementar...; ~ство Oberbefehl m; Obrigkeit f.

на́черно ins unreine.

нач(ин)а́ть anfangen, beginnen.

начи́|нка Füllung; ~ня́ть, ~ни́ть füllen.

на́чисто ins reine.

начи́танный belesen.

наш, **'~а**, **'~е**, pl.: **'~и** unser, uns(e)re; der (die, das) unsrige, die unsrigen.

наше́ствие Einfall m, Eroberungszug m.

наяву́ im Wachen, wachend.

не nicht; un....

небе́сный himmlisch; Himmel(s)...

нёбо[1] Gaumen m.

не́бо[2] Himmel m.

небольшо́й nicht groß.

небо|скло́н Horizont; ~скрёб Wolkenkratzer, Hochhaus n.

небре́жный nachlässig.

небы|ва́лый (noch) nie dagewesen, unerhört; ~лица́ Unding n.

нева́ж|но unwichtig; ~ный unbedeutend.

неве́жа m/f Flegel m, Grobian m.

неве́рный unrichtig; falsch; untreu.

неве́ст|а Braut; ~ка Schwägerin (Frau des Bruders); Schwiegertochter.

неви́димый unsichtbar.

невменя́емый unzurechnungsfähig.

невмеша́тельство Nichteinmischung f.

невнима́ние Unaufmerksamkeit f.

невнима́тельный unaufmerksam.

невозмо́жный unmöglich.

невозмути́мый unerschütterlich.

нево́льный unwillkürlich; unfreiwillig.

нево́ля Sklaverei; Gefangenschaft.

не́где nirgendwo.

него́: у ~ (был) er (od. es) hat(te).

него́дный untauglich.

негодова́ть, воз~ entrüstet sein (**на** B über A.).

него́дяй Schurke.

негр, ~итя́нка Neger (-in f). [längst.\]

неда́вно neulich, un-|

недалёкий nahe; unweit; beschränkt.

неде́|льный wöchentlich; Wochen...; ~ля Woche.

недове́рие Mißtrauen.

недоеда́ние Unterernährung f.

недои́мка Zahlungsrückstand m.

недосмóтр Übersehen *n;* Unachtsamkeit *f.*

недостá|(вá)ть mangeln, fehlen (P an *D.);* ~ток Mangel (в П an *D.);* ~точный mangelhaft; dürftig.

неё: у ~ bei ihr (ist = sie hat).

неждáнныйunerwartet.

неженáтый unverheiratet (*Mann*).

нежилóй unbewohnt; unbewohnbar.

нéжный zart; zärtlich; sanft.

незабýдка Vergißmeinnicht *n.*

незавúсимый unabhängig.

незакóнный ungesetzlich.

незаменúмый unersetzlich.

незамýжняя unverheiratet (*Frau*).

незвáный ungerufen, ungeladen.

нездорóвый ungesund; kränklich; krank.

неизбéжный unvermeidlich. [kannt.

неизвéстный unbe-

неизлечúмый unheilbar.

неиспрáвныйunordentlich; nachlässig; nicht in Ordnung.

нейстовство Raserei *f.*

ней: о ~ über sie, von ihr.

нейтралитéт Neutralität *f.*

нéкий ein gewisser.

нéкогда einst; мне ~ ich habe keine Zeit.

нéкоторый ein gewisser.

некстáти ungelegen.

нéкто ein gewisser, jemand.

некурящий Nichtraucher.

нелегáльный ungesetzlich.

нелéпый unsinnig, sinnlos.

нелóвко: мне ~ es ist mir peinlich.

нельзя (es ist) unmöglich; man kann (*od.* darf) nicht; мне ~ (бы́ло) ich kann (darf) (konnte, durfte) nicht.

нём: о ~ von ihm; über ihn.

немáло nicht wenig.

немéть, о~ stumm werden, verstummen; abgestorben sein.

нéмец Deutsche(r); **нéмка** Deutsche; ~кий deutsch; '2кое мóре Nordsee *f.*

немнóго ein wenig, etwas.

немóй stumm; Stumme(r).

нему: к ~ zu ihm.

ненави́деть, воз~ hassen; verabscheuen.

ненави́сть f Haß m.

ненадёжный unzuverlässig; unsicher.

нена́стный regnerisch.

необходи́мый unentbehrlich, notwendig.

неограни́ченный unbeschränkt; unbegrenzt.

неожи́данный unerwartet.

неописуемый unbeschreiblich.

неопра́вданный unbegründet; ungerechtfertigt.

нео́пытный unerfahren.

неосторо́ж|ость f Unvorsichtigkeit; ~ый unvorsichtig.

неохо́тно unwillig.

неплатёж Nichtzahlung f.

неповоро́тливый schwerfällig.

неподви́ж|ный unbeweglich; ~ная звезда́ Fixstern m.

неподку́пный unbestechlich.

непослуша́ние Ungehorsam m.

непра́вда Unwahrheit.

непра́вильный unrichtig; falsch.

непра́вый un(ge)recht.

непреме́нный unbedingt.

непреста́нный unaufhörlich.

непривы́чный ungewohnt.

неприкоснове́нный unantastbar.

неприли́чный unanständig.

неприя́знь f Feindschaft.

неприя́т|ель m Feind; ~ный unangenehm; peinlich.

непроводни́к ⚡ Nichtleiter.

непродолжи́тельный kurz(dauernd).

непромока́ем|ый wasserdicht; ~ые сапоги́ m/pl. Wasserstiefel.

непроходи́мый unwegsam; undurchdringlich.

нера́венство Ungleichheit f.

неразбо́рчивый nicht wählerisch; unleserlich.

нерв(о́з)ный nervös; Nerven...

нере́дко nicht selten, oft.

неря́шливый unordentlich.

несгово́рчивый unverträglich.

несгора́емый unverbrennbar; feuerfest.

не́сколько (P) etwas, ein wenig; einige.

нескро́мный unbeschei-
den.

неслы́ханный unerhört.

несмотря́ (на В) unge-
achtet, trotz.

несно́сный unerträglich.

несовершенноле́т|ие
Minderjährigkeit f; ~
ний minderjährig, un-
mündig; Unmündig(er).

несогла́с|ие Uneinig-
keit f; ~ный uneinig;
nicht einverstanden.

несомне́нный zweifel-
los.

несообра́зныйunsinnig,
widersinnig.

несостоя́тельный zah-
lungsunfähig; mittellos;
nicht stichhaltig.

несправедли́вый unge-
recht.

нести́ 1. по~ (er)tragen;
~сь dahin-eilen, -jagen;
2. с~ legen (Eier).

несча́ст|ье Unglück;
~ный unglücklich; Un-
glücks-; ~ Unglück-
liche(r).

нет nein; его́ ~ er ist
nicht da; у меня́ ~ де́-
нег ich habe kein Geld.

нетерпе́ние Ungeduld f.

нетрудоспосо́бный ar-
beitsunfähig.

неуда́ч|а Mißerfolg m;
Fehlschlag m; ~ник fig.
Pechvogel; ~ный miß-

lungen; erfolglos; miß-
raten.

неудо́б|ный unbequem;
unangenehm; ~ство Un-
bequemlichkeit f; fig.
Peinlichkeit f.

неуже́ли wirklich?; ist
das möglich?

неуме́лый ungeschickt;
~ние Unfähigkeit f.

неуме́стный unange-
bracht.

неупотреби́тельный
ungebräuchlich.

неурожа́й Mißernte f.

неустраши́мость f Un-
erschrockenheit.

неутоми́мый unermüd-
lich.

нефть f Erdöl n.

не́чего es ist unnötig;
ему́ ~ де́лать er hat
nichts zu tun.

нече́стный unehrlich.

нечи́стый unrein;
schmutzig; unsauber.

не́что (irgend) etwas.

не́ю: с ~ mit ihr.

ни auch; nicht; ~ ... ~
weder ... noch.

нигде́ nirgends.

ни́же niedriger; weiter
unten; unter; unten...

ни́жний unterer; Unter-

ни́з|кий niedrig;
schlecht; gemein; ~ла-
га́ть, ~ложи́ть ent-

thronen, stürzen; '~менность f Niederung.

никак auf keinerlei Weise; ~ не durchaus nicht; ~ой keiner(lei).

никогда nie(mals).

никто niemand.

никуда nirgendwohin; ~ не годится es taugt nichts.

ним: с ~ mit ihm; к ~ zu ihnen.

ними: с ~ mit ihnen.

нисколько keineswegs; gar nicht.

нит|ка Faden m; ~ки pl. Zwirn m; Garn n; ~ь f Faden m.

них: о ~ von ihnen, über sie.

ничего nichts; (это) ~ das schadet nichts; ~ (себе) es geht.

нич|ей, ~ья, ~ьё, pl.: ~ьи niemand(em) gehörig.

ничтожный nichtig, wertlos.

нищ|ета Armut f; '~ий (bettel)arm; Bettler.

но aber; sondern; не только ..., но и ... nicht nur ..., sondern auch ...

новизна Neuheit.

ново... neu..., Neu...; ~луние Neumond m; ~модный modern; ~-

рождённый neugeboren(es Kind n).

новость f Neuigkeit; Neuheit.

новый neu; 2 год Neujahr n; что нового? was gibt es Neues?

новь f Neuland n.

нога Bein n; Fuß m.

ноготь m Anat. Nagel.

нож Messer n; '~ик Messerchen n; ~ка Beinchen n; Füßchen n; ⊕ Fuß m; '~ницы f/pl. (для ногтей Nagel-) Schere f.

ноздря Nasenloch n.

номер Nummer f; Hotelzimmer n; ~ной Zimmerkellner.

Норвегия Norwegen n.

норвежец Norweger.

норма Norm, Richtschnur.

нос Nase f; Spitze f (vom Schiff); Schnabel.

носилки f/pl. (Trag-) Bahre f.

носиль|ное бельё Leibwäsche f; ~щик Gepäckträger; Dienstmann.

носить, по~ tragen.

носки m/pl. Socken f/pl.

носовой Nasen...; платок Taschentuch n.

нотариус Notar.

ночева́ть, пере~ übernachten.

ночле́г Nachtlager n; Übernachtung f.

ночно́й Nacht...; nächtlich.

ночь f Nacht; '~ю nachts.

но́ша Last.

ноя́брь m November.

нрав Gemüt(sart f) n, Charakter; '~ы pl. Sitten f/pl.; '~иться, (по~) gefallen.

нра́вственный sittlich; Sitten...

нужда́ Not; Bedürfnis n; ~ться (в П) brauchen; bedürftig sein; ~ющийся bedürftig.

ну́жно es ist nötig; мне ~o ich brauche; ~ый notwendig, nötig.

ну́мер s. но́мер.

нуль m Null f (a. ноль).

ныр|я́ть, ~ну́ть (unter-) tauchen.

ню́хать, по~ riechen; schnupfen.

ня́ня Kinder-frau, -wärterin.

O

о, об, о́бо (В, П) an; auf; gegen; um; von; über; für; об э́том davon; darüber.

о́ба m u. n beide.

обая́|ние Zauber m; ~тельный bezaubernd.

обва́л Einsturz.

обвёртывать, обверну́ть (Т) umwickeln (mit); einwickeln (in A.).

обвести́ s. обводи́ть.

обви|не́ние Beschuldigung f; Anklage f; ~тель m Ankläger; ~ня́емый Angeklagte(r); ~ня́ть, ~ни́ть anklagen; beschuldigen.

обводи́ть, обвести́

umgeben (T mit); umreißen; um et. herumführen.

обгоня́ть, обогна́ть überholen.

обда(ва́)ть übergießen; überschütten.

обде́л|ы(ва)ть bearbeiten; einfassen; ~ять, ~ли́ть übervorteilen.

обдира́ть, ободра́ть (ringsum) abreißen.

обду́м(ыв)ать bedenken, überlegen.

о́бе f beide.

обе́д Mittagsmahl n; Mittagessen n; по́сле ~a nach Tisch, nachmittags; перед ~ом vormittags; ~ать, (по~) zu Mittag essen.

обезору́жи(ва)ть entwaffnen.

обезья́на Affe m.

обёртка Umschlag m.

обеспе́|чение Sicherstellung f; Versorgung f; ~чи(ва)ть sicherstellen, versorgen, sichern.

обеща́|ние Versprechen n; ~ть, (по~) versprechen.

обжига́ть, обже́чь (ver)brennen; verbrühen.

оби́д|а Beleidigung; ~ный beleidigend; ~чивый empfindlich.

обижа́ть, оби́деть beleidigen.

оби́л|ие Überfluß m (P an D.); Reichtum m; ~льный reich (T an D.), reichlich.

обита́|тель m Bewohner; ~ть wohnen, hausen.

обихо́д Sitte f, Herkommen n; Bedarf m.

обко́м (областно́й комите́т) Bezirkskomitee n.

обкра́дывать, обокра́сть bestehlen.

обла́ва Treibjagd; Razzia.

облада́ть (T) besitzen; verfügen (über A.).

о́блако Wolke f.

о́бласть f Provinz, Gebiet n; Bereich m.

о́блач|ко Wölkchen n; ~ный bewölkt.

облег|ча́ть, ~чи́ть erleichtern, lindern.

обли́(ва́)ть begießen; überschütten.

о́блик Äußere n; Charakter; Züge m/pl.

обли|ча́ть, ~чи́ть überführen.

обло|же́ние Auferlegung f; (нало́говое) ~же́ние Besteuerung f; ~жка(Buch-)Umschlag m.

обло́мок Bruchstück n.

обма́н Betrug; Täuschung f; ~чивый täuschend; trügerisch; ~щик Betrüger; ~ывать, ~у́ть betrügen; täuschen.

обме́н (Aus-)Tausch; ~ веще́ств Stoffwechsel; ~ивать, ~я́ть ein-, umtauschen (на B gegen).

о́бморок Ohnmacht f.

обна|жа́ть, ~жи́ть entblößen.

обнаро́довать veröffentlichen, bekanntmachen.

обнару́жи(ва)ть aufdecken, an den Tag legen.

обнима́ть, обня́ть umarmen; umfassen.

обно|вля́ть, ⁓ви́ть er-
neuern; beleben.
обо s. о.
обоб|ща́ть, ⁓щи́ть ver-
allgemeinern.
обобществле́ние So-
zialisierung f.
обогна́ть s. обгоня́ть.
ободра́ть s. обдира́ть.
ободр|я́ть, ⁓и́ть ermu-
tigen; (⁓ся) Mut fassen.
обожа́ние Vergötterung
f; Anbetung f; ⁓ть fig.
anbeten; vergöttern.
обо́з Wagenzug, Troß.
обозна|ча́ть, ⁓чить be-
zeichnen; ⁓че́ние Be-
zeichnung f.
обо́и m/pl. Tapeten f/pl.
обокра́сть s. обкра́ды-
вать.
оболо́чка Umhüllung;
Haut; Hülle.
обольсти́тель m Ver-
führer.
обора́чивать, обер-
ну́ть (⁓ся sich) um-
drehen.
оборва́ть s. обрыва́ть.
оборо́|на Verteidigung;
⁓ня́ть, ⁓ни́ть verteidi-
gen.
оборо́т Umdrehung f;
Wendung f; Rückseite f;
✝ Umsatz; m; ⁓ный um-
stehend; ⁓ный umge-
kehrt; Rück...; Um-
satz...

оборудование Aus-
rüstung f; Einrichtung f.
обосо|бля́ть, ⁓би́ть ab-
sondern, isolieren.
обою́дный gegenseitig.
обраба́тывать, обра-
бо́тать bearbeiten; be-
stellen (Feld).
о́браз Form f, Gestalt f;
Bild n; Art (und Weise)
f; Heiligenbild n;
⁓ жи́зни Lebensweise f;
гла́вным ⁓ом haupt-
sächlich; ⁓е́ц Vorbild n;
Muster n, Probe f.
образо|ва́ние Bildung f;
⁓ванный gebildet; ⁓
вывать, ⁓ва́ть (aus-)
bilden.
образцо́вый vorbild-
lich; Muster...; ⁓чик
Muster n.
обра́тн|о zurück; ⁓ый
umgekehrt; Rück...
обра|ща́ть, ⁓ти́ть wen-
den, richten; verwan-
deln; ⁓ща́ть внима́ние
на (B) die Aufmerk-
samkeit richten (od.
lenken) auf (A.), beach-
ten; (⁓ся) в (B) sich
verwandeln in (A.);
(⁓ся) с (T) umgehen mit;
(⁓ся) к sich wenden an
(A.); ⁓ще́ние Umlauf
m; Aufruf m, Umgang
m; Verwandlung f; An-
rede f.

обреме|ня́ть, ~ни́ть belasten.

обру|ча́льный Verlobungs...; Trau...; ~че́нне Verlobung f.

обры́в steiler Abhang; Abreißen n; ~а́ть, оборва́ть (ringsum) abreißen; (~ся) (zer-, ab-) reißen; [monie f.]

обря́д Gebrauch m; Zere-]

обста́в|ля́ть, ~ить umstellen (T mit); einrichten; ~но́вка Ausstattung; Lage; Milieu n.

обстоя́тель|ный ausführlich; gründlich; ~ство Umstand m.

обстои́т: как обстои́т де́ло? wie steht es (damit)?

обсу|жда́ть, ~ди́ть beurteilen.

обсчи́|тывать, ~та́ть übervorteilen; prellen; (~ся) sich verrechnen.

обтира́ть, обтере́ть abwischen, abreiben.

обувь f Schuhwerk n; магази́н ~и Schuhwarenladen.

обусло́|вливать, ~вить (sich aus)bedingen.

обуча́|ть, ~и́ть (Д и) lehren, unterrichten; (~ся) lernen; ~че́ние Lernen, Unterricht m.

обхо́д Rundgang; Umgehung f; ~и́тельный umgänglich; ~и́ть, обойти́ durchwandern; um-, herumgehen; (~ся); обойти́сь umgehen (с T mit).

обще... all..., gemein...; ~досту́пный allen zugänglich; allgemein verständlich; ~жи́тие Gemeinschaftsleben; Heim; ~наро́дный Volks...; das ganze Volk umfassend.

общесою́зный Unions-..., der Union.

обще́ственный gesellschaftlich; öffentlich; Gesellschafts...

о́бщество Gesellschaft f; Verein m; Vereinigung f.

о́бщий gemeinschaftlich, gemeinsam; allgemein; Gesamt...

общи́на Gemeinde.

объе|да́ть, ~сть benagen; (~ся) sich überessen.

объеди|не́ние Vereinigung f; ~ня́ть, ~ни́ть vereinig(en).

объе́|зд Umfahrt f; Umweg; ~зжа́ть 1. ~хать herumfahren; um-; bereisen; 2. ~здить zureiten.

объём Umfang.

объ́есть s. **объеда́ть.**

объя|вле́ние Anzeige f, Bekanntmachung f; Inserat; **~вля́ть, ~ви́ть** ankündigen, anzeigen; bekanntmachen; **~вля́ть войну́** Krieg erklären; **~вля́ть в газе́тах** inserieren.

объяс|не́ние Erklärung f; **~ня́ть, ~ни́ть** erklären; **(~ся)** sich aussprechen; sich erklären.

объя́тие Umarmung f.

обы́денный alltäglich; gewöhnlich.

обыкнове́н|ие Gewohnheit f; **~ный** gewöhnlich.

о́быск Durchsuchung f; **дома́шний ~** Haussuchung f; **~ивать, ~а́ть** durchsuchen.

обы́ч|ай Sitte f; Gewohnheit f; **~ный** gebräuchlich, üblich; Gewohnheits...

обя́зан|ность f Pflicht f; **~ный** verpflichtet.

обяза́тель|но unbedingt, bestimmt; **~ный** verbindlich; Pflicht...; **~ство** Verpflichtung f; **без ~ства** unverbindlich. [verpflichten.]

обя́зывать, обяза́ть|

овдове́ть verwitwen.

овладе́(ва́)ть (T) sich bemächtigen (G.), Besitz ergreifen (von).

о́вощи pl. Gemüse n.

овра́г Schlucht f.

овся́ный Hafer...

овца́ Schaf n.

оглавле́ние Inhaltsverzeichnis.

огла|ша́ть, ~си́ть verkündigen; (Verlobte) aufbieten; verlesen; erfüllen (mit Lauten).

огло́бля Deichsel(stange).

огля|дывать, ~де́ть besehen, betrachten; 1. **(~ся)** sich umsehen (nach allen Seiten); 2. **~ну́ться** sich umsehen (zurück).

огне... feuer..., Feuer...; **~опа́сный** feuergefährlich; **~стре́льный** Schieß..., Feuer...

огне|туши́тель m Feuerlöscher; **~упо́рный** feuerfest, feuersicher.

огни́во Feuerstein m.

огова́ривать, оговори́ть (sich) vorbehalten; verleumden.

огово́рка Vorbehalt m.

ого́нь m Feuer n, Licht n.

огоро́д Gemüsegarten m.

огор|ча́ть, ~чи́ть betrüben; **~че́ние** Verdruß m; Betrübnis f.

огра́да Einfried(ig)ung, (Schutz-)Mauer.

ограни|че́ние Beschränkung f; Begrenzung f; ~чи(ва)ть begrenzen; beschränken. [riesig.]

огро́мный sehr groß,

огуре́ц Gurke f.

оде́(ва́)ть anziehen.

оде́жда Kleidung.

одеколо́н Kölnischwasser n.

оде́ть s. одева́ть.

одея́ло Bettdecke f.

оди́н, одна́, одно́, pl.: одни́ ein(e); allein.

одина́ковый gleich.

одино́|кий einsam; ledig; ~чество Einsamkeit f.

одна́жды einmal, einst.

одна́ко aber, (je)doch.

одно... ein..., gleich...; ~бо́ртный einreihig; ~вре́менный gleichzeitig; ~го́рбый верблю́д Dromedar n; ~коле́йный eingleisig, einspurig; ~обра́зие Einförmigkeit f; ~ро́дный gleichartig.

одо|бре́ние Gutheißen, Billigung f; ~бря́ть, ~бри́ть billigen, gutheißen.

одоле́(ва́)ть überwältigen; überwinden.

одол|жа́ть, ~жи́ть leihen; ~же́ние Gefälligkeit f; сде́лайте ~же́ние! tun Sie mir den Gefallen!

одуше|вля́ть, ~ви́ть beseelen; anspornen.

оды́шка Atemnot, Asthma n.

ожере́лье Halsschmuck m.

ожесто|ча́ть, ~чи́ть erbittern.

ожи|ва́ть, '~ть aufleben; ~вле́ние Belebung f; Lebhaftigkeit f; ~вля́ть, ~ви́ть beleben; anregen.

ожида́|ние Erwartung f; ~ть (P, B) erwarten, warten (auf A.).

ожи́ть s. ожива́ть.

ожо́г Brandwunde f; Brandverletzung f.

озабо́|чивать, ~тить beunruhigen.

озада́чи(ва)ть stutzig machen, bestürzen.

о́зеро See m.

озлобле́ние Erbitterung f; Grimm m.

ознако́|мля́ть, '~мить bekannt (od. vertraut) machen.

озна́чать bedeuten.

озно́б Frösteln f.

озо́рни́к Raufbold m.

озя́б|нуть s. зя́бнуть.

ока́зывать, оказа́ть erweisen; leisten (Hilfe).

окамене́лый versteinert.

ока́нчивать, око́нчить (be)end(ig)en.

океа́н Ozean.

оки́|дывать, ~ну́ть: ~дывать взо́ром (od. глаза́ми) einen Blick werfen (B auf A.); überblicken.

оклевета́ть verleumden.

окно́ Fenster.

о́ко (pl. о́чи) Auge.

око́вы f/pl. Fesseln, Ketten.

околе́(ва́)ть krepieren.

о́коло (P) um (herum); neben; an, bei; ungefähr, etwa. [weg.]

око́льный путь m Um-]

око́н|ча́ние Beendigung f; Ende; ~чить s. ока́нчивать.

око́п (mst pl.) Schützengraben.

о́корок (ganzer) Schinken.

окра́ина Rand m; Grenzgebiet n.

окра́|ска Anstrich m; Farbton m; ~шивать, ~сить (an)streichen.

окре́ст|ность f Umgegend, Umgebung; ~ный umliegend.

о́круг Bezirk, Kreis.

окруж|а́ть, ~и́ть umgeben; umringen; ~но́й Bezirks..., Kreis...;

~на́я желе́зная доро́га Ringbahn.

октя́брь m Oktober; ~ский Oktober...

оку|на́ть, ~ну́ть eintauchen.

оку́рок Zigarren-, Zigaretten-stummel.

ола́дья Fladen m, Pfannkuchen m.

оле́нь m Hirsch; се́верный ~ Ren n.

олицетво|ря́ть, ~ри́ть personifizieren, verkörpern.

о́лово Zinn.

ома́р Hummer.

он, она́, оно́, pl.: они́ er, sie, es, pl.: sie.

опа́здывать, опозда́ть sich verspäten.

опас|а́ться (P) befürchten, sich fürchten (vor D.); ~е́ние Befürchtung f; ~ность f Gefahr; ~ный gefährlich.

опе́к|а Vormundschaft f; ~у́н Vormund.

о́пера Oper; ~ция Operation.

опере|жа́ть, ~ди́ть (B j-m) zuvorkommen; überholen.

опере́тка Operette.

опеча́|тка Druckfehler m; ~т(ыв)ать versiegeln.

опира́ться, опере́ться sich (an)lehnen *od.* stützen.

опи|са́ние Beschreibung *f;* ~ска Schreibfehler *m;* ~сывать, ~са́ть beschreiben; das Inventar aufnehmen.

о́пись *f* Verzeichnis *n,* Inventar *n.*

опла́|та Bezahlung; ~чивать, ~ти́ть bezahlen.

оплодотво|ря́ть, ~ри́ть befruchten.

оплот Bollwerk *n.*

опозда́|ние Verspätung *f;* ~ть *s.* опа́здывать.

опозна́(ва́)ть erkennen; identifizieren.

опо́мниться zu sich kommen; Vernunft annehmen.

опо́ра Stütze *f.*

опо|ра́жнивать, ~ро́жнить (aus)leeren.

оправ|да́ние Rechtfertigung *f;* ~дывать, ~да́ть rechtfertigen; freisprechen.

опра́шивать, опроси́ть ausfragen.

опреде|ле́ние Bestimmung *f;* Feststellung *f;* Festsetzung *f;* Definition *f;* Gerichtsbeschluß *m;* ~лённый bestimmt; ~ля́ть, ~ли́ть fest-

setzen, bestimmen; feststellen; definieren.

опровер|га́ть, ~гнуть widerlegen.

опроки́|дывать, ~нуть umwerfen.

о́прометью hastig, Hals über Kopf.

опроси́ть *s.* опра́ши-)

опря́тный rein(lich), sauber, ordentlich.

опто́вый Engros..., Großhandels... [gros.)

о́птом im großen, en)

опу|ска́ть, ~сти́ть herunterlassen; auslassen.

опусте́лый verödet.

опусто|ша́ть, ~ши́ть verwüsten.

о́пухоль *f* Geschwulst.

о́пыт Erfahrung *f;* Versuch; ~ный erfahren; Versuchs...

опя́ть wieder(um), er-

ора́тор Redner. [neut.)

о́рган¹ Orgel *f.*

о́рган² Organ *n.*

орёл Adler.

оре́х Nuß *f;* Nußbaum *m;* (лесно́й) ~ Haselnuß *f;* гре́цкий ~ Walnuß *f.*

оригина́льный originell, Original...

орке́стр Orchester *n.*

оро|ша́ть, ~си́ть bewässern, berieseln; begießen; ~ше́ние Bewässerung *f.*

орý|дие Werkzeug, Gerät; Mittel; Geschütz; ~жёйный Waffen...; ~)

ocá|Wespe. [жие Waffe f.)

ocá|да Belagerung; ~дное положéние Belagerungszustand m; ~док (Boden-)Satz; Niederschlag; ~ждáть, ~дйть belagern; γ_m niederschlagen.

осве|домлéние Benachrichtigung f; ~домлять, ~домить benachrichtigen; (~ся) sich erkundigen (o P nach).

осве|жáть, ~жйть (~ся sich) erfrischen, erquikken; auffrischen; ~жéние Erfrischung f.

осве|щáть, ~тйть beleuchten; ~щéние Beleuchtung f.

освобо|ждáть, ~дйть befreien; entlassen; ~ждéние Befreiung f.

освóи(ва)ться sich vertraut machen; sich einleben.

оседáть, осéсть sich senken; sich setzen; seßhaft werden.

осéдлый ansässig, seß-)

осёл Esel. [haft.)

осéнний herbstlich; Herbst...

óсень f Herbst m; ~ю im Herbst.

осúли(ва)ть bezwingen.

оскóлок Splitter; Scherbe f.

оскор|блéние Beleidigung f; ~блять, ~бйть beleidigen; kränken; (~ся) sich beleidigt fühlen.

осла|бé(вá)ть schwach werden; erschlaffen; ~блять, ~бить (ab-)schwächen; lockern.

осло́ж|нять, ~нить verwickeln; erschweren.

ослýш|ива)ться nicht gehorchen. [hören.)

ослýшаться sich ver-)

осмáт|ривать, осмотрéть besehen, besichtigen; untersuchen; ~ся sich umsehen; sich zurechtfinden.

осмé|ивать, ~ять ver-, aus-lachen.

осмéли(ва)ться sich erdreisten od. unterstehen.

осмóтр Besichtigung f; Untersuchung f; тамóженный ~ Zollrevision f; ~éть s. осмáтривать.

оснóв|а Grundlage; Basis; в ~e zugrunde.

основáние Gründung f; Grundlage f; Fundament; Grund m; Basis f; γ_m Base f.

основáтель m Gründer.

осно|вно́й grundlegend; Grund..., Stamm..., Haupt...; **~выва́ть, ~ва́ть** (be)gründen, stiften.

особен|но besonders; **~ность** f Besonderheit; **~ный** besondere(r).

особня́к Einfamilienhaus n.

осо́б|о besonders; für sich; **~ый** besondere(r).

о́спа Blattern f/pl.

оспопрививáние Pockenimpfung f.

оста(ва́)ться (zurück-, übrig-, ver)bleiben.

оста|вля́ть, **~вить** (zurück-, hinter-, liegen-)lassen; aufgeben.

остально́й übrig(geblieben).

остана́вливать, останови́ть anhalten; **~ся** (an)halten; absteigen, einkehren (у bei, в П in D.).

остано́вка Anhalten n; Aufenthalt m; Stillstand m; Haltestelle.

оста́ток Rest, Überrest m.

оста́ться s. остава́ться.

остере|га́ть, **'~чь** warnen; **~ся** sich hüten (P vor D.).

о́стов Gerippe n, Skelett n; Gerüst n; Gestell n.

осторо́жный vorsichtig. [Spitze f.\]

острие́ Schneide f;\

остри́ть, за~ spitzen; v/i. witzeln.

о́стров Insel f.

остро|та́ Schärfe f; Witz m; **~у́мие** Scharfsinn m; **~у́мный** scharfsinnig; geistreich.

о́стрый scharf; fig. zugespitzt. [kühlen.\]

осты(ва́)ть (sich ab)\

осу|жда́ть, **~ди́ть** verurteilen; tadeln; **~ждение** Verurteilung f; Tadel m.

осуществ|ля́ть, **~ви́ть** verwirklichen, reali-\
ось f Achse. [sieren.\]

осяза́|ние Gefühl(ssinn m), Tastsinn m; **~ть** befühlen; betasten; fig. wahrnehmen.

от, ото (P) von; vor (D.); gegen; seit.

ота́пливать, отопи́ть (be)heizen.

отби(ва́)ть abschlagen; abstecken.

отбира́ть, отобра́ть ab-, weg-nehmen.

о́тблеск Abglanz.

отбо́рный auserlesen.

отбро́с mst pl. Abfall, Müll.

отбы(ва́)ть abreisen; (ab)leisten.

отва́|га Kühnheit; ~ж- ный kühn, tapfer.

отва́|ливать, ~ли́ть ab- wälzen; ♪ abstoßen.

отвезти́ *s.* отвози́ть.

отве́рстие Öffnung *f.*

отвёр|тка Schrauben- zieher *m;* ~тывать, отверну́ть abwenden; losdrehen.

отвести́ *s.* отводи́ть.

отве́т Antwort *f;* в ~ на (B) in Beantwortung (*G.*); ~ственный ver- antwortlich; ~чик An- geklagte(r).

отве|ча́ть, '~тить (на B) antworten (auf *A.*); beantworten; (за B) verantwortlich sein (für *A.*); (Д) entsprechen.

отвин|чивать, ~ти́ть losschrauben.

отвле|ка́ть, '~чь ab- lenken; ~чённый abgelenkt; ~абстракт.

отво́д Wegführen *n;* Ab- leitung *f;* ⚖ Ablehnung *f;* ~ди́ть, отвести́ weg- führen; ableiten; zu- rückweisen; ⚖ ablehnen.

отвози́ть, отвезти́ ab-, weg-fahren.

отво|ря́ть, ~ри́ть auf- machen, öffnen.

отврати́тельный wi- derlich, abscheulich.

отвы|ка́ть, ~кнуть (от) sich (*et.*) abgewöhnen.

отвя́|зывать, ~за́ть los- binden; (~ся) (от) sich losmachen (von).

отга́|дка Erraten *n;* Lösung; ~дывать, ~да́ть erraten; lösen (*Rätsel*).

отго|ва́ривать, ~во- ри́ть (B j-m) ausreden, abraten (от von); ~- во́рка Ausrede, Vor- wand *m.* [Echo *n.*\]

отголо́сок Widerhall,\]

отда|(ва́)ть (ab-, wieder-) geben; erweisen; ab- statten (*Besuch*).

отда|лённый weit; ent- fernt; ~ля́ть, ~ли́ть entfernen; aufschieben; entfremden.

отде́л Abteilung *f;* Teil; Abschnitt; Rubrik *f;* ~е́ние Abteilung *f;* Trennung *f;* Fach.

отде́|льный einzeln, be- sondere(r); Sonder..., Einzel...; ~ля́ть, ~ли́ть abteilen, trennen.

о́тдых Erholung(spause) *f;* Ruhe *f;* ~а́ть, от- дохну́ть sich erholen, (aus)ruhen.

оте́ль *m* Hotel *n,* Gast- hof.

оте́ц Vater.

оте́чество Vaterland.

о́тзыв Urteil *n*, Gutachten *n*; Abberufung *f*; **~а́ть, отозва́ть** ab(be)rufen; **(~ся)** sich äußern; Antwort geben; sich auswirken.

отка́з Absage *f*; **~ывать, ~а́ть** absagen; **(~ся)(от)** verzichten (auf *A*.); ablehnen; widerrufen.

отка́рмливать, откорми́ть mästen.

отки́|дывать, ~нуть beiseite werfen; zurückschlagen.

откла́дывать, отложи́ть auf-, hinausschieben; beiseite legen; ablagern.

о́тклик Antwort *f* (auf den Ruf); Widerhall *f*; *fig.* Anklang.

откло|не́ние Ablenkung *f*; Ablehnung *f*; Abweichung *f*; **~ня́ть, ~ни́ть** ablenken (от von); ablehnen; **(~ся)** abweichen.

открове́нный aufrichtig, *fig.* offen.

откры́|(ва́)ть (er)öffnen, entdecken; enthüllen; **~тие** Öffnen *n*; Eröffnung *f*; Entdeckung *f*; **~тка** Postkarte *f*; **~тый** offen; frei.

отку́да woher?, von wo (aus)?

отку́|сывать, ~си́ть abbeißen; abzwicken.

отлёт Abflug.

отпи́|в Ebbe *f*; Schillern *n*; **~(ва́)ть** (ab)gießen; schillern (T in *D*.).

отли|ча́ть, ~чи́ть unterscheiden (от von); **~чие** Unterschied *m*; **~чный** ausgezeichnet.

отложи́ть *s.* откла́дывать.

о́тмель *f* Sandbank.

отме́|на Abänderung *f*; Aufhebung *f*; **~ни́ть, ~ни́ть** abändern; aufheben, widerrufen.

отме́|тка Vermerk *m*, Notiz; Zeichen *n*; Zensur; **~ча́ть, ~тить** bezeichnen; vermerken, notieren; bemerken; erwähnen; abmelden (aus dem Einwohnerliste streichen).

отмы́(ва́)ть abwaschen.

отмы́чка Dietrich *m*, Nachschlüssel *m*.

отнести́ *s.* относи́ть.

отнима́ть, отня́ть (weg)nehmen; abnehmen; **~ся** gelähmt werden.

отно|си́тельно (P) bezüglich; hinsichtlich; **~си́тельный** bezüglich; verhältnismäßig; relativ; ~си́ть, отнести́ hin-, weg-bringen; weg-tragen; zuschreiben; be-ziehen; (~ся), отнес-та́сь sich verhalten; ~шéние Beziehung f; Verhältnis; (offizielles) Schreiben.

отню́дь не keineswegs.

отня́|тие Weg-, An-nahme f; ~ть s. отни-мо́ть s. от. [мать.\

отобра́ть s. отбира́ть.

отозва́|ние Abberufung f; ~ть s. отзыва́ть.

отойти́ s. отходи́ть.

отомсти́ть s. мстить.

отопи́ть s. ота́пли-вать.

отопле́ние Heizung f.

оторва́ть s. отрыва́ть.

отосла́ть s. отсыла́ть.

отпа|да́ть, '~сть ab-fallen; hinfällig werden; ~дéние fig. Abfall m.

отпеча́|ток Abdruck; Gepräge n; ~т(ыв)ать abdrucken.

отпла́|та Vergeltung; ~чивать, ~ти́ть ver-gelten, heimzahlen.

отплы́|(ва́)ть weg-schwimmen; ~тие s. Abfahrt f. [wehr f.\

отпо́р Widerstand; Ab-\

отпра|ви́тель m Ab-sender; ~влéние Ab-sendung f; Beförderung

f; Abfahrt f; Funktion f; ~вля́ть, '~вить (ab-)senden, befördern; schicken; (~ся) sich be-geben; abfahren; (a. ~в путь) abreisen.

о́тпу|ск Urlaub; ~ска́ть, ~сти́ть beurlauben; ver-abfolgen; (gehen-, frei-)lassen; (giften (T mit).\

отра|вля́ть, ~ви́ть ver-\

отра|жа́ть, ~зи́ть ab-wehren; widerspiegeln; reflektieren. [Branche.\

о́трасль f Zweig m.\

отрéз Abschnitt; Stoff-rest; ~а́ть, ~ать ab-schneiden.

отрез|вля́ть, ~ви́ть er-nüchtern.

отре|ка́ться, '~чься (от) (ver)leugnen; sich lossagen (von).

отрица́|ние Verneinung f; Ablehnung f; ~тель-ный verneinend; ~ть verneinen, bestreiten.

отры|ва́ть 1. оторва́ть los-, ab-reißen (от von); 2. отры́ть (her)aus-graben; '~вистый fig. abgehackt, abgerissen; ~вно́й Abreiß...; '~вок Bruchstück n.

отря́д Abteilung f.

отсро́|чи(ва)ть hinaus-zögern, stunden; auf-schieben; ~чка (Frist-

Verlängerung, Stundung.

отста́(ва́)ть zurückbleiben; sich loslösen; nachgehen (*Uhr*).

отста́ивать, отстоя́ть durchsetzen; verteidigen.

отста́|лый zurückgeblieben, rückständig; *s.* ~ва́ть.

отстёгивать, отстегну́ть aufknöpfen.

отстра|ня́ть, ~ни́ть beseitigen; absetzen.

отсту|па́ть, ~пи́ть zurücktreten; (zurück-)weichen; abweichen (от von); (~ся) (от) verzichten (auf *A.*); ~пле́ние Rück-tritt *m*, -zug *m*; '~ник Abtrünnige(r).

отсу́т|ствие Abwesenheit *f*; ~ствовать abwesend sein.

отсыл|а́ть, отосла́ть ab-, weg-schicken; '~ка Versendung.

отсю́да von hier (aus).

отте́нок Schattierung *f*, (Farben-)Abstufung *f*.

о́ттепель *f* Tauwetter *n*.

о́ттиск Abdruck, Abzug.

оттого́ deshalb.

отту́да von dort *od.* da.

оту|ча́ть, ~чи́ть abgewöhnen.

отхо́д Abgang; Abfahrt

f; Rückzug; Abkehr *f*; ~ти́ть, отойти́ ab-, weggehen; abfahren; sich zurückziehen; abweichen; sich abwenden.

отце|пля́ть, ~пи́ть loshaken, abhängen.

отцо́в|ский väterlich; ~ство Vaterschaft *f*.

отча́ли(ва)ть losbinden; vom Ufer abstoßen (*Boot*).

отча́сти teilweise.

отчая́н|ие Verzweiflung *f*; ~ный verzweifelt.

отчего́ weshalb, warum.

о́тчеств|о Vatersname *m*; **как вас (зову́т) по ~y?** wie heißen Sie mit Vatersnamen?

отчёт Rechenschaft(sbericht *m*) *f*; Abrechnung *f*; ~ливый genau, klar umrissen.

о́тчим Stiefvater.

отчис|ля́ть, ~лить abziehen; entlassen.

отчужд|а́ть, ~дить enteignen; ~де́ние Entfremdung *f*; Enteignung *f*.

отъе́|зд Abreise *f*, Abfahrt *f*; ~зжа́ть, ~хать abreisen, abfahren.

отыска́ть,отыска́ть (auf)finden.

отяг|ча́ть, ~чи́ть beschweren, belasten.

офице́р Offizier.

офици|а́льный offiziell, amtlich; ~а́нт Kellner.

охо́та Jagd.

охра́|на Schutz *m*; ~ня́ть, ~ни́ть beschützen; bewachen.

оце́н|ивать, ~и́ть (ab-)schätzen; ~ка Abschätzung; Bewertung, Beurteilung. [f.]

оцепене́ние Erstarrung/

оцеп|ля́ть, ~и́ть um-/

оча́г Herd. [zingeln./

очаро́ва́|ние Bezauberung *f*; ~ва́тельный bezaubernd; '~вывать, ~ва́ть bezaubern.

очеви́д|ец Augenzeuge; ~ный augenscheinlich; offensichtlich.

о́чень sehr.

очередно́й der Reihe nach (folgend).

о́черед|ь*f* Reihe(nfolge); стоя́ть в ~и Schlange stehen.

о́черк Skizze *f*, Abriß.

очерта́ние Umrisse *m/pl.*, Konturen *f/pl.*

о́чи *s.* о́ко.

очи|ща́ть, '~стить reinigen, säubern; räumen; schälen, pellen.

очк|и́ *pl.* Brille *f*; ~о́ Auge (Spiel); *Sport* Punkt *m*.

очути́ться sich plötzlich ... befinden, geraten.

оше́йник Halsband *n.*

ошело|мля́ть, ~ми́ть verblüffen.

оши|ба́ться, ~би́ться (sich) irren; '~бка Irrtum *m*, Fehler *m.*

оштрафова́ть *s.* штрафова́ть.

ощу́п|ыв)ать befühlen, betasten.

ощути́тельный fühlbar, empfindlich.

ощу|ща́ть, ~ти́ть empfinden, fühlen; ~ще́ние Empfindung *f*, Gefühl.

П

павли́н Pfau.

па́губный verderblich, unheilvoll.

па́даль *f* Kadaver *m*, Aas *n.*

па́дать, (у)па́сть (um-)fallen; krepieren.

паде́ж Kasus, Fall.

па́дкий versessen, erpicht.

пану́чая (боле́знь) *f* Fallsucht.

па́дчерица Stieftochter.

паёк Ration *f.*

пакет Paket n.

пакет Paket n.
паќа Werg n.
паков́ать, у~ (ein-)
packen.
пакт Pakt; ~ о нападе́нии Nichtangriffs-
pakt.
пала́та Krankensaal m;
Pol. Kammer f; ве́рхняя
~ Oberhaus n; ни́жняя
~ Unterhaus n.
пала́тка Zelt n.
пала́ч Henker, Scharf-
richter.
па́лец Finger; Zehe f;
большо́й ~ Daumen.
палиса́дник Vorgarten.
пали́тра Palette.
пали́ть, о~ sengen.
па́лка (Spazier-) Stock m.
па́луба Verdeck n, Deck n.
па́льма Palme. [n.]
пальто́ Mantel m.
па́мят|ка Merkblatt n;
~ник Denkmal n; ~ный
erinnerlich; Gedenk...;
~ная кни́жка Notiz-
buch n; ~ f Gedächtnis
n; Andenken n (о П an
Д.); на ~ь zum An-
denken.
пане́ль f Paneel n;
Bürgersteig m.
панихи́да Seelenmesse.
пансио́н Pension f,
Fremdenheim n.
па́па m Papa; ри́мский
~ Papst.

па́паха Pelzmütze.
папильо́тка Haarwickel
m.
папиро́са Zigarette.
па́пка Pappe, Karton m.
пар Dampf.
па́ра Paar n.
пара́дный prunkhaft;
Parade...; Fest...
парали|зова́ть lähmen;
'~ч Lähmung f.
парашю́т Fallschirm.
пари́ n Wette f; дер-
жа́ть ~ wetten.
пари́к Perücke f; ~ма́-
хер Friseur; ~ма́хер-
ская Frisiersalon m.
пари́ть[1] schweben.
па́рит|ь[2] brühen; dämp-
fen; ~ся es ist schwül.
парно́й frisch (geschlach-
tet); (noch) warm.
па́рный paarig, gepaart;
Sport: Paar...; Doppel...
паро́... Dampf...; ~воз
🚂 Lokomotive f; ~во́й
Dampf...
паро́м Fähre f.
парохо́д Dampfschiff n,
Dampfer; ~ство Dampf-
schiffahrt f; Reederei f.
парти́ец Parteimitglied
n.
парти́йный partei-
mäßig; Partei...; Partei-
mitglied n.
па́ртия Partei; Partie f.
па́рус Segel n; пла́вать

на ~áх segeln; ~ник Segelboot n; ~ный Segel...

парчá Brokat m.

парши́|á Grind m; ~вый grindig; räudig.

пáсмурный trübe; finster.

пáспорт Paß. [ster.]

пассáж Durchgang, Passage f.

пассажи́р, ~ка Passagier m, Fahrgast m, Reisende(r); ~ский Passagier...; Personen...; Reise...

пасти́ weiden, hüten.

пасту́х Hirt m.

пасть f Rachen m; s. пáдать.

пáсха Ostern n; Osterfest n; Osterspeise.

пáсынок Stiefsohn.

патрóн (Schutz-)Patron; Patrone f; Zigarettenhülse f; Schnittmuster n.

патру́ль m Patrouille f, Streife f.

пáуза Pause.

паýк Spinne f.

паути́на Spinngewebe n.

пах Leiste f(ngegend) f.

пахáть, вс~ pflügen.

пáхнуть, за~ riechen (T nach).

паховóй Leisten...

пахýчий wohlriechend.

пáчка Bund n, Päckchen n.

пáчкать, ис~ beschmieren, beschmutzen.

пáшня Acker m.

паштéт Pastete f.

пая́ть, за~ löten.

ПВО (противовозду́шная оборóна) f Luftschutz m; Fliegerabwehr.

певéц, певи́ца Sänger (-in f).

певу́чий melodisch, wohlklingend.

пéвчий singend; Sing... Chorsänger.

пéгий scheckig.

педвуз (педагоги́ческое вы́сшее учéбное заведéние) Pädagogische Hochschule f.

пейзáж Landschaft f.

пекáрня Bäckerei; Backstube.

пéкарь m Bäcker.

пеленáть, за~, с~ (ein)wickeln (in Windeln).

пелёнка Windel.

пéмза Bimsstein m.

пéна Schaum m.

пéние Singen, Gesang m.

пéниться schäumen.

пéнка Häutchen n; морскáя ~ Meerschaum m.

пéпел Asche f.

пéпельница Aschenbecher m.

пéрво... erst...; ~бы́тный ursprünglich; Ur-

...; **~нача́льный** (ur-) anfänglich, allererst; Anfangs..., Grund...

пе́рвый erste(r); Haupt-...

перебе́жчик Überläufer.

переби́(ва́)ть zerschlagen; unterbrechen; aufschlagen (*Kissen*); niedermetzeln.

переб(и)ра́ть durchsehen; sichten; *Тур.* umsetzen.

перева́л (Gebirgs-)Paß; Übersteigen n (*Gebirge*).

перева́|ривать, ~ри́ть verdauen; zerkochen; noch einmal kochen.

перевезти́ s. **перевози́ть.**

переве́ртывать, переверну́ть umdrehen.

переве́с Übergewicht n.

перевести́ s. **переводи́ть.**

перево́д Versetzung f; Übersetzung f; Über-An-weisung f; ⚙ Weiche f; **~и́ть, перевести́** versetzen; überweisen; übersetzen; (hin)überführen; **~ный** übersetzt; Übersetzungs...; **~чик** Übersetzer, Dolmetscher.

перево́з Transport; Überfahrt f, Fähre f;

~и́ть, перевезти́ (hin-)übersetzen; befördern; **~ка** Transport m, Beförderung f; **~чик** Fährmann.

переворо́т Umwälzung f, Umsturz.

перевя́|зка Verbinden n; Verband m; **~зывать, ~за́ть** zs-, umbinden; verbinden; umstricken.

перего|ва́ривать, ~вори́ть besprechen; **~во́ры** m/pl. Unterredungen f/pl.; Verhandlungen f/pl. (о П über A.).

перего́н (Zwischen-)Strecke f.

перегру́|жа́ть, ~зи́ть umladen; überladen; **~зка** Über-, Um-ladung.

пе́ред (Т) vor (D., A.); **~о мной** vor mir.

переда́|(ва́)ть übergeben; überweisen; mitteilen; *fig.* wiedergeben; senden (*Radio*); **~точ**ный übertragbar; Übertragungs...; *Radio:* Sende-; **~тчик** Sender; **~ча** Übergabe; Übertragung; ⊕ Übersetzung.

передви|же́ние Verschiebung f;Versetzung f; **переде́л|ка** Um-arbei-tung, -änderung; **~-**

(ыв)ать umarbeiten, umänden.

передн|ий vordere(r); Vorder...; ~яя Vorzimmer n; ~ик Schürze f.

передо s. перёд; ~вой führend; Vor(der)...; Leit...

пере|езд Überfahrt f; Umzug, Übergang; ~ежжать, ~ехать (hin-)überfahren; (um)ziehen.

пережи|вание Erlebnis; ~(ва)ть über-, durchleben; erleben.

переименó|вывать, ~вáть um)benennen.

перейти s. переходить.

перекáт Sandbank f; Rollen n.

переки|дывать, ~нуть hinüberwerfen.

пéрекись f Superoxyd n.

переклáдывать, переложить umladen; umpacken, umlegen.

переклúчка Appell m.

переклю|чáтель m Umschalter; ~чáть, ~чúть umschalten; fig. umstellen; ~чéние Umschaltung f; fig. Umstellung.

перекрёсток Kreuzweg m; Straßenkreuzung f.

пере|лагáть, ~ложить übertragen; ♪ vertonen.

пере|лезáть, ~лéзть hinüberklettern.

перелёт Hinüberfliegen n; Zug (Vögel); Flug.

перелú|стывать, ~стáть um-, durch-blättern.

переложить s. переклáдывать u. перелагáть.

перелóм Bruch; Umschwung; Wendung f.

перемéн|а Veränderung; (Zwischen-)Pause; ~ный veränderlich; Wechsel...; ~ять, ~úть (ver)ändern.

переме|щáть, ~стúть umstellen; versetzen.

перемúрие Waffenstillstand m.

перенóс Hinübertragen n; Übertrag; ~úть, переместú (hin)übertragen; ertragen; vertagen.

переоде|(вá)ть(ся sich) umkleiden.

перепечáтка Nachdruck m.

перепú|ска Abschreiben n; Briefwechsel m; ~чик Kopist m; ~сывать, ~сáть ab-, um-schreiben; (~ся) impf. korrespondieren.

пéрепись f Verzeichnis n; нарóдная ~ Volkszählung f. [flecht n.]

переплёт Einband; Ge-

перепле|та́ть, ~сти́
(ein)binden; (ver)flech-
ten.

переплёт|ная Buchbin-
derei; ~чик Buchbinder.

перепол|не́ние Über-
füllung f; ~нить überfüllen (T mit).

перепра́|ва (Hin-)Über-
setzen n; Überfahrt f;
~вля́ть, ~вить (hin)-
übersetzen; übersenden.

перепрода́жа Wieder-
verkauf m.

пере|ры́вUnterbrechung
f; Pause f; ~рыва́ть
1. ~ры́ть umgraben;
2. ~рва́ть zerreißen.

переса́|дка Umsteigen
n; ~жива́ть, ~ди́ть
umpflanzen; umsetzen;
(~ся) пересе́сть sich
umsetzen; umsteigen.

пересе|ка́ть, ~чь
durch-, über-queren.

пересе|ле́нец Übersie-
delte(r); Auswande-
rer; ~ля́ть, ~ли́ть über-
siedeln; (~ся) übersie-
deln; auswandern.

пересе́сть s. переса́-
живать. [~ла́ть.\
пересла́ть s. пересы́-
переста́|(ва́)ть auf-
hören; ~вля́ть, ~вить
umstellen.

перестре́лка Feuer-
gefecht n.

перестро́йка Umbau m;
Umgestaltung; Umstel-
lung.

пере|с(ы)ла́ть übersen-
den; ~сы́лка Übersen-
dung; Versand m.

переу́лок Neben-, Quer-
gasse f.

перехо́д Übergang; Ta-
ge(s)marsch; ~и́ть, пе-
рейти́ (hin)übergehen;
übersiedeln, (um)ziehen.

пе́рец Pfeffer.

пе́речень m Verzeichnis
n; Liste f.

перечис|ля́ть, '~лить
nach-, durch-zählen;
transferieren.

пе́речница Pfefferdose.

перешеек Landenge f.

переэкзамено́вка
Nach-prüfung, -examen
n.

пери́ла n/pl. Geländer
n.

пери́на Feder-, Daunen-
bett n.

перо́ (Schreib-)Feder f.

перпендикуля́р Senk-
rechte f; ~ный senk-
recht.

перро́н Bahnsteig.

перси́дский порошо́к
Insektenpulver m.

пе́рсик Pfirsich(baum).

Пе́рсия Persien n, Iran
m.

пе́рстень m Fingerring.

пе́рхоть f Schuppen f/pl. (Kopf).

перча́тка Handschuh m.

пе́сня Lied n; Gesang m.

песо́к Sand.

пёстрый bunt(scheckig).

песча́ник Sandstein.

песчи́нка Sandkörnchen n.

пе́тля Schlinge; Masche; Knopfloch n; Öse; Türangel.

Пётр Peter.

Петру́шка m Kasperle m od. n (∼ f -theater n).

пету́х Hahn.

петь 1. ∼ singen; 2. про∼ krähen.

пехо́т|а Infanterie; ∼ный Infanterie...

печа́лить, о∼ betrüben; ∼ся traurig sein.

печа́ль f Traurigkeit, Kummer m (о II über A.); ∼ный traurig; betrübt.

печа́тать, на∼ drucken; schreiben (Schreibmaschine); Fot. abziehen.

печа́т|ь f Siegel n; Stempel m; Druck m; Presse; вы́йти из ∼и erscheinen.

печёный gebacken.

пе́чень f Leber.

пече́нье Backwerk, Gebäck; Backen.

печь[1] f Ofen m.

печь[2], ис∼ backen.

пешехо́д Fußgänger.

пе́ш|ий zu Fuß (gehend); Fuß...; ∼ко́м zu Fuß.

пеще́ра Höhle.

пивн|о́й Bier...; ∼а́я (ла́вка) Bierstube.

пи́во Bier.

пиджа́к (Herren-)Jackett n; Sakko.

пи́ка Lanze.

пил|а́ Säge; ∼и́ть sägen.

пило́т Flugzeugführer, Pilot.

пилю́ля Pille.

пирова́ть, по∼ zechen.

пиро́г Piroge f (Art Pastete); мясно́й ∼ Fleischpirogge f.

пиро́жное Kuchen m.

писа́ние Schreiben.

писа́тель m Schriftsteller.

писа́ть, на∼ schreiben; malen.

писто́ле́т Pistole.

пи́счая бума́га Schreibpapier n.

писчебума́жный магази́н Papierhandlung f.

пи́сьмен|ность f Schrifttum n; ∼ный schriftlich; Schrift...

письмо́ Brief m; Schreiben.

пита́тельный nahrhaft.

пита́ть (er)nähren; speisen; fig. hegen.

пить, вы́~ trinken.

питьё Getränk; Trinken.

пи́хта Edel-, Weiß-tanne.

пи́шущая маши́н(к)а Schreibmaschine.

пи́ща Nahrung, Kost.

пище|варе́ние Verdauung f; ~во́д Speiseröhre f.

пла́ва|ние Schwimmen; Schiffahrt f; (морско́е) ~ние Seefahrt f; ~ть, п(р)о~ schwimmen.

пла́в|ить 1. (рас~) schmelzen; 2. (с~) flößen; ~ни́к Flosse f; ~ный fließend, leicht.

пла́кать, за~, по~ weinen (от vor D.).

пла́мя n Flamme f.

план Entwurf; Plan.

плане́та Planet m.

плани|рова́ть 1. planen, entwerfen; 2. '~ро-ва́ть, (с~) im Gleitflug fliegen; ~рующий полёт Gleitflug; Segelflug.

пласти́н|а Platte f; ~ка (Schall-)Platte; Lamelle.

пла́стырь m Pflaster n.

пла́|та (Be-)Zahlung; Lohn m; входна́я ~ Eintrittsgeld n; кварти́рная ~ Miete.

платёж Zahlung f.

плати́ть, за~, у~ (be-)zahlen; vergelten.

плато́к (Taschen-)Tuch n.

платфо́рма Plattform; Bahnsteig m; Haltestelle; offener Güterwagen m; Plattenwagen m.

пла́тье Kleid(ung f).

плац (großer) Platz; ~ка́рта Platzkarte.

плащ Mantel; Umhang.

плева́ть, плю́нуть spucken.

пле́мя n Stamm m, Geschlecht; Generation f.

племя́нни|к Neffe; ~ца Nichte.

плен Gefangenschaft f; взять в ~ gefangennehmen.

плёнка Häutchen n; (Roll-)Film m.

пле́нн|ик, ~ый Gefangene(r).

пле|ня́ть, ~ни́ть fig. fesseln; bezaubern.

пле́сень f Schimmel m.

плести́, с~ flechten.

плетёный geflochten.

плётка, плеть f (geflochtene) Peitsche, Karbatsche.

плечо́ Schulter f, Achsel f.

плеши́вый kahlköpfig.

плешь f Glatze.

плит|а́ (Stein-)Platte, Fliese; (ку́хонная) ~а́

(Koch-)Herd *m*; '**~ка**
Tafel (*Schokolade*).

пловучий Schwimm...

плод Frucht *f*; **~йть**,
(**рас~**) vermehren, züchten.

плодо|вйтый fruchtbar;
'**~вый** Frucht..., Obst...

пломб|а Plombe; **~иро-**
вать, (**за~**) plombieren.

плоск|ий flach, eben;
'**~ость** *f* (ebene) Fläche.

плот Floß *n*. [sperre.]

плотйна Damm *m*; Tal-|

плотник *m* Zimmermann.

плот|ность *f* Dichtig-
keit; Dichte; **~ный**
dicht, dichte, kompakt.

плохой schlimm, schlecht.

площадка Platz *m* (*z.B.*
Sport); Treppenabsatz
m; посадочная **~** ✕
Landeplatz *m*.

площадь *f* Platz *m*; Flä-|

плуг Pflug. [che.]

плут Schelm, Betrüger.

плыть, по**~** schwimmen;
segeln; (*zu Wasser*) fahren.

плюс plus; Plus *n*.

плющ Efeu *m*.

пляж Strand.

по (Д, В, П) bis zu; zu;
nach; entlang; durch;
an, auf (... hin), über;
in; nach; aus; mit; in-
folge (von), gemäß.

по *in Zssgn* in der (*od.*

nach) Art, wie; **~мóе-**
му nach meiner Mei-
nung; **~нóвому** auf
neue Art; **~рýсски**
(auf) russisch.

побег Flucht *f*.

побе|да Sieg *m*; **~дй-**
тель *m* Sieger; **~донóс-**
ный siegreich; **~ж-**
дáть, **~дйть** besiegen.

побережье Strand *m*,
Küste *f*.

побои *m/pl.* Prügel *pl.*

побольше etwas mehr.

побу|ждáть, **~дйть** an-
regen; **~ждéние** An-
regung *f*, Antrieb *m*.

повар Koch; **~йха** Kö-
chin.

поведéние Betragen.

повéренный Bevoll-
mächtigte(r); Anwalt;
Vertraute(r).

повéрка Prüfung;
Durchsicht; Kontrolle.

повéрхность *f* Ober-
fläche.

пове|рять, '**~рить** prü-
fen; anvertrauen.

повéсить *s.* вéшать.

повéстка Vorladung;
(Post-)Benachrichti-
gung; **~ дня** Tages-
ordnung.

повесть *f* Erzählung.

повидимому scheinbar.

повин|ность *f* Verpflich-
tung; Pflicht; вóин-

ская ∼ность Wehr-
pflicht; ∼ова́ться ge-
horchen.

по́вод Anlaß; Zügel.

пово́зка Fuhrwerk n;
Wagen m.

повора́чивать, повер-
ну́ть (um)drehen.

поворо́т Drehung f,
Wendung f; ∼ный Dreh-
...; Wende...

повре|жда́ть, ∼ди́ть
beschädigen; schaden;
∼жде́ние Beschädigung
f, Verletzung f.

повсеме́ст|но überall;
∼ный allgemein.

повста́нец Rebell.

повто|ре́ние Wieder-
holung f; ∼ря́ть, ∼ри́ть
wiederholen.

повы|ша́ть, ∼сить er-
höhen; steigern; be-
fördern; (∼ся) steigen;
sich erhöhen; ∼ше́ние
Erhöhung f; Steigerung
f; Beförderung f.

повя́|зка Verband m;
∼зывать, ∼за́ть um-
binden.

погло|ща́ть, ∼ти́ть ver-
schlingen; aufsaugen.

пого́да Wetter n.

пограни́чный Grenz...

погре́б Keller; ∼е́ние
Beerdigung f.

погро́м Pogrom.

погру|жа́ть, ∼зи́ть ein-

tauchen; versenken;
(ver)laden.

под, ∼о (B, T) unter-
gegen; (kurz) vor; (nahe)
bei, unweit von; in.

пода́|(ва́)ть (ein)reichen;
(ab)geben; auftragen;
Sport: zuspielen.

пода|вля́ть, ∼ви́ть er-
unter-drücken.

пода́гра Gicht.

пода́рок Geschenk n.

пода́тель m Überbringer.

пода́ча Einreichung;
Servierung; Sport: Zu-
spielen n.

подборо́док Kinn n.

подва́л Keller (geschoß
n).

подвезти́ s. подвози́ть.

подвер|га́ть, '∼гнуть
unter-ziehen; -werfen.

подвести́ s. подвода́ть.

по́двиг (Helden-)Tat f.

подви|га́ть, ∼нуть
(weiter)rücken.

подвижно́й beweglich,
rege.

подвла́стный untertan.

подводи́ть, подвести́
herbei-, heran-führen.
∼ ито́г Bilanz ziehen.

подво́дн|ый unter Was-
ser; Untersee...; ∼ая
ло́дка Unterseeboot n,
U-Boot m.

подво́з Zufuhr f; ∼и́ть,
подвезти́ zuführen.

подвя́зка Strumpfband n.

подгото́|ви́тельная рабо́таVorarbeit; '.вка Vorbereitung; ~вля́ть, '.вить vorbereiten.

по́ддан|ный Untertan; Staatsangehörige(r); ~ство Staatsangehörigkeit f.

подде́|лкаNachahmung; Fälschung; Imitation; ~л(ыв)ать fälschen; ~льный gefälscht; falsch.

подде́р|живать, ~жа́ть (unter)stützen; unterhalten; ~жка Unterstützung.

поджа́ри(ва)ть braten, rösten.

поджига́тель m Brandstifter.

поджида́ть erwarten.

поджо́г Brandstiftung f.

подзаци́тный Mandant.

подзе́мный unterirdisch.

подкла́дка Futter (Stoff) n; Unterlage.

подко́|ва Hufeisen n; ~вывать, ~ва́ть beschlagen.

подко́жный unter der Haut (befindlich).

подко́п Mine f.

подкра́|дываться, ~-

сться sich heranschleichen.

подкре|пля́ть, ~пи́ть (ver)stärken.

подку́п Bestechung f; ~а́ть, ~и́ть bestechen.

по́дле (P) neben, bei (D.).

подлежа́ть unterliegen.

подли́вка Soße, Tunke.

подло́|г Fälschung f; ~жный gefälscht; falsch.

по́длый gemein, niederträchtig.

подмастéрье m (Handwerks-)Geselle.

подмётка(Schuh-)Sohle.

поднести́ s. подноси́ть.

поднима́ть, подня́ть er-, auf-, hoch-heben; erhöhen; ~восста́ние in Aufstand treten.

подно́с Tablett n; ~и́ть, поднести́ (dar)reichen; heranbringen.

подо́б|не Ähnlichkeit f; Ebenbild n; ~но (Д) ebenso (wie); ~ный ähnlich; gleichartig.

подозре|ва́ть, заподо́зрить verdächtigen; '~ние Verdacht m.

подойти́ s. подходи́ть.

подоко́нник Fensterbrett n.

подо́л (Kleider-)Saum.

подо́шва (Schuh-)Sohle.

подпи́|ска Abonnement *n*; schriftliche Verpflichtung; ∼сно́й Abonnements...; ∼счик Abonnent; ∼сывать, ∼са́ть unterzeichnen; (∼ся) (unter)zeichnen; abonnieren (**на** B).

по́дпись *f* Unterschrift.

подполко́вник Oberstleutnant. [ger *m.*]

подпо́р(к)а Stütze; Trä-)

подража́ть nach-ahmen, -machen.

подразумева́ть (darunter) verstehen.

подро́б|ность *f* Einzelheit; ∼ный ausführlich; genau.

подру́га Freundin.

подря́д Kontrakt (zur Übernahme von Bauten, Lieferungen *usw.*); nacheinander.

подсве́чник Leuchter.

подсо́лнечник Sonnenblume *f.*

подста́|вка Unter-lage, -satz *m*; Stütze; ∼влять, ∼вить unterstellen, -setzen; ∼вно́е лицо́ Strohmann *m.*

подстака́нник (Tee-) Glashalter.

подстере|га́ть, '∼чь (B j-m) auflauern.

подстрека́тель *m* Aufhetzer, Anstifter.

подсуд|и́мый Angeklagte(r); '∼ность *f* Zuständigkeit; Gerichtsbarkeit; '∼ный zuständig.

подтвер|жда́ть, ∼ди́ть bestätigen.

подтя́жки *f/pl.* Hosenträger *m/pl.*

поду́шка Kissen *n.*

подхо́д Heranrücken *n*; *fig.* Einstellung *f*; ∼и́ть, подойти́ (к) herantreten; herankommen; (zusammen)passen; sich (*j-m*) nähern; ∼я́щий passend, geeignet.

подчёркивать, подчеркну́ть unterstreichen; betonen.

подчи|не́ние Unterordnung *f*; Unterwerfung *f*; ∼нённый unterstellt; Untergebene(r); ∼ня́ть, ∼ни́ть unterordnen; unterwerfen.

подъе́зд Anfahrt *f*; Auffahrt *f*; ∼но́й путь *m* Nebenbahn *f.*

подъ|езжа́ть, ∼е́хать heran-, vor-fahren.

подъём Aufzug; Aufstieg; Steigung *f*; (Auf-)Schwung; Spann (*des Fußes*); ∼ный Aufzug(s)..., Hebe...

поеди́нок Zweikampf.

по́езд (Eisenbahn-)Zug,

Bahn *f*; ско́рый ~ Schnellzug; пассажи́рский ~ Personenzug; '~ка Reise.

пожа́луй vielleicht, am Ende; ~ста bitte!; ~те treten (Kutscher: steigen) Sie ein, bitte!

пожа́р Brand, Feuer(sbrunst *f*) *n*; ~ный Brand..., Feuer...; Лош...; Feuerwehrmann.

пожа́тие руки́ Händedruck *m*.

пожа́ть *s.* пожима́ть, пожина́ть.

пожела́ние Wunsch *m*.

пожива́|ть: как вы ~ете? wie geht es Ihnen?

пожи́зненный lebenslänglich.

пож(им)а́ть drücken.

пож(ин)а́ть (ein)ernten.

пож(и)ра́ть verschlingen; auffressen.

позади́ hinten; hinter.

позво|ле́ние Erlaubnis *f*; ~ля́ть, '~лить erlauben.

позвоно́|к Wirbel *m*; ~чный столб Wirbelsäule *f*; Rückgrat *n*.

по́здн|ий spät; ~о es ist spät.

поздра|ви́тель *m* Gratulant; ~вле́ние Gra-

tulation *f*; Glückwunsch *m* (с T zu); ~вле́ние с Но́вым го́дом Neujahrswunsch *m*; ~вля́ть, '~вить (B j-n) beglückwünschen, gratulieren.

по́зже später.

позна́|(ва́)ть erkennen; ~ние Erkenntnis *f*; *mst* *pl.* Kenntnis *f*.

позо́р Schande *f*; Schmach *f*; ~ный schändlich.

позы́в Drang (на ~ nach); ~ на рво́ту Brechreiz.

по́иски *m/pl.* Nachforschung *f*, Suche *f*.

пои́ть, на~ tränken.

пойма́ть *s.* лови́ть.

пойти́ *s.* идти́.

пока́ vorläufig, einstweilen; ~ (не) solange (nicht).

пока́з Ansicht *f*; Schau *f*; Demonstrierung *f*; ~а́ние Angabe *f*; ~ывать, ~а́ть (vor)zeigen; ~а́ть aussagen.

пока́тый abschüssig.

покая́ние Buße *f*; Beichte *f*.

поки|да́ть, '~нуть verlassen, im Stich lassen.

покло́н Verbeugung *f*; Gruß *m*; ~е́ние Verehrung *f*; ~ник Verehrer.

поко́й Ruhe *f*; ⁓ник Verstorbene(r); ⁓ный ruhig; Verstorbene(r).

поколе́ние Geschlecht; Generation *f*.

покор|е́ние Unterwerfung *f*; ⁓ность *f* Ergebenheit; '⁓ный ergeben.

поко|ря́ть, ⁓ри́ть unterwerfen; erobern.

покрови́тель *m* Beschützer; ⁓ство Schutz *m*; Begünstigung *f*.

покры|ва́ло Decke *f*; '⁓(ва́)ть (be-, ver-, zu-) decken; (*Kosten*); zurücklegen (*Strecke*); bestreiten (*Strecke*); Überzug *m*; Bestreitung *f*; '⁓тие Deckung *f*; Überzug *m*; Bestreitung *f*; '⁓шка Decke (*Fahrrad*), Mantel *m* (*Autoreifen*); Überzug *m*.

покуп|а́тель *m* Käufer; ⁓а́ть, купи́ть (ein)kaufen; '⁓ка Kauf *m*.

поку|ша́ться, ⁓си́ться (на В) einen Anschlag machen (auf *A.*); versuchen; ⁓ше́ние Anschlag *m*; Versuch *m*.

пол Fußboden; Geschlecht *n*.

пол|а́ (*Rock-*)Schoß *m*; ис-под ⁓ы́ hinten(he)rum, unter der Hand.

полага́|ть glauben, mei-

nen; как ⁓ется wie es sich gehört.

полго́да ein halbes Jahr.

по́лдень *m* Mittag.

по́л|е Feld; Acker *m*; ⁓я́ *pl.* Krempe *f* (*am Hut*); Rand *m* (*Heft usw.*).

поле́зный nützlich.

поле́но Holzscheit.

полёт Flug; биле́т на ⁓ Flugschein.

по́лз|ать *u.* ⁓ти́, ползти́ kriechen.

поли|ва́ть, '⁓ть begießen; '⁓вка Begießen *n*.

полит in Zssgn Abk. für полити́ческий politisch.

политру́к politischer Leiter.

политучёба politische Schulung.

политэконо́мия Volkswirtschaftslehre.

поли́ция Polizei.

полк Regiment *n*.

по́лка Fach *n*; Regal *n*.

полко́|вник Oberst; ⁓во́дец Feldherr.

полне́ть, по⁓ dicker werden, zunehmen.

по́лно voll; ⁓кро́вный vollblütig; ⁓лу́ние Vollmond *m*; ⁓мо́чие Vollmacht *f*; Mandat.

по́лночь *f* Mitternacht.

по́лный voll; vollkommen, völlig.

полови́к (*Stuben*-)Läufer.

полови́на Hälfte.

полово́дье Hochwasser.

полово́й Geschlechts...; Dielen...

поло|же́ние Lage *f*, Stellung *f*; Zustand *m*; Bestimmung *f*; Behauptung *f*; **~жи́тельный** bestimmt; positiv; **~жи́ть** *s.* класть.

полоса́ Streifen *m*; Zone; Zeitspanne; **~тый** gestreift.

полоска́|ние Spülen; Gurgeln; Gurgelwasser; **~ть**, (**про~**) (aus)spülen.

полоте́нце Handtuch.

полот|но́ Leinen *n*, **~нó желе́зной доро́ги** Eisenbahndamm *m*; **~нó пилы́** Sägeblatt; **~ня́ный** leinen; Leinen...

поло́ть, **вы́~** (aus)jäten.

полипре́д (**полномо́чный представи́тель**) bevollmächtigter Vertreter.

полти́нник halber Rubel (50 Kopeken).

полтора́ anderthalb.

полу... *in Zssgn* halb...; **~го́дие** Halbjahr; **~ста́нок** Zwischenstation *f*; **полу|ча́тель** *m* Empfänger; **~ча́ть**, **~чи́ть**

empfangen, bekommen; erhalten; **~че́ние** Empfang *m*.

полуша́рие Halbkugel *f*.

пол|фу́нта ein halbes Pfund; **~часа́** eine halbe Stunde.

полы́нь *f* Wermut *m*.

по́льза Nutzen *m*.

по́льзо|вание (Т) (Be-)Nutzung *f*, **~ваться**, **воспо́льзоваться** (Т) benutzen, gebrauchen; Gebrauch machen (von *D.*).

по́ль|ка Polin; Polka; **~ский** polnisch; **Qша** Polen *n*.

по́люс Pol.

поля́к Pole.

поля́на Lichtung.

поме́стье Landgut.

поме́сячный monatlich.

помёт Kot, Mist.

поме́тка Zeichen *n*, Vermerk *m*.

поме́ха Hindernis *n*.

поме́ша|нный verrückt, irrsinnig; **~тельство** Irrsinn *m*; **~ться** *pf.* verrückt werden.

поме|ща́ть, **~сти́ть** unterbringen; anlegen; **~ще́ние** Unterbringung *f*; Raum *m*; Wohnung *f*; Investierung *f*.

поме́щик Gutsbesitzer.

помидо́р Tomate *f*.

поми́ловать *s.* ми́ловать.

поми́мо (P) außer (*D*.).

помина́ть, помяну́ть (B *od.* о П) erwähnen, gedenken (*G*.); '~ки *f/pl.* Leichenmahl *n*.

по́мнить, вс~ (B *od.* о П) sich (an *A*.) erinnern, denken (an *A*.); мне по́мнится ich entsinne mich.

помо|га́ть, '~чь *j-m* helfen (T *od.* в П mit *od.* bei).

помо́щник Helfer; Gehilfe.

по́мощь *f* Hilfe, Beistand *m*.

помяну́ть *s.* помина́ть.

понево́ле unwillkürlich; gezwungenermaßen.

понеде́льник Montag.

понемно́гу allmählich.

пони|жа́ть, '~зить herabsetzen, senken; '~же *et.* niedriger; ~же́ние Herabsetzung *f*, Abbau *m*; Sinken; Baisse *f*.

понима́|ние Verständnis; Auffassung *f*; ~ть, поня́ть verstehen.

поно́с Durchfall.

понужда́ть, пону́дить zwingen, nötigen.

поня́т|ие Begriff *m*, Idee *f*; ~ный verständlich.

поня́ть *s.* понима́ть.

поочерёдный der Reihe nach, abwechselnd.

поощр|я́ть, ~ря́ть anspornen.

поп F Pope, russischer Priester.

попада́ть, попа́сть geraten, stoßen (на B auf *A*.); gelangen; treffen.

попа́рно paarweise.

поперёк quer (durch).

попере́чный querliegend; Quer...

попече́ние Fürsorge *f*, Pflege *f*.

пополáм zur Hälfte.

попол|ня́ть, '~нить ergänzen, vervollständigen.

пополу́|дни nachmittags; ~ночи nach Mitternacht.

поправ|ля́ть, '~вить (ver)bessern; berichtigen; reparieren.

попре́жнему wie früher.

попри́ще Wirkungskreis *m*, Gebiet.

попуга́й Papagei.

попу́тный günstig (*Wind*); gelegentlich.

пора́[1] (*adv.* es ist) Zeit; до каки́х пор? wie lange?; до сих пор bis[jetzt].

пора́[2] Pore.

порабо|ща́ть, ~ти́ть unterjochen.

пора|жа́ть, ⁓зи́ть einen Schlag versetzen; besiegen; verblüffen.

пора|же́ние Niederlage f; **⁓зи́тельный** erstaunlich.

порва́ть s. **порыва́ть.**

поре́з Einschnitt; Schnittwunde f.

порица́|ние Tadel m, Rüge f; **⁓ть** tadeln, rügen.

поро́г Schwelle f; Stromschnelle f.

поро́|да Gestein n; Rasse; **⁓дистый** rassig; Rasse...; **⁓жда́ть, ⁓ди́ть** erzeugen; verursachen.

поро́к Laster n; Fehler.

поросёнок Ferkel n.

поро́ть, рас⁓ (auf-)trennen.

по́рох (Schieß-)Pulver n.

поро́ч|ить, о⁓ verleumden; **⁓ный** lasterhaft.

порошо́к Pulver n.

порт Hafen; **войти́ в ⁓** in den Hafen einlaufen.

по́ртить, ис⁓ verderben.

порт|ни́ха Schneiderin; **⁓но́й** Schneider.

портфе́ль m Aktentasche f.

портье́ра Vorhang m.

пору́ка Bürgschaft.

пору|ча́ть, ⁓чи́ть (be-)auftragen; übertragen; anvertrauen; **⁓че́ние** Auftrag m.

пору|чи́тель m Bürge; **⁓чи́тельство** Bürgschaft f; **⁓чи́ться** s.

руча́ться.

порх|а́ть, ⁓ну́ть flattern.

по́рция Portion.

по́рча Verderben n.

поры́в Drang, Trieb; (Wind-)Stoß; fig. Ausbruch; **⁓а́ть, порва́ть** zerreißen; brechen (с T mit); **⁓истый** heftig.

поря́|док Ordnung f; Reihe(nfolge) f; **⁓дочный** ordentlich; gehörig.

поса́дка Einsteigen n; ⚔ **⁓ (на́ землю)** Landung.

посвя|ща́ть, ⁓ти́ть widmen; einweihen; **⁓ще́ние** Widmung f; Einweihung f.

посе́в (Aus-)Saat f.

посе|ле́нец Ansiedler; **⁓ле́ние** Ansied(e)lung f; **⁓ля́ть, ⁓ли́ть** ansiedeln; fig. hervorrufen; (⁓ся) sich niederlassen.

посе|ти́тель m Besucher; **⁓ща́ть, ⁓ти́ть** besuchen; heimsuchen; **⁓ще́ние** Besuch m.

поско́льку soviel; sofern.

посла́нник Gesandte(r).

посла́ть s. посыла́ть.

по́сле (P) nach (D.); später;~вое́нный Nachkriegs...

после́д|ний letzter; ~ова́тельный folgerichtig; Reihen...; ~ствие Folge f.

послеза́втра übermorgen.

послеобе́денный Nachmittags...

посло́вица Sprichwort n.

послу́шный gehorsam.

посо́л Botschafter; ~ство Botschaft f.

поспе́(ва́)ть reif werden.

посреди́(не) (P) inmitten, in der Mitte (von).

посре́д|ник Vermittler; ~ственный mittelmäßig.

посре́д|ство: ~ством (P) (ver)mittels (G.).

пост Fasten pl.; Posten.

поста́|вка Lieferung; ~вщик Lieferant.

постано́|вка Inszenierung; Aufstellen n; Organisation f; ~вле́ние Bestimmung f; Resolution f; ~вля́ть, ~ви́ть beschließen.

посте́ль f Bett n.

постепе́нный allmählich.

пост(н)ла́ть ausbreiten; machen (das Bett).

пости́ться fasten.

постольку soviel.

посторо́нн|ий fremd; Neben...; ~им вход воспреща́ется der Unbefugten ist der Eintritt verboten.

постоя́нн|ый (be)ständig; ~ый ток Gleichstrom; ~ая а́рмия od. ~ое во́йско stehendes Heer n.

постри́чь s. стричь.

постро́йка Bau m.

посту|па́ть, ~пи́ть handeln, verfahren; eintreten; eingehen; ~пле́ние Eintritt m; ~пок Handlung f, Tat f.

посты́дный schändlich.

посу́да Geschirr n.

пос(ы)ла́ть schicken, senden; ~ за (T) holen lassen.

посы́л|ка Sendung; (Post)Paket n; ~ьный Bote.

посяг|а́ть, ~ну́ть (на B) sich Übergriffe erlauben (gegen); e-n Anschlag machen (auf A.).

пот Schweiß.

поте́ря Verlust m.

5*

потеть, вс~ schwitzen.

потеха Kurzweil, Spaß m.

потеш|ать, '~ить belustigen.

потный schweißig.

поток Strom; Fluß.

потолок (Zimmer-)Decke f.

потом darauf, nachher; ~ок Nachkomme; ~ство Nachkommenschaft f.

потому deshalb; ~ что weil.

потре|битель m Verbraucher, Konsument; ~бительская кооперация Konsumgenossenschaft; ~бление Verbrauch m; ~блять, ~бить verbrauchen; '~бность f Bedarf m; Bedürfnis n.

потроха m/pl. Eingeweide n (von Fischen, Vögeln); Gekröse n; гусиные ~ Gänseklein n.

потря|сать, ~сти schütteln; erschüttern.

поу|чение Belehrung f; ~чительный belehrend.

похвала Lob n.

похвальный lobenswert.

похи|титель m Dieb; Entführer; ~щать

'~тить entwenden, rauben; entführen.

поход Feldzug; ~ить (на B) gleichen, ähnlich sein (D.); ~ка Gang (-art f) m.

похожий (на B) ähnlich (D.).

похороны f/pl. Beerdigung f.

поцелуй Kuß [m.]

почва Boden m, Grund

почему warum, weshalb.

почерк Handschrift f.

почёт Ehre f.

почин Anfang; Anregung f; a Reparatur; ~ять, ~ить reparieren, ausbessern.

почитать 1. s. читать; 2. почтить achten, ehren.

почка Niere; Knospe.

почта Post.

почтальон Briefträger, Postbote.

почтение Achtung f.

почти beinahe, fast.

почтительный ehrerbietig.

почтить s. почитать.

почтов|ый ящик Briefkasten m; ~ая контора Postamt n; ~ая марка Briefmarke.

пошёл s. идти.

пошлина Zoll m.

пошлый fade, trivial.

пошту́чный stückweise.

поща́да Schonung, Gnade.

пощёчина Ohrfeige.

поэ́тому deswegen.

поя|вле́ние Erscheinen; Entstehen; **~вля́ться**, **~ви́ться** erscheinen, entstehen.

по́яс Gürtel; Zone f.

пояс|не́ние Erklärung f; Erläuterung f; **~ни́ца** Kreuz n; **~ни́це** Hexenschuß m; **~но́й** Gürtel...; Zonen...; **~но́й** erklären, erläutern.

пра́вда 1. f Wahrheit; Recht n; **э́то ~** das ist wahr; **2.** wirklich.

правди́вый wahr(haftig).

пра́вило Regel f; Grundsatz m.

пра́вильный regelmäßig, richtig.

прави́тельство (Staats-) Regierung f.

пра́вить (T) regieren; leiten (lenken); verwalten; berichtigen.

правле́ние Verwaltung f, Leitung f; Vorstand m.

пра́во Recht; **~вово́й** rechtlich; Rechts...; **~писа́ние** Rechtschreibung f; **~сла́вный**

rechtgläubig, (griechisch-)orthodox.

пра́вый I. rechte(r); **2.** recht; gerecht; rechtschaffen.

пра́дед Urgroßvater.

пра́зд|ник Feiertag; Fest n; **(поздравля́ю вас) с ~ником!** vergnügtes Fest!; **~ничный** Feier(tags)...; festlich; **~новать**, (от~) feiern. [Praktikum n.]

пра́ктика Praxis f;)

пра́ч|ечная Waschanstalt; **~ка** Wäscherin.

пребыва́ние Aufenthalt m.

превосхо́д|ительство Exzellenz f; **~и́ть**, превзойти́ übertreffen; **~ный** vortrefflich; überlegen; **~ство** Überlegenheit f.

превра|ща́ть, **~ти́ть** verwandeln, umgestalten; **~ще́ние** Verwandlung f; Umgestaltung f; Umwandlung f.

прегра́|да Hindernis n; **~жда́ть**, **~ди́ть** versperren.

пред s. **пе́ред**.

преда|(ва́)ть übergeben; verraten; **~ние** Überlieferung f; **~тель** m Verräter; **~тельство** Verrat m.

предвари́тель|но vorher, vorläufig; **~ный** vorläufig; Vor...; **~ное заключе́ние** Untersuchungshaft f.

предви́деть voraussehen.

предвы́борная кампа́ния Wahlkampf m.

преде́л Grenze f; Zeitspanne f.

предисло́вие Vorwort.

пред|лага́ть, ~ложи́ть anbieten; vorschlagen; verlangen.

предло́г Vorwand; Verhältniswort n; **~же́ние** Angebot; Vorschlag m; Satz m; Heiratsantrag m.

предме́т Gegenstand; Lehrfach n.

предназна|ча́ть, '~чить vorausbestimmen.

преднаме́ренный vorsätzlich.

предо́к Vorfahr, Ahnherr.

предоста|вля́ть,'~вить überlassen, anheimstellen.

предостере|га́ть,'~чь warnen.

предосуди́тельный anstößig.

предохра|ня́ть, ~ни́ть (от) (be)schützen (vor D.), verhüten (A.), vorbeugen (D.).

предпи|са́ние Vorschrift f; Verordnung f; **~сывать, ~са́ть** vorschreiben, anordnen.

предпо|лага́ть, ~ложи́ть vermuten; beabsichtigen; voraussetzen; **~ложе́ние** Vermutung f; Absicht f; **~сле́дний** vorletzte(r); **~чита́ть, ~че́сть** vorziehen; **~чте́ние** Vorzug m.

предпри|нима́тель m Unternehmer; **~нима́ть, ~ня́ть** unternehmen; **~я́тие** Unternehmen.

предрассу́док Vorurteil n.

председа́тель m Vorsitzende(r).

предска|зывать, ~за́ть voraussagen, prophezeien.

предста|ви́тель m Vertreter; **~вле́ние** Vorstellung f; Aufführung f; Eingabe f; Vorlegen; **~вля́ть, ~вить** vorstellen; vorlegen; aufführen.

предстоя́щий bevorstehend.

предупре|ди́тельный zuvorkommend; vorbeugend; **~жда́ть, ~ди́ть (B)** warnen; (j-m) zuvorkommen; vorbeugen (D.); ~ждéние Vorbeugung f; Warnung f.

предусмотрительный umsichtig; vorsorglich.

предчýв|ствие Vorgefühl, Ahnung f; ~ствовать ahnen.

предшéственник Vorgänger.

предъя|витель m Überbringer; ~вля́ть, ~ви́ть vorzeigen; ~вить обвинéние beschuldigen.

предыдýщий vorhergehend.

преéмник Nachfolger.

прéжде vorher, früher; ~врéменный vorzeitig.

прéжний früher, ehemalig.

пре|зира́ть verachten; ~зри́тельный verächtlich.

преимýще|ственно vorzugsweise; besonders; ~ственный hauptsächlich; Vorzugs-...; ~ство Vorzug m, Vorrecht.

прейскура́нтPreisliste f.

прекра́сный (wunder-)schön, herrlich; ausgezeichnet.

прекра|ща́ть, ~ти́ть abbrechen, aufhören (mit); (~ся) aufhören; ~щéние Abbruch m; Aufhören.

прелéстный reizend, anmutig.

прéлесть f (Lieb-)Reiz m; Anmut.

прель|ща́ть, ~сти́ть (ver)locken, reizen.

пренебре|га́ть, ~чь(T) mißachten; ~жéние Vernachlässigung f; Mißachtung f.

прéния pl. Debatte f, Diskussion f.

преоблада́ть vorherrschen.

преобразó|вывать, ~ва́ть umgestalten, umwandeln.

преодолé(ва́)ть überwinden.

препода|ва́ние Unterricht m; ~ватель m Lehrer; ~ва́ть unterrichten.

препя́т|ствие Hindernis; ~ствовать, (вос-) (Д j-n) hindern (в П an D.).

прерыва́ть, прерва́ть unterbrechen, abbrechen.

преслéдовать verfolgen.

пресловýтый berüchtigt.

пресновóдный Süßwasser-.

пресс Presse f (Werkzeug); ~а Presse (Zeitungen).

престо́л Thron.

преступ|ле́ние Verbrechen; '~ник Verbrecher; '~ный verbrecherisch; frevelhaft.

претен|дова́ть (на В) Anspruch erheben (auf A.), beanspruchen; '~зия Anspruch m, Forderung.

преувели́чи(ва)ть übertreiben.

при (П) bei (D.); an (D.); unter; im Beisein; mittels; ~ всём том bei alledem.

приба|вля́ть, '~вить (hin)zu-legen, -fügen.

прибе|га́ть I. ~жа́ть herbeilaufen; 2. ~гнуть (к) sich wenden (an A.).

прибли|жа́ть, ~зить (~ся sich) nähern; ~зи́тельный annähernd, ungefähr.

прибо́й Brandung f.

прибо́р Vorrichtung f; Gerät n; Besteck n, Gedeck n; пи́сьменный ~ Schreibzeug n.

прибы́|(ва́)ть an-kommen. [Gewinn m.]

при́быль f Profit m,

прибы́тие Ankunft f.

привести́ s. приводи́ть.

приве́рженец Anhänger. [дить.]

привести́ s. приво-)

приве́т Gruß.

приве́т|ливый freundlich; ~ствовать begrüßen, willkommen heißen.

приви́|(ва́)ть & pfropfen; impfen; ~вка Impfstoff m; Impfung; & Veredeln n.

приви́н|чивать, ~ти́ть anschrauben.

привле|ка́тельный anziehend, einnehmend; ~ка́ть, '~чь heranziehen; an-locken, -ziehen.

приво́д (zwangsweises) Heranbringen n; Triebwerk n; ~и́ть, приве́сти́ her(bei)führen; bringen; ~и́ть к прися́ге vereidigen.

приво́з Anfuhr f; ~и́ть, привезти́ anfahren, (mit)bringen.

привы|ка́ть, '~кнуть sich gewöhnen (к an A.); '~чка Gewohnheit.

привя́|занный anhänglich; angebunden; ~зывать, ~за́ть anbinden (к an D.); (к) liebgewinnen (A.).

пригла|ша́ть, ~си́ть einladen; ~ше́ние Einladung f.

пригово́|ривать, ~ва́ривать verurteilen (к zu).

пригово́р Urteil n.

приго́дный tauglich, brauchbar.

при́город Vorstadt f.

пригото́в|ле́ние Vorbereitung f; Bereitung f; ~вля́ть, ~вить (~ся sich) vorbereiten (к zu).

прида́(ва́)ть zugeben; *fig.* verleihen; geben; ~ча Zugabe f; ✗ Zuteilung.

прие́з|д Ankunft f; ~жа́ть, прие́хать (an)kommen; eintreffen; ~жий zugereist; Zugereiste(r).

прие́м Empfang; An-, Auf-nahme f; Verfahren n; ~ная Empfangszimmer n; ~ник Empfänger (Radio); ~ный час Sprechstunde f.

прие́хать s. приезжа́ть.

приж(им)а́ть (an)drükken; ~ся sich anschmiegen.

приз Sport; Preis.

призва́|ние Berufung f; Neigung f; ~ть s. призыва́ть.

приземле́ние Landung f.

призна́(ва́)ть anerkennen; ~ся (ein)gestehen.

при́зна|к Kennzeichen n; Merkmal n; ~ние Anerkennung f; Ge-

ständnis; ~тельный erkenntlich.

при́зрак Gespenst n.

призы́в Ruf; Aufruf; Einberufung f; Flehen n; ~а́ть, призва́ть (herbei)rufen; vorladen; auffordern.

прийти́ s. приходи́ть.

прика́з Befehl; ~ывать, ~а́ть befehlen.

прикаса́ться, прикосну́ться (к) an-, berühren; streifen.

прикла́д Zutaten f/pl.; Gewehrkolben; ~но́й angewandt; ~ывать, приложи́ть bei-, auflegen. [nis; Abenteuer.]

приключе́ние Ereig-]

прикос|нове́ние Berührung f; ~ну́ться s. прикаса́ться.

прикре|пля́ть, ~пи́ть befestigen; angliedern.

прила́вок Ladentisch.

прилага́ть, приложи́ть aufbieten; anwenden.

приле|га́ть angrenzen (к an A.); ~жа́ние Fleiß m; ~жный fleißig.

прили́в Zufluß; Flut f.

прили́ч|ие Anstand m; ~ный anständig.

прило|же́ние Beilage f; Anwendung f; ~жи́ть s.

прикла́дывать *и.* прилага́ть.

приме|ня́ть, ~ни́ть anwenden (к auf *A.*).

приме́р Beispiel *n;* ~и́(ва)ть anpassen, anprobieren, ~ка Anprobe; ~ный musterhaft; ungefähr.

при́месь *f* Beimischung, Zusatz *m.*

приме́|та Kennzeichen *n,* Merkmal *n;* ~ча́ние Anmerkung *f.*

приме́|шивать, ~ша́ть beimischen.

прими|ря́ть, ~ри́ть versöhnen. [*m.*]

примо́чка ✻ Umschlag)

прим|ыка́ть, ~кну́ть (к) sich anschließen (an *A.*).

принадлеж|а́ть (an)gehören; '~ность *f* Zugehörigkeit; ~ности *pl.* Zubehör *n.*

при|нима́ть, ~ня́ть (an)nehmen; empfangen; aufnehmen; ~нима́ть уча́стие (в П) teilnehmen (an *D.*); '~нято üblich; ~нима́ться, ~ня́ться (за В) sich machen (an *A.*).

при|носи́ть, ~нести́ bringen.

прину|жда́ть, '~дить zwingen, nötigen.

приня́|тие An-, Aufnahme *f;* ~ть *s.* принима́ть.

приобре|та́ть, ~сти́ erwerben; ~те́ние Erwerbung *f;* Erlangung *f;* Errungenschaft *f.*

приоста|на́вливать, ~нови́ть für kurze Zeit einstellen, aufhalten; (~ся) stocken, anhalten; stehenbleiben; ~но́вка Anhalten *n,* Stillstand *m.*

припа́док Anfall.

припа́сы *m/pl.* Vorrat *m;* съестны́е ~ Lebensmittel *n/pl.*

припи́|ска (schriftlicher) Zusatz *m;* ~сывать, ~са́ть (к) (hin)zuschreiben (*D.*). [Zuzahlen *n.*)

припла́та Zuschlag *m;*)

припо|мина́ть, '~мнить (В) sich erinnern (an *A.*).

припра́ва Würze, Zutat.

приро́|да Natur; ~дный natürlich; ~жде́нный angeboren.

прис|ва́ивать, ~во́ить (себе́) sich aneignen.

приско́рб|ие Betrübnis *f;* ~ный betrüblich.

присло|ня́ть, ~ни́ть anlehnen.

прислу́ш(ив)аться (к) horchen (auf *A.*).

при|сма́тривать, ~-
смотре́ть (за T) achtgeben (auf A.).

присоеди|ни́ть, ~ни́ть
anschließen; einverleiben; (~ся) (к) sich anschließen (an A.).

приспосо́|бле́ние Anpassung f (к an A.);
Vorrichtung f; ~бля́ть,
~бить verwenden; anpassen (к an A.).

приста|вля́ть, ~вить
(к) ansetzen (an A.);
(her)anstellen (an A.).

при́стальный unverwandt.

при́стань f Landungsplatz m, Anlegestelle.

пристра́стие Parteilichkeit f; Leidenschaft f.

пристро́йка Anbau m.

прису|жда́ть, ~ди́ть
verurteilen (к zu).

прису́т|ствие Anwesenheit f; ~ствовать (при)
beiwohnen (D.).

прис|(ы)ла́ть (zu)senden; ~ы́лка Zusendung; Sendung.

прися́г|а Eid m; ~а́ть,
~ну́ть schwören.

прися́жный (заседа́тель) m Geschworene(r).

притво́р|ство Verstellung f; ~а́ться, ~и́ться
sich verstellen.

притесня́ть unter-, bedrücken.

притих|а́ть, '~нуть still
werden; fig. sich legen.

прито́к Zufluß f; Nebenfluß. [dem.)

прито́м dabei; außer-)

прито́н Spelunke f.

притти́ s. приходи́ть.

притя́|гивать, ~ну́ть
(her)anziehen.

притяза́ние Anspruch
m.

приу|ча́ть, ~чи́ть (к)
gewöhnen (an A.).

прихо́д Ankunft f; Einnahme f; (Kirchen-)Gemeinde f; ~ди́ть, прийти́ (an)kommen; ~ди́ть
за (T) abholen; ~и́ться,
прийти́сь passen; entsprechen; fallen (на B
auf A.); мне прихо́-
дится ich muß.

прихот|ли́вый launenhaft; '~ь f Laune.

прице́ли(ва)ться zielen
(в B nach).

прице́п|ка (Wagen-)
Kupplung; Anhänger
m; ~пля́ть, ~пи́ть festhaken; ankuppeln.

прича́ли(ва)ть landen,
anlegen.

прича́стный beteiligt.

причё́|ска Frisur f; ~сы-
вать, причеса́ть fri-
sieren.

причи́н|а Ursache; ~я́ть, ~и́ть verursachen.
причисля́ть, '~ли́ть zählen (к zu); beordern.
пришп(ва́)ть annähen.
при́шлый zugereist.
прию́т Zuflucht(sort m) f, Obdach n; Asyl n.
прия́т|ель m Freund; ~ный angenehm.
про́ба Probe; Versuch m.
пробе́|га́ть, ~жа́ть durch-, vorbei-laufen.
пробе́л Lücke f.
проби́(ва́)ть durchschlagen, -brechen; lochen; проби́ть pf. schlagen (Uhr).
про́бка Pfropfen m.
про́бовать, по~ (aus-) probieren, versuchen.
пробо́р Scheitel.
пробу|жда́ть, ~ди́ть (auf)wecken; fig. (er-) wecken.
прова́л Einsturz(stelle f); Durchfall (e-s Theaterstücks); Mißlingen n; ~иваться, ~и́ться durchfallen; einstürzen.
прове́|рка Durchsicht; (Über-)Prüfung; Kontrolle; ~ря́ть, '~рить durchsehen, (nach)prüfen.
провести́ s. проводи́ть.
прове́три(ва)ть(durch-)lüften.

прови|ня́ться, ~ни́ться sich vergehen (в П an D.).
про́вод Leitung f; ~ы pl. Abschied m; ~и́ть, провести́ durchführen; leiten; anlegen; anbringen; s. провожа́ть; ~ни́к Führer, Schaffner; ₰ Leiter.
прово|жа́ть, ~ди́ть begleiten.
прово́з Transport; ~и́ть, провезти́ befördern; j-n fahren.
про́волока Draht m.
прогла́тывать, ~глоти́ть herunterschlucken.
проговори́ть pf. sagen; ~ся sich versprechen; verplaudern.
прогоня́ть, прогна́ть vertreiben, weg-, fortjagen.
прогу́лка Spaziergang m.
прода́|(ва́)ть verkaufen; fig. verraten: ~ве́ц, ~вщи́ца Verkäufer(in f).
прода́ж|а Verkauf m; ~ный verkäuflich; Verkaufs...; fig. käuflich, bestechlich.
проде́(ва́)ть durchziehen, einfädeln.
продово́льствие Proviant m.

продол|жа́ть, '**~жи́ть** fortsetzen; **(~ся)** (fort-, an)dauern; **~же́ние** Fortsetzung *f*; Fortdauer *f*; **~жи́тельный** anhaltend.

проду́(ва́)ть durchblasen; Zug bekommen.

прое́зд Durchfahrt *f*.

про|езжа́ть, **~е́хать** durch-fahren, -reisen; zurücklegen; **~е́зжий** Fahr...; Durchreisende(r) *f*.

прожи(ва́)ть leben.

про́звище Beiname *m*; Spitzname *m*.

прозева́ть *pf.* verpassen.

прозра́чный durchsichtig; klar.

про|и́гр|ывать, **~а́ть** **(~ся** alles) verspielen, verlieren.

~про́игрыш Verlust, Verlieren *n* (*Spiel*).

произ|веде́ние Erzeugnis; Werk; Produkt; **~води́тель** *m* Erzeuger; **~води́ть,** **~вести́** erzeugen; produzieren; hervorrufen; durchführen; **~во́дство** Erzeugung *f*; Produktion *f*; Herstellung *f*; Betrieb *m*.

произво́л Willkür *f*; **~ьный** willkürlich, eigenmächtig.

произ|носи́ть, **~нести́** aussprechen; halten (*Rede*); **~ноше́ние** Aussprache *f*.

про́иски *m/pl.* Ränke, Intrigen *f/pl.*

проис|ходи́ть, **произойти́** entstehen; herrühren (**от** von); sich ereignen; stammen (**из** aus); **~хожде́ние** Entstehung *f*; Herkunft *f*; **~ше́ствие** Ereignis, Vorfall *m*.

пройти́ *s.* проходи́ть.

про|ка́лывать,~коло́ть durchbohren, durchstechen.

прока́т Mieten *n*; Vermieten *n* (*z.B. Auto*).

про|клина́ть, **~кля́сть** verfluchen; **~кля́тие** Verwünschung *f*; Fluch *m*.

прокуро́р Staatsanwalt.

про|ла́мывать, **~ломи́ть** durchbrechen; einschlagen.

проле|та́ть, **~те́ть** (vorbei-, durch)fliegen.

проли́в *m* Meerenge *f*; **~(ва́)ть** vergießen; **~но́й дождь** *m* Gußregen.

проло́м *s.* прола́мывать.

про́мах Fehlschlag; Fehlschuß.

промежу́ток Zwischenraum; Zwischenzeit f.

проме́|нивать, ~ня́ть (um)tauschen (**на** B gegen).

промока́|ть '~нуть durchnäßt werden.

про́мысел Gewerbe n.

промы́шлен|ник Industrielle(r); **~ность** f Industrie; **лёгкая ~ность** Leichtindustrie; **тяжё́лая ~ность** Schwerindustrie; **~ный** Industrie...

промышля́ть (T) ein Gewerbe (be)treiben.

пронзи́тельный durchdringend.

проник|а́ть,'~нуть ein-, vor-, durch-dringen.

проница́тельный durchdringend; scharfsinnig.

пропаганди́стский propagandistisch; Propaganda...

пропа|да́ть, '~сть[1] verlorengehen, wegkommen; verschwinden; umkommen.

про́пасть[2] f Abgrund m, Kluft.

пропи|(ва́)ть vertrinken.

пропи́|ска Eintragung f; Anmeldung f; **~сывать, ~са́ть** ein- (⚕ ver) schreiben; melden.

про|пове́д(ыв)ать predigen; **'~поведь** f Predigt.

про́пу|ск Durchlaß; Auslassung f; Passierschein; **~ска́ть, ~сти́ть** durchlassen; vorübergehen lassen; versäumen; auslassen; **~скно́й** Durchlaß..., Passier...

проро́к Prophet.

проры́в Durchbruch; Rückstand.

просве|ща́ть, ~ти́ть aufklären, bilden; **~ще́ние** Aufklärung f, Bildung f.

про́седь f graumeliertes Haar n; **с ~ю** (grau-) meliert.

просёло|к (a. **~чная доро́га**) Feld-, Seitenweg m.

проси́ть, по~ bitten; **про́сят** man bittet, es wird gebeten.

про|сма́тривать, ~смотре́ть durchsehen; übersehen; **~смо́тр** Durchsicht f.

проспу́ться s. просыпа́ться.

про|со́вывать, ~су́нуть durch-stecken, -schieben.

проспа́ть pf. verschlafen.

проспе́кт Prospekt; breite Straße f.

просро́ченный abge-
laufen, verfallen.

про|стира́ть, ~стере́ть
er-, aus-strecken; (~ся)
(до) sich erstrecken
(bis).

прости́|тельный ver-
zeihlich; ~ть s. про-
ща́ть.

про́сто einfach; ~ду́ш-
ный treuherzig; ~й ein-
fach, schlicht; ~ква́ша
saure Milch.

просто́р Weite f; Un-
gebundenheit f; ~е́чие
Volkssprache f; ~ный
geräumig; weit.

просто|серде́чный treu-
herzig; ~та́ Einfachheit.

простра́н|ный geräu-
mig; weitläufig; ~ство
Raum m.

просту́|да Erkältung;
~жа́ть, ~ди́ть (~ся
sich) erkälten.

просту́пок Fehltritt,
Vergehen n.

простыня́ Bettlaken n.

просы́пать verschüt-
ten.

прос|ыпа́ться, ~ну́ть-
ся auf-, er-wachen.

про́сьба Bitte.

проте́|ка́ть, ~чь durch-
vorbei-, ver-fließen;
durchsickern.

протестова́ть, за~ (v/i.),
о~ (v/t.) protestieren.

про́тив (P) gegen(über);
~иться, воспроти́-
виться sich widerset-
zen; ~ник Gegner;
~ный entgegengesetzt;
Gegen...; widerlich.

проти́во- gegen..., wi-
der...; ~ве́с Gegenge-
wicht n; ~возду́шная
оборо́на Luftabwehr;
~га́з Gasmaske f; ~де́й-
ствие Gegenwirkung f;
Widerstand m; ~поло́-
жный entgegenge-
setzt; gegenüberliegend;
~ре́чие Widerspruch m;
~та́нковый Panzerab-
wehr...; ~я́дие Gegen-
gift.

протя́|гивать, ~ну́ть
ausdehnen; ausstrecken;
(dar)reichen; hinziehen;
spannen; ~же́ние Aus-
dehnung f; Zeitraum m.

проф in Zssgn Abk. für
профессиона́льный
Gewerkschafts...; Be-
rufs...; berufsmäßig; ~-
движе́ние Gewerk-
schaftsbewegung f; ~-
сою́з Gewerkschaft f.

прохла́д|а Kühle,
Frische; ~ный kühl,
frisch.

прохо́|д Durchgang; ~-
ди́ть, пройти́ durch-
gehen; (ver)gehen; zu-
rücklegen; sich verbrei-

ten; durchlaufen; ~дить,
пройти́ (ми́мо) vor-
übergehen; durchwan-
dern; durchsehen; ~жий
Vorübergehende(r); Fuß-
gänger.

процве|та́ть, ~сти́ (auf-)
blühen, gedeihen.

прочести́ s. прочи́ты-
вать.

про́чи|й übrige; ме́жду
~м unter anderem, übri-
gens.

прочи́|тывать, ~та́ть,
проче́сть durchlesen.

про́чный   dauerhaft,
solide; fest.

прочь weg, fort.

проше́дший vergangen.

проше́ние Bittschrift f,
Gesuch.   [jährig.)

прошлого́дний   vor-)

про́шл|ый vergangen,
vorig; ~ое Vorleben.

проща́|ние Abschied m;
~ть, прости́ть ver-
zeihen; ~йте(те)!
leb(en Sie) wohl!; ~ться
(c T) sich verabschieden
(von).

проще́ние Verzeihung f.

прояв|и́тель m Fot.
Entwickler; ~ля́ть,
~ви́ть offenbaren; ent-
wickeln.

прояс|ня́ться, ~ни́ться
sich aufklären; sich auf-
hellen.

пруд Teich.

пружи́на (Sprung-)Fe-
der.   [stück n.)

прут Rute f; Draht-)

прыг|ать, ~нуть sprin-
gen, hüpfen.

прыжо́к Sprung, Satz.

прыщ Pickel.

пря́жа Garn n.

пря́жка Schnalle.

пря́мо geradezu; gerade-
aus; direkt; fig. offen;
~й gerade; direkt; auf-
richtig; ~та́ Geradheit,
Aufrichtigkeit; ~уго́ль-
ник Rechteck n.

пря́|ник Pfeffer-, Leb-
kuchen; ~ность f Ge-
würz n; Würzigkeit.

прясть, с~ spinnen.

пря́т|ать, (с~) verstek-
ken; ~ки f/pl. Versteck-
spiel n.

пса́рня Hundehaus n.

птене́ц Nestling.

пти́ца Vogel m.

птице|во́дство Geflügel-
zucht f.

пти́ч|ий Vogel...; c вы-
соты́ ~ьего полёта
aus der Vogelperspek-
tive; ~ка Vögelchen n.

пу́бли|ка Publikum n;
~кова́ть, опубли́ко-
ва́ть veröffentlichen;
~чный öffentlich.

пу́гало Vogelscheuche f.

пуг|а́ть, (ис~) erschrek-

ken; **~ли́вый** schreck-
haft; scheu.

пу́говица Knopf m.

пу́др|а Puder m; **са́хар-
ная ~а** Puderzucker m;
~еница Puderdose; **~
ить**, **(на~)** **(~ся** sich)
pudern.

пузыр|ёк Bläschen n;
Fläschchen n; **~ь** m
Blase f.

пук Bündel n, Bund n;
Büschel n. [wehr n.]

пулемёт Maschinenge-)

пульс Puls(schlag) m.

пу́ля (Flinten-)Kugel.

пупо́к Nabel.

пуска́ть, пусти́ть (los-,
an)lassen; (ab)schießen;
steigen lassen; **~ в ход**
in Gang setzen, anlassen
(Motor); ankurbeln; **~
ко́рни** Wurzel fassen.

пусте́ть, o~ leer werden.

пусто́й leer; nichtig;
nichtssagend. [keit.]

пустота́ Leere; Nichtig-)

пусты́ня Wüste.

пусть mag, möge, laß.

пу́тать, за~; пере~ ver-
wickeln; verwirren; **~ся**
impf. verwirrt werden.

путеводи́тель m Füh-
rer (in Buchform).

путево́й Reise~; Weg~.

путеше́ст|венник Rei-
sende(r); **~вие** Reise f;
~вовать reisen.

пут|ь m Weg; Bahn f;
Reise f; **по ~и́** unter-
wegs; **~и́ сообще́ния**
pl.Verkehrswege; **счаст-
ли́вого пути́!** glück-
liche Reise!

пух Daunen f/pl.;
Flaum f; **~нуть, (рас~)**
(auf)schwellen.

пу́шка Kanone.

пчел|а́ Biene; **~ово́д-
ство** Bienenzucht f.

пшени́ца Weizen m.

пшено́ Hirse f.

пыл fig. Glut f; Leiden-
schaft f; **~а́ть, (за~)**
(auf)lodern; glühen.

пыли́ть, на~ stauben.

пы́лкий heftig, feurig.

пыль f Staub m; **~ный**
staubig.

пыта́ть foltern; **~ся,
попыта́ться** versu-
chen.

пы́тка Folter. [chen.]

пыхте́ть, про~ keu-)

пы́шный prachtvoll.

пье́са Thea. Stück n.

пьян|е́ть, (о~) betrun-
ken werden; **~ица** m/f
Trunkenbold(in f); **~-
ство** Trunksucht f; **~ый**
betrunken.

пяти... fünf...; **~ле́тка**
Fünfjahrplan m. [m.]

пя́тка Ferse, Hacke(n)

пя́тница Freitag m. [m.]

пятно́ Fleck m; Klecks

Р

раб Sklave; **~á** Sklavin.

рабо́т|а Arbeit; **~ать, (по~)** arbeiten; **~ать сверхуро́чно** Überstunden machen; **~ник** Arbeiter; Angestellte(r).

рабо́чий in *Zssgn Abk.* **раб...** Arbeits..., Arbeiter...; **~** (Fabrik-)Arbeiter.

ра́бство Sklaverei *f.*

ра́венство Gleichheit *f.*

равни́на Ebene, Fläche.

равно|ве́сие Gleichgewicht; **~ду́шный** gleichgültig; **~пра́вие** Gleichberechtigung *f.*

ра́в|ный gleich; **~ня́ть, (с~)** ausgleichen; gleichstellen.

рад froh, erfreut (Д über *A.*); **я э́тому ~** ich freue mich darüber.

ра́ди (Р) um ... willen, wegen (*G.*).

ра́дио Radio, Rundfunk *m*; in *Zssgn* Radio...; (Rund-)Funk...; **~акти́вность** *f* Radioaktivität; **~за́яц** Schwarzhörer; **~переда́ча** Rundfunkübertragung; **~связь** *f* Funkverkehr *m*; **~ста́нция** Funkstelle.   [freuen.]

ра́довать, об~, по~ er-)

ра́дост|ный freudig; **~ь** *f* Freude.

ра́дуга Regenbogen *m.*

раз Mal *n*; einmal; **два ра́за** zweimal; **не ~** öfters; **как ~** gerade (recht).

разба|вля́ть, '**~вить** verdünnen.

разбе́|г Anlauf; **~га́ться, ~жа́ться** e-n Anlauf nehmen; auseinanderlaufen.

разби́(ва́)ть zerbrechen; zerschlagen; aufteilen; aufschlagen.

разбира́ть, разобра́ть zerlegen; auseinandernehmen; ordnen; abtragen (*Gebäude*); klären; untersuchen, entziffern; **~ (по сорта́м)** sortieren.

разбо́йник Räuber.

разбо́р Untersuchung *f*; Analyse *f*; Kritik *f*; Sorte *f*; **~чивый** wählerisch; leserlich.

разбро́санный zerstreut (liegend).

развал|иваться, ~и́ться zerfallen, 'zs.-stürzen; **~ины** *f/pl.* Ruine(n *pl.*) *f.*

ра́зве etwa, vielleicht.

разведе́ние Anbau m; Zucht f.

разве́дка ⚔ Erkundung.

развёртывать, разверну́ть entfalten; auspacken.

развести́ s. разводи́ть.

разви́(ва́)ть entwickeln; fördern; ~(ва́)ться sich entwickeln; ~тие Entwicklung f.

развлече́ние Zerstreuung f.

развод (Ehe-)Scheidung f; Zucht f; ~и́ть, ~вести́ trennen, scheiden; ziehen, züchten; auseinanderbiegen; auflösen; entfachen; öffnen (Drehbrücke).

развра́т Ausschweifung f; Laster n; ~ник Wüstling; ~ный ausschweifend, lasterhaft.

развра|ща́ть, ~ти́ть (sittlich) verderben.

развя́з|ывать, ~а́ть losbinden; lösen; entfesseln. [unterhalten.]

разгова́ривать sich

разгово́р Gespräch n, Unterhaltung f; ~ник Sprachführer; ~ный язы́к Umgangssprache f; ~чивый gesprächig.

разго́н Vertreiben n; ~я́ть, разогна́ть verjagen; fig. sprengen.

разгро́м Zerstörung f.

разда(ва́)ть aus-, verteilen; ~ся ertönen.

разде́(ва́)ть ausziehen.

разде́л Teil(ung f); ~е́ние Ver-, Ein-teilung f; Trennung f; ~я́ть, ~и́ть (ein)teilen; trennen.

раздо́р Zwietracht f.

раздра|жа́ть, ~жи́ть (auf)reizen; ~жи́тельный reizbar.

разлага́ть, разложи́ть zerlegen; zersetzen; ~ся verwesen; zerlegt, zersetzt werden.

разли(ва́)ть ein-, er-, ver-gießen.

разли|ча́ть, ~чи́ть unterscheiden; ~чие Unterschied m; ~чный verschieden.

разложе́ние Zerlegung f; Verfall m; ~и́ть s. разлага́ть u. раскла́дывать.

разлу́ка Trennung f.

разлюби́ть pf. aufhören zu lieben.

разма́х Schwung m.

разме́н Wechseln n; ~ивать, ~я́ть (на B) wechseln (gegen).

разме́р Ausmaß n; Größe f; Versmaß n; ♪ Takt; ~я́ть, ~и́ть ausmessen.

размно|жа́ть, '~жить

vermehren; vervielfälti-
gen.

размягч|а́ть, ~чи́ть
weichmachen.

ра́зница Unterschied m.

разно|ви́дность f Ab-
art; ~гла́сие Unstim-
migkeit f; ~обра́зный
mannigfaltig.

ра́зность f Verschieden-
heit, Unterschied m.

разно́счик Austräger;
Kolporteur.

ра́зный verschieden.

разобла|ча́ть, ~чи́ть
enthüllen, entlarven.

разобра́ть s. разби-
ра́ть. [(ня́ть).]

разогна́ть s. разго-)
ра́зом gleichzeitig.

разорва́ть s. разры-
ва́ть.

разоре́ние Ruin m; Zer-
störung f.

разору|жа́ть, ~жи́ть
entwaffnen.

разоруже́н|ие Abrü-
stung f; Entwaffnung f;
конфере́нция по ~ию
Abrüstungskonferenz.

разо|ря́ть, ~ри́ть zer-
stören; ruinieren.

разосла́ть s. рассы-
ла́ть.

разочаро́|вывать, ~-
ва́ть enttäuschen.

разра|ба́тывать, ~-
бо́тать ausarbeiten.

разре́з Schnitt, Schlitz;
~а́ть, ~а́ть zer-, durch-
schneiden.

разре|ша́ть, ~ши́ть
erlauben; (auf)lösen;
entscheiden; ~ше́ние
Erlaubnis f; Entschei-
dung f; fig. Lösung f.

разры́в (Ab-)Bruch;
Riß f; ~а́ть, разорва́ть
zerreißen.

разря́д Klasse f, Rang
(-ordnung f); Entladen n.

ра́зум Vernunft f, Ver-
stand; разуме́ется es
versteht sich.

разу́мный vernünftig.

разу́|чивать, ~чи́ть
einüben; (~ся) verlernen.

разъеди|ня́ть, ~ни́ть
trennen; ẽ unter-
brechen.

разъ|е́зд Aufbruch;
Ausweichen n; Aus-
weich-stelle f, -schienen
f/pl.; ~езжа́ться,
~е́хаться aufbrechen;
ausweichen; auseinan-
dergehen.

разъяс|ня́ть, ~ни́ть er-
klären, erläutern.

разы́ск|ивать, ~а́ть
ausfindig machen.

рай Paradies n.

райко́м (райо́нный
комите́т) Distrikt-
komitee n.

райо́н Bezirk, Gebiet n.

рак Krebs; **морско́й ~** Hummer.

раке́т|а Rakete; **~ка** (Tennis-)Schläger m.

ра́ко|вина Muschel (-schale); **~вый** Krebs...

ра́ма Rahmen m.

ра́н|а Wunde; **~еный** verwundet; Verwundete(r).

ра́нец Tornister; Ranzen.

ра́нить verwunden.

ра́нний früh(zeitig).

ра́ньше früher; **~ нас** vor uns; **не ~** (P) nicht.

рас... _s._ раз... [vor (_D._).]

ра́са Rasse, Art.

раска́|иваться, ~яться (в П) bereuen; **~яние** Reue _f._

раскла́|дывать, разло-жи́ть verteilen; aus-breiten.

раскла́|ниваться, ~няться einander begrü-ßen.

раско́л Spaltung _f._

раскры́(ва́)ть auf-dek-ken, -machen; öffnen.

раску́пори(ва)ть ent-korken.

распа́|да́ться, ~сться zerfallen (**на** B in _A._).

распа́рывать, распо-ро́ть auftrennen.

распеча́|тывать, ~-тать entsiegeln, öffnen (e-n Brief).

распи|са́ние Verzeich-nis; **⚇ ~са́ние поездо́в** Fahrplan _m_; **'~ска** Quittung; Eintragen _n_; **'~сываться, ~са́ться** unterschreiben.

распла́|та Auszahlung; Abrechnung; **~чивать-ся, ~ти́ться (с** T) ab-rechnen (mit), aus-zahlen; sühnen.

распо|лага́ть, ~ло-жи́ть einordnen; auf-stellen; verfügen (T über _A._); günstig stim-men; **~ложе́ние** Anordnung _f_; ✗ Stellung _f_; (Zu-)Neigung _f_; **~ло́-женный** gelegen; (к) geneigt (zu).

распоря|ди́тель _m_ Lei-ter, Ordner; **~жа́ться, ~ди́ться (**T) verfügen (über _A._); anordnen; **~же́ние** Anordnung _f._

распра́ва _fig._ gewalt-tätige Abrechnung.

распреде|ля́ть, ~ли́ть ein-, ver-teilen.

распро|да́(ва́)ть (aus-)verkaufen; **~да́жа** Aus-verkauf m.

распростра|ня́ть, ~-ни́ть verbreiten; erwei-tern.

распу|ска́ть, ~сти́ть entlassen; auflösen; aus-, ver-breiten.

распух|а́ть, '~нуть aufschwellen.

рассве́т Morgendämmerung f; **на ~е** bei Tagesanbruch; **~а́ет** es tagt.

расска́з Erzählung f; **~чик** Erzähler; **~ывать, ~а́ть** erzählen.

расслы́шать pf. deutlich hören.

рас|сма́тривать, ~смотре́ть besehen; überprüfen.

расс|пра́шивать, ~проси́ть (o Π) ausfragen (über A.).

рассро́чка платежа́ Teilzahlung f.

расста́(ва́)ться (с Т) sich trennen (von Д.); **~вля́ть, ~вить** aufstellen; spreizen.

расст|ёгивать, ~егну́ть aufknöpfen.

расстоя́ние Entfernung f; Abstand m.

расстра́ивать, расстро́ить verstimmen; zerrütten; vereiteln.

расстре́л Erschießung f; **~ивать, ~я́ть** verschießen; erschießen.

расстро́йство Verstimmung f; Zerrüttung f; Verwirrung f.

рассу|ди́тельный vernünftig; **'~док** Verstand m; **~жда́ть, ~ди́ть**

(o Π) urteilen (über A.); überlegen; **~жде́ние** Beurteilung f; Überlegung f; Einwand m.

рассы|ла́ть, разосла́ть versenden; **~лка** Versendung f, Versand m.

раство́р Lösung f; **~я́ть, ~и́ть** aufmachen, öffnen; (auf)lösen.

расте́ние Pflanze f.

расте́рянный fassungslos.

расти́, вы́~ wachsen.

растира́ть, растере́ть zerreiben; verreiben.

расти́тельность f Flora, Pflanzenwelt.

растор|га́ть, '~гнуть fig. abbrechen, aufheben.

растра́|та durchgebrachtes Geld n; Unterschlagung f; **~чивать, ~тить** durchbringen; (Geld) veruntreuen.

растя́|гивать, ~ну́ть (aus)dehnen, hinziehen.

расхо́д Ausgabe f; Verbrauch; Soll n; **~иться, разойти́сь** auseinandergehen; zergehen; verfehlen.

расцве|та́ть, ~сти́ aufblühen.

расчёт Ab-, Be-, Verrechnung f; Entlohnung f; **принима́ть в ~** erwägen, berücksichtigen.

расши|ря́ть, ⌐ри́ть, erweitern.

ра́туша Rathaus n.

рвать I. разо⌐ (zer)reißen; 2. на⌐ pflücken; 3. вы⌐ (her-) ausreißen; (er)brechen.

рве́ние Eifer m.

рвот|а Erbrechen n; ⌐ное (сре́дство) Brechmittel.

реа́льный sachlich; Real..., real; durchführ- [bar.]

ребёнок Kind n.

ребро́ Rippe f.

рёв Geheul n.

реве́нь m Rhabarber.

реве́ть, про⌐, за⌐ heulen, brüllen.

реви́зия Revision, Überprüfung.

ревмати́зм Rheuma n.

ревни́вый eifersüchtig.

ревнова́ть, при⌐ eifersüchtig sein od. werden.

ре́вность f Eifersucht.

револю|цио́нер Revolutionär; ⌐ция Revolution, Umwälzung.

реди́ска Radieschen n.

ре́дкий selten; dünn, spärlich.

ре́дька Rettich m.

ре́зать, на⌐ schneiden.

рези́на (Radier-)Gummi m.

ре́зкий schneidend; grell; fig. scharf.

резолю́ция Resolution; Beschluß m.

резь f schneidende Schmerzen m/pl.; Kolik; ⌐ба́ Schnitzwerk n.

рейс Fahrt f; Seereise f.

река́ Fluß m.

рекомен|да́ция Empfehlung; ⌐дова́ть, (по⌐) empfehlen.

рельс (Eisenbahn-) Schiene f; сойти́ с ⌐ов entgleisen.

реме́нь m Riemen.

ремес|ле́нник Handwerker; ⌐ло́ Handwerk n.

рентге́новские лучи́ m/pl. Röntgenstrahlen.

ре́па (weiße) Rübe.

репети́|тор Nachhilfelehrer; Repetitor; ⌐ция Thea. Probe.

ре́плика Erwiderung; Zwischenruf m; Thea. Stichwort n.

ресни́ца Augenwimper.

респу́бли|ка Republik; ⌐ка́нский republikanisch.

рессо́ра Feder (a. Wagen).

рестора́н Restaurant n; Gastwirtschaft f.

речн|о́й Fluß...; ⌐е судохо́дство Binnenschiffahrt f.

речь f Rede; Sprache; Gespräch n.

реша́ть, реши́ть entscheiden; ~ся sich entschließen (на В zu); sich entscheiden.

реше́ние Entscheidung f; Entschluß m; Beschluß m; fig. Lösung f.

решётка Gitter n.

решето́ Sieb.

реши́тельный entschieden; entscheidend; entschlossen.

реши́ть s. реша́ть.

ржа́|веть, (за~) (ver)rosten; ~вчина Rost m; ~вый rostig, verrostet.

ржать, про~, за~ wiehern.

Рим Rom n.

рис Reis.

риск Risiko n, Wagnis n; ~ова́ть, ~ну́ть (Т) riskieren, wagen.

рисов|а́ние Zeichnen n; ~а́ть, (на~) zeichnen; fig. beschreiben.

рису́нок Zeichnung f.

ритм Rhythmus m, Takt.

ри́фма Reim m.

ро́бкий schüchtern.

ров Graben.

рове́сник Altersgenosse m. [mäßig.]

ро́вный eben; gleich~

рог Horn n; ~а́ pl. Geweih n.

рога́тый gehörnt; Horn...

род Geschlecht n; Art f.

роди́льный дом Entbindungsanstalt f.

ро́дина Heimat; Vaterland n.

роди́тели pl. Eltern.

роди́ть s. рожда́ть.

родни́к Quell(e f).

род|но́й verwandt; fig. heimatlich; lieb; ~ны́е pl. Verwandte; ~ня́ Verwandtschaft; ~о́м von Geburt, gebürtig; '~ственник Verwandte(r).

рожда́ть, роди́ть gebären, erzeugen.

рожде́ние Geburt f; день ~ня sein Geburtstag; ~ственский Weihnachts...; ~ство́ Weihnacht(en n) f.

рожо́к Saugflasche f; kleines Horn n; га́зовый ~ Gasbrenner; слухово́й ~ Hörrohr n.

рожь f Roggen m.

ро́за Rose.

ро́зничный Einzel...

ро́зовый rosa; Rosen...

ро́зыск Nachforschung f.

рой (Bienen-)Schwarm.

роково́й verhängnisvoll.

ро́лик Rolle f; ~и pl. Rollschuhe m/pl.

роль f Rolle.

ром Rum. [lassen.]

роня́ть, урони́ть fallen|

ро́пот Murren *n*.

роптáть, воз~, за~ murren.

росá Tau *m*. [prächtig.]

роско́шный luxuriös,~

ро́скошь *f* Luxus *m*, Aufwand *m*, Pracht.

Росси́я Rußland *n*.

рост Wachstum *n*; Wuchs; Größe *f*; Anwachsen *n*.

ростовщи́к Wucherer.

росто́к Keim.

рот Mund.

ро́та ✗ Kompa(g)nie.

ро́ща Hain *m*, (Laub-)Wäldchen *n*.

РСФСР (Росси́йская Сове́тская Федерати́вная Социалисти́ческая Респу́блика) RSFSR (Russische Sozialistische Föderative Sowjetrepublik).

ртуть *f* Quecksilber *n*.

руба́|ха, ~шка Hemd *n*, Bluse.

рубе́ж Grenze *f*.

рубе́ц ✗ Narbe *f*; Saum.

руби́ть I. на~ hauen; hacken; 2. с~ fällen.

рублёвый e-n Rubel wert; Rubel...

рубль *m* Rubel.

руга́ть, об~, вы́~ (aus-)schimpfen.

руда́ Erz *n*.

рудни́к Bergwerk *n*.

ружéйный Gewehr...

ружьё Gewehr, Flinte *f*.

рукá Hand; Arm *m*.

рукáв Ärmel *n*; Rohr *n*; ~и́ца Fausthandschuh *m*.

руко|води́тель *m* Führer, Leiter; ~во́дство Führung *f*; Handbuch; ~де́лие (weibliche) Handarbeit *f*; ~мо́йник Waschbecken *n*.

ру́ко|пись *f* Handschrift, Manuskript *n*; ~плескáние *mst pl*; Beifall(klatschen *n*) *m*.

рулево́|й Steuer...; Steuermann; ~е колесо́ Steuerrad.

руль *m* Steuer(ruder, -rad) *n*; Lenkstange *f*.

румя́|нец Röte *f* (*des Gesichts*); ~нить, (на~) röten, (rot)schminken; ~ный rotwangig; (blut-)rot, purpurn.

ру́сло Flußbett.

ру́сский russisch; Russe.

ру́сый dunkelblond.

руча́тельство Bürgschaft *f*.

руча́ться, поручи́ться Bürgschaft leisten, (sich ver)bürgen.

руче́й Bach.

ру́чка Händchen *n*; Griff *m*; Federhalter *m*; ~ две́ри Türklinke.

ручно́й Hand...; zahm.
ры́ба Fisch *m*; '*к
Fischer. [Lebertran.
ры́бий Fisch...; *~ жир*)
рыболо́в Angler; Fischer; *~ство* Fischerei *f*.
ры́жий (fuchs)rot.
ры́нок Markt(platz).
рыси́стые бега́ *m/pl.*
Trabrennen *n*.
рысь *f* Trab *m*; Luchs *m*.
рыть, по~ graben.

ры́хлый locker; mürbe.
ры́царь *m* Ritter.
рыча́г Hebel.
рю́мка Likör-, Schnapsglas *n*.
рябо́й pockennarbig.
ряд Reihe(nfolge) *f*.
рядово́й Durchschnitts-...; gewöhnlich; (einfacher) Soldat.
ря́дом neben(einander).
ря́женый verkleidet, maskiert.

С

с, со (Р, В, Т) von (herab); seit; ungefähr (wie), etwa; mit.
са́бля Säbel *m*.
сад Garten.
сади́ть, по~ (hin)setzen; pflanzen; *~ся*, **сесть**
sich (hin)setzen; einsteigen; einlaufen; **сади́тесь!** setzen Sie sich!
садо́вник Gärtner.
садово́дство Gartenbau *m*.
са́жа Ruß *m*.
са́йка Semmel, Wecke.
саквоя́ж Reisetasche *f*.
сала́зки *f/pl.* Rodelschlitten *m*. [*f*.
сала́тник Salatschüssel
са́ло Talg *m*; Fett; (свино́е) *~* Speck *m*.

салфе́тка Serviette.
са́льный talgig; fettig; zotig.
сам, ~а́, ~о́, *pl.:* '*~и*
selbst.
саме́ц Männchen *n*.
са́мка Weibchen *n*.
само... selbst...; *~бы́тный* originell; *~ва́р*
Teemaschine *f*; *~держа́вие* Selbstherrschaft
f; *~ду́р* Starrkopf;
~кри́тика Selbstkritik; *~лёт* Flugzeug *n*;
~люби́вый selbstsüchtig; *~обма́н* Selbsttäuschung *f*; *~позна́ние* Selbsterkenntnis *f*;
~сохране́ние Selbsterhaltung *f*; *~стоя́тельный* selbständig.

~убийство Selbstmord *m*; ~уверенный selbstbewußt.

са́мый selbig; gerade; höchst, aller..., *z.B.* ~ лу́чший (aller)beste(r).

са́ни *f/pl.* Schlitten *m*.

сапо́г Stiefel. [macher.\

сапо́жник Schuh-\

сара́й Scheune *f*.

сарди́н(к)а Sardine *f*.

са́хар Zucker; кусково́й ~ Würfelzucker; ~ница Zuckerdose.

сбав|ля́ть, '~ить vermindern, ermäßigen.

сбега́ть, сбежа́ть (hin-)ablaufen; durchbrennen.

сбере|га́тельный Spar-...; *f* га́ть, '~чь (er-)sparen; (auf)bewahren.

сбереже́ние Ersparnis *f*; Aufbewahren.

сби(ва́)ть abschlagen; umwerfen; abbringen (*vom Wege*); ~ся sich verwirren; abkommen (*vom Wege*); sich verirren.

сбли|жа́ть, '~зить (с Т *j-m*) näherh; näherbringen; ~же́ние Annäherung *f*.

сбо́ку von der Seite (her).

сбор (Ein-)Sammeln *n*; Gebühr *f*; Appell; '~ище Auflauf *m*; '~ник Sammlung *f*.

сбру́я (Pferde-)Geschirr *n*.

сбы(ва́)ть (*Waren usw.*) absetzen; fallen (*Wasserspiegel*); ~ся sich verwirklichen.

сбыт Absatz, Vertrieb.

сва́дьба Hochzeit.

свал|ивать, ~ить um-, (her)ab-werfen; abwälzen.

сварли́вый zänkisch.

сва́тать, по~ freien; ~ся anhalten (за В um).

сведе́ние Kenntnis(nahme) *f*; Nachricht *f*.

све́дущий erfahren; kundig.

све́жий frisch; kühl.

свёкла *f* Rübe.

свекло́вица Zuckerrübe.

свёкор Schwiegervater (*des Mannes Vater*).

свекро́вь *f* Schwiegermutter (*des Mannes Mutter*).

свер|га́ть, ~гну́ть stürzen; das Joch abschütteln.

сверк|а́ть, ~ну́ть funkeln.

свер|ли́ть bohren; ~ло́ Bohrer *m*.

свёртывать, сверну́ть zs.-rollen; einschränken; kürzen; einbiegen.

сверх (P) außer; über; ~ того́ darüber hinaus ~

außerdem; **~у** (von) oben; **~урочная рабо́та** Überstunden f/pl.

сверя́ть, све́рить vergleichen.

свет Licht n; Welt f.

света́ть dämmern, tagen.

свети́ло Gestirn; fig. Leuchte f.

свети́ть(ся) leuchten.

светле́ть, по~ hell(er) werden.

све́тлый hell, klar.

светово́й Licht..., Leucht...; **~ сигна́л** Blinkzeichen n.

свеча́|а f Kerze.

свида́ни|е Zusammenkunft f; Stelldichein; до **~я!** auf Wiedersehen!

свиде́тель m Zeuge; **~ство** Zeugnis.

свиде́тельствовать 1. за~ (о П) (be)zeugen; bescheinigen; **2. о~** untersuchen.

свине́ц Blei n.

свини́на Schweinefleisch n.

свинья́ Schwein n.

свире́|пость f Grausamkeit; **~пый** grausam, grimmig.

свисте́ть, за~ pfeifen.

свисто́к Pfeife f; Pfiff.

свобо́д|а Freiheit f; **~ный** frei; Kleidung: weit;

~омы́слящий freisinnig; Freidenker.

свод Gewölbe n; **~ зако́нов** Gesetzbuch n

своди́ть, свести́ herabführen; wegbringen; zs.-führen; entfernen; anknüpfen; **~ся, свести́сь (к)** sich herausstellen (als); hinauslaufen (auf A.).

сво́дник Kuppler.

свое́... selbst..., eigen...; **~во́лие** Eigensinn m; Eigenmächtigkeit f; **~вре́менный** rechtzeitig; **~обра́зный** eigentümlich, originell.

свой, своя́, своё, pl.: **свои́** eigen(e); mein(e), dein(e), sein(e), ihr(e) usw.

свой|ство[1] Eigenschaft f; **~ство́**[2] Schwägerschaft f.

своя́|к Schwager (Mann von der Schwester der Frau); **~ченица** Schwägerin (Schwester der Frau).

свыка́|ться, '~нуться sich gewöhnen (с Т an A.).

свысока́ von oben herab.

свы́ше über, mehr als.

свя́з|ка Bündel n; **~ный** zs.-hängend; folgerichtlg; ~ывать, ~а́ть (zs.-) binden; stricken, häkeln; (~ся) Fühlung nehmen (с T mit).

связь f Verbindung; Band n; (Liebes-)Verhältnis n.

свято́й heilig; Heilige(r).

святы́ня Heiligtum n.

свяще́н|ник Geistliche(r); Priester; ~ный geheiligt; heilig.

сгиб Biegung f; Gelenk n; ~а́ть, согну́ть krümmen; biegen.

сгоня́ть, согна́ть zs.-treiben.

сгора́ть, ~е́ть verbrennen.

сгу|ща́ть, ~сти́ть verdichten, verdicken.

сда(ва́)ть übergeben; vermieten; ab-, aufgeben; herausgeben; ~ экза́мен Prüfung ablegen; ~ся sich ergeben.

сда́ча Übergabe; Ablieferung; Rest m (bei Zahlungen).

сдви|га́ть, ~нуть (weg-, zs.)schieben, -rükken.

сде́лка Abmachung; Übereinkunft.

сдо́бное бул(оч)ка Milchbrötchen n.

сеа́нс (Kino) Vorführung f.

себесто́имость f Selbstkosten(preis m) pl.

себя́ sich; mich, dich, uns, euch; ~любие Selbstsucht f.

се́вер Nord(en); ~ный nördlich; Nord...

сего́дня heute; ~шний heutig.

седе́ть, по~ grau werden.

седина́ graues Haar n.

седло́ Sattel m.

седо́й grau(köpfig).

седо́к Fahrgast.

сейча́с gleich, sofort.

секрет|а́рь m Sekretär; ~ный geheim; Geheim...

селёдка Hering m.

селезёнка Milz.

селезень m Enterich.

сели́тра Salpeter m.

село́ Dorf. [f.]

сельдере́й Sellerie m od.]

сельдь f Hering m.

се́льс|кий ländlich; Land...; Dorf...; ~ое хозя́йство Landwirtschaft f; ~охозя́йственный landwirtschaftlich, Landwirtschafts...

сельсове́т (се́льский сове́т) Dorfsowjet.

семафо́р Signal(anzeiger, -stange f) n.

сёмга Lachs m.

семе́йный Familien...

семидне́вный siebentägig.

семья́ Familie.

сени f/pl. (Haus-)Flur m.

сено Heu; ~ва́л Heuboden; ~ко́с Heuernte f.

сентя́брь m September.

се́ра Schwefel m.

серде́чный herzlich; Herz...; Herzens...

серди́|тый ärgerlich, böse; ~ть, (рас~) ärgern, erzürnen.

се́рдце Herz; ~бие́ние Herzklopfen.

сере|бри́ть, (по~) versilbern; ~бро́ Silber(geschirr, -münzen f/pl.); '~бряный silbern, Silber...

середи́на Mitte.

се́рный schwef(e)lig.

серп Sichel f.

се́рый grau.

серьга́ Ohrring m.

серьёзный ernst(haft).

се́ссия Tagung; Sitzung.

сестра́ Schwester.

сесть s. садиться.

се́тка Netz n; кали́льная ~ Glühstrumpf m.

сеть f Netz n.

се́ялка Sämaschine.

се́ять, по~ säen.

сжа́тый zs.-gepreßt, gedrängt; Preß...

сжига́ть, сжечь verbrennen.

сза́ди von hinten.

Сиби́рь f Sibirien n.

си́вый dunkelgrau.

сига́ра Zigarre.

сигна́л Signal n, Zeichen n.

сиде́ть, по~ sitzen.

сидя́чий sitzend.

си́ла Kraft; Stärke; Macht; Gewalt; в си́лу (P) kraft; infolge.

си́льный stark, kräftig; mächtig.

синева́ Blau n, Bläue.

си́ний (dunkel)blau.

си́плый heiser; krächzend.

сире́нь f Flieder m.

сирота́ m/f Waise(nkind n) f; кру́глый (f: кру́глая) ~ Vollwaise f.

си́тец Kattun m.

си́то Sieb n.

сия́ние Glanz m; Strahlen n; се́верное ~ Nordlicht.

сия́ть, за~, про~ glänzen; strahlen.

скабрёзный zotig, schlüpfrig.

ска́зка Märchen n.

ска́|зывать, ~за́ть sagen (s. говорить); ~ (~ся) sich äußern (в П in D.).

скака́ть, по~ hüpfen; (schnell) reiten.

скала́ Fels(en) m.

скамья́ (Sitz-)Bank.

скат Abhang; Gefälle *n*.

скáтерть *f* Tischtuch *n*.

скá|тывать 1. ~тѝть hinunterrollen; **2.** ~тáть zs.-rollen.

скáчки *f/pl.* Pferderennen *n*.

скачóк Sprung.

сквáжина Öffnung, Loch *n*; Spalte.

сквéрный schlecht.

сквоз|ѝт es zieht; ~нѝк Luftzug.

сквозь (В) durch (*A*.).

скѝдка (Preis-)Ablaß *m*, Rabatt *m*.

скѝдывать, скѝнуть (hin)abwerfen; nachlassen.

скипидáр Terpentin(öl *n*).

скитáться, по~ (heimatlos) umherwandern.

склад Lager(raum *m*) *n*; Beschaffenheit *f*; ~ка Falte; ~нóй Klapp...; ~нáя лóдка Faltboot *m*; ~ывать, сложѝть zs.-rechnen; zs.-legen; zs.-stellen; ablegen; (zs.-) falten; verfassen.

склé|ивать(ся) zs.-kleben.

склон Neigung *f*; Abhang; ~éние Neigung *f*; Abweichung *f*; Deklination *f*; ~ный geneigt (к zu); ~ять, ~ѝть beugen, senken; (к *od.* на

В) bewegen (zu), gewinnen (für).

склянка Gläschen *n*; Fläschchen *n*.

скóбка Klammer.

скоблѝть, по~ schaben.

сковородá (Brat-)Pfanne..

скольз|ѝть, ~нýть gleiten; ~кий glatt; schlüpfrig.

скóлько (Р) wieviel; wie sehr; soviel.

скорб|éть sich grämen; ~ный traurig, betrübt.

скорбь *f* Betrübnis, Gram *m*.

скорлупá Schale.

скорняк Kürschner.

скóро bald.

скóрост|ь *f* Schnelligkeit; Geschwindigkeit; **груз мáлой ~и** Frachtgut *n*; **груз большóй ~и** Eilgut *n*.

скóр|ый schnell, geschwind; baldig; Schnell..., Eil...; **в ~ом врéмени** binnen kurzem.

скот Vieh *n*; ~овóдство Viehzucht *f*. [schen.

скрежетáть, за~ knir-

скрип|áч Geiger; ~éть, (про~) knarren; ~ка Geige.

скрóмный bescheiden.

скры(вá)ть verheimlichen; verbergen.

скры́тный verschlossen.

скря́га m/f Geizhals m.

ску́дный dürftig, armselig.

ску́ка Langeweile.

скупо́й geizig, knauserig; spärlich.

скуча́ть, по~ sich langweilen.

ску́чный langweilig; mißgestimmt.

слабе́ть, о~ schwach werden.

слаби́тельное (сре́дство) Abführmittel.

сла́бить, (про~) abführen; его́ ~ er hat Durchfall.

сла́б|ость f Schwäche (к für); ~ый schwach.

сла́в|а Ruhm m; Ruf m; ~ить, (про~) rühmen, (lob)preisen; ~ный berühmt; nett.

славяни́н Slawe.

слага́ть, сложи́ть zs.-zählen; verfassen; ~ся sich gestalten; bestehen (из aus); verfaßt werden.

сла́дкий süß.

сладостра́стие Wollust f.

сла́дость f Süßigkeit.

сла́нец Schiefer.

сла́сти f/pl. Süßigkeiten.

слать, по~ schicken.

сле́ва von links (her).

слегка́ leicht(hin), ein wenig.

след Spur f; ~и́ть, (по~) (за T) aufpassen, achtgeben (auf A.); (ver)folgen, beobachten.

сле́дова|тель m Untersuchungsrichter; ~тельно folglich; also; ~ть, (по~) (за T j-m) (nach)folgen; (Д) befolgen; ~ет es gehört sich.

сле́дствие Folge(rung) f; (gerichtliche) Untersuchung f.

слеза́ Träne f.

слез(а́)ть herabsteigen.

слепо́й blind; Blinde(r); ~ полёт Blindflug.

слепота́ Blindheit.

сле́сарь m Schlosser.

слёт Zs.-kunft f.

слета́|ть, ~е́ть herunterfliegen.

сли́ва Pflaume(nbaum m).

сли(ва́)ть ab-, zs.-gießen.

сли́вки f/pl. Sahne f, Rahm m; fig. Elite f.

сли́з|истый schleimig; Schleim...; ~ь f Schleim m.

сли́тный verbunden.

сли́шком zu sehr; viel zu.

слова́рь m Wörterbuch n.

слове́сность f Literatur f.

сло́во Wort; Rede f.

слог Silbe f; Stil.

сложе́ние Zs.-zählung f; Figur f. ~и́ть s. zs.-

скла́дывать u. слага́ть; '~ный zs.-gesetzt; verwickelt, kompliziert.

слой Schicht f. [pliziert.)

слом Abbruch m. ~а́ть s. лома́ть.

слон Elefant m. ~о́вая кость f Elfenbein n.

слуга́ m Diener.

служа́щий Angestellte(r); Beamte(r) m. ~ба Dienst(stelle f) m; ~е́бный dienstlich; Dienst…; ~и́ть, (по~) (T) dienen (als).

слух Gehör n; Gerücht n.

слухово́й Gehör…; Hör…

слу́чай Fall; Gelegenheit f; '~ный zufällig; gelegentlich.

случ|а́ться, ~и́ться vorfallen, vorkommen.

слу́ша|тель m (Zu-)Hörer; ~ть, (по~) anzu-hören; (~ся) (P j-m) gehorchen.

слы́ш|ать, у~ hören; '~но man hört od. sagt.

слюна́ Speichel m.

смежный angrenzend.

смелый kühn; tapfer.

сме́на Ablösung f; Schicht; ~ня́ть, ~ни́ть ablösen; (ab)wechseln.

смерк|а́ться, '~нуться dämmern. [Todes…]

смерте́льный tödlich.

сме́рт|ная казнь f Todesstrafe; ~ность f Sterblichkeit.

смерть f Tod m.

смести́ть s. смеща́ть.

смесь f Mischung; Gemisch n.

сме́та (расхо́дов Kosten-)Anschlag m.

смета́на saure Sahne.

сме|та́ть, ~сти́ wegfegen.

сметь, по~ sich unterstehen, dürfen; wagen.

смех Lachen n; Gelächter n.

сме́|шивать, ~ша́ть vermischen; verwechseln.

смеш|и́ть, (по~) zum Lachen bringen; ~но́й komisch; lächerlich.

сме|ща́ть, ~сти́ть absetzen; verschieben.

смея́ться 1. по~ lachen; 2. на~ spotten.

смире́ние Demut f.

сми́рный ruhig, still.

смола́ Harz n.

сморка́ться, вы́~ sich schneuzen.

сморо́дина Johannisbeere(n pl.).

смотр Besichtigung f; ~ войска́м Truppenschau f.

f; **~éть, (по~)** sehen (nach); (an)schauen; **(за** T) beaufsichtigen; **~я по тому** je nachdem.

сму́глый dunkelhäutig, gebräunt.

сму|ща́ть, ~ти́ть in Verlegenheit bringen; verwirren; **(~ся)** in Verlegenheit geraten; **~ще́ние** Bestürzung *f*; Verlegenheit *f*.

смысл Sinn, Bedeutung *f*.

смычо́к (Violin-)Bogen.

смяг|ча́ть, ~чи́ть mildern; erweichen.

смяте́ние Verwirrung *f*.

снаб|жа́ть, ~ди́ть versorgen, versehen(T mit).

снаружи von außen.

снаря́|д Gerät *n*; Geschoß *n*; **~жа́ть, ~ди́ть** ausrüsten, versorgen.

снача́ла anfänglich.

снег Schnee *m*; **~ идёт** es schneit.

снегоочисти́тель *m* Schneepflug.

снежи́нка Schneeflocke.

снести́ *s.* сноси́ть.

снижа́ться, сни́зиться niedergehen, landen; sich vermindern, sinken; **✕ ~ (на́ воду)** wassern.

снима́ть, снять ab-, herunter-, auf-nehmen; mieten; abbauen; auf-

heben; abziehen; **~ с кого ме́рку** j-m Maß nehmen; **~ся** sich fotografieren lassen.

сни́мок Fotografie *f*.

снисходи́тельный herablassend; nachsichtig.

сни́ться, при~ träumen.

сно́ва von neuem, erneut.

сновиде́ние Traum(bild *n*) *m*.

сноп Garbe *f*.

сноси́ть, снести́ hin(unter)-tragen; niederreißen; **~ся, снести́сь** in Verbindung setzen; sich verständigen.

сно́ска Fußnote.

снотво́рное (сре́дство) Schlafmittel.

сноше́ние Verkehr *m*; Verbindung *f*.

снять *s.* снима́ть.

со *s. с.*

соба́ка Hund *m*.

собесе́дник Gesprächspartner; Gesellschafter.

соб(и)ра́ть (ein-, ver-)sammeln; erheben; **~ся** sich (ver)sammeln; zs.-kommen; sich anschikken (zu).

собла́зн Versuchung *f*; Verführung *f*; **~и́тель** *m* Verführer; **~я́ть, ~и́ть** verführen; verleiten.

соблю|да́ть, ~сти́ (einhalten).

соболе́знова|ние Beileid; ~ть sein Beileid bezeigen.

собо́р Kathedrale f, Dom.

собра́ние Sammlung f; Versammlung f.

собра́ть s. собира́ть.

со́бствен|ник Eigentümer; ~но eigentlich; ~ность f Eigentum n; ~ный eigen.

собы́тие Ereignis.

совер|ша́ть, ~ши́ть vollbringen, -enden; abschließen; machen; (~ся) erfolgen.

соверше́н|нолетний volljährig, mündig; '~ный vollkommen, völlig; '~ство Vollkommenheit f.

со́весть f Gewissen n.

сове́т Rat(schlag); Sowjet; Верхо́вный 2 СССР Oberster Sowjet der UdSSR; ~ник Rat (-geber); ~овать, (по~) (an)raten.

сове́тский sowjetisch; Sowjet...

совеща́|ние Berat(schlag)ung f; ~ться sich beraten.

Совнарко́м (Сове́т Наро́дных Комисса́ров)

Sowjet der Volkskommissare.

совоку́пный vereint, gemeinsam.

совпа|да́ть, '~сть zs.-fallen, -treffen; übereinstimmen.

совра|ща́ть, ~ти́ть ablenken (с P von); verleiten.

совреме́н|ник Zeitgenosse; ~ный gegenwärtig; zeitgenössisch.

совсе́м gänzlich, ganz.

совхо́з (сове́тское хозя́йство) Staatsgut, Sowchos.

согла́|сие Eintracht f; Zustimmung f; Einverständnis; ~сно (с T od. Д) gemäß; ~сный übereinstimmend; einig; einverstanden; ~со́ва|вать, ~сова́ть in Übereinstimmung bringen; ~ша́ться, ~си́ться einwilligen; ~ше́ние Übereinkunft f; Einverständnis; Abkommen.

согна́ть s. сгоня́ть.

согну́ть s. сгиба́ть.

согре́(ва́)ть (er)wärmen.

содей|ствие Mitwirkung f; Förderung f; ~ствовать, (по~) (в П od. ~) beitragen (zu), mitwirken (bei).

содер|жа́ние Unter-

In-halt *m*; ⊸жа́ть (unter)halten; ⊸жа́ть (в себе́) enthalten.

Соединённые Шта́ты Аме́рики *s.* **США.**

соеди|ня́ть, ⊸ни́ть verein(ig)en; verbinden.

сожа|ле́ние Bedauern, Mitleid; ⊸ле́ть (о П) bedauern.

сожже́ние Verbrennung *f.*

сожи́тель *m* Hausgenosse; ⊸ство Zs.-leben.

созда́|(ва́)ть (er)schaffen; gründen; erbauen, errichten; ⊸ние Schöpfung *f*; Errichten ⊸тель *m* (Be-)Gründer.

созерца́ние (geistige) Betrachtung *f.*

созна́|(ва́)ть einsehen; sich bewußt werden; (⊸ся) (sich) bekennen (в П zu); ⊸ние Erkenntnis *f*; Bewußtsein; ⊸тельный bewußt.

созы́в Einberufung *f.*

со(зы)ва́ть (*а.* сзыва́ть) zs.-rufen; einladen.

сойти́ *s.* сходи́ть.

сок Saft.

СОКК и КП СССР (Сою́з Обще́ств Кра́сного Креста́ и Кра́сного Полуме́сяца) Verband der Gesellschaften des Roten Kreuzes und des Roten Halbmondes der UdSSR.

со́кол Falke.

сокра|ща́ть, ⊸ти́ть (ab-, ver)kürzen; abbauen; ⊸ще́ние Ab-, Ver-kürzung *f*; Abbau *m.* [Kostbarkeit *f.*]

сокро́вище Schatz *m*;

солёный salzig; Salz...

соли́ть, по⊸ (ein)salzen.

со́лн|ечный sonnig; Sonnen...; ⊸це Sonne *f.*

соловей́ Nachtigall *f.*

соло́ма Stroh *n.*

солон|и́на Salz-, Pökelfleisch *n*; ⊸ка Salzfaß *n.*

соль *f* Salz *n.*

сомне|ва́ться, усо⊸ми́ться zweifeln.

сомне́ние Zweifel *m.*

сомни́тельный zweifelhaft.

сон Schlaf; Traum.

сообра|жа́ть, ⊸зи́ть verstehen, erfassen.

сообра́зный entsprechend.

сооб|ща́ть, ⊸щи́ть mitteilen, melden; ⊸ще́ние Mitteilung *f*; Verbindung *f*; возду́шное ⊸ще́ние Luftverkehr *m*; железнодоро́жное ⊸ще́ние Eisenbahnverkehr *m.*

сообщник Mitschuldige(r), Komplice.

соору|жа́ть, ~ди́ть er-, auf-bauen; ~же́ние Erbauung f; Bau m.

соотве́тствовать (Д) übereinstimmen (mit), entsprechen.

соотече́ственник Landsmann.

сопоста|вля́ть, '~вить gegenüberstellen.

сопрово|жда́ть, ~ди́ть begleiten.

сопротивля́ться sich widersetzen.

соразме́рный angemessen, entsprechend.

сорва́ть s. срыва́ть.

соро́чка Hemd n.

сорт Sorte f, Gattung f.

соса́ть, по~ saugen; lutschen.

сосе́д Nachbar; ~ний benachbart; Nachbar...

сосе́ска Würstchen n.

соска́кивать, соскочи́ть herunter-, abspringen.

сосло́вие Stand m.

сослужи́вец (Arbeits-) Kollege.

сосна́ Fichte; Kiefer.

сосредото́чи(ва)ть konzentrieren.

соста́в Zusammensetzung f; Bestand m; (ли́чный ~) Personalbestand; ~ле́ние Zs.-stellung f; Zusam-

menstellen; Abfassung f; ~ля́ть, ~ить zs.-setzen; zusammenstellen; anfertigen; verfassen.

состоя́|ние Zustand m; ~тельный wohlhabend, begründet; ~ть (angestellt) sein; bestehen; (~ся) stattfinden.

сострада́ние Mitleid (к mit).

состяза́ние Wett-bewerb m, -kampf m.

сосу́д Gefäß n.

сосчи́|тывать, ~та́ть (zs.-)zählen.

со́тня Hundert n.

сотру́дни|к Mitarbeiter; ~чать mitarbeiten.

со́ус Soße f, Tunke f; ~ница Soßenschüssel f.

соуча́стник Mittäter; Beteiligte(r).

со́хнуть trocknen.

сохра|не́ние Aufbewahrung f; ~ня́ть, ~ни́ть (auf)bewahren; (~ся) sich halten.

соц... in Zssgn Abk. für социа́льный sozial, Sozial..., Gesellschafts...

соцстра́х (социа́льное страхова́ние) Sozialversicherung f.

соче́льник (рожде́ственский) Weihnachtsabend.

сочета́|ние Verbindung f; ~ть pf. (~ся sich) verbinden.

сочи|не́ние Verfassen; Werk, Schrift f; Aufsatz m; ~ня́ть, ~ни́ть verab-fassen; (er)dichten.

со́чный saftig.

сочу́вствие Mitgefühl, Teilnahme f.

сочу́вствовать, по~ mitempfinden.

сою́з Bund, Bündnis n, Vereinigung f, Union f; Сове́тский 2 Sowjetunion f; ~ник Bundesgenosse; Verbündete(r).

Сою́з Сове́тских Социалисти́ческих Респу́блик s. СССР.

спа|да́ть, ~сть (herab-)fallen.

спа́зма (mst pl.) Krampf m.

спа́льня Schlafzimmer n.

спа́ржа Spargel m.

спас|а́ть, ~ти́ (er)retten; ~е́ние Rettung f.

спаси́бо danke (schön)!

спаси́тель m Retter.

спать, по~ schlafen.

спекта́кль m Schauspiel n.

спе́лый reif.

спе́реди (wo?) vorn; (woher?) von vorn.

спеть [1] reifen; [2] s. петь.

спец in Zssgn Abk. für специа́льный Spezial-...; Fach...; Sonder-...; speziell; ~налист Spezialist, Fachmann; ~оде́жда Arbeitskleid n.

спеш|и́ть, (по~) (sich be)eilen; vorgehen (Uhr); ~ный eilig; ~ное письмо́ Eilbrief m.

спина́ Rücken m

спи́нка Rückenlehne.

спирт Spiritus; ви́нный ~ Alkohol.

спи́|сок Liste f; ~сывать, ~са́ть abschreiben; abmalen.

спи́ца (Rad-)Speiche; Stricknadel.

спи́ч|ечная коро́бка Streichholzschachtel; ~ка Zünd-, Streich-holz n.

сплав Legierung f; (ле́са) Flößen n.

спла́чивать, сплоти́ть zs.-fügen; vereinigen.

сплёт|ник Klatschmaul n; ~ничать, (на~) fig. klatschen.

сплош|но́й dicht; kompakt; ~ь durchgängig.

споко́й|ный ruhig; gelassen; ~ой но́чи! gute Nacht!; ~ствие Ruhe f.

сполна́ voll(kommen).

спор Streit; Rechtsstreit; ~ить, (по~)

streiten (о П über A.); ⌐ный strittig; Streit...

спорт Sport.

спо́соб Weise f, Art f.

спосо́б|ность f Fähigkeit; Begabung; ⌐ный fähig, begabt.

спра́ва von rechts (her).

справедли́в|ость f Gerechtigkeit; Wahrheit; ⌐ый gerecht.

спра́|вка Anfrage f; Auskunft; Bescheinigung; ⌐вляться, ⌐виться fertig werden; (о П) sich erkundigen (über A.).

спра́воч|ник Nachschlagebuch n; ⌐ный Erkundigungs...; Nachschlage...; ⌐ная конто́ра od. ⌐ное бюро́ n Auskunftsbüro n.

спра́шивать, спроси́ть fragen (о П nach); verlangen.

спрос Nachfrage f (на В nach).

спуск Herunterlassen n; Abstieg; Abhang; Feuerwaffe: Abzug; ⌐а́ть, спусти́ть herunterlassen; loslassen; ablassen; ⌐а́ть (на́ воду) vom Stapel laufen lassen; (⌐ся) heruntersteigen; (⌐ся) ⚓ (на́ зе́млю) landen.

спустя́ (В) nach Verlauf (von), nach.

спу́тник (Reise-)Gefährte; Trabant.

срав|не́ние Vergleich m; ⌐нивать 1. ⌐ни́ть vergleichen; 2. ⌐ня́ть gleichmachen; ⌐ни́тельно vergleichsweise; verhältnismäßig; ⌐ни́тельный vergleichend.

сра|жа́ться, ⌐зи́ться sich schlagen; kämpfen.

сраже́ние Schlacht f.

сра́зу auf einmal, sogleich; sofort.

срам Schande f; ⌐и́ть, (о⌐) mit Schande bedecken.

среда́ Mittwoch m; Umwelt.

среди́ (P) unter; (in-) mitten; ⌐земно́е мо́ре Mittelmeer.

сре́дн|ий mittlere(r); Mittel...; Durchschnitts...; ⌐яя ча́сть od. в ⌐ем im Durchschnitt.

средото́чие Mittelpunkt m.

сре́дство Mittel (от gegen); ⌐передвиже́ния Verkehrsmittel.

срок Zeitpunkt; Frist f.

сро́чный eilig; dringend; befristet; Termin...

срыва́ть, сорва́ть (ab-)

pflücken; ~, срыть ab-
tragen.

сса́дина ♂ Schramme;
Hautverletzung.

ссо́|ра Zank m; Streit
m; ~рить, (по~) ent-
zweien; (~ся) sich strei-
ten, zanken.

СССР (Сою́з Сове́т-
ских Социалисти́-
ческих Респу́блик)
UdSSR (Union der So-
zialistischen Sowjet-
republiken f).

ссу́|да Anleihe, Dar-
lehen n; ~дная ка́сса
Darlehenskasse.

ссыл|а́ть, сосла́ть ver-
bannen, -schicken; (~ся)
ver-bannt, -schickt wer-
den; (~ся) на (B) sich
beziehen od. berufen auf
(A.); '~ка Verbannung;
Bezugnahme.

ста́вень m Fensterladen f.

ста́в|ить, (по~)(hin)stel-
len; setzen; Thea. auf-
führen; ~ка Einsatz m;
Satz m.

ста́до Herde f.

стаж (bisherige) Betäti-
gung(sart) f; испыта́-
тельный ~ Probezeit f.

стака́н (Tee-usw.) Glas
n.

ста́лкивать, столкну́ть
wegstoßen; ~ся zs.-sto-
ßen.

сталь f Stahl m; ~но́й
stählern; Stahl...

стаме́ска Stemmeisen n.

стани́ца Kosakendorf n.

станови́ться, стать
sich (auf)stellen; wer-
den.

стано́к Werkzeugma-
schine f, (Werk-)Bank f;
Gestell n; (тка́дкий) ~
Webstuhl.

станцио́нный зал War-
tesaal.

ста́нция Station; Bahn-
hof m; электри́ческая
~ Elektrizitätswerk n,
Kraftwerk n.

стара́|ние Bemühung f;
Bemühen; ~ться, (по~)
sich bemühen.

старе́ть 1. по~ alt wer-
den, altern; 2. y~ ver-
alten.

ста́рец Greis.

стари́к Alte(r), Greis.

старина́ alte Zeiten
f/pl.; '~нный alt(er-
tümlich); [disch.]

старомо́дный altmo-

стару́ха Alte, Greisin.

ста́р|ше älter; ~ший
ältere(r); Ober...; ~ший
врач Oberarzt; ~ши-
на́ m Älteste(r).

ста́рый alt; Alt...

стать pf. werden; an-
fangen; sich (hin)stel-
len; stehenbleiben.

статья́ Artikel *m*, Aufsatz *m*; Abschnitt *m*.

ста́чка Streik *m*.

ста́я Schwarm *m*; Schar.

ствол Stamm *m*; Lauf.

сте́бель *m* Halm, Stengel.

стека́ть, стечь abfließen.

стекло́ Glas (*als Stoff*); (око́нное) ~ Fensterscheibe *f*.

стекля́нный gläsern; Glas...; glasig.

стеко́льщик Glaser.

стена́ Wand; Mauer.

стенгазе́та (стенна́я газе́та) Wandzeitung *f*.

сте́пень *f* Grad *m*, Stufe; Rang *m*.

степь *f* Steppe.

стере́ть *s.* стира́ть.

стес|не́ние Be-, Einengung *f*; Bedrückung *f*; Schüchternheit *f*; ~ни́тельный (be)drückend; ~ня́ть, ~ни́ть *v.z*.-drängen, einschränken; beengen; (~ся) sich genieren; verlegen sein.

стечь *s.* стека́ть.

стиль *m* Stil.

стира́ть 1. стере́ть abreiben; (ab)wischen; 2. вы́~ waschen.

сти́рка Waschen *n*, Wäsche.

стих Vers.

стихи́я Element *n*.

стихотворе́ние Gedicht.

сто́имость *f* Wert *m*; ~ю (в B) im Werte (von).

сто́ить (B) kosten, wert sein; не сто́ит es lohnt nicht; keine Ursache!

стой! Halt!; ~кий standhaft; fest.

сток Abfluß.

стол Tisch; Kost *f*, Küche *f*; Amt *n*; за ~ом bei Tisch.

столб Pfahl, Pfosten; Säule *f*; ~е́ц *Typ.* Spalte *f*.

столе́тие Jahrhundert.

столи́|ца Hauptstadt; ~чный großstädtisch; Hauptstadt...

столкнове́ние Zs.-stoß *m*.

столо́|вый Tisch..., Tafel...; ~вая Speisezimmer *n*; Speisehaus *n*.

сто́лько so viel(e); so sehr.

столя́р Tischler, Schreiner.

стон Stöhnen *n*.

стона́ть, за~, про~ stöhnen.

стопа́ Fußsohle; Ries *n*; Stapel *m*.

сто́рож Wächter, Hüter.

сторо|на́ Seite; ~ни́ться, (по~) beiseite treten;

meiden; '**~нник** Anhänger.

стоя|ние Stehen; **~н-ка** Haltestelle; **~нка автомашин запре-щена!** parken verboten!; **~ть, (по~)** (still)stehen; (an)halten; **~ть (за B)** einstehen (für); **~чий** stehend; **Steh...**

страда́|лец Leidende(r); Märtyrer; **~ние** Leiden; **~ть, (по~)** leiden (**T** an **D**.).

страна́ Gegend, Land *n*; **~ све́та** Himmelsrichtung.

страни́ца Seite.

стра́н|ник Wanderer; **~ный** sonderbar; seltsam; **~ствовать, (по~)** (umher)reisen.

стра́стный leidenschaftlich.

страсть *f* Leidenschaft.

страх Furcht *f* (**P** vor **D**.); Risiko *n*.

страхо|ва́ние Versicherung *f*; **~ва́ние жи́зни** Lebensversicherung *f*; **~ва́ние от огня́** Feuerversicherung *f*; **~ва́ть, (за~)** versichern (**от** gegen); **~во́й** Versicherungs...

стра́шный fürchterlich; entsetzlich.

стрекоза́ Libelle.

стрела́ Pfeil *m*.

стре́л|ка (*Uhr-*)Zeiger *m*; (*Компаß*-)Nadel; Pfeil *m*; 🚆 Weiche; **~оч-ник** Weichensteller.

стрельба́ Schießen *n*.

стреля́ть feuern, schießen.

стрем|и́тельный ungestüm; heftig, **~и́ться** trachten (**к** nach); streben; **~ле́ние** (Be-)Streben.

стре́мя *n* Steigbügel *m*.

стри́жка Scheren *n*, (*во́лос-*) Haar-)Schneiden *n*; (Haar-)Schnitt *m*.

стричь, (по~) schneiden, scheren.

стро́гий streng (**к** gegen).

строе́ние Bau *m*, Gebäude; Aufbau *m*.

стро́ить, (по~) 1. (er-auf)bauen; 2. **на~** stimmen.

строй Front *f*; Ordnung *f*; **госуда́рственный ~** Staatsform *f*.

строка́ Zeile.

струи́ться, за~ rinnen, rieseln.

струн|а́ Saite; '**~ный** Saiten... [*m*.]

струя́ (Wasser-)Strahl]

стря́пать, со~ kochen, zubereiten.

сту́день *m* Sülze *f.*

стук Klopfen *n;* Pochen *n;* '~ать, '~нуть *s.* стуча́ть.

стул Stuhl(gang).

ступа́й(те) geh(en Sie)!

ступе́нь *f* Stufe; Sprosse.

ступня́ Fußsohle.

стуча́ть, за~, по~, сту́кнуть klopfen; klappern; ~ся (an)klopfen (в B an *A.*).

стыд Schande *f;* Scham *f; ~*и́ть, (при~) beschämen; (~ся) sich schämen (P *vor D.*); ~ли́вый schamhaft; '~ный schändlich; мне '~но ich schäme mich.

сты́(ну)ть, о~ erkalten, kalt werden.

суббо́та Sonnabend *m.*

субмари́на Unterseeboot *n.*

суд Gericht *n;* верхо́вный ~ Oberste(s) Gericht *n.*

суде́бный gerichtlich; Gerichts...

суде́йский richterlich; Richter...

суди́ть (о П) urteilen (über *A.*), beurteilen; ~ся prozessieren (с Т mit).

су́дно[1] Wasserfahrzeug, Schiff.

су́дно[2] Nachtgeschirr.

судопроизво́дство Gerichtsverfahren.

су́дорога *g* Krampf *m.*

судо|строе́ние Schiffbau *m;* ~хо́дство Schiffahrt *f.*

судьба́ Schicksal *n.*

судья́ *m* Richter.

суеве́рие Aberglaube *m.*

сует|а́ Hast; Unruhe *f;* ~и́ться, (по~) (allzu) geschäftig sein.

сук Ast; '~а Hündin; ~но́ Tuch.

сума́ Tasche; Beutel *m.*

сумасше́д|ший verrückt; Wahnsinnige(r); ~ший дом *od.* дом ~ших Irrenhaus *n;* ~ствие Wahnsinn *m.*

сумато́ха hastiges Durcheinander *n.*

сумбу́р Wirrwarr *m.*

су́мерки *f/pl.* Dämmerung(szeit) *f.*

су́мка (Reise- *usw.*) Tasche; Mappe.

су́мрак Dämmerung *f.*

сунду́к Truhe *f.*

суп Suppe *f.*

супру́г Gatte; ~а Gattin.

сургу́ч Siegellack.

суро́вый rauh; streng.

су́сло Most *m.* [hart.

суста́в Gelenk *n.*

су́тки *f/pl.* (Zeit *f* von) 24 Stunden, Tag *m* u. Nacht *f.*

су́точный 24-stündig; Tages...

суть f Wesen(tliche) n; Kern m.

суха́рь m Zwieback.

сухожи́лие Sehne f.

сухо́й trocken; mager; dürr.

сухопу́тный zu Land(e); Land...

сухоща́вый hager, mager.

су́ша Festland n.

суши́ть, вы́, trocknen; **сушёные фру́кты** m/pl. Backobst n.

суще́|ственный wesentlich; **~во́** Geschöpf, Wesen; **~вова́ть, (про-)** existieren, (da)sein.

су́щност|ь f Wesen n; **в ~и** im wesentlichen, eigentlich.

сфе́ра Gebiet n; Sphäre.

схва́|тка Handgemenge n; **~тки** pl. (Geburts-) Wehen pl.; **~тывать, ~ти́ть** (er)greifen, (ab-)fassen.

сход Absteigen n; **~и́ть, сойти́** absteigen; hinunter-, ab-gehen; (von der Oberfläche) verschwinden; **~ с ре́льсов** entgleisen; **~ с ума́** den Verstand verlieren; **(~ся,) сойти́сь** zs.-kommen.

sich versammeln; sich einigen; sich befreunden; **'~ный** ähnlich.

сце́на Szene, Bühne; Auftritt m; **'~рий** (Bühnen-)Spielbuch n; Kino: Film-, Dreh-buch n.

сцеп|ля́ть, ~и́ть zs.-, ver-ketten.

счастли́вый glücklich.

сча́стье Glück.

счесть s. счита́ть.

счёт Rechnen n; Zählen n; Rechnung f, Konto n.

счетово́д Rechnungsführer.

счётчик Zähler(werk n).

счёты m/pl. Rechenbrett n.

счисле́ние Zählen, Berechnung f.

счита́ть, счесть (zs.-) zählen, berechnen; (T od. за B) halten (für); **~ся** abrechnen; (T) gelten (als, für).

США (Соединённые Штаты Аме́рики) USA (Vereinigte Staaten von Amerika).

съе|да́ть, ~сть aufessen; **~до́бный** eßbar.

съезд Zs.-kunft f, Kongreß.

съезжа́ть, съе́хать herunterfahren; (hin-)abgleiten; **~ с кварти́ры** ausziehen; **~ся**

zs.-treffen, sich versammeln.

съёмка (Film-)Aufnahme.

сыгра́ть s. игра́ть.

сын Sohn.

сып|**ать**, (по**~**) streuen, schütten; **~но́й тиф** Flecktyphus; **~ь** f Ausschlag m.

сыр Käse.

сыро́й feucht; roh.

сырьё Rohstoff(e pl.) m.

сы́т|**ный**sättigend,nahrhaft; **~ый** satt.

сы́щик Geheimpolizist, Detektiv.

сюда́ hierher.

сюже́т Gegenstand, Stoff.

Т

та s. тот.

таба́к Tabak.

таба́чная ла́вка Tabakladen m.

табле́тка Tablette.

табли́ца Tabelle.

табу́н (Pferde-)Herde f.

таз (Wasch-)Becken m.

таи́нственный geheim (-nisvoll).

та́й|**на** Geheimnis n; **~ный** heimlich; geheim, Geheim...

так so; **~ же** ebenso; **~ как** da; **~ сказа́ть** sozusagen; **~ ли э́то?** ist das (wirklich) so?; **не ~ ли?** nicht wahr?; **~же** ebenfalls.

тако́й (ein) solcher; **что (э́то) тако́е?** was ist (denn) das?, was gibt's?

та́кса Taxe (Festpreis); Dackel m.

такс|**и́** n, **~омо́тор** Taxe f (Auto).

тала́нт Talent n; Begabung f.

там dort, da.

тамо́ж|**енный** Zoll(amts)...; **~ня** Zollamt n.

та́нец Tanz.

танцова́ть (a. танцева́ть), по**~** tanzen.

тарака́н (Küchen-) Schabe f.

таре́лка Teller m.

ТАСС (Телегра́фное Аге́нтство Сове́тского Сою́за) TASS f (Telegrafenagentur der Sowjetunion).

та́чка Schubkarren m.

тащи́ть, по**~** ziehen.

та́ять, рас~ schmelzen; tauen.

тверде́ть, за~ hart werden.

твёр|до fest, sicher, bestimmt; ~дый fest, hart; standhaft.

твой, твоя, твоё, *pl.*: твои dein(e); der (die, das) deinige, die deinigen.

тво|рéние Schöpfung *f*; Werk; ~рéц Schöpfer; ~рить, (со~) (er)schaffen.

творóг Quark. [fen.]

твóрчество Schaffen(skraft *f*); Werk.

те *s.* тот.

теáтр Theater *n*; ~ воéнных *od.* ~ воéнных дéйствий Kriegsschauplatz.

тебé dir. [platz.]

тебя deiner; dich.

текст Text, Wortlaut.

текý|чий flüssig; ~щий fließend; laufend.

телеви|дéние Fernsehen; ~зор Fernsehapparat.

телегрáмма Telegramm *n*; ~афировать telegrafieren.

телéжка Wagen *m*.

телёнок Kalb *n*.

телефóн Fernsprecher; ~ный Fernsprech...; telefonisch; ~ная бýдка Fernsprechzelle; ~ная стáнция Fernsprechamt *n*.

тéло Körper *m*; ~сложéние Körperbau *m*.

телятина Kalbfleisch *n*.

тем *s.* тот; ~ бóлее um so mehr; ~ лýчше um so besser; ~ не мéнее nichtsdestoweniger.

тем|нéть, (за~, по~) dunkel werden; ~нотá Dunkelheit; Dunkel *n*.

тёмный dunkel; finster.

темп Tempo *n*.

тенистый schattig.

тень *f* Schatten *m*.

тепéрь jetzt, nun.

тепл|ó Wärme *f*; ~воз Diesellokomotive *f*; ~тá *s.*; ~фикáция Fernheizung; ~хóд Motorschiff *n*.

тёплый warm; herzlich.

тере|ть, по~ reiben; scheuern. [quälen.]

терзáть, ис~ zerreißen;]

терпе|ливый geduldig; ~ние Geduld *f*; ~ть, (по~) (er)dulden; aushalten.

терпимый duldsam.

теря|ть, по~ verlieren; ~ся (ver)schwinden; verloren gehen; in Verwirrung geraten.

тесёмка Band *n*; Litze.

тес|нотá Enge; Gedränge *n*; ~ный eng, eng

тéсто Teig *m*. [drängt.]

тесть *m* Schwiegervater (*Vater der Frau*).

тетрáдь *f* (Schreib)Heft *n*.

тётя Tante.

тех... in Zssgn Abk. für **техни́ческий** technisch; **~ник** Techniker; **~ника** Technik; **~ни́ческий** technisch; **~норук (техни́ческий руководи́тель** *m*) technischer Leiter.

тече́ние Strömung *f*; в ~ (P) im Laufe (von).

течь 1. по~ (dahin-)fließen; verrinnen; **2.** *f* Leck *n*.

тёща Schwiegermutter (*Mutter der Frau*).

тигр Tiger; **~и́ца** Tigerin.

ти́на Schlamm *m*. (rin.)

тип Typ; **~и́чный** typisch.

типогра́фия Druckerei.

тира́ж Ziehung *f*; Auflage *f*.

тире́ Bindestrich *m*; Gedankenstrich *m*.

тис|ка́ть, ти́снуть (ab-)drucken; **~ки́** *m/pl.* Schraubstock *m*.

ти́тул Titel.

тиф Typhus. [sam.]

ти́хий still, ruhig; lang;

тишина́ Stille, Ruhe.

ткань *f* Gewebe *n*.

ткать, на~, со~ weben;

тка́цкий Web...;

ткач Weber.

тлеть, ис~ verwesen; (ver)modern; glimmen.

то jenes; dasjenige; so; dann; в том darin; за~ dafür; ~ ... ~ bald ... bald.

това́р Ware *f*; ~ **большо́й ско́рости** Eilgut *n*.

това́рищ *m/f* Genosse *m*, Genossin *f*, Kamerad (-in *f*); Gefährte, Gefährtin; **~ество** Gesellschaft *f*; Kamerad-schaft *f*; **~ество на пая́х** Aktiengesellschaft *f*.

това́рный Waren...; Güter...

товарообме́н Warenaustausch.

тогда́ dann; damals.

то́ есть das heißt, *Abk.*: **т.е.** d. h.

то́же auch; ebenfalls.

ток Strom; Tenne *f*.

то́карь *m* Drechsler; Dreher.

толк|а́ть, ~ну́ть stoßen (gegen); drängen; **~ова́ть,** (ис-) erklären; auslegen; **~о́вый** словарь *m* Handbuch *n* (*einer Sprache*).

толпа́ (Menschen-)Menge.

то́лстый dick, stark.

толчо́к Stoß; Anstoß.

то́лько nur; erst; bloß; **~что** soeben.

том Band (*Buch*); *s.* **то.**

томи́ть quälen, plagen; **~ный** matt.

то́нкий dünn, fein.

тону́ть 1. по~, за~ untersinken; 2. у~ ertrinken. [peln.]

то́п|ать, **~нуть** tram-

топи́ть 1. у~, по~ versenken; ertränken; 2. ис~, на~ (ein)heizen; 3. рас~ schmelzen; zerlassen.

то́п|кий sumpfig; **~ливо** Heiz-, Brennmaterial.

то́поль m Pappel f.

топо́р Beil n; Axt f.

то́пот Getrampel n.

топта́ть, за~ niedertreten; stampfen.

торг Handel m; in Zssgn Abk. für торго́вый Handels..., **~пред** (торго́вый представи́тель) Handelsvertreter.

торго́в|ать 1. handeln; 2. (~ся) feilschen; **~ец** Händler m; **~ля** Handel m (T mit); **~ый** handeltreibend; Handels...

торгпре́дство (торго́вое представи́тельство) Handelsvertretung f.

торже́ственный feierlich, festlich; Fest...

торжество́ Fest, Feier f; Triumph m; **~ва́ть,**

(вос~) triumphieren (над über A.).

то́рмоз Bremse f; **~и́ть,** (за~) bremsen; **~но́й** Brems...

тороп|и́ть, (по~) drängen, beschleunigen; (~ся) (sich be)eilen; **~ли́вый** eilig, hastig.

тоск|а́ Gram m, Schwermut; Sehnsucht; **~ли́вый** schwermütig; **~ова́ть** (по П) traurig sein (über A.); sich sehnen (nach).

тот, та, то, pl.: те jene(r), jenes; der-, die-, dasjenige, diejenigen; s. то.

то́тчас (so)gleich, sofort.

то́чка Punkt m; Schleifen n; **~ зре́ния** Gesichtspunkt m.

то́ч|ность f Genauigkeit, Präzision; **~ный** genau; **~но так** eben so.

тошнота́ Übelkeit.

трав|а́ Gras n, Kraut n; **~и́ть** abgrasen; ⚓ nachlassen; hetzen; **~ля** Hetze, Hetzjagd.

траге́дия Trauerspiel n.

тради́ция Tradition.

тра́ктор Traktor.

трамва́й Straßenbahn f; **~ный** биле́т Fahrschein; **~ная остано́вка** Straßenbahnhaltestelle.

тра́та Ausgabe; Vergeudung.

тра́тить, ис~, по~ ausgeben, verbrauchen; vergeuden.

тре́бо|вание (An-)Forderung f; Bedürfnis n; ~вательный anspruchsvoll; ~вать, по~ (ein-)fordern, verlangen.

трево́|га Unruhe; Alarm m; Aufregung.

трево́жить, вс~, рас~ beunruhigen; aufregen.

тре́пет Zittern n; Beben n; ~а́ть, (за~) zittern, beben.

тре́скаться, по~, тре́снуть platzen; springen (Glas).

трете́йский суд Schiedsgericht n.

треть f Drittel n.

тре́тьего дня vorgestern. [Kreuz n.]

тре́фы f/pl. Treff n.]

трёх|дне́вный dreitägig; ~фа́зный ток ⚡ Drehstrom.

тре́щина Riß m, Spalte; Sprung m.

тридцатиле́тний dreißigjährig.

трико́ Trikot(stoff) m.

тро́гать, тро́нуть (an-, be)rühren.

тро́ица Dreieinigkeit; Pfingsten n.

тро́йка Drei(gespann n).

тро́нутый ergriffen, gerührt.

тро́пик Wendekreis.

тропи́нка schmaler Fußweg m od. Pfad m.

тростни́к Schilf(rohr) n.

трость f (Spazier-)Stock m.

тротуа́р Bürgersteig.

труб|а́ Röhre; Trompete; Schornstein m; зри́тельная ~а́ Fernrohr n; пожа́рная ~а́ Feuerspritze; ~и́ть, (за~, про~) trompeten; '~ка (Tabaks-)Pfeife; ~очи́ст Schornsteinfeger.

труд Mühe f; Arbeit f; Werk n; (in Zssgn Abk. für трудово́й Arbeits..., werktätig, arbeitend); ~оде́нь m Arbeitstag; ~и́ться, (по~) arbeiten; '~ность f Schwierigkeit; ~ный schwierig, schwer; ~ово́й (durch Arbeit) verdient; werktätig; Arbeits...; ~олюби́вый arbeitsam.

трудя́щийся Werktätige(r); werktätig.

труп Leiche f.

трус Feigling.

тру́сики pl. Badehose f.

трущо́ба Spelunke; Dickicht n; Elendsviertel n; Provinznest n.

тря́пка (Wisch-)Lappen *m.* [~сь, (за~) zittern.}
трясти́ (aus)schütteln;}
туда́ dorthin, dahin; биле́т ~ и обра́тно Rückfahrkarte *f.*
тужу́рка Jacke.
тузе́мец Einheimischer.
ту́ловище Rumpf *m.*
тулу́п Schafpelz.
тума́н Nebel; ~ный nebelig; nebelhaft; verschwommen.
тупи́к Sackgasse *f.*
тупо́й stumpf(sinnig).
ту́склый trübe, matt; *fig.* farblos. [Schuh *m.*]
ту́фля Pantoffel *m.;*
ту́хлый faul, verfault.
ту́хнуть 1. про~ (ver)faulen; 2. по~ erlöschen.
ту́ч|а (Gewitter-)Wolke; ~ный fruchtbar; fett, beleibt.
туши́ть, по~ (aus)löschen; vertuschen; schmoren.

тща́тель|ность *f* Sorgfalt; ~ный sorgfältig.
тще́тный vergeblich.
ты du.
ты́ква Kürbis *m.*
тыл Rückseite *f*; Hinterland *n*; Etappe *f.*
тысячеле́тие Jahrtausend.
тьма Finsternis.
тюк (Waren-)Ballen.
тюле́нь *m* Seehund.
тюльпа́н Tulpe *f.*
тюре́мный Gefängnis...
тюрьма́ Gefängnis *n.*
тя́га Zug *m* (*im Ofen*); Zugstange.
тя́го|сть *f* *fig.* Last; ~ти́ть bedrücken; belasten.
тяжёлый schwer(fällig); Schwer...; ~жесть *f* Schwere; Last; центр ~и Schwerpunkt.
тя́жкий schwer.
тяну́ть, по~ ziehen.

У

у (P) bei, an, neben (*D.*); von; у меня́ bei mir; ich habe.
убав|ля́ть, '~ить vermindern; verringern.
убе|га́ть, ~жа́ть weg-, davon-laufen.

убе|ди́тельный überzeugend; dringend; ~жда́ть, ~ди́ть überzeugen; ~жде́ние Überzeugung *f.*
убе́жище Zuflucht(sort *m*) *f* (от vor *D.*), Asyl.

уби(ва́)ть töten, tot-
schlagen.

уби́й|ство Mord m; ~ца
m/f Mörder(in f).

уб(и)ра́ть auf-, weg-
räumen; (aus)schmük-
ken.

убо́гий dürftig, arm
(-selig); verkrüppelt.

убо́р|ка Saubermachen
n; Einbringen n (der
Ernte); ~ная Anklei-
dezimmer n; Abort m.

убра́ть s. убира́ть.

у́быль f Abnahme.

убы́ток Verlust; Nach-
teil.

ува|жа́ть achten, schät-
zen; ~же́ние Achtung f.

уведомля́ть, уведо́-
мить benachrichtigen.

увезти́ s. увози́ть.

увели́чи(ва)ть vergrö-
ßern; erweitern; ver-
stärken; ~чи́тельный
Vergrößerungs...

уве́рение Zusicherung f;
Versicherung f.

уве́ренный überzeugt;
fest; sicher.

увер|я́ть, ~ить über-
zeugen, versichern.

увесе|ле́ние Belustigung
f; Vergnügung f; ~ли́-
тельный Vergnügungs-
..., Lust...; belustigend.

увести́ s. уводи́ть.

уви́деть s. ви́деть.

увле|ка́тельный hin-
reißend; verlockend; ~-
ка́ть, '~чь weg-, fort-
reißen; hinreißen; ~-
ка́ться, '~чься sich
hinreißen lassen (T
durch); schwärmen (für).

уводи́ть, увести́ weg-
ent-, fort-führen.

увози́ть, увезти́ et.
weg-, fort-fahren.

уволь|не́ние Entlassung
f; Kündigung f; ~ня́ть,
уво́лить entlassen;
(j-m) kündigen; ~ня́ть
в о́тпуск beurlauben.

уга́дывать, угада́ть
erraten.   [löschen.|

угас|а́ть, '~нуть er-

угле|кислота́ Kohlen-
säure; ~ро́д Kohlen-
stoff.

углово́й Eck...

углу|бля́ть, ~би́ть (~ся
sich) vertiefen.

угна́ть s. угоня́ть.

угнета́ть unter-, be-
drücken.

уго|ва́ривать, ~вори́ть
be-, über-reden; (~ся)
sich verabreden.

уго́д|ливый dienstfertig;
schmeichlerisch; ~ный
geeignet; angenehm;
как вам ~но wie Sie
wünschen.

угожда́ть, угоди́ть ge-
fällig sein.

у́гол Winkel; Ecke *f*.

уголо́в|ник Kriminalist; ~ный Kriminal...; Straf...; Kriminelle(r).

у́голь *m* Kohle *f*.

угоня́ть, угна́ть wegjagen.

у́горь *m* Mitesser; Aal.

угоща́|ть, ~сти́ть bewirten; ~ще́ние Bewirtung *f*; Speisung *f*.

угро́за Drohung; Gefahr.

угрозы́ск (уголо́вный ро́зыск) Kriminalpolizei *f*.

угрызе́ния *n/pl.* со́вести Gewissensbisse *m/pl.*

уда́(ва́)ться gelingen, glücken.

удаля́|ть, ~ли́ть entfernen (от von); entlassen.

уда́р Schlag(anfall); со́лнечный ~ Sonnenstich; ~е́ние Betonung *f*; Hervorhebung *f*; ~я́ть, ~ить schlagen; einen Schlag versetzen; losschlagen.

уда́ч|а Gelingen *n*, Erfolg *m*; ~ный gelungen; geraten.

удва́ивать, удво́ить verdoppeln.

уде́льный вес spezifisches Gewicht *n*.

уде́р|живать, ~жа́ть

zurück(be)halten; einhalten; bewahren; (~ся) sich (fest)halten; (от) sich enthalten (*G.*).

удиви́тельный erstaunlich; merkwürdig; wundervoll; ~вле́ние Erstaunen; ~вля́ть, ~ви́ть in Erstaunen setzen; ~вля́ться, ~ви́ться (Д) sich wundern (über *A.*).

уди́ть, по~ angeln.

удли́ня|ть, ~ни́ть verlängern.

удо́бный bequem; günstig.

удо́бство Bequemlichkeit *f*.

удовлетво́|ре́ние Befriedigung *f*; ~ри́тельный befriedigend; ~ря́ть, ~ри́ть befriedigen. [gen.]

удово́льствие Vergnü-|

удостове́|ре́ние Bescheinigung *f*; Aus-, Nach-weis *m*; ~ре́ние ли́чности Personalausweis *m*; ~ря́ть, '~ри́ть beglaubigen.

удру́|ча́ть, ~чи́ть (be-, nieder)drücken.

уду́шливый (er)stickkend; drückend (*Hitze*); Stick...

удуше́ Atemnot *f*; Erstickung *f*.

уеди|нéние Einsamkeit *f*; **~н́ться, ~ниться** sich zurückziehen (in die Einsamkeit).

уезжáть, уéхать wegfahren; wegreisen.

уж 1. Natter *f*; **2. s. ужé.**

ýжас Schrecken, Entsetzen *n*; **~áться, ~нýться** sich entsetzen; **~ный** schrecklich.

ужé schon, bereits.

ýже schmaler (*s.* **ýзкий**).

ýжин Abendessen *n*; **~ать, (по~)** zu Abend essen.

уздá Zaum *m*, Zügel *m*.

ýзел Knoten; Bündel *n*.

ýзкий eng; schmal.

узкоколéйный schmalspurig.

узна(вá)ть erkennen; erfahren.

узóр Muster *n*.

уйти́ *s.* **уходи́ть.**

укáз Erlaß *m*; **~áние** (An-)Weisung *f*; Hinweis *m* (**на В** auf *A.*); **~áтель** *m* (Inhalts-)Verzeichnis *n*; **~áтель дорóги** Wegweiser; **~áтельный пáлец** Zeigefinger; **~ы-вать, ~áть** hinweisen; zeigen.

уклáд (жи́зни) Lebensweise *f*; **~ка** Einpakken *n*; **~чик** Packer *m*;

~ывать, уложи́ть (j-n) (hin)legen; (ein)packen; belegen (T mit); (**в постéль**) zu Bett bringen; (**~ся**) hineingehen, Platz finden.

уклóн Neigung *f*; Abweichung *f*; **~éние (от)** Abweichen, Umgehen (von); **~я́ться, ~и́ться** abweichen; umgehen. [Injektion *f.*]

укóл Stich(wunde *f*);]

Украи́на Ukraine.

укрáсть *s.* **красть.**

укра|ша́ть, ~сить(ver-)zieren; (aus)schmücken.

укре|плéние Befestigung *f*; Festigung *f*; Stärkung *f*; **~пля́ть, ~пи́ть** befestigen; stärken; (**~ся**) sich verschanzen; fest, kräftiger werden.

укры|ва́тель *m* Hehler; **~(вá)ть** bedecken; verstecken.

ýксус Essig.

укýс Biß(wunde *f*); **~и́ть** *s.* **куса́ть.**

укýт(ыв)ать einhüllen.

улáвливать, улови́ть (auf)fangen.

улá|живать, ~дить in Ordnung bringen; beilegen.

ýлей Bienenstock.

улет|áть, ~éть wegfliegen; verfliegen.

ули́ка Beweis(stück *n*) *m.*

ули́тка Schnecke.

у́лица Straße; Gasse.

ули|ча́ть, ~чи́ть (в П) überführen (*G.*).

у́личный Straßen...

уло́в Fang; ~ка Kniff *m.*

улови́ть *s.* ула́вливать.

уложи́ть *s.* укла́дывать.

лучш|а́ть, '~шить verbessern; ~ше́ние Verbesserung *f.*

улыб|а́ться, ~ну́ться (Д) lächeln (über *A.*); ~ка Lächeln *n.*

ум Verstand; Vernunft *f*; Geist; сойти́ с ~а́ irrsinnig werden.

умалишённы|й irrsinnig; Geistesgestörte(r); дом ~х Irrenhaus *n.*

ума́лчивать, умолча́ть (о П) verschweigen.

умень|ша́ть, '~шить vermindern;verkleinern.

уме́ренный mäßig.

умере́ть *s.* умира́ть.

умерщ|вле́ние Tötung *f*; Abtötung *f*; ~вля́ть, умертви́ть (ab)töten.

умер|я́ть, ~и́ть mäßigen.

уме́стный passend; angebracht.

уме́ть, с~ verstehen, können.

уми|ля́ть, ~ли́ть *fig.* rühren.

умира́ть, умере́ть (с го́лоду Hungers) sterben.

умно|жа́ть, '~жить vermehren; ~же́ние Vermehrung *f*; Multiplikation *f.*

у́мный klug; vernünftig.

умозаключе́ние Schlußfolgerung *f.*

умол|ка́ть, ~кнуть verstummen; ~ча́ть *s.*

ума́лчивать.

у́мственный geistig.

умыва́льник Waschtisch.

у́мы|сел (böse) Absicht *f*; ~шленный vorsätzlich.

унести́ *s.* уноси́ть.

универма́г (универса́льный магази́н) Kaufhaus *n.*

университе́т Universität *f.*

уни|жа́ть, ~зить erniedrigen.

уничто|жа́ть, '~жить vernichten.

уноси́ть, унести́ wegtragen; wegreißen.

уныва́ть verzagen.

уны́лый verzagt, traurig.

упа́док Verfall.

упако́вывать, упакова́ть (ein)packen.

упла́|та Be-, Aus-zahlung; **~чивать**, **~ти́ть** bezahlen.

уполномо́|ченный Bevollmächtigte(r); **~чи(ва)ть** bevoll-, er-mächtigen.

упо́р Stütze f; **~ный** hartnäckig; Stütz...; **~ство** Hartnäckigkeit f, Starrsinn m.

употре|бле́ние Gebrauch m; Anwendung f; **~бля́ть**, **~би́ть** gebrauchen, anwenden.

упра|вле́ние Verwaltung f; Leitung f; Lenkung f; **~вля́ть** (T) verwalten, leiten; regieren; steuern.

упраж|не́ние Übung f; **~ня́ть(ся)** üben.

упразд|ня́ть, **~ни́ть** aufheben; abschaffen.

упрёк Vorwurf.

упрек|а́ть, **~ну́ть** vorwerfen.

упро|ща́ть, **~сти́ть** vereinfachen.

упру́гий elastisch.

у́пряжь f Pferdegeschirr n.

упря́м|иться hartnäckkig sein od. werden; **~ство** Eigensinn m; **~ый** eigensinnig.

урав|не́ние Gleichmachen; Gleichung f;

~нивать, **уровня́ть** ebnen; gleichmachen, ausgleichen.

урага́н Orkan.

у́ровень m Niveau n; **~ воды́** Wasserspiegel.

уровня́ть s. **ура́внивать**.

уро́д Mißgeburt f; **~ливый** mißgestaltet.

уро|жа́й Ernte f; **~ждённый** geboren; **~жёнец** Eingeborene(r).

уро́к (Schul-)Aufgabe f; Unterrichtsstunde f; Lehre f; Lektion f; дава́ть и. Stunden geben.

уса́дьба (Guts-)Hof m.

уса́|живать 1. усади́ть (hin)setzen; bepflanzen (T mit); 2. **~ся**, усе́сться sich setzen, Platz nehmen.

ус|ва́ивать, **~во́ить** sich aneignen.

усе́рд|ие Eifer m; **~ный** eifrig, strebsam; inbrünstig.

усе́сться s. **уса́живаться**.

уси́ли|(ва)ть verstärken; **~е** Anstrengung f.

уско|ря́ть, **~рить** beschleunigen.

усла́ть s. **усыла́ть**.

усло́в|ие Bedingung f; Vereinbarung f; Voraussetzung f; **~ливать** ся, ~иться abmachen, übereinkommen.

услож|нéние Verwickelung f; ~ня́ть, ~ни́ть verwickeln, komplizieren.

услу́|га Dienst(leistung f) m; Gefallen m; ~жливый dienstfertig; gefällig.

усма́тривать, усмотрéть f (er)sehen.

усми|ря́ть, ~ри́ть besänftigen; bändigen.

усмотрéние Ermessen.

усмотрéть s. усма́тривать.

усовершéнствование Vervollkommnung f.

усомни́ться s. сомневáться.

успе́(вáть)ть zurechtkommen; rechtzeitig hinkommen.

успéх Fortschritt m; Erfolg.

успéшный erfolgreich.

успок|áивать, ~о́ить, beruhigen; ~оéние Beruhigung f; ~о́ительный beruhigend.

устáв Statuten n/pl.

устá(вá)ть müde werden.

устáлый müde.

уста|нáвливать, ~но́вить aufstellen; feststellen, -setzen.

устарéлый veraltet.

устáть s. уставáть.

у́стный mündlich.

устоя́ть pf. standhalten.

устрáивать, устро́ить einrichten; veranstalten.

устра|ня́ть, ~ни́ть beseitigen; (~ся) sich fernhalten.

устре|мля́ть, ~ми́ть richten, lenken.

у́стрица Auster.

устро́ить s. устрáивать.

устро́йство Einrichtung f; Veranstaltung f; Aufbau m; Mechanismus m.

усту́п|áть, ~и́ть abtreten, überlassen; nachgeben; ~ка Abtretung f; Zugeständnis n; Rabatt m.

у́стье Mündung f.

усы́ m/pl. Schnurrbart m.

ус(ы)лáть wegschicken.

усы|плять, ~пи́ть einschläfern.

утвер|ди́тельный bestätigend, bejahend; ~ждáть, ~ди́ть (be-)festigen; bestätigen; behaupten; ~ждéние(Be-) Festigung f; Bestätigung f; Behauptung f.

утёс Fels(wand f).

уте|шáть, ~шить trösten; ~шéние Trost m;

~ши́тельный erfreulich; Trost...

у́тка Ente.

уто|ми́тельный ermüdend; ~мля́ть, ~ми́ть ermüden.

утону́ть s. тону́ть.

утончённый raffiniert.

утоп|ленник Ertrunkene(r); ~и́ть pf. ertränken.

утра́|та Verlust m; ~чивать, ~тить verlieren.

у́трен|ний morgendlich; Morgen..., Früh...; ~ник Matinee f; Morgenfrost.

у́тро Morgen m; до́брое у́тро! guten Morgen!; ~м morgens, am Morgen.

утру|жда́ть, ~ди́ть bemühen.

утю́г Plätteisen n.

утю́жить, вы́~, от~ plätten.

уха́ Fischsuppe.

у́хо (pl. у́ши) Ohr.

ухо́д Weggehen n; Pflege f; ~и́ть, уйти́ weggehen; abfahren; entkommen.

ухудши́ть, '~ить verschlechtern.

уцеле́ть pf. überleben; überstehen.

уча́ст|вовать (в П) teilnehmen (an D.), sich beteiligen; Anteil haben;

~ие Teilnahme f, Anteil m; Mitarbeit f; ~ник Teilnehmer; ~ок Teil, Parzelle f; Abschnitt; Bereich.

у́часть f Los n.

уче́б|ник Lehrbuch n; ~ный Lehr...

уче́ние Lernen; Lehre f.

учени́к Schüler; Lehrling.

учёный gelehrt; Gelehrte(r).

учёт Berechnung f; Registrierung f; Diskont.

учи́лище Schule f.

учи́тель m Lehrer.

учи́ть 1. на~ lehren, unterrichten (Д in D.); 2. вы́~ lernen; ~ся (Д) lernen, studieren.

учре|жда́ть, ~ди́ть gründen, stiften; schaffen; ~жде́ние Gründung f, Stiftung f; Amt; Behörde f; Einrichtung f.

учти́вый höflich; gefällig.

у́ши s. у́хо.

ушко́ Öhr, Öse f.

ушно́й Ohr(en)...

уще́лье Schlucht f.

уще́рб Nachteil, Schaden m.

ую́тный gemütlich; behaglich.

уяс|ня́ть, ~ни́ть klären; klar werden.

Ф

фаб *in Zssgn Abk. für* фабри́чный Fabrik...

фаб|завко́м (фабри́чно-заводско́й комите́т), ~ко́м Betriebsrat.

фа́брика Fabrik.

фабри́чный Fabrik...; ~ рабо́чий Fabrikarbeiter.

факт Tatsache *f;* ~и́ческий faktisch, tatsächlich.

фальши́вый falsch.

фами́лия Zuname *m.*

фа́ра (Auto-)Scheinwerfer *m.*

фарва́тер Fahrwasser *n.*

фа́ртук Schürze *f.*

фарфо́р Porzellan *n.*

фарш *Kochkunst:* Füllsel *n.*

фаса́д Vorderseite *f.*

фасо́ль *f* Schnittbohne.

февра́ль *m* Februar.

федера́ция Bund(esstaat) *m.*

фе́йерверк Feuerwerk(skörper *m*) *n.*

фе́рма Farm.

фестива́ль *m* Festspiele *n/pl.*

фехтова́ть fechten.

фиа́лка Veilchen *n.*

фи́га Feige. [Physik.]

фи́зик Physiker; ~а]

физкульту́ра (физи́ческая культу́ра) Körperkultur.

фикса́ж *Fot.* Fixierbad *n.*

филе́(й) Filet *n.*

фи́лин Uhu.

фильм Film; Lichtspiel *m.*

фильтрова́ть, про~ filtrieren, durchseihen.

фина́нсы *m/pl.* Finanzen *f/pl.*

фи́ник Dattel *f.*

фи́ниш *Sport:* Ziel *n;* Endspurt.

Финля́ндия Finnland *n.*

фи́нский finn(länd)isch.

фиоле́товый violett.

фити́ль *m* Lunte *f*, Zündschnur *f;* Docht.

флаг Flagge *f;* Fahne *f.*

флане́левый flanellen; Flanell...

фле́йта Flöte.

фли́гель *m* Flügel, Seitengebäude *n.*

флот Flotte *f;* (вое́нно-морско́й ~ (Kriegs-)Marine *f;* торго́вый ~ Handelsflotte *f;* ~ский Flotten..., Marine...

флю́гер Wetterfahne *f.*

фля́жка (Reise-)Flasche.

фона́рь *m* Laterne *f*; (*Auto*-)Scheinwerfer.

фонта́н Springbrunnen.

фо́рма Form, Gestalt; Uniform; **лный** formell, förmlich.

фо́рт(оч)ка Schiebefenster *n*.

фотографи́ческий fotografisch; Foto...; **аппара́т** Fotoapparat; **сни́мок** Aufnahme *f*; Lichtbild *n*.

фотогра́фия Fotografie; Fotoatelier *n*; Fotografieren *n*.

Фра́н|ция Frankreich *n*; **2уженка** Französin.

францу́з Franzose; **ский** französisch.

фрахтова́ть, **за** befrachten.

фрукт Frucht *f*; **ы** *pl.* Obst *n*; **о́вщик** Obsthändler.

фунт Pfund *n* (0,41 kg).

фу́ра Lastwagen *m*, Fuhre.

фура́жка (фо́рменная Uniform-)Mütze.

футбо́л Fußball(spiel *n*).

футля́р Futteral *n*.

X

хавта́йм *Sport*: Halbzeit *f*.

хала́т Morgenrock; Arbeitskittel.

ханбо́л *Sport*: Handball (-spiel *n*).

хара́ктер Charakter, Eigenart *f*; **ный** charakteristisch, bezeichnend.

ха́та (Bauern-)Hütte.

хва|ла́ Lob *n*; **ле́бный** lobend; Lob...; **ли́ть**, (по**)** loben, preisen.

хваст|аться, (по**)** prahlen (T mit); **ли́вый** prahlerisch; **у́н** Prahler.

хват|а́ть, **и́ть** fassen;

ergreifen; (P) (aus)reichen, langen. [wald.)

хво́йный лес Nadel-)

хвора́ть krank sein.

хво́рост Reisig *n*.

хвост Schwanz; Schweif.

хвоя́ (Tannen- *usw.*) Nadel(n *pl.*). [kränklich.)

хи́лый schwächlich;)

хи́ми|к Chemiker; **ческий** chemisch; **я** Chemie.

химкомбина́т (хими́ческий комбина́т) chemisches Kombinat *n* (Gruppe chemischer Fabriken).

хитри́ть, **с** (hinter-)

listig (od. schlau) handeln.

хи́тр|ость f Schlauheit, List; ⁓ый schlau, listig.

хи́щ|ник Raubtier n; fig. Räuber; ⁓ный raubgierig; ⁓ный raubgierig.

хладнокро́в|ие Kaltblütigkeit f; ⁓ный kaltblütig.

хлам Gerümpel n.

хлеб Brot n; Getreide n; ⁓ный Brot...; Getreide...

хлебо|па́шество Ackerbau m; ⁓пека́рня Backstube; ⁓со́л Gastfreund.

хлев (Vieh-)Stall.

хло́пать, по⁓, хло́пнуть (laut) schlagen; zuschlagen (Tür).

хло́пок Baumwolle f.

хлопота́ть, по⁓ (о П) sich bemühen (um).

хло́поты f/pl. (о П) Bemühungen, Sorgen (um).

хлопчатобума́жный Baumwoll(en)...

хлыст (Reit-)Peitsche f, Gerte f.

хмел|ь m Hopfen; Rausch; в (od. во) ⁓ю berauscht.

хму́рый trübe, finster.

хо́бот Rüssel m.

ход Gang; Lauf; Verlauf; Eingang; Zug; быть

в ⁓у́ im Gange sein, verkehren; не в ⁓у́ ungebräuchlich.

хода́тай Fürsprecher; ⁓ство Fürsprache f; Bittgesuch.

хода́тайствовать, по⁓ (о П od. за В) sich verwenden (für).

ходи́ть, (Spiel:) gehen; ausspielen; verkehren; ⁓ за (Т) pflegen, warten.

хо́дкий gangbar.

ходу́ля mst pl. Stelze.

хожде́ние Gehen f.

хозя́ин Wirt, Hausherr; Chef.

хозя́й|ка Wirtin, (дома́шняя ⁓ка) Hausfrau; ⁓ничать, (по⁓) wirtschaften; ⁓ство Wirtschaft f; Haushalt(ung f) m.

холм Hügel m.

хо́лод Kälte f; ⁓éть, (по⁓) kalt werden, erkalten; ⁓и́льник Kühler, Kühlraum; ⁓и́ть, (о⁓) kaltmachen, (ab-)kühlen; ⁓ный kalt; ⁓ное kalt; ⁓ные Speisen f/pl.

холо|сто́й ledig; Jung-gesellen...; Leer...; ⁓стя́к Junggeselle.

холст Leinen n, Leinwand f.

хорово́д Reigen(tanz).

хорони́ть, с~, по~ beerdigen.

хоро́|ший gut; (жела́ю вам) всего́ ~шего! (ich wünsche Ihnen) alles Gute!

хоте́ть, за~ wollen; begehren; мне хо́чется ich will, ich habe Lust, ich möchte.

хоть obgleich; selbst; wenigstens; wenn auch.

хотя́ obwohl, obgleich; ~ бы selbst wenn.

хо́хот lautes Gelächter n; ~а́ть laut lachen.

хра́бр|ость f Tapferkeit, Mut m; ~ый tapfer;)

храм Tempel. [kühn.)

хран|е́ние Aufbewahrung f; ~и́лище Aufbewahrungsstelle f; ~и́ть (auf)bewahren.

храпе́ть schnarchen.

хребе́т Rückgrat n; Bergrücken.

хрен Meerrettich.

хри́п|лый heiser; ~нуть, (о~) heiser werden.

христиа́н|и́н Christ; ~ский christlich; Christen-.

хрома́ть, за~ hinken.

хромо́й lahm; Lahme(r).

хромофотогра́фия Farbfotografie.

хро́ника Tagesbericht m; Film: Wochenschau; Chronik. [schwächlich.)

хру́пкий zerbrechlich;)

хруста́лик Linse f (des Auges). [(-glas) n.)

хруста́ль m Kristall)

хруст|е́ть, ~нуть knistern, knirschen. [zen.)

хрю́к|ать, ~нуть grun-)

хря́щ Knorpel; Kies.

худе́ть, по~ mager werden.

худо́ж|ественный künstlerisch; Kunst-...; ~ник Künstler...; ~ник Künstler; Maler.

худо́й schlecht; mager.

хулига́н Strolch; Rowdy.

Ц

цара́п|ать 1. ([п]о~), ~нуть kratzen; ritzen; 2. (рас~) zerkratzen; ~ина Schramme, Kratzwunde.

царе́в|ич Zarewitsch;

(Märchen-)Prinz; ~на Zarewna; Prinzessin.

цари́ца Zarin.

ца́рство Zarenreich; ~вать fig. herrschen; Zar: regieren.

царь *m* Zar.

цвести́, за~ blühen.

цвет (*pl.*: ~á) Farbe *f*; (*pl.*: ~ы́) Blüte *f*; Blumen *f*/*pl.*; *nur sg. fig.* Blüte *f*; Elite *f*; ~но́й farbig, bunt; ~óк Blume *f*.

цеди́ть, про~ (durch-) filtrieren.

целе́|бный heilsam; ~сообра́зный zweckmäßig; ~устремлённый zielbewußt.

целико́м im ganzen.

целова́ть, по~ küssen.

целому́дренныйkeusch.

це́лый ganz; unversehrt.

цель *f* Ziel *n*; Zweck *m*.

цена́ Preis *m*.

цени́ть schätzen.

центра́льн|ый zentral; Zentral...; ~ая телефо́нная ста́нция Telefonzentrale.

цепь *f* Kette; ~ то́ка Stromkreis *m*.

церемо́|ниа́льный zeremoniell; '~ния Zeremonie.

це́рковь *f* Kirche.

цех *hist.* Zunft *f*, Innung *f*; (Werk-)Abteilung *f*.

цирк Zirkus.

ци́ркуль *m* Zirkel.

ци́фра Ziffer, Zahl.

ЦК (Центра́льный Комите́т) ZK (Zentralkomitee *n*); ~ КПСС ZK der KPdSU.

цыга́н Zigeuner.

цыплёнок Küken *n*.

Ч

чад Dunst, Qualm.

чай Tee; дать на ~ ein Trinkgeld geben.

ча́йка Möwe.

чай|ник Teekanne *f*; ~ный Tee...; ~ная Teestube.

чан Bottich, Kübel.

час Stunde *f*; кото́рый ~? wie spät ist es? ~ (два ~á, пять ~óв) (es ist) ein (zwei, fünf) Uhr; тро́е ~óв drei Uhren

f/*pl.*; он на ~а́х er steht Wache.

часо́вня Kapelle.

часов|о́й Stunden..., Uhr...; Schildwache *f*, Posten; ~щи́к Uhrmacher.

ча́ст|ность *f* Besondere(s) *n*; Einzelheit; Detail *n*; в ~ности im einzelnen, insbesondere; ~ный einzeln; besonder(e)r; Privat...

ча́стый oft, häufig; dicht.

часть f Teil m; Fach n; Abteilung f; пя́тая ~ Fünftel n.

часы́ pl. Uhr f.

чах|лый abgezehrt, siech; ~нуть, (за~) (dahin)siechen.

ча́ша Schale; Becher m; Kelch m.

ча́шечка Täßchen n; (Blüten-)Kelch m.

ча́шка Tasse; Schale; (коле́нная ~) Kniescheibe.

ча́ща Dickicht n.

ча́ще öfter(s); dichter.

чего́ wessen; для ~ wozu.

чей, чья, чьё, pl.: чьи wessen? wem gehörig?

чек Scheck m.

чёлн, челно́к (Baum-) Kahn, Kanu n.

челове́|к Mensch; ~ческий menschlich; Menschen...; ~чность f Menschlichkeit, Humanität; ~чный menschlich, human.

че́люсть f Kinnlade; Kiefer m; (вставна́я) (künstliches) Gebiß n.

чемода́н Reisekoffer; Koffer.

чем womit; ~ ... тем je ... desto; ~ бо́льше

größer als: о чём wovon, worüber?

черво́нец Tscherwonez (= 10 Rubelschein).

чер|вь m, ~вя́к Wurm.

черда́к Boden(raum) m.

чередова́ть(ся) der Reihe nach folgen, abwechseln.

че́рез (В) durch; über (A.).

че́реп Schädel; Hirnschale f; ~а́ха Schildkröte; Schildpatt n; ~а́ховый Schildpatt...; ~и́ца Dachziegel m.

чересчу́р (all)zu sehr; viel zu.

черни́|ка Blau-, Heidelbeeren f/pl.; ~ла n/pl. Tinte f; ~льница Tintenfaß n.

черно|ви́к Konzept n, Entwurf m; ~во́й im Entwurf; ~гла́зый schwarzäugig; ~зём Schwarzerde f; ~ле́сье Laubwald m; ~рабо́чий ungelernter (Schwer-)Arbeiter; ~сли́в gedörrte Pflaumen f/pl.

чёрный schwarz; dunkel; на ~ день für den Notfall. [hart.]

чёрствый vertrocknet,

чёрт Teufel.

черта́ Strich m, Linie; (Gesichts-)Zug m.

чертёж (Linear-)Zeichnung *f*, Riß.

черти́ть, на~ zeichnen, entwerfen.

чеса́ть 1. kämmen; **2. по~** kratzen; **~ся** jukken.

чесно́к Knoblauch.

чесо́тка Krätze.

чествовать ehren; j-n feiern.

че́стн|ый ehrlich; **~ое сло́во!** auf Ehre(nwort)!

честолю́би|вый ehrgeizig; **'~бие** Ehrgeiz *m*.

честь *f* Ehre.

чета́ Paar *n*.

четве́рг Donnerstag; **по~ а́м** donnerstags.

четвёрка Vier (*Karte usw.*).

че́тверт|ь *f* Viertel *n*; **~ь го́да** Vierteljahr *n*, Quartal *n*; **~ без ~ и три** drei Viertel drei.

чёткий leserlich; deutlich; klar.

четырёхуго́льник Viereck *n*.

чехо́л Überzug; Futteral *n*.

Чехослова́кия Tschechoslowakei.

чечеви́ца Linse.

чешуя́ (ры́бья Fisch-) Schuppe.

чин Rang(stufe *f*).

чини́ть 1. по~ ausbessern; **2. о~** (an-) spitzen.

чино́вник Beamte(r); Bürokrat.

чи́слиться (T) rechnen (unter *A.*), zählen (zu).

числ|о́ Zahl *f*; Datum; **како́е сего́дня ~о?** den wievielten haben wir heute?; **в том ~е** darunter.

чи́ст|ить, (по~) reinigen, putzen; fegen; **~ить (щёткой)** bürsten; **~ка** Reinigung, Säuberung; **Reinigen** *n*.

чисто|кро́вный rassig; Vollblut...; **~пло́тный** reinlich; ehrlich; **~серде́чный** offenherzig; **~та́** Reinlichkeit; Reinheit.

чи́стый rein(lich), sauber; klar; Rein...

чита́|льня Lesehalle, -zimmer *n*; **~тель** *m* Leser; **~ть, (п[р]о~),** **прочесть** (vor)lesen; halten (*Vorlesungen usw.*).

чиха́ть, чихну́ть niesen.

член Glied *n*; Mitglied *n*; *Gram.* Artikel; **'~ский** Mitglieds...; **~ство** Mitgliedschaft *f*.

чо́порный geziert, prüde.

чорт *s.* чёрт.

чрез|вычáйный außerordentlich; **~мéрный** übermäßig.

чтéние Lesen; Lektüre *f.*

что was; daß; warum; wo(r)..., *z.B.* для чегó wozu, wofür; ~ за was für ein(e); нé за (благодарúть) keine Ursache (zu danken).

чтóб(ы) daß; auf daß, damit; um (zu).

чтó|-либо, ~-нибудь, ~-то (irgend) etwas.

чýвственный sinnlich.

чувствúтельный empfindlich; empfindsam; fühlbar.

чýвство Gefühl; Sinn *m*; без чувств besinnungslos; **~вать, (по~)** fühlen, empfinden.

чугýн Gußeisen *n*; gußeiserner Topf.

чудáк Sonderling.

чудéсный wunderbar.

чýдный wundervoll.

чýдо Wunder; **'~вище** Ungeheuer.

чужбúна Fremde.

чуждый, чужóй fremd.

чулáн Vorratskammer *f.*

чулóк Strumpf.

чумá Pest.

чýткий hellhörig; feinfühlig.

чуть kaum; ~ не fast, beinahe.

чутьё (Fingerspitzen-)Gefühl; Witterung *f*; Spürsinn *m.*

чýчело Vogelscheuche *f*; ausgestopftes Tier.

чýять, по~ empfinden, wittern.

Ш

шаг Schritt; **~áть, (за~), ~нýть** schreiten; **'~ом** im Schritt.

шáйка Kübel *m*; Bande.

шалúть ausgelassen (*od.* unartig) sein.

шáлость *f* Mutwille *m*; Streich *m.*

шалýн Wildfang; Schelm.

шалфéй ⚕ Salbei *m od. f.*

шаль *f* Schal *m.*

шампáнское Sekt *m*; Champagner *m.*

шанс Chance *f.*

шантáж Erpressung *f.*

шáпка Mütze, Kappe.

шар Kugel *f*; воздýшный ~ Luftballon; земнóй ~ Erdkugel *f.*

шармáн|ка Leierkasten *m*; **~щик** Leiermann *m.*

шарова́ры f/pl. Pluder-, Pump-hose(n pl.) f.

шарф Halstuch n.

шасси́ n Wagengestell.

шата́ть, (по)шата́ть schütteln; **~ся** (sch)wanken.

ша́ткий (sch)wankend; wankelmütig.

шах Schah; Schach n (dem König); **~ма́тист** Schachspieler; **~ма́ты** m/pl. (игра́ в **'~ма́ты**) Schach(spiel) n.

шах́т|а Schacht m, Zeche; **~ёр** Grubenarbeiter, Kumpel.

ша́шк|а Stein m; **~и** pl. Damespiel n.

шве́дский schwedisch.

шве́йный Näh...; Schneider...; Konfektions...

швейца́р Portier; **~ец** Schweizer; **~ня** Schweiz.

Шве́ция Schweden n.

швея́ Näherin.

шеве|ли́ть, (по~), **~льну́ть** bewegen, rühren.

ше́йный Hals...

ше́лест (leises) Rauschen n; **~е́ть** od. **~и́ть** säuseln.

шёлк Seide f.

шелково́дство Seidenzucht f.

шёлковый seiden(artig); Seiden...

шелуха́ Hülse, Schale.

шепеля́вить lispeln.

шёпот Geflüster n.

шепта́ть, про~, **шепну́ть** flüstern (на́ ухо ins Ohr).

шерсть f Wolle; Fell n; Wollstoff m. [Woll...]

шерстяно́й wollen)

шерша́вый rauh, zottig.

ше́ршень m Hornisse f.

шест Stange f.

ше́ствие Gang m; Zug m. [Triebrad n.]

шестерня́ Zahnrad n;

шеф Chef; Pol. Pate; **'~ский** Patenschafts...

шея́ Hals m.

ши́на Schiene; ☛ пневмати́ческая ~ Luftreifen m. [mantel m.]

шине́ль f Uniform(en-

ши́ны f/pl. Bereifung f.

шип Dorn, Stachel; Zapfen, Dübel.

шипе́ть, про~, за~ zischen; brausen.

шипу́чий moussierend; brausend; Schaum...

ширина́ Breite; Weite.

широ́кий breit; weit (-gehend); fig. schrankenlos.

широта́ Breite; Weite.

ширпотре́б (това́ры широ́кого потребле́ния) Gebrauchs-, Bedarfsartikel m/pl.

шить, с~ nähen (lassen); sticken.

шитьё Näharbeit *f*; Sticken/ Stickerei *f*.

шифр Chiffre *f*; Geheimschrift *f*.

шишка Beule; Zapfen *m*.

шкаф Schrank.

шквал Windstoß.

школа Schule.

школьный Schul...

шкура Fell *n*, Balg *m*.

шлагбаум Schlagbaum.

шлем Helm.

шлюз Schleuse *f*.

шляпа Hut *m*.

шмель *m* Hummel *f*.

шнур Schnur *f*; ~óк Schnürsenkel.

шов Naht *f*; Fuge *f*.

шоколад Schokolade *f*.

шорник Sattler.

шорох Geräusch *n*; Geraschel *m*.

шоссе Chaussee *f*.

шофёр   Chauffeur, (Auto-)Fahrer.

шпага Degen *m*.

шпалеры *f/pl* Spalier *n*.

шпион Spion.

шпора Sporn *m*.

шрам   Schramme   *f*, Schmiß.

шрифт(Druck-)Schrift/.

штаб Stab; генеральный   ~   Generalstab; ~ной Stabs...

штатный etatmäßig; Etat...

штатский zivil; Zivil...

штемпелевать stempeln.

штемпель *m* Stempel.

штепсель *m* Steckdose *f*. [(Strümpfe).\

штопать, за~ stopfen/

штопор Korkzieher; ✕ Steilflug.

штора Rollvorhang *m*; Store *m*.

штраф (Geld-)Strafe *f*.

штудировать,   про~ studieren, durcharbeiten.

штука Stück *n*. [ten.\

штурман Steuermann.

штурмовать   (er)stürmen.

штык Bajonett *n*.

шуба Pelz *m*.

шулер Falschspieler.

шум Lärm, Geräusch *n*; Aufsehen *n*; ~ в ушах Ohrensausen *n*; ~éть, (про~) lärmen; rauschen; ~ный lärmend; laut.

шумовой   оркестр Jazzband *f*.

шурин Schwager (*Bruder der Frau*).

шут Possenreißer; ~ить, (по~) lachen, scherzen; ~ка Spaß *m*; не на~ку nicht zum Spaß; ~ливый scherzhaft.

Щ

щади́ть, по~ (ver)scho-
nen.

ще́бень *m* Steinschutt;
Schotter.

щебета́ть zwitschern.

щёголь *m* Modenarr.

щего|ля́ть, ~льну́ть
sich putzen; prunken.

ще́дрый freigebig; reich
(-lich).

щека́ Wange, Backe.

щекота́ть, по~ kitzeln.

щёлк|ать, ~нутьschnal-
zen; schlagen; (auf-)
knacken.

щёло|к, ~чь *f* Lauge.)

щель *f* Spalte, Ritze.

щено́к junger Hund.

щепети́льный gewis-
senhaft.

ще́пка (Holz-)Span *m*.

щети́на Borste(n *pl.*).

щётка Bürste.

щи *f/pl.* Kohlsuppe *f*.

щико́л(от)ка Knöchel.

щипа́ть kneifen; beißen,
rupfen.

щипцы́ *m/pl.* Zange *f*;
~ для зави́вки Brenn-
schere *f*.

щит Schild; Kotflügel.

щу́ка Hecht *m*.

щу́пать, по~ betasten;
fühlen; sondieren.

щу́рить zs.-kneifen
(*Augen*).

Э

эваку|а́ция Evakuie-
rung; **~и́ровать** eva-
kuieren.

эгои́зм Selbstsucht *f*.

эква́тор Äquator.

экзаменова́ть, про~ ex-
aminieren, prüfen; **~ся**
sich prüfen lassen; ge-
prüft werden.

экземпля́р Exemplar *n*.

экипа́ж Wagen;
(Schiffs-, Flugzeug-)
Besatzung *f*.

эконо́мить, (с~) haus-
halten, sparen.

экра́н (Ofen-)Schirm;
Kino: Lein-, Film-wand
f. [ge(r), Gutachter.)

экспе́рт Sachverständi-)

э́кстренный außer-
ordentlich; Extra...,
Sonder...; dringend, Eil-
...

элега́нтный elegant.

электр|и́ческий elek-
trisch; Glüh...; **~ово́з**

elektrische Lokomotive *f*; ~одви́гатель *m*, ~омото́р Elektromotor.

элемента́рный elementar, einfach; Elementar...

эма́ль *f* Email(le *f*) *n*.

эмигра́ция Auswanderung; Emigration.

э́ра Zeitrechnung; Ära.

эска́дра ⚓ Geschwader *n*.

эскадри́лья ✈ Geschwader *n*.

эскала́тор Rolltreppe *f*.

эски́з Skizze *f*, Entwurf.

эта́ж Stock(werk *n*); в три ~а́ dreistöckig.

э́тот, э́та, э́то, *pl.*: э́ти diese(r, s); da(r)...: в э́том darin; за э́то dafür; э́тим damit; что э́то с ва́ми (тако́е)? was fehlt Ihnen denn eigentlich?

этю́д Etüde *f*, Studie *f*.

эфи́р Äther.

эффе́ктный wirkungsvoll.

эшафо́т Schafott *n*.

Ю

юби|ле́й Jubiläum *n*; ~ля́р Jubilar.

ю́бка (*Frauen*-)Rock *m*; ни́жняя ~ Unterrock *m*.

ювели́р Juwelier.

юг Süd(en).

Югосла́вия Jugoslawien *n*.

ю́жный südlich; Süd...

ю́мор Humor.

ю́но|сть *f* Jugend; ~ша *m* Jüngling; ~шество Jugend(zeit) *f*.

ю́ный jung, jugendlich.

юриди́ческий juristisch; Rechts...

юсти́ция Rechtspflege; Justiz.

Я

я ich.

я́блоко Apfel *m*.

я́вка Erscheinen *n*.

явле́ние Erscheinung *f*; Auftritt *m*, Szene *f*.

явля́ться, яви́ться er-

scheinen, sich zeigen; kommen.

я́вный offensichtlich.

ягнёнок Lamm *n*.

я́года Beere. [giftig.]

яд Gift *n*; ~ови́тый

ядро́ Kern *m.*

я́зва Wunde, Geschwür *n.*

язы́к Zunge *f*; Sprache *f*; Klöppel (*an Glocken*).

язы́ч|еский heidnisch; **~ник** Heide.

яи́чница Rührei *n.*

яйцо́ Ei.

я́кор|ь *m* Anker; **стоя́ть на ~е** vor Anker liegen, ankern; **стать на ~ь** vorAnker gehen, ankern.

я́лик Jolle *f*, Kahn.

я́ма Grube.

ямщи́к Postkutscher.

янва́рь *m* Januar.

янта́рь *m* Bernstein.

япо́н|ец Japaner; **~ский** japanisch.

я́ркий markant; grell.

ярлы́к Etikett *n.*

я́рмарка Jahrmarkt *m.*

ярмо́ Joch; *fig.* Last *f.*

я́рость *f* Wut, Grimm *m.*

я́рус Schicht *f*; *Thea.* Rang.

я́сли *pl.* Krippe *f.*

яснѣ́ть hell werden, (sich) aufheitern.

я́сный hell, klar; deutlich.

ячѐйка (Bienen-)Zelle; **партѝйная ~** Parteizelle. [Gerstenkorn *n.*]

ячме́нь *m* Gerste *f*;]

я́щерица Eidechse.

я́щик Kasten, Kiste *f*; **выдвижно́й ~** Schublade *f.*

A

Aal *m* у́горь.

Aas *n* па́даль *f*, мертвечи́на.

ab с, от (P); **auf und ~** взад и вперёд; **~ und zu** вре́мя от вре́мени.

abändern (видо)изменя́ть [-ни́ть].

Abart *f* разнови́дность.

Abbau *m* 𝄢 го́рная разрабо́тка; пониже́ние; сокраще́ние; **~en** разраба́тывать [-бо́тать]; (*vermindern*) уменьша́ть [-шить]; *Preise:* понижа́ть [пони́зить]; *Beamte:* сокраща́ть [-ати́ть].

abbeißen отку́сывать [-си́ть].

abberufen отзыва́ть [отозва́ть].

abbestellen отменя́ть [отмени́ть] зака́з на (В).

abbilden изобража́ть [-зи́ть]; *Su.* изображе́ние, иллюстра́ция.

abblenden затемня́ть [затемни́ть].

abbrechen отла́мывать [-ломи́ть]; прекраща́ть [-ати́ть]; сноси́ть [снести́] (зда́ние).

abbrennen сжига́ть [сжечь]; *v/i. Sachen:* сгора́ть [-ре́ть].

abbringen отгова́ривать [-вори́ть]; **vom Wege ~** сбива́ть с пути́.

Abbruch *m* слом; прекраще́ние; 𝄢 снос.

abbürsten [по]чи́стить (щёткой).

abdanken выходи́ть [вы́йти] в отста́вку.

abdecken снима́ть [снять]; уб(и)ра́ть (со стола́).

Abdruck *m* отпеча́ток; о́ттиск; **~en** отпеча́т(ыв)ать.

Abend *m* ве́чер; (*Westen*) за́пад; **guten ~!** до́брый ве́чер!; **zu ~ essen** [по]у́жинать; **~brot**, **(~essen)** *n* у́жин; **~blatt** *n* вече́рняя газе́та; **~dämmerung** *f* су́мерки *f/pl.*; **~land** *n* За́пад; **~rot** *n* вече́рняя заря́; **~s** ве́чером.

Abenteu|er *n* авантю́ра; приключе́ние; **~rer** *m* авантюри́ст.

aber а, же, да; (*jedoch*) одна́ко; **~ nein!** да нет же!

Aber|glaube m суеве́рие; **2gläubisch** суеве́рный.

abermals вторично; сно́ва, опя́ть.

abfahren уезжа́ть [уе́хать], отправля́ться [-а́виться]; *Zug usw.*: отходи́ть [отойти́], отъезжа́ть [-е́хать].

Abfahrt f отъе́зд, отхо́д; ⚓ отплы́тие.

Abfall m отпаде́ние; отбро́сы m/pl.; му́сор; 2en спада́ть [спасть]; отпада́ть [-па́сть]; отва́ливаться [-ли́ться]; *Laub*: опада́ть [опа́сть]; *(abmagern)* [по]худе́ть.

abfassen составля́ть [-а́вить].

abfeilen спи́ливать [спили́ть].

abfertigen *Zug usw.*: отправля́ть [-а́вить]; *Su.* отправле́ние.

abfeuern вы́стрелить.

abfinden удовлетворя́ть [-ри́ть]; расплачиваться [-ати́ться]; sich ~ примиря́ться [-ри́ться].

abfliegen от-, вы-, у-лета́ть [-те́ть].

abfließen стека́ть [стечь].

Abflug m ✈ вы́лет; отлёт.

Abfluß m сток.

Abführmittel n слаби́тельное (сре́дство).

Abgabe f отда́ча; *(Steuer)* нало́г; *(Gebühr)* сбор.

Abgang m отхо́д; ~s... выводно́й; **~szeugnis** n выпускно́е свиде́тельство.

Abgas n отходя́щий газ.

abgeben от-, с-да(ва́)ть.

abgedroschene Redensart изби́тое выраже́ние.

abgehen отходи́ть [отойти́]; *Haut*: сходи́ть [сойти́]; *(weggehen)* уходи́ть [уйти́]; **von der Schule ~** вы́быть из шко́лы.

abgekürzt сокращённый.

abgelegen отдалённый.

abgeneigt нерасположе́нный.

Abgeordnete(r) m/f депута́т, вы́борный; **~nhaus** n, **~nkammer** f пала́та депута́тов.

Abgesandte(r) m/f по́сланник; делега́т.

abgesehen davon поми́мо того́.

abgespannt утомлённый, уста́лый.

abgestanden вы́дохший-ся.

abgestumpft приту́пленный.

abgewöhnen отуча́ть [отучи́ть]; sich ~ отвыка́ть [отвы́кнуть].

Abglanz m о́тблеск.

Abgott m и́дол, куми́р.

Abgrund m бе́здна.

abhalten уде́рживать [-жа́ть]; (hindern) [по]меша́ть; Versammlung: проводи́ть [-вести́].

abhandeln: vom Preise ~ вы́торг(ов)ать.

abhanden kommen пропада́ть [-па́сть].

Abhandlung f сочине́ние; статья́; gelehrte ~ труд; тракта́т. [~ обры́в.]

Abhang m склон; steiler]

abhängen снима́ть [снять]; отцепля́ть [отцепи́ть]; Tel. ве́шать [пове́сить] тру́бку.

abhängig (von) зави́симый (от); ~2keit f зави́симость.

abhärten (sich) закаля́вать(ся) [-ли́ть(ся)].

abhauen отсека́ть [отсе́чь]; сруба́ть [-би́ть].

abheben снима́ть [снять].

abhetzen: sich ~ замучи́ться.

Abhilfe f по́мощь.

abholen заходи́ть [зайти́]; mit dem Wagen: заезжа́ть [зае́хать] за (Т); ~ lassen пос(ы)ла́ть за (Т).

Abitur n экза́мен на аттеста́т зре́лости.

Abkommen n сде́лка, угово́р; соглаше́ние.

abkömmlich sein мочь отлучи́ться.

Abkömmling m пото́мок.

abkühlen (sich) охлажда́ть(ся) [-ди́ть(ся)]; Su. охлажде́ние.

abkürzen сокраща́ть [сократи́ть]; Su. сокраще́ние.

abladen выгружа́ть [вы́грузить].

ablassen пуска́ть [-сти́ть]; Dampf: выпуска́ть [-стить]; (vom Preise) ~ уступа́ть [-пи́ть] в цене́; ~ von броса́ть [бро́сить].

Ablauf m тече́ние; ~ der Ereignisse ход собы́тий.

ablaufen стека́ть [стечь]; ока́нчиваться [око́нчиться]; истека́ть [исте́чь].

Ableben n кончи́на.

ablegen снима́ть [снять]; Prüfung: сдава́ть [сдать].

ablehnen отклоня́ть [отклони́ть]; отка́зываться [-за́ться]; Su. отка́з. [(бы́ть).]

ableisten отбыва́ть [от-]]

ablenken отвлека́ть [отвле́чь]; отклоня́ть [отклони́ть]; Su. отвлече́ние; отклоне́ние; Phys. девиа́ция.

ableugnen отрица́ть.

abliefern сда(ва́)ть.

ablösen отвя́зывать [отвязать]; *Wache usw.:* сменйть [-нйть].

abmachen услáвливаться [-лóвиться]; договáриваться [-рйться]; **abgemacht!** по рукáм!, решенó!; *Su.* угóвор.

abmagern [по]худéть.

Abmarsch *m* выступлéние; ♀ieren выступáть [-пить] (в похóд).

abmeld|en (*j-n*) отмечáть [-éтить]; **sich ~en** выпис(ыв)áться на вьезд; отмечáться [-éтиться] на вьезд; *polizeiliche* ♀**ung** *f* отмéтка в полйции о вьезде.

abmessen отмéривать *u.* -мéрять [-мéрить].

abmontieren разбирáть [разобрáть]; демонтйровать.

Abnahme *f* отнятие; *e-r Rechnung usw.:* п(р)овéрка; ♱ покýпка; (*Verminderung*) уменьшéние.

abnehmen снимáть [снять]; ♱ отнимáть [-нять]; (*abkaufen*) покупáть [купйть]; (*sich vermindern*) уменьшáться [-шйться]; [по]терять (*an D.* в П).

Abnehmer *m* покупáтель.

Abneigung *f* отвращéние

(gegen к); нераспо-ложéние; антипáтия.

abnutzen изнáшивать [износйть].

abonnieren подпйсываться [-сáться]; абонйровать(ся).

abordnen пос(ы)лáть; делегйровать; *Su.* делегáция.

Abort *m* убóрная; отхóжее мéсто; ♀ абóрт.

abpflücken срывáть [сорвáть].

abputzen очищáть [очйстить].

abraten отсовéтовать.

abräumen уб(и)рáть со столá.

abrechnen отчислять [-йслить]; рассчйтываться [-тáться]; *Su.* вьчет; расчёт.

Abrede *f* угóвор, сдéлка; **in ~ stellen** отрицáть.

abreiben стирáть [стерéть]; обтирáть [-терéть]; *Su.* ~ обтирáние.

Abreise *f* отъéзд; ♀n уезжáть [уéхать]; отправляться [-áвиться].

abreißen срывáть [сорвáть]; отрывáть(ся) [оторвáть(ся)]; *Kleidung:* сносйть.

abrichten приучáть [приучйть]; [вь]дрессировáть.

Abriß m чертёж; о́черк.

abrunden о-, за-кругля́ть [-ли́ть].

abrüst|en разоружа́ть(ся) [-ружи́ть(ся)]; Su. разоруже́ние; **2ungsbestimmungen** f/pl. постановле́ния n/pl. о разоруже́нии.

abrutschen ска́тываться [-ти́ться]; соска́льзывать [-кользну́ть].

Absage f отка́з; **2n** отка́зывать [-за́ть].

Absatz m (Schuh2) каблу́к; (Treppen2) площа́дка; Typ. абза́ц; **~gebiet** n райо́н сбы́та.

abschaffen отменя́ть [отмени́ть]; ликвиди́ровать; Amt: упраздня́ть [-ни́ть]; Su. уничтоже́ние, отме́на.

abschätzen оце́нивать [-ни́ть]; Su. оце́нка.

Abscheu m mod.: f отвраще́ние; **2lich** ме́рзкий; отврати́тельный.

abschicken отсыла́ть [отосла́ть].

Abschied m проща́ние; отста́вка; **~ nehmen** проща́ться [прости́ться]; **~sgesuch** n проше́ние об отста́вке.

abschießen сбить вы́стрелом; вы́стрелить.

Abschlag m im Preise: усту́пка; скидка; **2en** отби(ва́)ть; Kopf: отсека́ть [-се́чь]; отка́зывать [-за́ть].

abschlägig отрица́тельный; **~e Antwort** отка́з.

abschließen запира́ть [запере́ть] на ключ; Vertrag: заключа́ть [-чи́ть]; (beendigen) зака́нчивать [-ко́нчить].

Abschluß m заключе́ние, оконча́ние.

abschneiden отреза́ть [отре́зать].

Abschnitt m глава́; отре́зок; уча́сток; купо́н.

abschrauben отви́нчивать [-нти́ть].

abschrecken устраша́ть [-ши́ть].

abschreiben с-, перепи́сывать [-са́ть]; Su. перепи́ска.

Abschrift f ко́пия.

abschüssig пока́тый.

abschwächen ослабля́ть [осла́бить]; смягча́ть [-чи́ть].

abschweifen уклоня́ться [-ни́ться] (vom Thema от те́мы).

abseits в стороне́.

absenden s. abschicken.

Absender(in f) m отправи́тель(ница).

absetzen увольня́ть [уво́лить]; ✝ сбы(ва́)ть.

Absicht f наме́рение; у́мысел; 2lich (пред-)наме́ренный; умы́шленный; adv. наро́чно.

Absolutismus m абсолюти́зм; самодержа́вие.

absondern обособля́ть [-о́бить]; **sich ~** уедини́ться [-ни́ться]; обособля́ться [-о́биться]; 🞋 выделя́ть [-лить]; Su. 🞋 выделе́ние; обосо́бленность f.

absperren за-, о(т)-гора́живать [-роди́ть].

absprechen оспа́ривать [оспо́рить], отрица́ть.

abspringen соска́кивать [соскочи́ть]; спры́гивать [-гнуть].

abspülen спола́скивать [-лосну́ть].

abstammen происходи́ть [-изойти́]; Su. происхожде́ние.

Abstand m диста́нция, расстоя́ние; **~ nehmen** отка́зываться [-за́ться].

abstech|en отлича́ться (gegen, von от); 2er m недалёкая пое́здка, экску́рсия.

absteigen сходи́ть [сойти́] спуска́ться [-сти́ться] (von с P); остана́вливаться [-нови́ться].

abstempeln [от]шлева́ть.

absterben [о]мер отмира́ть [отме Glieder: [о]неме́т

Abstieg m спуск

abstimmen голос Su. голосова́ние.

Abstinenzler m щий, тре́звенник

abstoßen от-, с вать [-толкну́т отврати́тельный.

abstreiten оспа́ [оспо́рить].

abstumpfen прит [-пи́ть].

Abteil n отделе́ние

abteilen отделя́ть [Su. отделе́ние, 🞋 отря́д; Fabrik

Abtreibung f 🞋

abtrennen отделя́ делить]; отпа́ [-поро́ть].

abtreten уступа́ть [Su. усту́пка.

abtrocknen вы-, ра́ть [-тере́ть].

abtrünnig вероло́ измени́вший.

abwägen взве́ш [взве́сить].

abwälzen сва́ливать ли́ть].

abwarten [подо́] вы́ж(и)да́ть.

abwärts вниз (по

abwaschen с-, об-мы́(ва́)ть; [вы́]мыть.

abwechs|eln чередова́ть; **sich ~eln** чередова́ться; **2lung** f разнообра́зие.

Abweg m ло́жный путь.

Abwehr f оборо́на.

abweichen уклоня́ться [-ни́ться]; отлича́ться [-ни́ться]; отклоня́ться [-ни́ться]; z.B. Briefmarken: отма́чивать [-мочи́ть].

abweisen отка́зывать [-за́ть]; отклоня́ть [-они́ть]; Su. отка́з.

abwenden (пред)отвраща́ть [-ати́ть]; **sich ~** отвора́чиваться [-верну́ться]; [сбро́сить].

abwerfen сбра́сывать [сбро́сить].

abwesen|d отсу́тствующий; **~d sein** отсу́тствовать; **2heit** f отсу́тствие.

abwischen вы-, с-тира́ть [-тере́ть].

Abzahlung f платёж в рассро́чку; **auf ~** в рассро́чку.

Abzeichen n знак, значо́к.

Abziehbild n перево́дная карти́н(к)а.

abziehen ✕ снима́ть [снять] v/t.; ста́скивать [стащи́ть]; A отчисля́ть [отчи́слить]; вычита́ть [вы́честь]; Typ. ти́скать

Abzug m ✕ отхо́д; vom Preise: ски́дка; вы́чет; Typ. о́ттиск; Fot. ко́пия; Feuerwaffe: спуск.

abzweigen ответвля́ть [-ся] [-етви́ть(ся)]; Su. ответвле́ние.

Achse f ось.

Achsel f плечо́.

Acht f (Aufmerksamkeit) внима́ние; **in 2 nehmen** (vor D.) остерега́ться [-ре́чься] (Р).

achtbar почте́нный.

achten почита́ть, уважа́ть; **~ = achtgeben** (auf A.) обраща́ть [-рати́ть] внима́ние (на В); присма́тривать [-смотре́ть].

Achtstundentag m восьмичасово́й рабо́чий день.

Achtung f почте́ние, уваже́ние; **~!** береги́(те)сь! внима́ние!

Acker m па́шня; по́ле; **~bau** m хлебопа́шество; **~boden** m па́хотная земля́.

Addition f сложе́ние.

Adel m дворя́нство; аристокра́тия; **2ig** дворя́нский; **~s...** дворя́нский.

Ader f (a. ✄) жи́ла; жи́лка; кровено́сный сосу́д; **~laß** m кровопуска́ние.

Adler m орёл.

Admiralität f адмиралте́йство; вы́сший кома́ндный соста́в фло́та.

adoptieren усыновля́ть [-ви́ть].

Adressat m адреса́т.

Adreßbuch n а́дресная кни́га.

Adress|e f а́дрес; **2ieren** адресова́ть (**an** A. Д).

Affe m обезья́на.

Afrika n 'Áфрика); **~ner** m африка́нец.

After m за́дний прохо́д; ана́льное отве́рстие.

Agent m аге́нт; **~ur** f аге́нтство, агенту́ра.

Agitation f агита́ция; **~s- und Propagandaabteilung** f агитпро́п); **~s-** агитацио́нный.

agitieren агити́ровать.

Agrar... агра́рный; земе́льный.

Ahle f ши́ло.

Ahn m пре́док; родонача́льник.

ähneln (D.) походи́ть на (B); быть похо́жим.

ahnen предчу́вствовать.

ähnlich (D.) похо́жий (на B), схо́дный (с T); **2keit** f схо́дство (с T).

Ahnung f предчу́вствие; **2slos** ничего́ не подозрева́ющий.

Ahorn m клён.

Ähre f ко́лос.

Akadem|ie f акаде́мия; **~iker** m акаде́мик; **2isch** академи́ческий.

Akkord m ♪ акко́рд; **~arbeit** f сде́льная рабо́та; сде́льщина.

Akt m акт, де́йствие; *Malerei:* го́лое (*od.* наго́е) те́ло.

Akten f/pl. а́кты, докуме́нты; **in** Zssgn а́ктовый; **~mappe** f портфе́ль m.

Aktie f а́кция, пай; **~ngesellschaft** f акционе́рное о́бщество.

Aktions|ausschuß m комите́т де́йствия; **~einheit** f еди́нство де́йствия; **~komitee** n s. **~ausschuß.**

aktiv акти́вный; де́ятельный; ✕ действи́тельный; **2a** n/pl. акти́в; нали́чность f.

aktuell актуа́льный; злободне́вный.

akut ✍ о́стрый; животрепе́щущий.

Alarm m трево́га; **in** Zssgn трево́жный; **~bereitschaft** f гото́вность на слу́чай трево́ги;

Alieren поднима́ть[-ня́ть] тревóгу.

Alaun m квасцы́ m/pl.

albern неле́пый.

Album n альбóм.

Alkohol m алкогóль.

All n вселéнная.

alle все; auf ~ Fälle во вся́ком слу́чае; ~r Art вся́кого рóда; vor ~m пре́жде всегó.

alledem: bei ~ всё-таки, всё же, при всём том.

Allee f алле́я.

allein оди́н, однá, однó, pl.: одни́; но, однáко (же); еди́нственно, тóлько; 2herrschaft f единовлáстие; самодержáвие.

allenfalls рáзве (тóлько); (am Ende) пожáлуй; в крáйнем слу́чае.

aller...все..., пре..., наи..., раз..., сáмый; ~beste(r) сáмый лу́чший, наилу́чший; ~dings конéчно, в сáмом дéле, прáвда; ~lei вся́кий; рáзный; всевозмóжный; ~letzte(r) сáмый послéдний; крáйний; ~nächste(r) ближáйший; ~neuste(r) новéйший.

alles всё.

allgemein (все)óбщий; im ~en в óбщем; (überhaupt) вообщé.

Alliierte(n) m/pl. (госудáрства-)сою́зники.

all||jährlich ежегóдный; ~mächtig всемогу́щий; ~mählich постепéнный; мáло-помáлу; ~russisch всероссийский; ~seitig всесторо́нний; 2tag m бу́дний день, бу́дни m/pl.; 2tags- бу́дничный; бу́дний; ~zu сли́шком; ~zusehr (zuviel) сли́шком (мнóго); чересчу́р.

Almosen n ми́лостыня.

Alpen f/pl. 'Альпы; in Zssgn альпи́йский.

Alphabet n алфави́т, áзбука.

Alpha-Strahlen m/pl. áльфа-лучи́.

als когдá; в то врéмя, как; чем, нéжели; как, в ви́де (P), в кáчестве (P); ~ ob как бу́дто (бы); ~ sowohl auch как ... так и; ~ bald тóтчас, вскóре.

also итáк; стáло быть; слéдовательно; знáчит.

alt стáрый; дрéвний; (früher) прéжний; wie ~ bist du (jetzt)? скóлько тебé лет?

Alte(r¹) m/f стари́к; стару́ха.

Alter² n вóзраст; (hohes ~) стáрость f.

älter ста́рше; **~e(r)** ста́рший.

altern [по]старе́ть.

Alters|genosse *m* рове́сник; све́рстник; **2-schwach** дря́хлый; **~versorgung** *f* обеспече́ние ста́рости.

Altertum *n* дре́вность *f*, старина́.

altertümlich стари́нный; архаи́чный, дре́вний.

älteste(r) са́мый ста́рший; **2** *m* ста́рший, ста́роста *m*.

altmodisch старомо́дный.

Amateur *m* люби́тель.

Amboß *m* накова́льня.

Ameise *f* мураве́й; **~n...** *in Zssgn* мурави́ный; **~nhaufen** *m* мураве́йник.

Amerika *n* Аме́рика; **Vereinigte Staaten von ~** Соединённые Шта́ты Аме́рики; **~ner** *m* америка́нец; **2nisch** америка́нский.

Amme *f* корми́лица, ня́нька.

Amnestie *f* амни́стия.

Amsel *f* чёрный дрозд.

Amt *n* (*Behörde*) учрежде́ние; (*Dienst*) до́лжность *f*; слу́жба; (*Verwaltung*) управле́ние; (*Ressort*) ве́домство;

Auswärtige(s) ~ мини-сте́рство иностра́нных дел; (*Fernsprech2*) телефо́нная ста́нция; **2lich** должностно́й, официа́льный.

Amts... должностно́й; **~bezirk** *m* администрати́вный райо́н; **~geheimnis** *n* служе́бная та́йна.

amüsieren (sich) забавля́ть(ся) [позаба́вить (-ся)].

an (*D., A.*) при (П), у (P); (*neben*) о́коло, во́зле (P), по́дле (P); (*nahe bei*) близ (P); (*auf*) на (П); (*woran?*) за (B), (*wann?*) по (Д); (*wohin?*) к (Д); (*auf*) на (B); (*gegen*) о(б), обо (B); (*ungefähr*) до, о́коло (P); **am Morgen** у́тром; **am Tage** днём; **am ersten Mai** пе́рвого ма́я; **am besten** лу́чше всего́; **am Ende** (*wo?*) на конце́, (*wann?*) в конце́. [мо́тный.]

Analphabet *m* безгра́-}

Analyse *f* ана́лиз.

Anbau *m* разведе́ние; пристро́йка.

anbei в приложе́нии; при сём.

anbeten поклоня́ться; *fig.* обожа́ть.

Anbetracht: in ~ (G.) имея в виду (В), принимая во внимание (В).

anbieten предлагать [-ложить].

anbinden привязывать [-зать].

Anblick m вид; ℒen взглядывать [-януть] на (А.).

anbrennen зажигать [зажечь]; *Speisen:* пригорать [-реть].

Anbruch m начало, наступление.

andächtig благоговейный.

andauernd продолжительный, длительный.

Andenken n память f.

andere|(r) другой; второй, иной; **~rseits** с другой стороны.

ändern пере-, изменять [-нить].

andernfalls в противном случае, иначе.

anders иначе.

anderthalb полтора.

Änderung f перемена, изменение.

andeuten намекать [-кнуть]; *Su.* намёк.

Andrang m (*des Publikums*) стечение; Blutℒ прилив крови.

aneignen: sich ~ у-, при-сваивать [-своить].

(себе); **sich gewaltsam** ~ захватывать [-тить].

aneinander друг к другу; ~ **grenzen** граничить (an A. с Т.).

anerkennen признавать; *Su.* признание.

anfahren по-, при-возить; (*anstoßen*) *et.* наезжать [-ехать] на (В); *fig.* (*schelten*) *j-n* накричать на (В).

Anfahrt f подъезд.

Anfall m припадок.

Anfang m начало; **am** ~ в начале; ℒen начин(ать)ся; приниматься [-няться] за (В).

Anfäng|er m начинающий; ℒlich (перво)начальный; = **anfangs** начала; вначале.

Anfangs... (перво)начальный, элементарный.

anfertigen изготовлять [-овить].

anfeuchten смачивать [смочить].

Anflug m прилёт; ✈ приближение (самолёта); *fig.* оттенок, налёт.

Anfrage f запрос; (*Erkundigung*) справка; ℒn [с]делать (Д) запрос, запрашивать [-росить].

anführen (*s. a.* anleiten)

командовать (T); возглавля́ть [-а́вить]; (erwähnen) приводи́ть [привести́] (den (hintergehen) наду́(ва́)ть.

Anführungszeichen n кавы́чки f/pl.

Angabe f указа́ние; да́нные n/pl.; (Anzeige) доно́с.

angeben ука́зывать [указа́ть]; да(ва́)ть сведе́ния; (denunzieren) доноси́ть [-нести́], den Ton ~ зада(ва́)ть тон; F (groß tun) форси́ть.

angeblich мни́мый; как говоря́т, бу́дто бы; я́кобы. [жда́нный.]

angeboren при-, в-ро-[

Angebot n предложе́ние.

angehen каса́ться [косну́ться].

angehörig принадлежа́щий; 2e(r) m/f ро́дственник (-ица); 2e(n) pl. родны́е.

Angeklagte(r) m/f подсуди́мый (-мая); отве́тчик; обвиня́емый.

Angel f (Tür2) пе́тля; (Fisch2) у́дочка.

Angelegenheit f де́ло.

Angelhaken m рыболо́вный крючо́к.

angeln [по]уди́ть.

Angelrute f уди́лище; у́дочка.

angemessen соразме́рный; (anständig) прили́чный.

angenehm прия́тный; уго́дный.

angesehen уважа́емый; зна́тный.

Angesicht n лицо́; 2s (G.) ввиду́ (P).

Angestellte(r) m/f служа́щий (-щая).

ange|wöhnen приуча́ть [-чи́ть]; **sich ~wöhnen** привыка́ть [-вы́кнуть] к; **2wohnheit** f привы́чка.

angreif|en наступа́ть [-пи́ть] на (B); атакова́ть; напада́ть [-па́сть] на (B); **2er** m наступа́ющий.

Angriff m наступле́ние; ата́ка; нападе́ние.

Angst f страх, боя́знь; **mir ist 2 und bange** мне жу́тко.

ängst|igen страши́ть; **sich igen** боя́ться; страши́ться (vor D. P); **lich** боязли́вый; ро́бкий.

Anhalten n (при)остано́вка; 2 (при)остана́вливать(ся) [-нови́ть (-ся)]; 2 um сва́таться за (B); (dauern) продолжа́ться [-о́лжиться].

Anhang m дополне́ние; (Beilage) приложе́ние.

v. Personen: **ohne ~** *fig.* без семьи́.

anhäng|en привѣ́шивать [-вѣ́сить]; вѣ́шать [повѣ́сить]; прицепля́ть [-пи́ть]; **Ẑer** *m* прицѣ́п; *fig.* сторо́нник, привѣ́рженец; **~lich** привя́занный.

anhäufen накопля́ть [-пи́ть].

anheimstellen предоставля́ть [-а́вить].

Anhöhe *f* возвыше́ние.

anhören [по]слу́шать; **(zuende) ~** выслу́ш(ив)ать.

Ankauf *m* поку́пка; **Ẑen** покупа́ть [купи́ть].

Anker *m* я́корь; **vor ~ gehen, vor ~ liegen = Ẑn** станови́ться [стать] на я́корь; стоя́ть на я́коре.

Anklage *f* обвине́ние; **Ẑn** [по]жа́ловаться на (В); *(beschuldigen)* обвиня́ть [-ни́ть].

Ankläger *m* обвини́тель.

Anklang *m* о́тклик.

ankleiden (sich) одѣ́(ва́)ть(ся).

anklopfen [по]стуча́ться.

anknüpfen завя́зывать [-за́ть [свести́]; *Gespräch usw.* = заводи́ть [завести́].

ankommen прибы(ва́)ть, приходи́ть [прийти́]

mit dem Wagen: приезжа́ть [-ѣ́хать].

ankünd(ig)en объявля́ть [-ви́ть]; уведомля́ть [уведо́мить].

Ankunft *f* прибы́тие, прихо́д, приѣ́зд.

ankurbeln пуска́ть [пусти́ть] (в ход).

Anlage *f* устро́йство; *fig.* спосо́бность; *Park:* обще́ственный сад, парк; **in der ~** при сём.

Anlaß *m* по́вод.

Anlasser *m* пусково́й реоста́т, ста́ртер.

Anlauf *m* разбѣ́г.

anlegen прикла́дывать [приложи́ть]; *Weg:* проводи́ть [-вести́]; *Kapital usw.:* помѣща́ть [-мѣсти́ть]; *(ans Ufer)* причáли(ва)ть; приста́(ва́)ть (к бе́регу).

Anlegestelle *f* при́стань.

anlehnen прислоня́ть [-ни́ть]; *Tür usw.:* притворя́ть [-ри́ть]; **sich ~** опира́ться [опере́ться] упира́ться [упере́ться].

Anleihe *f* заём; ссу́да.

anleiten руководи́ть (Т); наставля́ть [-а́вить].

Anliegen *n* (настоя́тельная) про́сьба; жела́ние.

anlöten припа́ивать [припа́ять]; [дерзкий.]

anmaßend надме́нный;|

anmelden объявля́ть [-ви́ть]; (berichten) докла́дывать [доложи́ть] о (П); sich ~ за-, пропи́сываться [-са́ться]; Su. объявле́ние; докла́д; пропи́ска.

anmerken помеча́ть [-е́тить]; Su. примеча́ние.

Anmut f гра́ция, пре́лесть; 2ig грацио́зный, преле́стный.

annähen приши(ва́)ть.

annähern (sich) приближа́ть(ся) [-ли́зить(ся)]; ~d приблизи́тельный; Su. приближе́ние.

Annahme f приня́тие, приём; fig. предположе́ние, допуще́ние.

annehmbar приёмлемый.

annehmen принима́ть [-ня́ть]; (voraussetzen) предполага́ть [-положи́ть]; angenommen, daß ~ предположи́м, что ~.

Anode f ано́д.

anordnen распоряжа́ться [-яди́ться] (Т); располага́ть [-ложи́ть]; Su. распоряже́ние; расположе́ние.

anpassen приспособля́ть [-о́бить] к; примери́(ва)ть.

Anprall m уда́р.

anpreisen расхва́ливать [-и́ть].

anraten [по]сове́товать.

anrechnen зачи́тывать [заче́сть], [по]ста́вить в счёт; зачисля́ть [-и́слить]; [на В).

Anrecht n пра́во (auf A.)

Anrede f обраще́ние; 2n обраща́ться [обрати́ться] (к).

anregen по-, возбужда́ть [-буди́ть]; оживля́ть [-ви́ть]; вдохновля́ть [-ви́ть]; Su. по-, воз-бужде́ние; вдохнове́ние; почи́н.

anrichten [при]гото́вить; Unheil usw.: причиня́ть [-ни́ть].

Anruf m о́клик; вы́зов (по телефо́ну); 2en оклика́ть [окли́кнуть]; выз(ы)ва́ть (по телефо́ну).

anrühren тро́гать [тро́нуть]; прикаса́ться [-косну́ться] (к); затра́гивать [-ро́нуть].

ansage|n (s. a. ankündigen)конферанси́ровать; 2r m конферансье́; Rundfunk: ди́ктор.

ansässig осе́длый.

anschaffen приобрета́ть [-брести́]; заготовля́ть [-о́вить]; Su. заготовка; приобрете́ние.

anschaulich нагля́дный.

Anschein m (вне́шний) вид; **dem ~ nach** по-ви́димому; **~end** мни́мый; *adv.* повиди́мому.

Anschlag m уда́р; (*Attentat*) посяга́тельство; (*Plakat*) афи́ша; **e-n ~ machen (auf** A.) покуша́ться [-уси́ться] (на B); посяга́ть [-гну́ть]; **Kosten~** сме́та (расхо́дов); **2en** приби́(ва́)ть.

anschließen (sich) присоедини́ть(ся) [-ни́ть(ся)]; **sich ~** примыка́ть [примкну́ть] (к B).

Anschluß m присоедине́ние; согласова́ние; соедине́ние (по телефо́ну).

anschrauben привин́чивать [-ни́ть].

anschwellen [рас]пу́хнуть, затека́ть [-те́чь].

ansehen 1. [по]смотре́ть на (B); [у]гляде́ть; **~ für** od. **als** принима́ть [-ня́ть] за (B); **2.** *s.* смотре́ние; (*Aussehen*) вид; *fig.* вес; почёт.

ansehnlich значи́тель-ный; ви́дный.

Ansicht f вид; мне́ние; взгляд; **zur ~** на показ; **~skarte** f откры́тка с ви́дом.

ansiedeln (sich) посе-

ля́ть(ся) [-ли́ть(ся)]; *Su.* поселе́ние.

anspielen auf (A.) намека́ть [-кну́ть] на (B).

Ansprache f речь.

ansprechen *s.* **anreden**; **~d** прия́тный.

Anspruch m притяза́ние; прете́нзия; **~ erheben (auf** A.) претендова́ть (на B).

anspruchsvoll притяза́-тельный; тре́бователь-ный; взыска́тельный.

Anstalt f учрежде́ние; заведе́ние.

Anstand m прили́чие.

anständig прили́чный; **2keit** f прили́чие.

anstandshalber ра́ди при-ли́чия.

anstatt вме́сто, взаме́н.

anstecken на-, прика́лывать [-коло́ть]; *⚕* заража́ть [-ази́ть]; **~d** зарази́тельный; зара́з-ный; *Su.* зараже́ние.

anstehen стоя́ть [стать] в о́череди.

anstellen (an A.) приставля́ть [-а́вить] (к); *Heizung usw.*: включа́ть [-чи́ть]; **sich ~** стано-ви́ться [стать] в о́че-редь.

Anstoß m толчо́к; *zu et.:* по́вод; **2en** толка́ть [-кну́ть]; ударя́ться

[-áриться] (an D. o B);
et. 2en задевáть [-éть].
anstößig неприли́чный;
предосуди́тельный.
anstreichen окрáшивать
[-áсить].
anstrengen напрягáть
[-я́чь]; **sich ~** [по]-
старáться; Su. уси́лие;
напряже́ние.
Anstrich m окрáска.
Anteil m до́ля, уча́стие;
надéл; **~schein** m s.
Aktie.
Antenne f анте́нна.
Antiquar m антиквáр;
2**isch** антиквáрный;
подéржаный.
Antlitz n лицо́.
Antrag m заявле́ние;
предложе́ние.
antreffen застá(вá)ть.
antreten Amt usw.: вступ-
áть [-пи́ть] в (B);
Reise: отправля́ться
[-áвиться] в (B).
Antrieb m побужде́ние;
⊕ при́вод.
Antritts... вступи́тель-
ный.
Antwort f отве́т; 2en от-
вечá́ть [-éтить] (auf A.
на B).
anvertrauen в-, дове́р-
я́ть [-éрить]; поручá́ть
[-чи́ть].
Anwalt m адвокáт; по-
ве́ренный.

anweisen укáзывать
[-зáть]; Su. указáние;
инструкция; (Post) пе-
ревóд.
anwenden употребля́ть
[-би́ть]; прилагáть [-ло-
жи́ть]; ~ **auf** (A.) приме-
ня́ть [-ни́ть] к; Su.
употребле́ние; приме-
не́ние; приложе́ние.
anwerben [за]вербовáть;
наб(и)рáть.
anwesen|d прису́тству-
ющий; 2**d sein** прису́т-
ствовать; 2**heit** f при-
су́тствие. [числó.]
Anzahl f коли́чество.)
anzahlen да(вá)ть задáток; Su. задáток.
anzeichen n при́знак.
Anzeige f донóс; объ-,
за-явле́ние; ~(n)... уве-
доми́тельный; 2**n** (be-
richten) объ-, за-явля́ть
[-ви́ть]; доноси́ть (до-
нести́).
Anzeiger m ве́стник.
anziehen на-, при-тя́ги-
вать [-яну́ть]; Kleider:
о-, на-дé(вá)ть; (an-
locken) привлекáть
[-вле́чь]; ~**d** притя-
гáтельный; привлекá-
тельный.
Anziehung f притяже́ние;
~**skraft** f си́ла
притяже́ния; привле-
кáтельность.

Anzug *m* костюм.

anzünden зажигать [зажечь]; *Ofen:* затапливать [-топить]; *Zigarre:* закуривать [-рить].

Apfel *m* яблоко.

Apfelsine *f* апельсин.

Apfelwein *m* сидр.

Apotheke *f* аптека; **~n...** аптечный; **~r** *m* аптекарь; **~rware** *f* аптекарский товар.

Apparat *m* аппарат, прибор. [сбор.)

Appell *m* перекличка;)

Appetit *m* аппетит; **2lich** аппетитный.

applau|dieren аплодировать; **2s** *m* аплодисменты *m/pl.*

Aprikose *f* абрикос.

April *m* апрель; *in Zssgn* апрельский.

Aquarell *n* акварель *f*.

Arbeit *f* работа; (*Werk*) сочинение; **2en** [по]работать; [по]трудиться; заниматься [заняться] (**an** *D.* Т).

Arbeiter *m* работник; (*Schwer2, ungelernter* черно)рабочий; *in Zssgn* раб = рабочий; **Arbeiter- und Bauernfakultät** *f* рабфак; **~genossenschaft** *f* артель *f*; **~schaft** *f* рабочий класс.

Arbeit|geber *m* работодатель; **~nehmer** *m* лицо наёмного труда.

Arbeits... рабочий; трудовой.

arbeitsam трудолюбивый.

Arbeits|amt *n* биржа труда; **2fähig** работоспособный; трудоспособный; **~lohn** *m* заработная плата; **2los,** **~loser** *m* безработный; **~losigkeit** *f* безработица; **~nachweis** *m* биржа труда; **~zeit** *f* рабочее время *n*; **~zimmer** *n* рабочая комната; кабинет.

Architekt *m* архитектор.

arg дурной; очень.

Ärger *m* досада; **zum ~** на зло; **2lich** досадный; **2n (sich)** [рас]сердить (-ся); раздражать(ся) [-жить(ся)]; **~nis** *n* досада; скандал.

Arg|list *f* коварство; **2los** простодушный; незлобивый; **~wohn** *m* подозрение; недоверие.

Arie *f* **♪** ария.

arm¹ бедный; **~ werden** [о]беднеть.

Arm² *m* рука; *am Lehnstuhl:* ручка; **~band** *n* браслет; **~banduhr** *f* ручные часы *m/pl.*

Armee f а́рмия; *in Zssgn* арме́йский.

Ärmel m рука́в; **~aufschlag** m обшла́г.

armselig ску́дный.

Armsessel m кре́сло.

Armut f бе́дность, нищета́.

Arsenik n мышья́к.

Art f род, вид; мане́ра; жанр; (*Weise*) спо́соб; лад; **auf diese ~** таки́м о́бразом; **in der ~ (von)** вро́де.

Arterienverkalkung f артериосклеро́з.

artig послу́шный; учти́вый; ве́жливый; *(lieb)* ми́лый.

Artikel m статья́; (*Waren-*) това́р, вещь f.

Arz(e)nei f лека́рство, медикаме́нт.

Arzt m врач.

Ärztin f же́нщина-врач; **2lich** враче́бный.

Aschbecher m пе́пельница.

Asche f пе́пел; *heiße:* зола́.

Asien n ¹Азия.

Ast m сук; (*Zweig*) ветвь f.   [о́дышка.|

Asthma ⚕ а́стма. |

Asyl n убе́жище; прию́т.

Atelier n мастерска́я (худо́жника), сту́дия.

Atem m дыха́ние; **2los** запыха́вшийся.

Atheismus m безбо́жие.

Athlet m атле́т, сила́ч.

atmen [по]дыша́ть [дохну́ть].

Atom n а́том; **~theorie** f атомисти́ческая тео́рия; **~waffe** f а́томное ору́жие. [(на жизнь).|

Attentat n покуше́ние |

Attrappe f подде́лка.

ätzen прижига́ть [-же́чь] (е́дким вещество́м); **2d** е́дкий.

auch та́кже, то́же; и; ни; **sowohl ... als ~** и ... и.

Auer|hahn m глуха́рь; **~ochs** m зубр, бизо́н.

auf (*D., A.*) на, в (в, П); по (Д, В, П); **~ daß** что́бы; **~ und ab** взад и вперёд.

Aufbau m сооруже́ние; строи́тельство; строе́ние; *fig.* устро́йство; **2en** сооружа́ть [-уди́ть], [по]стро́ить.

aufbewahren сохраня́ть [-ни́ть]; храни́ть; сберега́ть [-ре́чь]; **Su.** (со)хране́ние; сбереже́ние.

aufbleiben не ложи́ться спать; **Tür** usw.: остава́ться откры́тым.

aufbrechen взла́мывать [взлома́ть]; *fig.* разъезжа́ться [-е́хаться].

aufbrühen (*Tee*) завáривать [-ри́ть].

aufdecken вс-, рас-, откры́(вá)ть; обнарýжи(ва)ть.

aufdringlich навя́зчивый.

aufeinander друг на дрýга, ~folgend послéдовательный.

Aufenthalt *m* жи́тельство; останóвка; пребывáние; ~serlaubnis *f* разрешéние на жи́тельство; ~sort *m* местопребывáние.

auferlegen воз-, налагáть [-ложи́ть].

aufessen съедáть [съесть].

Auffahrt *f* подъéзд.

auffallen бросáться [бро́ситься] в глазá; ~d, auffällig поразúтельный, бросáющийся в глазá.

auffassen понимáть [поня́ть]; восприни́мать [-ня́ть]; *Su.* понимáние; мнéние.

auffliegen взлетáть [взлетéть].

auffordern вы-, приз(ы́)вáть.

aufführen *Thea.* представля́ть [-áвить]; [по]стáвить; *Su.* представлéние; постанóвка.

Aufgabe *f* задáча; задáние.

Aufgang *m* ход; *Gestirne*: восхóд.

aufgeben бросáть [бро́сить]; зад(ав)áть; *Rätsel*: загáдывать [-дáть]; *Geist*: испускáть [-сти́ть]; &c сда(вá)ть (на пóчту).

Aufgebot *n* объявлéние; оглашéние.

aufgehen всходи́ть *u.* восходи́ть [взойти́]; от-, вс-кры́(вá)ться.

aufgeweckt смышлёный; (*lebhaft*) живóй.

Aufguß *m* настóй(ка).

aufhalten задéрживать [-жáть]; приостанáвливать [-нови́ть]; sich ~ пребывáть; побы́(вá)ть.

aufhängen вéшать [повéсить].

aufheben поднимáть [-ня́ть]; (*abschaffen*) отменя́ть [-ни́ть]; *fig.* расторгáть [-óргнуть]; *Su.* отмéна.

aufhören перестá(вá)ть; прекращáть(ся) [-рати́ть(ся)].

aufkaufen скупáть [скупи́ть].

aufklären выясни́ть [-ясни́ть]; (*bilden*) просвещáть [-ети́ть]; sich ~ проясня́ться [-ни́ться]; *Su.* разъяснéние; просвещéние; ✗ развéдка.

aufkleben накле́и(ва)ть.

aufknöpfen расстёгивать [-тегну́ть].

aufkommen поднима́ться [-ня́ться]; входи́ть [войти́] в мо́ду.

aufladen нагружа́ть [нагрузи́ть].

Auflage f изда́ние, тира́ж.

auflassen оставля́ть [-а́вить] откры́тым.

Auflauf m сбо́рище.

aufleben ожи(ва́)ть.

auflegen накла́дывать [наложи́ть]; neu∼ переизда(ва́)ть.

auflehnen: sich ∼ опира́ться [опере́ться]; fig. восст(ав)а́ть.

auflösen развя́зывать [-за́ть]; ⚛ растворя́ть [-ри́ть]; Rätsel: разга́дывать [-да́ть]; Versammlung: распуска́ть [-сти́ть]; Ehe usw.: расторга́ть [-о́ргнуть]; разводи́ть [-вести́]; Su. растворе́ние, раство́р; ро́спуск, расторже́ние.

aufmachen вс-, рас-, откры(ва́)ть; от-, растворя́ть [-ри́ть].

aufmerksam внима́тельный; **2keit** f внима́ние.

Aufnahme f приня́тие, приём; Fot. сни́мок; съёмка.

aufnehmen принима́ть [-ня́ть]; Fot. снима́ть [снять].

aufopfern [по]же́ртвовать.

aufpassen [по]следи́ть (auf A. за Т).

aufräumen у-, при-б(и)ра́ть; Su. убо́рка.

aufrecht fig. прямо́й; сто́йкий; ∼(er)halten подде́рживать [-жа́ть].

aufregen [вз]волнова́ть; [вс-, рас]трево́жить; Su. трево́га; волне́ние.

aufreizen раздража́ть [-жи́ть].

aufrichten поднима́ть [-ня́ть].

aufrichtig и́скренний, открове́нный; прямо́й; **2keit** f и́скренность, прямота́.

Aufruf m воззва́ние; призы́в; **2en** выз(ы)ва́ть.

Aufruhr m волне́ние; (Aufstand) бунт; мяте́ж.

Aufrüstung f вооруже́ние.

Aufsatz m (schriftlicher) статья́, сочине́ние.

aufschieben откла́дывать [отложи́ть]; отсро́чи(ва)ть; отдаля́ть [-ли́ть].

Aufschlag m отворо́т; обшла́г; (Preis2) повы-

ше́ние; ♀en разби́(ва́)ть;
Kissen: переби́(ва́)ть;
Ärmel: засу́чивать
[-чи́ть]; *Preis*: повы-
ша́ть [-вы́сить]; *Buch*:
раскры́(ва́)ть.

aufschließen отпира́ть
[-пере́ть].

aufschneiden на-, разре́з(ыва)ть; *fig.* расска́-
зывать [-за́ть] небылицы.

Aufschnitt *m*: **kalter ~** холо́дная заку́ска.

Aufschrift *f* на́дпись.

Aufschub *m* отсро́чка.

aufschwellen распуха́ть
[-у́хнуть].

Aufschwung *m* подъём;
взлёт; *fig.* расцве́т.

Aufsehen *n*: **~ machen**
производи́ть [-вести́]
шум *od.* сенса́цию.

Aufseher *m* надзира́тель,
смотри́тель.

aufsetzen наде́(ва́)ть;
Schreiben: составля́ть
[-а́вить].

Aufsicht *f* надзо́р; надпри-смо́тр.

aufspringen вска́кивать
[вскочи́ть].

Aufstand *m s.* Aufruhr;
in ~ treten поднима́ть
[-ня́ть] восста́ние.

Aufständische(r) *m* повста́нец, мяте́жник.

aufsteh(e)n вста(ва́)ть;

(*sich empören*) восста́-
(ва́)ть.

aufsteigen поднима́ться
[-ня́ться].

aufstellen [по]ста́вить.

Aufstieg *m* подъём;
взлёт; восхо́д.

Aufstoßen *n* отры́жка.

aufsuchen разы́скивать
[-ска́ть]; ♀ ~ заез-
жа́ть [-е́хать]; зайти́
[заходи́ть].

auftauchen возника́ть
[возни́кнуть]; всплы-
(ва́)ть; внеза́пно появи́ться *pf.*

Auftrag *m* поруче́ние;
зака́з; *Pol.* нака́з; ✝
коми́ссия; ♀en *Speisen*:
пода́(ва́)ть; *Geschäft*
usw.: поруча́ть [-чи́ть].

auftreten *Thea.* выступа́ть [-пи́ть]; появля́ться [-ви́ться]; ♀ *n* появ-
ле́ние; *Thea.* **erstes** ♀
дебю́т.

Auftritt *m* явле́ние,
сце́на.

aufwachen просыпа́ться
[-сну́ться].

Aufwand *m* (за)тра́та;
изде́ржки *f/pl.*; ро́скошь *f.*

aufwärmen подогре́-
(ва́)ть.

aufwärts вверх (по Д).

aufwischen подтира́ть
[-тере́ть].

aufzählen перечисля́ть [-чи́слить].

aufzeichnen [на]черти́ть; [на]рисова́ть; *Su.* заме́тка; за́пись *f.*

aufziehen *Segel:* поднима́ть [-ня́ть]; *Uhr:* заводи́ть [завести́]; *Gewitter:* соб(и)ра́ться.

Aufzug *m* лифт; подъёмник; *festlicher:* ше́ствие; проце́ссия; *Thea.* акт, де́йствие; [-за́ть].)

aufzwingen навя́зывать

Auge *n* глаз; *Spiel:* очко́.

Augen|arzt *m* глазно́й врач, окули́ст; ~blick *m* мгнове́ние, миг; im ~blick сию́ мину́ту; 2-blicklich мгнове́нный, момента́льный; (*gegenwärtig*) настоя́щий; (*sofort*) сейча́с; ~braue *f* бровь; ~lid *n* ве́ко; ~maß *n* глазоме́р; 2-scheinlich очеви́дный; ~wimper *f* ресни́ца; ~zeuge *m* очеви́дец.

August *m* а́вгуст.

Auktion *f* аукцио́н.

aus (*D.*) из (Р); (*wegen, vor*) по (Д), с, от (Р); (*vorbei*) ко́нчено; ~ sein ко́нчиться *pf.*

ausarbeiten выраба́тывать [-ботать].

ausarten вырожда́ться [-роди́ться].

Ausbau *m* отстро́йка; расшире́ние; 2en отстра́ивать [-ро́ить]; выраба́тывать [-ботать]; расширя́ть [-ри́ть].

ausbessern поправля́ть [попра́вить], починя́ть [-ни́ть]; *Su.* почи́нка.

Ausbeute *f* добы́ча; 2n добы́(ва)ть, эксплуати́ровать; *Su.* разрабо́тка, эксплуата́ция.

ausbilden образо́вывать [образова́ть]; обуча́ть [-чи́ть]; *Su.* образова́ние; обуче́ние.

Ausblick *m* вид; перспекти́ва.

ausbreiten расширя́ть [-ри́ть], пост(и)ла́ть; раскла́дывать [разложи́ть]; *Segel:* распуска́ть [-сти́ть].

Ausbruch *m* нача́ло; *fig.* поры́в; *Vulkan:* изверже́ние.

Ausdauer *f* вы́держка; терпе́ние; 2nd выно́сливый.

ausdehnen расширя́ть [-и́рить]; про~, рас-тя́гивать [-яну́ть]; *Su.* расшире́ние; протяже́ние.

ausdenken выду́м(ы)в)ать.

Ausdruck *m* выраже́ние; те́рмин.

ausdrück|en выража́ть

[вы́разить]; (darstellen) изобража́ть [-рази́ть]; (auspressen) выжима́ть [вы́жать]; ~lich то́чный, реши́тельный.

ausdrucksvoll вырази́тельный.

ausdünsten выдыха́ться [вы́дохнуться]; выпари(ва)ть; Su. испаре́ние.

auseinander врозь; in Zssgn раз(о)..., рас...; ~bringen разводи́ть [-вести́]; ~gehen расходи́ться [разойти́сь]; разъезжа́ться [-éхаться]; ~nehmen разбира́ть [разобра́ть]; ~setzen объясня́ть [-ни́ть]; излага́ть [-ложи́ть].

auserlesen и́збранный; изы́сканный; отбо́рный.

Ausfahrt f вы́езд.

Ausfall m выпаде́ние; ~en выпада́ть [-пасть]; не быть; ~en n выпаде́ние; про́пуск; ~end оскорби́тельный.

ausfindig machen раз-, изы́скивать [-ка́ть].

ausfliegen вылета́ть [вы́лететь].

Ausflucht f отгово́рка; уло́вка.

Ausflug m вы́лет; (за́городная) экску́рсия, пое́здка; прогу́лка.

Ausflügler m экскурса́нт.

ausfragen вы-, рас-спра́шивать [-проси́ть].

Ausfuhr f вы́воз, э́кспорт; ~zoll m вывозна́я по́шлина.

ausführ|en вывози́ть [вы́везти]; [по]води́ть гуля́ть; Arbeit: исполня́ть [-о́лнить]; (erörtern) выска́з(ыв)ать; ~lich подро́бный; обстоя́тельный; 2ung f исполне́ние; вы́делка.

ausfüllen заполня́ть [-о́лнить].

Ausgabe f вы́дача; расхо́д, (за)тра́та; изде́ржки f/pl.; e-s Buches: изда́ние; вы́пуск.

Ausgang m вы́ход; (Ende) коне́ц, исхо́д.

ausgeben вы́да(ва́)ть; Buch: выпуска́ть [вы́пустить]; изда(ва́)ть; Geld: [из]расхо́довать; [ис-, по]тра́тить.

ausgehen выходи́ть [вы́йти]; (von) исходи́ть; (erlöschen) [по]га́снуть; Haar: вылеза́ть [вы́лезть].

ausgelassen ре́звый; ~ sein [по]резви́ться.

ausgenommen кро́ме, исключа́я.

ausgezeichnet отли́чный; прекра́сный.

ausgießen разли(ва́)ть.

Ausgleich *m* уравне́ние; согла́сие; компенса́ция; **2en** ура́внивать [-ня́ть]; *Streit*: ула́живать [ула́дить].

ausgleiten поскользну́ться *pf.*

ausgraben выка́пывать [вы́копать]; отры́(ва́)ть.

Ausguß *m* ра́ковина.

aushalten претерпе́(ва́)ть; [по]терпе́ть; вы́держ(ив)ать.

aushändigen вы́да(ва́)ть (на́ руки); вруча́ть [-чи́ть].

Aushängeschild *n* вы́веска.

ausharren терпели́во выж(и)да́ть (до конца́).

Aushilfe *f* (вре́менная) по́мощь.

auskleiden (**sich**) разде́(ва́)ть(ся).

ausklopfen выкола́чивать [-лоти́ть]; вы́би(ва́)ть.

auskommen 1. ~ **mit** обходи́ться [обойти́сь] (Т); (mit *j-m*) ла́дить (с Т). 2. **2** *n* сре́дства к жи́зни.

auskundschaften разве́д(ыв)ать.

Auskunft *f* све́дение, спра́вка; ~**ei** *f*, ~**sbüro** *n* спра́вочная конто́ра.

auslachen о-, вы́-смеивать [вы́смеять].

ausladen выгружа́ть [-узить].

Auslage *f* издержки *f/pl.*; ✝ вы́ставка.

Ausland *n* заграни́ца; **ins** ~ за грани́цу; **im** ~ за грани́цей; ~**(s)** заграни́чный.

Ausländ|er *m* иностра́нец; **2isch** заграни́чный, иностра́нный; зарубе́жный.

auslassen выпуска́ть [-стить]; *Zorn*: изли́(ва́)ть; *Fett*: раста́пливать [-топи́ть].

auslaufen вытека́ть [-течь]; ✲ отплы́(ва́)ть, отправля́ться [-а́виться] (в пла́вание).

ausleeren опоро́жнивать [-рожни́ть].

auslegen выставля́ть [-вить]; [ис]толкова́ть; *Su.* толкова́ние.

Auslese *f* от-, под-бо́р.

ausliefern выда(ва́)ть; *Su.* вы́дача.

auslöschen [по]туши́ть; [по]гаси́ть.

auslösen выкупа́ть [вы́купить]; *Gefühl*: возбужда́ть [-уди́ть]; *Krankheit*: выз(ы́)ва́ть.

auslüften вы́-про-ве́три(ва)ть.

Ausmaß *n* разме́р.

Ausnahme *f* исключе́ние; изъя́тие.

ausnahms|los без исключе́ния; **~weise** в ви́де исключе́ния.

ausnehmen [вы́]потроши́ть; *fig.* исключа́ть [-чи́ть].

ausnutzen испо́льзовать *pf.*; воспо́льзоваться *pf.*

auspacken распако́вывать, [-ова́ть]; развёртывать [-верну́ть].

ausprobieren (ис-, по-]про́бовать.

Auspuff *m* вы́хлоп; **~rohr** *n* выхлопна́я труба́ [-ре́ть].

ausradieren стира́ть [сте-].

ausrechnen ис-, вычисля́ть [-лить].

Ausrede *f* отгово́рка; **2n** до-, от-гова́ривать [-вори́ть].

ausreichen быть доста́точным; хвата́ть [-ти́ть].

Ausreise (visum *n* ви́за на) *f* вы́езд.

ausrichten исполня́ть [-о́лнить]; *Gruß:* переда(ва́)ть; (*erreichen*) достига́ть [-и́чь, и́гнуть].

ausrotten искореня́ть [-ни́ть].

Ausruf *m* восклица́ние, во́зглас; **2en** воскли́кнуть *pf.*

ausruhen отдыха́ть [отдохну́ть].

ausrüsten (mit) снабжа́ть [снабди́ть] (Т); снаряжа́ть [-яди́ть]; вооружа́ть [-жи́ть].

Aussage *f* ₤₹ показа́ние; свиде́тельство; **2n** выска́з(ыв)ать; заявля́ть [-ви́ть]; ₤₹ пока́зывать [-за́ть]; [за]свиде́тельствовать.

ausschalt|en выключа́ть [-чить]; **2er** *m* выключа́тель.

ausscheiden вы-, у-бы(ва́)ть; выходи́ть [вы́йти]; выделя́ть [-лить].

ausschlafen (sich) выс(ы́)па́ться.

Ausschlag *m* *Phys.* отклоне́ние; ₰ сыпь *f*; **2en** вы́би(ва́)ть; *Pferd:* брыка́ть(ся) [-кну́ть]; ляга́ть(ся) [-гну́ть]; **2gebend** реша́ющий.

ausschließ|en исключа́ть [-чить]; **~lich** исключи́тельный; [ние].

Ausschluß *m* исключе́ние.

Ausschnitt *m* вы́резка.

ausschreiben выпи́с(ыв)ать.

Ausschuß *m* комите́т, коми́ссия; (~ware) брак.

ausschweifend рас-, беспу́тный, развра́тный

Su. распу́тство; разврат.

aussehen 1. имѣ́ть вид; вы́глядеть; **2.** ♀ *n* вид, нару́жность *f.*

außen снару́жи; ♀... лицево́й; нару́жный; вне́шний; ♀**Handel** *m* вне́шняя торго́вля; ♀**-minister** *m* мини́стр иностра́нных дел; ♀**-politik** *f* вне́шняя поли́тика.

außer (*D.*) кро́ме (*P*); помимо (*P*); сверх (*P*); за исключе́нием; **dem** кро́ме того́; сверх того́.

äußere 1. вне́шний, нару́жный; **2.** ♀(s) *n* вне́шний вид, нару́жность *f.*

außer/gewöhnlich чрезвыча́йный; **halb** вне (*P*), (**der Stadt**) за го́родом.

äußerlich вне́шний, нару́жный; ♀**keit** *f* форма́льность.

äußern обнару́жи(ва)ть; выража́ть [-азить]; **sich** ~ отзыва́ться [отозва́ться]; выска́зываться [вы́сказаться]; ска́зываться [-за́ться].

außerordentlich чрезвыча́йный.

außerstande sein быть не в состоя́нии.

äußerste(r) кра́йний, преде́льный; *adv.* кра́йне, о́чень, весьма́.

Äußerung *f* о́тзыв; мне́ние.

aussetzen выска́живать [-адить]; *Belohnung usw.:* назнача́ть [-а́чить]; *Arbeit:* прер(ы)ва́ть; *Gefahr:* подверга́ть [-е́ргнуть].

Aussicht *f* вид; *fig.* перспекти́ва (*P*); ♀**los** безнадё́жный.

Aussprache *f* произноше́ние; вы́говор; *fig.* объясне́ние.

aussprechen произноси́ть [-нести́]; (*zu Ende sprechen*) догова́ривать [-вори́ть]; **sich** ~ объясня́ться [-ни́ться].

Ausspruch *m* изрече́ние.

ausspülen [вы́-, про]полоска́ть.

ausstatten снабжа́ть [снабди́ть] (**mit** *T*); обставля́ть [-а́вить]; *fig.* наделя́ть [-ли́ть]; *Su.* снабже́ние; обстано́вка; *Thea.* декора́ция.

aussteigen сходи́ть [сойти́], выходи́ть [вы́йти] (*P*).

ausstellen выставля́ть [-вить]; *Urkunde:* выда(ва́)ть; *Su.* вы́ставка.

aussterben вымира́ть [-мереть].

Aussteuer *f* прида́ное.

ausstoßen исключа́ть [-чи́ть]; изверга́ть [-е́ргнуть]; *Schrei:* испуска́ть [-сти́ть].

ausstrahlen излуча́ть(ся).

aussuchen выб(и)ра́ть; подыски́вать [-ка́ть].

Austausch *m* обме́н; **2en** [об]меня́ть.

Auster *f* у́стрица.

austragen выноси́ть [вы́нести]; *Briefe usw.:* разноси́ть [-нести́].

Austräger *m* разно́счик.

austreten выходи́ть [вы́йти]; выступа́ть [-пить]; *Schuhe:* ста́птывать [стопта́ть].

Austritt *m* вы́ход; вы́бытие; ⊕ вы́пуск.

austrocknen осуша́ть [-ши́ть]; *v/i.* высыха́ть [вы́сохнуть].

ausüben исполня́ть [испо́лнить].

Ausverkauf *m* распрода́жа. [подбо́р.)

Auswahl *f* вы́бор,)

auswählen выб(и)ра́ть.

Auswan|d(e)rer *m* пересе́ленец; **2dern** переселя́ться [-ли́ться]; *Su.* переселе́ние, эмигра́ция.

auswärtig иностра́нный, иногоро́дний.

auswaschen вы-, про-мы́(ва́)ть.

Ausweg *m* вы́ход.

ausweichen да(ва́)ть доро́гу; разъезжа́ться [-е́хаться]; *e-r Frage:* уклоня́ться [-ни́ться] от.

Ausweis *m* удостовере́ние (ли́чности); **2en** выс(ы)ла́ть; выселя́ть [вы́селить]; изгоня́ть [изгна́ть]; **sich 2en** удостоверя́ть [-ве́рить] (свою́) ли́чность.

auswendig наизу́сть.

Auswurf *m* отбро́сы *m/pl.*; *Vulkan:* изверже́ние; *Mund:* мокро́та.

auszahlen выпла́чивать [-атить].

auszeichnen отлича́ть [отличи́ть]; выделя́ть [-лить], награжда́ть [-гради́ть]; *Su.* отли́чие; награ́да.

auszieh|en *Kleider:* разде(ва́)ть; снима́ть [снять]; *Schuhe:* разу́(ва́)ть; *(herausziehen)* вытя́гивать [-тяну́ть]; *v/i.* выезжа́ть [вы́ехать]; съезжа́ть [съе́хать] с кварти́ры; **2-tisch** *m* раздвижно́й стол.

Auszug *m* вы́ход; вы́писка, извлече́ние; вы́держка.

Autobus *m* авто́бус.

Automat *m* автома́т; **Zisiertes Fernsprechamt** *n* АТС (автомати́ческая телефо́нная ста́нция).

Auto(mobil) *n* автомоби́ль *m*; ~ **fahren** е́хать в (*od.* на) автомоби́ле; **~fahrer** *m* автомоби-

ли́ст, шофёр; **~hupe** *f* гудо́к; **~schuppen** *m* (автомоби́льный) гара́ж.

autonom автоно́мный.

Autor *m* а́втор; **~ität** *f* авторите́т; уваже́ние.

Axt *f* топо́р.

B

Bach *m* ручёй.

Backe *f* щека́.

backen [ис-, вы́]пе́чь.

Backenzahn *m* коренно́й зуб.

Bäcker *m* пе́карь; (*Weißbrot*2) бу́лочник; **~ei** *f* (хле́бо)пека́рня; ~ бу́лочная.

Back|fisch *m* жа́реная ры́ба; *fig.* (де́вочка) подро́сток; **~obst** *n* сушёные фру́кты *m/pl.*; **~werk** *n* пече́нье.

Bad *n* купа́ние; (*Wannen*2) ва́нна; (*Dampf*2) ба́ня; *im Freien*: купа́льня.

Bade... купа́льный, ва́нный; **~anstalt** *f* купа́льня, ба́ня; **~hose** *f* тру́сики *m/pl.*; **~kur** *f* лече́ние ва́ннами.

baden 1. [вы́]купа́ть(ся). 2. 2 *n* купа́ние.

Bade|ort *m* (минера́ль-

ные) во́ды *f/pl.*, куро́рт; **~reise** *f* пое́здка на́ во́ды; **~wanne** *f* ва́нна; **~zimmer** *n* ва́нная (ко́мната).

Bahn *f* путь *m*, доро́га; (*Eisen*2) по́езд; *per* (*od.* **mit der**) ~ по́ездом; **~... ...** железнодоро́жный; **~hof** *m* вокза́л; **~hofsvorstand** *m* нача́льник ста́нции; **~körper** *m* полотно́ желе́зной доро́ги; **~steig** *m* платфо́рма, перро́н; **~steigkarte** *f* перро́нный биле́т; **~wärter** *m* железнодоро́жный сто́рож.

Bahre *f* носи́лки *f/pl.*

Bajonett *n* штык.

bald ско́ро, вско́ре; ~ ... ... то ... то ...; **~ig** ско́рый.

Baldrian *m* валериа́на.

Balken *m* бревно́, брус; ба́лка.

Ball m (*Spiel*2) мяч; (*Kugel*) шар; (*Tanz*) бал. (*кипа.*)

Ballen m тюк; *Papier:*)

Ballett n балет.

Ballon m воздушный шар; аэростат.

Ballspiel n игра в мяч; лапта.

Banane f банан; ~stecker m *Radio:* банановый штепсель.

Band 1. m том; 2. n лента; тесёмка; (*Schleife*) бант; *fig.* связь f, союз.

Bande f (*Gauner*2) шайка, банда; ~ *pl.* узы f/pl.

bändigen усмирять [-рить]; *Tiere usw.:* укрощать [-отить].

Bandwurm m солитёр; ленточный червь.

bange боязливый, робкий.

Bank f скамья; лавка; банк; ~... банковский.

Bank|ier m банкир; ~note f кредитный билет; банкнот.

bar *fig.* лишённый; in ~ наличными (деньгами).

Bär m медведь.

Barbar m варвар.

bar|fuß барефут; ~füßig босой, босоногий.

Bargeld n наличные (деньги) f/pl.

barmherzig милосердный; ~keit f милосердие.

Barsch[1] m окунь.

barsch[2] резкий; грубый.

Bart m борода.

Barzahlung f наличный расчёт; платёж наличными (деньгами).

Base f двоюродная сестра; кузина; ~ основание; база.

Basis f базис; основа; основание.

Bast m лыко; мочало.

Batterie f батарея.

Bau m постройка, здание; строение; сооружение.

Bauch m живот; ~binde f набрюшник; ~fell n брюшина.

bauen [по-, вы]строить [-сти]. [*Schach:* пешка.]

Bauer m крестьянин;)

Bäuer|in f крестьянка; ~lich крестьянский.

Bauern... крестьянский; деревенский; ~gut n, ~hof m хутор; усадьба; ~hütte f изба, хата.

baufällig ветхий.

Baukunst f архитектура, зодчество.

Baum m дерево.

Baumeister m архитектор.

Baum|schule *f* (древéсный) пито́мник, расса́дник; **~wolle** *f* бума́га, хло́пок; **~woll(en)...,** **2wollen** (хлопча́то)бума́жный.

Bayer *m* бава́рец.

beabsichtigen намерева́ться, вознаме́риваться [-ме́риться].

beachten обраща́ть [-ати́ть] внима́ние, принима́ть [-ня́ть] во внима́ние; соблюда́ть [-блюсти́]; *Su.* соблюде́ние; **~swert** досто́йный внима́ния.

Beamte(r) *m* чино́вник; служа́щий.

beanspruchen [по]тре́бовать (P); претендова́ть (на В).

beanstanden обжа́ловать *pf.* [-роси́ть].

beantragen запра́шивать [-роси́ть].}

beantworten отвеча́ть [-е́тить] на (В); *Su.* отве́т.

bearbeiten об-, разраба́тывать [-бо́тать]; вы-, об-дéл(ыв)ать; ♪ аранжи́ровать; *Su.* обрабо́тка.

beaufsichtigen наблюда́ть (за Т), надзира́ть [-чи́ть]; **2te(r)** *m* уполномо́ченный.

beben [за]дрожа́ть; [за]трепета́ть.

Becher *m* бока́л, ку́бок.

Becken *n* бассе́йн; ча́ша; (*Wasch2*) умыва́льник, таз.

bedanken: sich ~ [по]благодари́ть.

Bedarf *m* потре́бность *f.*

bedauerlich приско́рбный; доса́дный; **es ist ~** жаль.

bedauer|n 1. (со)жале́ть о (П) [по]жале́ть о (П *od.* В); **ich ~e** мне о́чень жаль; **2.** 2n *n* сожале́ние.

bedecken на-, у-, покры́(ва́)ть.

bedenken 1. обду́м(ыв)ать; **2.** 2 *n* сомне́ние; опасе́ние.

bedenklich сомни́тельный; (*gefährlich*) опа́сный.

bedeuten зна́чить, означа́ть; **~d** значи́тельный; заме́тный.

Bedeutung *f* значе́ние; ва́жность; смысл; **2los** незначи́тельный.

bedienen обслу́жи(ва)ть; **werden Sie bedient?** вам уже́ подаю́т?

Bedienung *f* обслу́живание; сервиро́вка.

Bedingung *f* усло́вие; **2los** безусло́вный.

bedrohlich угрожа́ющий. [(П).\

bedürfen нужда́ться (в)

Bedürfnis *n* на́добность *f*; потре́бность *f*; нужда́; **~anstalt** *f* (обще́ственная) убо́рная.

bedürftig ни́щий; нужда́ющийся.

Beefsteak *n* бифште́кс.

beeilen: sich ~ [по]торопи́ться; [по]спеши́ть.

beeinflussen [по]влия́ть на (В).

beend(ig)en конча́ть [ко́нчить]; ока́нчивать [око́нчить]; заверша́ть [-ши́ть]; *Su.* оконча́ние.

beerdigen [по]хорони́ть; погреба́ть; *Su.* погребе́ние; по́хороны *f/pl.*

Beere *f* я́года.

Beet *n* гряда́, гря́дка.

befähigen [с]де́лать спосо́бным; *~Su.* спосо́бность *f* (В).

befahrbar прое́зжий.

befassen: sich ~ mit занима́ться [-ня́ться] (Т).

Befehl *m* приказа́ние, прика́з; кома́нда; **2en** прика́зывать [-за́ть]; веле́ть; **~shaber** *m* кома́ндир.

befestigen за-, при-, укрепля́ть [-пи́ть]; упро́чи(ва)ть.

befinden 1. (sich) находи́ться(ся); **wie ~ Sie sich?, wie ist Ihr 2?** как вы пожива́ете?; **2. 2** *n* состоя́ние здоро́вья.

befolgen [по]сле́довать (Д).

beförde|rn отсыла́ть [отосла́ть]; пере-, прово-зи́ть [-везти́]; отправля́ть [-а́вить]; *fig.* повыша́ть [-ы́сить]; *Su.* отправле́ние; перево́зка; *fig.* повыше́ние; **2rungsmittel** *n* сре́дство передвиже́ния.

befreien освобожда́ть [-боди́ть]; **(von)** избавля́ть [-а́вить] (от); *Su.* освобожде́ние; избавле́ние.

befreunden: sich ~ [по-]дружи́ться.

befriedigen удовлетворя́ть [-ри́ть]; **~d** удовлетвори́тельный.

befristet ограни́ченный сро́ком.

Befugnis *f* пра́во.

befugt sein име́ть пра́во.

befühlen ощу́п(ыв)ать.

befürchten опаса́ться (Р); *Su.* опасе́ние.

begabt одарённый; спосо́бный; дарови́тый.

Begabung *f* дарова́ние; спосо́бность; тала́нт.

begeben: sich ~ отправлять́ся [-а́виться] (auf den Weg в путь); 2heit *f* собы́тие.

begegnen (*j-m*) встреча́ть [-е́тить] (В); *Su.* встре́ча.

begeh(e)n (*Fest*) справля́ть [-а́вить]; *Verbrechen:* соверша́ть[-ши́ть].

begehren [по]тре́бовать (Р); [по]жела́ть (Р).

begeister|n восхища́ть [-ити́ть]; воодушевля́ть [-ви́ть]; вдохновля́ть [-ви́ть]; ~t sein быть в восто́рге; *Su.* восто́рг; воодушевле́ние.

Begier|de *f* (стра́стное) жела́ние; (*Gier*) жа́дность; 2ig жа́дный.

Beginn *m* нача́ло.

beglaubigen удостоверя́ть [-ери́ть]; засвиде́тельствовать; *Su.* удостовере́ние.

beglei|t|en провожа́ть [-води́ть]; сопровожда́ть [-води́ть]; ♪ аккомпани́ровать (Д); *Su.* сопровожде́ние; аккомпанеме́нт; 2er *m* провожа́тый; спу́тник; ♪ аккомпаниа́тор.

beglückwünschen поздравля́ть [-а́вить] (zu с Т).

begnadigen [по]ми́ловать.

Begnadigung *f* поми́лование.

begnügen: sich ~ [у]дово́льствоваться.

begraben [по]хорони́ть.

Begräbnis *n* погребе́ние; по́хороны *f/pl.*

begreifen понима́ть [поня́ть].

begreiflich (leicht удобо-)поня́тный. [(ва)ть.]

begrenzen ограни́чи-)

Begriff *m* поня́тие.

begründ|en (об)осно́вывать [-нова́ть]; 2er *m* основа́тель.

begrüßen приве́тствовать; sich ~ [по]здоро́ваться; *Su.* приве́тствие.

begünstigen благоприя́тствовать (Д).

behaglich (leicht удобо-) прия́тный; ую́тный; 2keit *f* прия́тность; ую́т.

behalten оставля́ть [оста́вить] (bei sich за собо́й); im Gedächtnis ~ запомина́ть [-о́мнить].

Behälter *m* бак.

behandeln обраща́ться с (Т); ♂ [по]лечи́ть.

Behandlung *f* обраще́ние; ♂ лече́ние.

beharrlich насто́йчивый; настоя́тельный; упо́рный.

behaupten утвержда́ть

[-рдить]; *Su.* утверждёние.

beherrschen владёть (Т); господствовать.

behilflich sein помогáть [-мóчь].

Behörde *f* влáсти *f/pl.*, учреждёние; вёдомство.

behüten оберегáть [-рéчь].

behutsam бéрежный.

bei (*D.*) у (Р); (*nebenan*) вóзле, пóдле (Р); (*zur Zeit*) при (П); (*nahe bei*) под (Т), óколо (Р).

Beiblatt *n* приложёние.

beibringen приводить [-вести]; научить *pf.*

Beichte *f* испóведь; покаáние; **2n** испóведывать(ся).

beide óба *m, n,* óбе *f;* **~s** и то и другóе.

Beifall *m* одобрёние, аплодисмéнты *m/pl.*

beifügen прилагáть [-ложить].

Beil *n* топóр.

Beilage *f* приложёние; гарнир.

beiläufig случáйный; мимохóдом.

Beileid *n* соболéзнование.

beiliegend при сём; в приложёнии.

beimischen при-, в-, подмéшивать [-шáть].

Bein *n* ногá; (*Knochen*) кость *f; e-s Tisches usw.:* нóжка.

beinah(*e*) почти, чуть (ли) не; едвá ли не.

Beiname *m* прóзвище.

beisammen вмéсте.

Beisein *n* присутствие; **im ~** при (П).

beiseite (*wohin?*) в стóрону; (*wo?*) в сторонé.

beisitz|**en** заседáть; **2er** *m* заседáтель.

Beispiel *n* примéр; образéц; **zum ~** напримéр; **2los** беспримéрный; бесподóбный.

beißen кусáть(ся) [укусить]; *Pfeffer:* жечь.

Beistand *m* пóмощь *f;* заступничество.

Beitrag *m* дóля, часть *f;* (*Geld* 2) взнос; вклад; **2en** содéйствовать; вносить [внести].

Beitritt *m* вступлéние.

Beiwagen *m* коляска мотоцикла.

beiwohnen (*D.*) присутствовать при (П).

beizeiten заблаговрéменно, вóвремя; зарáнее.

bejahen подтверждáть [-рдить]; **~d** утвердительный.

bekämpfen бороться с (Т).

bekannt изве́стный; знако́мый; 2e(r) *m/f* знако́мый (-мая); **~lich** как изве́стно; **~machen** объявля́ть [-ви́ть]; обнаро́довать; ознакомля́ть [-ако́мить]; [по]знако́мить; 2machung *f* объявле́ние; бюллете́нь *m*; 2schaft *f* знако́мство; **~werden** [c]де́латься изве́стным; [по]знако́миться.

bekennen испове́д(ыв)ать; (sich) созна́(ва́)ться в (П).

beklagen: sich ~ [по]жа́ловаться.

Beklagte(r) *m/f* обвиня́емый; отве́тчик (-ица).

bekleiden *s.* anzich

bekommen получа́ть [-чи́ть]; доста(ва́)ть.

beköstigen корми́ть; да(ва́)ть стол.

bekümmern [о]печа́лить; **sich ~** [по]забо́титься (um о П).

beladen грузи́ть, нагружа́ть [нагрузи́ть].

belagern осажда́ть [осади́ть]; *Su.* оса́да.

Belagerungszustand *m* оса́дное положе́ние.

Belang *m* значе́ние; 2los нева́жный; незначи́тельный.

belasten обременя́ть

[-ни́ть]; отягоща́ть [-оти́ть]; тяготи́ть.

belästigen [o]беспоко́ить (mit T).

Belastung *f* обремене́ние; **~szeuge** *m* свиде́тель обвине́ния.

belaufen: sich ~ auf (*A.*) составля́ть [-а́вить].

beleb|en оживля́ть [оживи́ть]; **~t** оживлённый; *Straße:* (мно́го)лю́дный.

Beleg *m* доказа́тельство.

beleg|en вы-, у-ст(и)ла́ть (mit T); *Platz usw.:* занима́ть [-ня́ть]; *Vorlesung:* запи́сываться [-са́ться]; (beweisen) дока́зывать [-за́ть]; **~tes Brot** бутербро́д (с Т); 2schaft *f* коллекти́в рабо́чих.

belehren вразумля́ть [вразуми́ть].

beleibt по́лный; ту́чный.

beleidigen оскорбля́ть [-би́ть]; обижа́ть [оби́деть]; **~d** оскорби́тельный; оби́дный; *Su.* оскорбле́ние; оби́да.

belesen начи́танный.

beleuchten освеща́ть [-ети́ть]; *festlich:* иллюмини́ровать; *Su.* освеще́ние; иллюмина́ция.

belichten *Fot.* экспони́ровать.

Belieben *n*: nach Ihrem ~
как вам уго́дно.

beliebig любо́й.

beliebt люби́мый; ♀heit *f*
популя́рность.

bellen [за]ла́ять.

belohnen (воз)награж-
да́ть [-гради́ть] (mit T);
Su. награ́да.

bemächtigen: sich ~ (G.)
за-, о-владе́(ва́)ть (Т).

bemängeln находи́ть
[найти́] недоста́тки в
(П).

bemerkbar за-, приме́т-
ный.

bemerken за-, отмеча́ть
[-ме́тить]; *Su.* за-, при-
меча́ние; ~swert заме-
ча́тельный, примеча́-
тельный.

bemitleiden *s.* **bedauern.**

bemühen: sich ~ [по]тру-
ди́ться, [по]стара́ться;
[по]хлопота́ть (um о П);
Su. стара́ние; хло́поты
f/pl.

benachbart сосе́дний.

benachrichtigen ос-, у-
ведомля́ть [-до́мить];
извеща́ть [-вести́ть];
Su. ос-, у-ведомле́ние;
& повестка.

Benehmen *n* поведе́ние.

beneiden [по]зави́довать;
~swert зави́дный.

benötigen нужда́ться
(в П).

benutzen [вос]по́льзо-
ваться (Т).

Benzin *n* бензи́н; ~tank *m*
бензи́новый бак; ~uhr *f*
бензиноме́р.

beobachten наблюда́ть за
(Т); [по]следи́ть за (Т);
Su. наблюде́ние.

bequem удо́бный; ♀lich-
keit *f* удо́бство.

berat|en [по]сове́товать
(Д); **sich ~en** *od.* ~
schlagen [по]сове́то-
ваться; совеща́ться.

berauben [о]гра́бить; ли-
ша́ть [-ши́ть].

berauschend кре́пкий;
fig. упои́тельный.

berechnen вы-, ис-чис-
ля́ть [-и́слить]; *Su.* с-,
вы-числе́ние; расчёт;
учёт.

berechtigt име́ющий пра́-
во; *fig.* обосно́ванный;
~ sein быть впра́ве.

Bereich *m* о́бласть *f*.

Bereifung *f* ши́на.

bereit гото́вый; ~en
приготовля́ть,
[при]гото́вить; *fig.* до-
ставля́ть [-а́вить]; *Sorge:* причиня́ть [-ни́ть].

bereits уже́, уж.

Bereitschaft *f* гото́в-
ность; **in ~** наготове́.

bereitwillig гото́вый;
охо́тно.   [в (П).)

bereuen раска́иваться

Berg *m* гора́; 2ab подгору, с горы́; ~**arbeiter** *m* горнорабо́чий; 2auf в го́ру, на́ го́ру; ~**bahn** *f* го́рная желе́зная доро́га; ~**bau** *m* го́рный про́мысел; 2ig гори́стый; ~**rutsch** *m* о́ползень (горы́); ~**steiger** *m* альпини́ст; ~**werk** *n* рудни́к *m f*.

Bericht *m* расска́з; докла́д, ра́порт; бюллете́нь *m*; донесе́ние; 2en расска́зывать [-за́ть]; докла́дывать [доложи́ть] о (П); доноси́ть [-нести́]; ~**erstatter** *m* докла́дчик; корреспонде́нт; 2igen по-, исправля́ть [-а́вить].

Bernstein *m* янта́рь.

berüchtigt пресловутый.

berücksichtigen принима́ть [-ня́ть] во внима́ние. [фе́ссия.]

Beruf *m* зва́ние; про-) **berufen** со~, при-зы́(ы)-ва́ть; **sich ~ auf** (*A.*) ссыла́ться [сосла́ться] на (В).

Berufs..., 2**mäßig** профессиона́льный; *in Zssgn Abk.* проф.

Berufung *f* призы́в; кассацио́нная жа́лоба; апелля́ция.

beruhigen успока́ивать

[-ко́ить]; ~d успокои́тельный.

berühmt знамени́тый.

berühren тро́гать [тро́нуть]; прикаса́ться [косну́ться] (к); *fig.* каса́ться [косну́ться]; затра́гивать [-ро́нуть].

Besatz *m* обши́вка, бордю́р.

Besatzung *f* ✕ гарнизо́н; оккупа́ция; ✕ ⚓ экипа́ж.

beschädigen поврежда́ть [-еди́ть]; *Su.* поврежде́ние.

beschaffen доста́(ва́)ть; 2**heit** *f* сво́йство; ка́чество.

beschäftigen занима́ть [-ня́ть] (**sich ~ mit** -ся Т); *Su.* заня́тие.

beschämen [при-, у]стыди́ть; ~d (по)сты́дный.

Bescheid *m* отве́т.

bescheiden скро́мный.

bescheinigen [за]свиде́тельствовать; *Su.* удостовере́ние; спра́вка.

beschießen обстре́ливать [-ля́ть]; бомбарди́ровать.

beschimpfen [об]руга́ть.

beschlag|**en** *Pferd:* подко́вывать, [-кова́ть]; *Fenster:* [за]поте́ть; 2**nahme** *f* конфиска́ция; ~**nahmen** конфискова́ть; налага́ть [наложи́ть] аре́ст.

beschleunigen ускоря́ть [-о́рить].

beschließen реша́ть [реши́ть]; постановля́ть [-ви́ть].

Beschluß m реше́ние; резолю́ция; постановле́ние.

beschmutzen [за]гря́знить; [ис]па́чкать.

beschränken (sich) ограни́чи(ва)ть (**auf** [A.] -ся T); ограниче́ние.

beschränkt ограни́ченный; fig. недалёкий.

beschreiben опи́сывать [-са́ть].

beschuldigen обвиня́ть [-ни́ть], вини́ть; Su. обвине́ние.

beschütz|en защища́ть [защити́ть]; охраня́ть [-ни́ть]; ~er m защи́тник; покрови́тель.

Beschwerde f жа́лоба.

beschwer|en отягоща́ть [-оти́ть]; sich ~en über (A.) [по]жа́ловаться на (B); ~lich затрудни́тельный.

beschwindeln s. betrügen.

beschwören подтвержда́ть [-тверди́ть] прися́гой; fig. заклина́ть.

beseitigen от-, у-страня́ть [-ни́ть].

Besen m метла́; ве́ник.

besetz|en занима́ть [заня́ть]; обши(ва́)ть (**mit** T); ~t за́нято; Su. заня́тие; оккупа́ция.

besichtigen осма́тривать [осмотре́ть]; Su. (о-)смотр.

besiedeln за-, насели́ть [-ли́ть].

besiegen побежда́ть [победи́ть].

besinnen: sich ~ auf (A.) вспомина́ть [-о́мнить] (B od. о П.)

Besinnung f па́мять; 2slos без чувств.

Besitz m владе́ние; иму́щество; ~ ergreifen овладе(ва́)ть; 2en владе́ть (T); облада́ть (T); име́ть; 2end иму́щий; ~er m владе́лец; ~tum n, ~ung f владе́ние; 2unǵen име́ние.

besohlen [по]ста́вить подмётки под (B).

besonder осо́б(енн)ый; ~s осо́б(енн)о; преиму́щественно. [-а́вить].]

besorgen доставля́ть

Besorgnis f опасе́ние (P); трево́га.

besorgt забо́тливый; ~ sein um [по]забо́титься, беспоко́иться о (П).

Besorgung f загото́вка; доста́вка; поруче́ние.

besprechen обсужда́ть [-ди́ть]; переговори́ть *pf.*; *Su.* переговоры *m/pl.*; совеща́ние.

bespritzen с-, о-пры́скивать [-снуть]; обры́зг(ив)ать.

besser (наи)лу́чший; лу́чше; **desto ~** тем лу́чше.

bessern улучша́ть [улучши́ть]; (**sich**) **~** исправля́ть(ся) [-а́вить(ся)]; *Su.* улучше́ние; испра́вле́ние.

best (наи)лу́чший, са́мый лу́чший; **am ~en** лу́чше всего́ *od.* всех; **2e(s)** *n* (наи)лу́чшее; *fig.* бла́го, по́льза.

Bestand *m* постоя́нство; соста́в; запа́с; нали́чность *f*.

beständig постоя́нный; про́чный; **2keit** *f* постоя́нство.

Bestandteil *m* составна́я часть *f*.

bestätigen у-, под-твержда́ть [-тверди́ть]; *Su.* у-, под-твержде́ние.

bestatten *s.* beerdigen.

bestech|en подкупа́ть [-пи́ть]; **sich ~en lassen** брать [взять] взя́тки; **~lich** прода́жный; *Su.* по́дкуп.

Besteck *n* прибо́р.

bestehen 1. испы́тывать

[-та́ть]; вы́держ(ив)ать; *v/i.* существова́ть; **~ auf** (*D. od. A.*) наста́ивать [-стоя́ть] на (П); **~ aus** состоя́ть из; слага́ться [сложи́ться] из; **2.** **2** *n* существова́ние.

besteigen взлеза́(а́)ть; *Wagen:* сади́ться [сесть] (в В); *Berg:* восходи́ть [взойти́] (на В).

bestell|en зака́зывать [-за́ть], выпи́с(ыв)ать; *Gruß:* перед(ав)а́ть; *Feld:* обраба́тывать [обрабо́тать]; **2er** *m* зака́зчик; **2ung** *f* зака́з.

Besteuerung *f* обложе́ние нало́гом.

bestimmen назнача́ть [-зна́чить]; определя́ть [-ли́ть].

bestimmt назна́ченный, определённый.

Bestimmung *f* определе́ние; постановле́ние; положе́ние; назначе́ние; **~sort** *m* ме́сто назначе́ния [-за́ть].

bestrafen нака́зывать.

Bestreben *n* стремле́ние.

bestreiten оспа́ривать [оспо́рить]; отрица́ть; *Kosten:* покры(ва́)ть.

bestürz|t смущённый; **2ung** *f* смуще́ние.

Besuch *m* посеще́ние, визи́т; (*Gäste*) го́сти

m/pl.; 2en посеща́ть [-ети́ть]; *~er m* посети́тель; *~stag m* приёмный день.

betätigen: sich ~ де́йствовать; принима́ть уча́стие (в I).

betäuben оглуша́ть [-ши́ть]; *durch Narkose:* усыпля́ть [-пи́ть].

beteiligen: sich ~ an (D.) принима́ть [приня́ть] уча́стие в (П); уча́ствовать в (П).

beten [по]моли́ться.

beteuern уверя́ть.

betonen [c]де́лать ударе́ние на (В); *fig.* подчёркивать [-черкну́ть].

Betracht *m*: in ~ ziehen принима́ть [-ня́ть] во внима́ние; 2en [по]смотре́ть на (В); огля́дывать [-де́ть]; (*erwägen*) размышля́ть.

beträchtlich значи́тельный.

Betrag *m* су́мма; ито́г; 2en 1. составля́ть [-а́вить]; sich ~ вести́ себя́; 2. *~en n* поведе́ние.

betreffen каса́ться (Р).

Betrieb *m* произво́дство; заво́д; движе́ние; *~s...* заводский; *in Zssgn Abk.* зав; *~sausschuß m* завко́м (заводский коми-

тёт); *~srat m* фабзавко́м (фабри́чно-заводско́й комите́т). [(ва́)ться.]

betrinken: sich ~ напи́-)

betrüb|en [o]печа́лить; 2nis *f* печа́ль; *~t* печа́льный, приско́рбный.

Betrug *m* обма́н.

betrüg|en обма́нывать [-ну́ть]; 2er *m* обма́нщик.

betrunken пья́ный; ~ werden [o]пьяне́ть.

Bett *n* посте́ль *f*; (*~stelle*) крова́ть *f*; *Fluß:* ру́сло; zu (*od.* ins) ~ gehen идти́ [пойти́] (*od.* ложи́ться [лечь]) спать.

Bettdecke *f* одея́ло.

Bettlaken *n* простыня́.

Bettler *m* ни́щий.

Bettwäsche *f* посте́льное бельё.

beugen наклоня́ть[-ни́ть]; (*Gram.*) склоня́ть.

Beule *f* ши́шка.

beunruhigen [по]беспоко́ить; ~ озабо́чивать [-о́тить]; [вс-, рас]тревожить; *Su.* беспоко́йство.

beurlauben да(ва́)ть (Д) о́тпуск.

beurteilen суди́ть о (П); обсужда́ть [обсуди́ть]; *Su.* оце́нка; сужде́ние; кри́тика.

Beute f добы́ча.

Beutel m мешо́к; су́мка.

bevölkern на-, за-селя́ть [-ли́ть]; 2u. населе́ние.

bevollmächtigen уполномо́чи(ва)ть; ~t уполномо́ченный.

bevor пре́жде чем; ~stehen предстоя́ть; ~zugen предпочита́ть [-че́сть].

bewachen сторожи́ть; охраня́ть [-ни́ть]; [по]карау́лить; 2u. охра́на.

bewaffnen вооружа́ть [-жи́ть]; 2u. вооруже́ние.

bewahren [co]храни́ть [-ни́ть]; ~ vor (D.) оберега́ть [-ре́чь] от.

bewähren: sich ~ ока́зываться [-за́ться] приго́дным od. поле́зным.

bewandert све́дущий; о́пытный.

bewässern ороша́ть [ороси́ть].

bewegen дви́гать [дви́нуть]; [по]шевели́ть [-льну́ть]; fig. [взвол]нова́ть; ~ zu склоня́ть [-ни́ть] к od. на (В).

beweglich подви́жн(ой); дви́жимый.

Bewegung f движе́ние.

Beweis m доказа́тельство; до́вод; 2en дока́зывать [-за́ть].

bewerb|en: sich ~en um иска́ть (Р), ходата́йствовать о (П); 2er m кандида́т; прете́ндент.

bewilligen разреша́ть [-ши́ть]; да(ва́)ть согла́сие; 2u. позволе́ние; разреше́ние.

bewillkomm(n)en приве́тствовать.

bewirken причиня́ть [-ни́ть]; спосо́бствовать.

bewirten угоща́ть [угости́ть]; 2u. угоще́ние.

bewohn|bar Land: обита́емый; Haus: жило́й; ~en обита́ть в od. в (П); Haus: жить в (П); занима́ть [-ня́ть]; 2er m жи́тель; обита́тель.

bewölkt о́блачный.

bewunder|n [по]любова́ться (Т od. на В); ~swert удиви́тельный.

bewußt созна́тельный; (bekannt) изве́стный; ~los бессозна́тельный, без чувств; 2sein n созна́ние.

bezahlen [за]плати́ть; о-, у-пла́чивать; [-плати́ть]; 2u. (у)пла́та.

bezaubern очаро́вывать [-рова́ть]; обвора́живать [-рожи́ть]; fig. пленя́ть [-ни́ть].

bezeichnen отмеча́ть [отме́тить]; обознача́ть

[-а́чить]; ~d характе́рный; *Su.* отме́тка; обозначе́ние.

bezeugen [за]свиде́тельствовать о (П).

beziehen въезжа́ть [въе́хать] в (B); *Gehalt usw.*: получа́ть [-чи́ть]; выпи́сывать; [вы́писать] (sich) ~ auf (A.) ссыла́ться [сосла́ться] на (B); *Su.* ссы́лка; сноше́ние, отноше́ние.

Bezirk *m* о́круг; райо́н.

Bezug *m* чехо́л; *von Waren*: вы́писка; mit ~ (od. in 2) auf (A.) относи́тельно (P), ссыла́ясь на (B); ~ nehmen auf (A.) ссыла́ться [сосла́ться] на (B); **bezüglich** относи́тельно.

bezwecken име́ть (свое́й) це́лью.

bezweifeln сомнева́ться [усомни́ться] в (П).

Bibel *f* би́блия.

Biber *m* бобр.

Bibliothek *f* библиоте́ка.

biegen [со]гну́ть, сгиба́ть [(nieder) ~ нагиба́ть [-гну́ть]; *Su.* сгиб, изги́б; вы́гиб; поворо́т; изви́лина.

biegsam ги́бкий.

Biene *f* пчела́; ~nstock *m* у́лей.

Bier *n* пи́во; ~brauer *m* пивова́р; ~brauerei *f* пивова́ренный заво́д; ~lokal *n* пивна́я.

Bilanz *f* бала́нс; die ~ ziehen подводи́ть [-вести́] ито́г(и).

Bild *n* карти́на; о́браз; 2en образо́вывать; [-ова́ть]; просвеща́ть[-ети́ть]; ~ergalerie *f* карти́нная галере́я; ~funk *m* телеви́дение; ~hauer *m* ску́льптор; 2lich перено́сный; иноска́зательный; ~säule *f* ста́туя.

Bildung *f* образова́ние, просвеще́ние.

Billard *n* билья́рд; ~zimmer *n* билья́рдная.

billig (*recht*) справедли́вый; *Preis*: дешёвый; ~en одобря́ть [-о́брить].

Binde *f* повя́зка; банда́ж, бинт.

binden за-, пере-, с-вя́зывать [-за́ть]; *Buch*: переплета́ть[-лести́]; *fig.* обя́зывать [-за́ть].

Bindfaden *m* верёв(оч)ка, бечёвка.

binnen в тече́ние (P), че́рез (B).

Binnen... вну́тренний; ~schiffahrt *f* речно́е судохо́дство.

Birke *f* берёза.

Birkhahn *m* те́терев.

Birnbaum m гру́ша, гру́шевое де́рево. [по́чка.]
Birne f гру́ша; ⚡ ла́мпа.
bis до, по (Д, В, П); вплоть до; ~ **hierher** досю́да; *zeitlich:* до сих пор; ~ (**daß**) пока́ (не).
Bischof m епи́скоп.
bisher до сих пор.
Biß m уку́с.
bißchen: **ein** ~ немно́жко.
Bissen m кусо́к. (ре́дка).
bisweilen иногда́; из-
Bitte f про́сьба; 2! пожа́луйста!
bitten [по]проси́ть; **aber ich bitte Sie!** поми́луйте! **bitte** (**schön** *od.* **sehr**)! пожа́луйста! **man bittet** про́сят.
bitter го́рький.
Bittschrift f проше́ние.
Blähungen f/pl. ве́тры m/pl.
blamieren [о]позо́рить; [о]срами́ть.
blank блестя́щий.
blanko бла́нковый.
Bläschen n пузырёк; (*Pickel*) пры́щ(ик).
Blase f пузы́рь m; ~**balg** m мех (*mst pl.*).
blasen (*Luft:* подуть, ду́нуть;) труби́ть; ♪ игра́ть [сыгра́ть] на (П).
Bläser m труба́ч.
Blasinstrument ♪ n духово́й инструме́нт.

blaß бле́дный.
Blatt n лист; (*Zeitung*) газе́та, листо́к.
blau **1.** си́ний; (*hell...*) голубо́й; **2.** 2 n лазу́рь f; синева́; (*Wasch...*) си́нька; 2**beere** f черни́ка.
Blech n жесть f; ~**büchse** f жестя́нка.
Blei n свине́ц.
bleiben оста́(ва́)ться; пребыва́ть.
bleich бле́дный.
bleiern свинцо́вый.
Bleistift m каранда́ш.
Blende f *Fot.* диафра́гма.
blenden ослепля́ть [ослепи́ть]; *fig.* очаро́вывать [-рова́ть].
Blick m взор, взгляд; 2**en** [по]гляде́ть.
blind слепо́й (*a. Su.*); 2**darmentzündung** f аппендици́т; 2**flug** m слепо́й полёт; 2**heit** f слепота́.
Blinkzeichen n светово́й сигна́л.
blinzeln мига́ть [мигну́ть]; морга́ть [-гну́ть].
Blitz m мо́лния; ~**ableiter** m громоотво́д.
blitzen сверка́ть [-кну́ть]; и́скриться; **es blitzt** мо́лния сверка́ет.
Blitz|licht n *Fot.* вспы́ш-

ка ма́гния; **~telegramm** *n* телегра́мма-мо́лния.

Block *m* коло́д(к)а; *Pol.* блок; (*Eis*♀) льди́на; **~ade** *f* блока́да.

blöde тупоу́мный.

Blödsinn *m* слабоу́мие; вздор; **♀lg** слабоу́мный.

blond(**haarig**) белоку́рый.

bloß оди́н; (*nackt*) го́лый; *Kopf*: непокры́тый; *Fuß*: босо́й; (*nur*) то́лько, лишь.

bloßstellen [c]компромети́ровать; посрамля́ть [-ми́ть].

blühen [за]цвести́; *fig.* процвета́ть [-ести́]; **~d** цвету́щий.

Blume *f* цвето́к; **~n** *pl.* цветы́ *m/pl.*; **~n-**... цвето́чный; **~nkohl** *m* цветна́я капу́ста; **~nstrauß** *m* буке́т.

Bluse *f* блу́за; *für Damen*: блу́зка.

Blut *n* кровь *f*; **~**... кровяно́й; **~andrang** *m* прили́в кро́ви; **♀arm** малокро́вный; **~armut** *f* малокро́вие; **♀blütig** кровожа́дный; [та́ние].

Blüte *f* *fig.* цвет, процве**bluten** кровото́чить.

blutig крова́вый; в крови́; (*aus Blut*) кровяно́й.

Blutprobe *f* ана́лиз кро́ви.

blut|**stillend** кровоостана́вливающий; **♀sturz** *m* кровоизлия́ние; **~sverwandt** (едино)кро́вный; **♀ung** *f* кровотече́ние; **♀vergießen** *n* кровопроли́тие;**♀vergiftung** *f* зараже́ние кро́ви.

Bö *f* шквал.

Bock *m* (*Ziegen*♀) козёл; (*Schaf*♀) бара́н; (*Kutsch-*, *Gerüst*♀) ко́злы *f/pl.*; **♀ig** капри́зный; упря́мый.

Boden *m* по́чва, грунт; *Gefäß*: дно; (*Fuß*♀) пол; **~**... земельный; **~kammer** *f* черда́к; **~satz** *m* оса́док; гу́ща.

Bogen *m* дуга́; а́рка, свод; (*Violin*♀) смычо́к; (*Papier*♀) лист; *zum Schießen*: лук; (*Arch.*♀) арка́да; **~gang** *m* арка́да; **~halle** *f* по́ртик; **~lampe** *f* дугова́я ла́мпа.

Bohle *f* брус.

Bohne *f* боб; *türkische* **~** фасо́ль.

bohnern [на]вощи́ть.

bohren [про]сверли́ть; *Holz*: [про]бура́вить.

Bohrer *m* сверло́; бура́в; ⚙ бор.

Bollwerk *n* опло́т.

Bolschewis|**mus** *m* большеви́зм; **~t** *m* боль

шевѝк; ⚥tisch большевѝстский.

Bolzen m болт.

Bombe f бо́мба; **~nflugzeug** n бомбардиро́вщик; бомбово́з.

Bonbon m od. n конфе́тка; **~s** pl. конфе́ты f/pl.; ледене́ц.

Boot n ло́дка; **~fahren** n ката́ние на ло́дке.

Bord m край; ⚓ борт.

borgen брать [взять] od. да(ва́)ть взаймы́.

Borke f кора́.

borniert ограни́ченный.

Börse f би́ржа.

Borste f щети́на.

Borte f борт, обши́вка; басо́н.

Böschung f отко́с.

böse злой; серди́тый.

boshaft зло́стный; ехѝдный.

Bosheit f зло́ба. [ный.]

böswillig злонаме́рен-]

Bote m ве́стник; рассы́льный; курье́р.

Botschaft f весть; посо́льство; **~er** m посо́л.

Bottich m чан.

box|en (sich) бокси́ровать; **2er** m боксёр; **2kampf** m бокс.

Branche f о́трасль.

Brand m горе́ние; пожа́р; ⚕ гангре́на; **~geruch** m гарь f.

brandig (при)горе́лый; ⚕ гангрено́зный.

Brandmal n клеймо́.

Brandstiftung f поджо́г.

Brandung f прибо́й.

Brandverletzung f ожо́г.

Branntwein m во́дка, вино́; **~brennerei** f виноку́ренный заво́д.

braten I. [из]жа́рить(ся); (под)жа́ри(ва)ть; **2.** ⚥ m жарко́е.

Brat|fisch m жа́реная ры́ба; **~kartoffeln** f/pl. жа́реный карто́фель m; **~pfanne** f сковорода́.

Brauch m обы́чай; **2bar** (при)го́дный; **2en** (вос)по́льзоваться (Т); (nötig haben) нужда́ться в (П); **ich brauche** мне ну́жно.

Brauer m пивова́р; **~ei** f пивоваре́ние; (Gebäude) пивова́рня.

braun кори́чневый; Gesichtsfarbe: сму́глый; (kastanien) ка́рий.

Braunkohle f бу́рый у́голь m; лигни́т.

Brause f im Bade: душ; **~bad** n душ; **~limonade** f шипу́чий лимона́д; **2n** бушева́ть; [за-, про]шипе́ть; Sturm: реве́ть.

Braut f неве́ста; **~führer** m ша́фер.

Bräutigam m жени́х.

brav сла́вный; (*gut*) до́брый; (*tapfer*) хра́брый.

brechen [c]лома́ть(ся); пор(ы)ва́ть (**mit** с Т); (**er**)(вы́)рвать; *Eid usw.*:наруша́ть[-у́шить].

Brechmittel *n* рво́тное (сре́дство).

Brei *m* ка́ша.

breit широ́кий; (*weitschweifig*) простра́нный; **2e** *f* ширина́, широта́.

Bremse *f* то́рмоз; **2n** [за]тормози́ть.

brennbar горю́чий.

brennen жечь; горе́ть; обжига́ть [обже́чь]; *Branntwein*: кури́ть; F гнать; *Haare*: зави́(ва́)ть (щипца́ми); *Sonne*: печь, пали́ть; **~d** жгу́чий, горя́щий; *Frage*: злободне́вный.

Brenner *m* горе́лка, рожо́к; **~ei** *f* винокуре́нный заво́д.

Brenn|essel *f* крапи́ва; **~holz** *n* дрова́ *n/pl.*; **~punkt** *m* фо́кус; **~schere** *f* зава́вивальные щипцы́ *m/pl.*

Brett *n* доска́.

Brettspiel *n* игра́ в ша́шки.

Brezel *f* кре́ндель *m*.

Brief *m* письмо́; *in Zssgn*

пи́сьменный; (*kurzer*) запи́ска; **~kasten** *m* почто́вый я́щик; **2-lich** пи́сьменно; **~marke** *f* почто́вая ма́рка; **~papier** *n* почто́вая бума́га; **~tasche** *f* бума́жник; **~träger** *m* почтальо́н.

Brief|umschlag *m* конве́рт; **~wechsel** *m* корреспонде́нция; перепи́ска.

Brigade *f* брига́да.

Brille *f* очки́ *pl.*

bringen от-, при-носи́ть [-нести́]; приводи́ть [-вести́]; наводи́ть [-вести́]; (*bis*) доноси́ть [-нести́]; (*zu*) доводи́ть [-вести́]; *mit dem Wagen*: привози́ть [-везти́]; *Ehre*: [с]де́лать; **um et.**~ лиша́ть [-ши́ть].

Brombeere *f* ежеви́ка.

Bronze *f* бро́нза.

Brosche *f* бро́шка.

Brot *n* хлеб.

Brötchen *n* бу́лочка.

Brot|korb *m* хле́бная корзи́нка; **~schnitte** *f* ломо́ть *m* (хле́ба); *geröstet*: грено́к.

Bruch *m* пере-, (по)-ло́мка; *e-s Knochens*: перело́м; ♂ гры́жа; *fig.* наруше́ние; разры́в; **~band** *n* грыжево́й банда́ж.

Bruch|stück *n* обло́мок; *fig.* отры́вок; **~ziffer** *f* дробь.

Brücke *f* мост; **~npfeiler** *m* усто́й, бык.

Bruder *m* брат; (*Mit*♀) собра́т.

brüder|lich бра́тский; **♀schaft** *f* бра́тство; бра́тия.

Brühe *f* бульо́н.

brüllen [за-, про]реве́ть; *Kuh:* [за]мыча́ть.

brummen [по]ворча́ть.

Brunnen *m* коло́дец; **~kur** *f* лече́ние минера́льными во́дами.

Brust *f* грудь; **~bild** *n* поясно́й портре́т; **~kasten** *m* грудна́я кле́тка; **~schwimmen** *n* пла́вание на груди́; **~warze** *f* сосо́к.

Brut *f* вы́водок; птенцы́ *m/pl.*

brüten сиде́ть на я́йцах.

Brutto... валово́й.

Bube *m* ма́льчик; *Spiel:* вале́т.

Buch *n* кни́га; *für Eintragungen:* журна́л; **~binderei** *f* переплётная; переплётная и **~druckerei** *f* книгопеча́тание; типогра́фия.

Buche *f* бук.

buchen запи́сывать [записа́ть] в кни́гу.

Bücher|brett *n* (кни́жная) по́лка; **~ei** *f* библиоте́ка; **~schrank** *m* кни́жный шкаф.

Buch|führung *f* бухгалте́рия, счетово́дство; **~halter** *m* бухга́лтер; **~handel** *m* книготорго́вля; **~händler** *m* книгопрода́вец; **~handlung** *f* кни́жный магази́н.

Büchse *f* ба́нка; (*Blech*♀) жестя́нка; (*Flinte*) ружьё; винто́вка; **~nfleisch** *n* консерви́рованное мя́со.

Buchstabe *m* бу́ква; **♀ieren** [п(р)о]чита́ть по склада́м.

buchstäblich буква́льный; (гу́ба).

Bucht *f* бу́хта; зали́в.

Buchweizen *m* гре́ча; гречи́ха.

Buckel *m* горб.

buck(e)lig горба́тый.

bücken (sich) нагиба́ть(-ся) [нагну́ть(ся)]; наклоня́ться [-ни́ться].

Bückling *m* копчёная селёдка.

Bude *f* ла́в(оч)ка; (сторожева́я) бу́дка.

Büffel *m* бу́йвол.

Bügeleisen *n* утю́г.

bügeln [вы]утю́жить; [вы]гла́дить.

Bühne f сцена; театр;
подмостки pl.; ~n...
сценический.

Bulle m бык.

Bummel m прогулка; ♀n
[по]гулять; медлить; ~
zug m поезд малой скорости.

Bund m союз, лига,
(кон)федерация; пук;
пачка; связка, пучок.

Bündel n связка; узел.

Bundes|genosse m союзник; ♀republik f федеративная республика;
~staat m союзное государство, федерация.

Bündnis n союз.

bunt пёстрый; цветной.

Bürde f бремя n.

Burg f замок.

Bürge m поручитель; ♀n
ручаться [поручиться]
(für за B).

Bürger m гражданин,
буржуй; (Klein♀) ме-
щанин; ~krieg m гражданская война; ♀lich
гражданский; буржуазный; ~meister m
бургомистр; ~steig m
тротуар; панель f; ~
tum n буржуазия.

Bürgschaft f поручительство.

Büro n бюро, контора.

Bursche m парень m;
подросток; (Lehr♀)
ученик.

Bürste f щётка.

Busch m куст; кустарник.

Büschel m пучок; пук.

Busen m грудь f.

Buße f покаяние; (Strafe)
наказание; (Geld♀)
штраф.

büßen искупать [-пить].

Butter f (сливочное)
масло; ~brot n хлеб с
маслом; belegtes ~: бутерброд; ~dose f маслёнка.

C

(S. a. unter **K**, **Sch** u. **Z**.)

Café n кафе.

Cello n виолончель f.

Champagner(wein) m
шампанское (вино).

Charakter m характер,
нрав.

Chauffeur m шофёр.

Chaussee f шоссе.

Chef m шеф; хозяин,
глава m; начальник;
заведующий (Abk. зав.).

Chem|ie f химия; ♀iker m
химик; ♀isch химический; ~isches Kombinat
n (Gruppe chemischer

Fabriken) химкомбина́т (хими́ческий комбина́т).

Chiffre *f* шифр.

China *n* Кита́й.

Chor *m* хор.

Christ *m* христиани́н; **Qlich** христиа́нский.

chronisch хрони́ческий.

Creme *f* крем.

D

da там; (*hier*) тут; (*dann*) тогда́; (*weil*) так как; и́бо; (*anwesend*) налицо́; ~ (*ist*) вот; ~! на! ~ **sein** прису́тствовать.

dabei при э́том; притом; вме́сте с тем, к тому́ же; ~ **sein** прису́тствовать.

dableiben оста́(ва́)ться (там).

Dach *n* кры́ша; кро́вля; **~decker** *m* кро́вельщик; **~rinne** *f* кро́вельный жёлоб; **~stube** *f* манса́рда.

dadurch всле́дствие (э́)того́; благодаря́ (э́)тому́; (*damit*) тем, э́тим.

dafür за то, за э́то; зато́, вме́сто того́; **ich kann nichts** ~ я тут ни при чём.

dagegen (на)проти́в того́; в сравне́нии с тем; (*als Ersatz*) взаме́н.

daheim до́ма, у себя́.

daher отту́да; оттого́.

dahin туда́.

dahinter (там) сза́ди, позади́ (э́)того́.

damals тогда́.

Dame *f* да́ма; *im Brettspiel:* да́мка.

damit э́тим; (*для того́*), что́бы.

Damm *m* да́мба, на́сыпь *f*; плоти́на; (*Hafen2*) мол; (*Fahr2*) мостова́я; 🚂 полотно́.

Dämmer|licht *n* полумра́к; **Qn** рассвета́ть; смерка́ться [смеркну́ться]; *Su.* рассве́т; *abends:* су́мерки *f/pl.*, су́мрак.

Dampf *m* пар; (*Rauch*) дым; **~bad** *n* ба́ня; **Qen** пуска́ть пар.

dämpfen [за]глуши́ть; *Kochkunst:* па́рить; туши́ть.

Dampfer *m* парохо́д.

Dampf|heizung *f* парово́е отопле́ние; **~schiff** *n* парохо́д.

danach пото́м, зате́м, по́сле (э́)того́.

Däne *m* датча́нин.

daneben возле, пόдле.

Dank *m* благодάрность *f*; 2 благодаря́! **besten** ~! όчень (вам) благодάрен! 2bar благодάрный.

danken [по-, от]благодари́ть; **danke schön** (**bestens od. sehr**)! спаси́бо!; благодарю́ (вас)!

dann тогдá; (**als-**) потόм; затéм; ~ **und wann** порόй.

daran к э́тому, к томý; об э́том.

darauf на э́том; на э́то; *zeitlich:* пόсле тогό, потόм.

darben терпéть нуждý.

darbieten подноси́ть [-нести́].

darlegen излагáть [-ложи́ть]; *Su.* изложéние.

Darlehen *n* ссýда; заём.

Darm *m* кишкá; кишéчник.

darstellen изображáть [-ази́ть]; представля́ть [-áвить] (собόй); *Su.* изображéние; изложéние.

darüber *wo?* над э́тим; (**davon**) об э́том; ~ **hinaus** сверх тогό.

darum (**dafür**) за (э́)то; (**deshalb**) из-за э́того, потомý, поэ́тому.

darunter под э́тим; в том числé.

Dasein *n* существовáние; бытиé.

daß что; (**auf**) ~ чтό(бы).

datieren дати́ровать.

Dattel *f* фи́ник.

Dat|um *n* числό, дáта; **~en** *pl.* дáнные.

Dauer *f* продолжи́тельность; (**Zeit**) срок, врéмя; *in Zssgn* продолжи́тельный; дли́тельный; **~flug** *m* полёт на продолжи́тельность; **~haft** прόчный.

dauern продолжáться [-дόлжиться]; [про]дли́ться.

Dauerwelle *f* пермáнент; шестимéсячная завúвка.

Daumen *m* большόй пáлец (руки́).

Daune *f* пуши́нка; **~n** *pl.* пух; **~nbett** *n* пухови́к; перúна.

davon от э́того; (**darüber**) об э́том; **~laufen** убегáть [убежáть]; **~tragen** уноси́ть [унести́]; *Sieg:* одéрживать [-жáть].

davor пéред э́тим.

dazu к э́тому; для (э́)тогό; кромé тогό; **~gehören** принадлежáть (**zu** к). [(э́тим, тем).]

dazwischen междý

Debatte f спор; **~n** pl. пре́ния n/pl.

Deck n па́луба.

Decke f одея́ло; покрыва́ло; (Fahrrad2) покры́шка; (Tisch2) ска́терть; (Zimmer2) потоло́к.

Deckel m кры́шка.

decken [по]кры́ть; (den Tisch) на)кры(ва́)ть.

definieren определя́ть [-ли́ть]; Su. определе́ние.

Degen m шпа́га.

dehnen растя́гивать [растяну́ть].

Deich m плоти́на.

Deichsel f огло́бля.

dein (a. der, die, das **~**, pl.: die **~en**) твой, твоя́, твоё, pl.: твои́; **~** m: твой; свой, своя́ usw.; **~etwegen** из-за (od. ра́ди) тебя́.

Delikatesse f деликате́с; **~nhandlung** f гастрономи́ческий магази́н.

Dementi n опроверже́ние.

demnach сле́довательно.

demnächst в ско́ром вре́мени.

Demokrat m демокра́т; **2isch** демократи́ческий.

demolieren разруша́ть [-у́шить].

Demut f смире́ние.

demütig смире́нный.

denkbar мы́слимый.

denken [по]ду́мать; мы́слить; **sich** ~ вообража́ть [-ази́ть].

Denk|**mal** n па́мятник; **~schrift** f мемора́ндум.

denn и́бо; потому́ что; **was** ~? что же?

dennoch всё-таки.

Denunzia|**nt** m доно́счик; **~tion** f доно́с.

deportieren сыла́ть [сосла́ть].

Deputierte(r) m депута́т.

derart тако́го ро́да; **~ig** подо́бный.

derb кре́пкий; (grob) гру́бый; [(тому́).]

dergleichen подо́бный]

der- (die-, das-)jenige тот, та, то, pl.: те.

der- (die-, das-)selbe тот (же) са́мый, та (же) са́мая, то (же) са́мое.

desgleichen подо́бный тому́.

deshalb из-за э́того; отго́то́; поэ́тому.

desinfizieren дезинфици́ровать.

desto тем; ~ **besser** тем лу́чше.

deswegen s. deshalb.

Detail n подро́бность f; дета́ль f; **~handel** m ро́зничная торго́вля.

Detektiv m сы́щик.

deuten [ис]толкова́ть;

~ **auf** (*A.*) ука́зывать [-за́ть] на (*B*).

deutlich я́сный; отчётливый; чёткий; вня́тный.

deutsch 1. герма́нский; *Sprache usw.*: неме́цкий; (**auf**) ~ по-неме́цки; **2.** 2e(r) *m/f* не́мец, не́мка; 2(e) *n* неме́цкий язы́к; 2**land** *n* Герма́ния.

Devise *f* деви́з; ~**n** *pl.* ✝ иностра́нная валю́та.

Dezember *m* дека́брь.

d. h. = *das heißt* то есть (т. е.).

Diamant *m* алма́з.

Diät *f* дие́та, режи́м пита́ния; ~**en** *pl.* су́точные (де́ньги).

dich тебя́, себя́.

dicht пло́тный; густо́й; ча́стый; сплошно́й; вплотну́ю; на́глухо.

Dichter *m* поэ́т.

dick то́лстый; густо́й; ~**(er) werden** [по]толсте́ть; [по]полне́ть.

Dickicht *n* ча́ща; за́росли *pl./и* гу́ща.

Dieb *m* вор; ~**stahl** *m* (по)кра́жа; воровство́.

Diele *f* доска́; (*Fußboden*) пол; (*Flur*) се́ни *f/pl.*

dienen [по](п)(р)о)служи́ть (**als** *T*).

Diener *m* слуга́ *m*, лаке́й.

dienlich поле́зный.

Dienst *m* ста́ж; служе́ние; (*Amt*) до́лжность *f*; (*Stelle*) ме́сто.

Dienstag *m* вто́рник; 2**s, an** ~**en** по вто́рникам.

Dienstalter *n* стаж.

Dienst|bote *m* слуга́; 2**fertig** услу́жливый; уго́дливый; 2**habend** дежу́рный; ~**leistung** *f* услу́га, одолже́ние; ~**lich** служе́бный; официа́льный; должностно́й; ~**mann** *m* носи́льщик.

Diesel|lokomotive *f* тепло́воз; ~**motor** *m* ди́зель.

die|ser, ~se, ~(se)s э́тот, э́та, э́то, э́то, *pl.*: э́ти.

diesmal (на) э́тот раз.

Dietrich *m* отмы́чка.

Diktat *n* дикта́нт, дикто́вка; ~**ur** *f* диктату́ра.

diktieren [про]диктова́ть.

Ding *n* вещь *f*, де́ло.

Diplomat *m* диплома́т; 2**isches Korps** *n* дипломати́ческий ко́рпус.

direkt прямо́й; непосре́дственный.

Diri|gent *m* дирижёр; капельме́йстер; 2**gieren** управля́ть (*T*); дирижи́ровать (*T*).

Diskussion *f* диску́ссия; пре́ния *n/pl.*

dividieren [раз]делить.

doch всё-таки; ведь; же; да; (*jedoch*) однако (же); но.

Docht m фитиль.

Dock ♈ n док; **~arbeiter** m докер.

Doktor m доктор; (*Arzt*) врач.

Dolch m кинжал.

Dolmetsch(er) m переводчик.

Dom m собор.

Donau f Дунай.

Donbass (**Donez-Kohlen-becken** n) Донбасс (Донецкий бассейн).

Donner m гром; 2n [за-, про]греметь [-гряну́ть]; **es donnert** гром гремит.

Donnerstag m четверг; 2s, an **~en** по четвергам.

Doppel... двойной; *Sport*: парный; **~fenster** n двойные рамы f/pl.; **~punkt** m двоеточие; 2sinnig двусмысленный.

doppelt двойной; вдвое.

Dorf n деревня, село; **~...** сельский; **~sowjet** m сельсовет (сельский совет).

Dorn m шип.

dörren [вы́]сушить; [про]вялить.

dort там; **von ~(her)** оттуда; **~hin** туда.

Dose f коробка; (*Blech2*) жестянка.

Dosis f доза.

Dotter m желток.

Draht m проволока; 2los беспроволочный; 2-loses Telegramm n радиотелеграмма; **~seilbahn** f фуникулёр.

Drang m порыв; **∦** позыв (**nach** на В).

drängen [при]теснить; толкать [-кнуть]; [по-]торопить.

draußen снаружи; на дворе́.

Drechsler m токарь.

Dreck m грязь f; 2ig грязный.

Dreh|bank f токарный станок; **~buch** n *Kino*: сценарий; 2en (sich) [по]вертеть(ся); крутить; вращать; *Film*: производить киносъёмку; **~er** m токарь; **~strom** ∮ m трёхфазный ток; **~ung** f вращение; оборот.

drei... тройной; 2eck n треугольник; 2fach тройной; втрое; 2gespann n тройка; **~mal** три раза, трижды; 2rad n трёхколёсный велосипед.

dreist сме́лый; де́рзкий.

drei|stöckig трёхэта́жный; **~tägig** трёхдне́вный.

dreschen [c]молоти́ть.

dringen: **~ auf** (A.) наста́ивать [-стоя́ть] на (П); **~d** (кра́йне) ну́жный; настоя́тельный; экстренный; сро́чный.

drinnen (там) внутри́.

Drittel n треть f.

Droge f москате́льный това́р; **~rie** f апте́карский od. москате́льный магази́н.

drohen [по-, при]грози́ть; Su. угро́за.

drollig заба́вный.

Droschkenkutscher m изво́зчик.

Druck m давле́ние; на́тиск; напо́р; гнёт; der Hand: пожа́тие; Typ. печа́тание; печа́ть f; (Auflage) изда́ние.

drucken [на]печа́тать.

drücken дави́ть; жать; на-, при-, по-ж(им)а́ть; fig. удруча́ть [-чи́ть]; гнести́; угнета́ть.

Druckerei f типогра́фия.

Druck|fehler m опеча́тка; **~knopf** m кно́пка; **~sache** f печа́тное.

Drüse f железа́.

du ты.

Duft m арома́т; благово́ние, благоуха́ние; **~en** благоуха́ть; **~end** души́стый.

dulden [по]терпе́ть; допуска́ть [-сти́ть].

dumm глу́пый; тупо́й; **2heit** f глу́пость; **2kopf** m дура́к, глупе́ц.

dumpf глухо́й.

Düne f дю́на.

düngen удобря́ть [удобрить]; [у]наво́зить.

dunkel тёмный; чёрный; (finster) мра́чный; fig. нея́сный; **2heit** f темнота́; мра́чность; тьма; мрак.

dünken (sich) вообража́ть [вообрази́ть (себя́)]; es dünkt mich мне ка́жется.

dünn то́нкий; худоща́вый; ре́дкий; (flüssig) жи́дкий.

Dunst m чад, пар; ды́мка; **2ig** ча́дный.

durch ч(е́)рез, сквозь (В); по (Д, В, П); **~ und ~** наскво́зь; **~arbeiten** [про]штуди́ровать; прораба́тывать [-бо́тать]; **~aus** непреме́нно, **~aus nicht** ника́к не; **~braten** прожа́ри(ва)ть; **~dringen** проб(и)ра́ться; проника́ть [-и́кнуть]; Kälte: прохватывать [-ти́ть]; ~einander в беспоря́дке; впереме́шку; ~fahren проезжа́ть [-éхать]; 2fahrt f проéзд; 2fall m понос; fig. провáл; ~fallen прова́ливаться [-ли́ться]; ~führen проводи́ть [провести́]; исполня́ть [-о́лнить]; производи́ть [-вести́]; проде́л(ыв)ать.

Durchgang m прохо́д, пасса́ж; ~sverkehr m транзи́тное сообще́ние; durch|geh(e)n проходи́ть [пройти́]; fig. сбега́ть [сбежа́ть]; ~gehender Wagen (Zug) 🚃 m ваго́н (по́езд) прямо́го сообще́ния; 2laß... пропускно́й; ~laufen пробега́ть [-ежа́ть]; проходи́ть [пройти́]; ~lesen прочи́тывать [-та́ть, -че́сть]; ~lüften прове́три(ва)ть; 2messer m попере́чник, диа́метр; ~näßt промо́кший; 2reise f проéзд; 2reisende(r) m проéзжий; ~schauen просма́тривать [-смотре́ть]; (erkennen) узна(ва́)ть; 2schlag m дурышла́г; ко́пия; 2schnitt m проре́з; fig. сре́днее; im 2schnitt, ~schnittlich сре́дний; adv. сре́дним число́м od.

в сре́днем; ~sehen рас-, пере-сма́тривать [-смотре́ть]; проверя́ть [-ве́рить]; ~setzen достига́ть [до-сти́гнуть] (P); отста́ивать [-стоя́ть]; 2sicht f пере-, про-смо́тр; п(р)ове́рка; ~sichtig прозра́чный; ~stecken просо́вывать [-су́нуть]; ~streichen за-, пере-чёркивать [-черкну́ть]; ~suchen обы́скивать [обыска́ть]; 2suchung f о́быск; ~ziehen проде́(ва́)ть; переби(и)ра́ть; zu Fuß: проходи́ть [пройти́]; mit dem Wagen: проезжа́ть [-éхать].

dürfen [по]сме́ть; (können) [мочь].

dürftig ску́дный; недо-ста́точный; убо́гий.

dürr сухо́й.

Dürre f бездо́ждье; за́-суха.

Durst m жа́жда; ich habe ~, mich dürstet мне хо́чется пить.

Dusche f душ; 2n брать [взять] душ.

düster тёмный; (mürrisch) угрю́мый.

Dutzend n дю́жина.

D-Zug 🚃 m ско́рый по́езд.

E

Ebbe *f* отли́в.

eben ро́вный; пло́ский; (*glatt*) гла́дкий; (*gerade*) и́менно, как раз; **2bild** *n* подо́бие.

Ebene *f* равни́на.

eben|falls та́кже, то́же; **2holz** *n* чёрное де́рево; **~so** (то́чно) так же; **~so wie** подо́бно (Д); наравне́ (с Т).

Echo *n* э́хо, отголо́сок, о́тзвук; *fig.* о́тклик.

echt настоя́щий; и́стинный.

Ecke *f* у́гол.

Eck|haus *n* углово́й дом; **2ig** углова́тый; **~zahn** *m* глазно́й зуб.

edel благоро́дный; **2mut** *m* благоро́дство; **2stein** *m* драгоце́нный ка́мень.

Efeu *m* плющ.

Egge ⚼ *f* борона́.

ehe¹ пре́жде чем.

Ehe² *f* брак, супру́жество; *Frauen:* заму́жество; **~bruch** *m* наруше́ние супру́жеской ве́рности; **~frau** *f* жена́; **~leute** *pl.* супру́ги *m/pl.*; **2lich** бра́чный.

ehe|malig пре́жний, бы́вший; **~mals** пре́жде; не́когда.

Ehe|mann *m* муж; **~paar** *n* супру́жеская чета́.

eher ра́ньше; скоре́е.

Ehescheidung *f* разво́д.

Ehre *f* честь, почёт; **2n** че́ствовать, [по]чти́ть.

Ehren... почётный; **2haft** че́стный; почётный; **~preis** *m* пре́мия; **~wort** *n* че́стное сло́во.

Ehr|geiz *m* честолю́бие; **2lich** че́стный; **2würdig** почтённый.

Ei *n* яйцо́.

Eiche *f* дуб.

Eichel *f* жёлудь *m*.

eichen дубо́вый.

Eichhörnchen *n* бе́лка.

Eid *m* прися́га; кля́тва; **e-n ~ leisten** присяга́ть [-гну́ть].

Eidechse *f* я́щерица.

Eierkuchen *m* омле́т.

Eifer *m* усе́рдие; рве́ние; жар; задо́р; **~sucht** *f* ре́вность.

eifrig усе́рдный; я́рый.

Eigelb *n* желто́к.

eigen со́бственный; свой, своя́, своё, *pl.*: свои́; **~artig** своеобра́зный; **2liebe** *f* эгои́зм; **~mächtig** самовла́стный; самово́льный; **~nützig** коры́столюби́вый; **2schaft**

f свойство, качество; ~sinnig своенравный, упрямый.

eigentlich собственный; в сущности.

Eigen|tum *n* собственность *f*; ~tümer *m* собственник, владелец 2-tümlich свойственный, своеобразный.

eignen: sich ~ быть (при)годным (zu для); (при)годиться.

Eil|bote *m* нарочный, курьер; ~brief *m* спешное письмо.

Eil|e *f* поспешность; 2en [по]спешить; торопиться; ~gut *n* груз *od.* товар большой скорости.

eilig (по)спешный; торопливый, срочный.

Eilzug ⚒ *m* скорый (*od.* ускоренный) поезд.

Eimer *m* ведро.

ein (~er, ~e, ~[e]s) один, одна, одно.

einander друг друга.

einatmen вдыхать [вдохнуть].

Einbahnstraße *f* однопутная улица.

Einband *m* переплёт.

einberufen соз(ы)вать; ✗ приз(ы)вать; *Su.* созыв; ✗ призыв.

einbiegen за-, с-ворачи-

вать [-вернуть]; вгибать [вогнуть].

einbilden: sich ~ воображать [-азить] (себе); *Su.* воображение, фантазия.

einbinden переплетать [-лести].

einbrechen врываться [ворваться]; ✗ вторгаться [вторгнуться].

Einbrecher *m* взломщик.

einbringen приносить [-нести]; 2 n der Ernte уборка (урожая).

Einbruch *m* взлом; der Nacht: наступление; ~sdiebstahl *m* кража со взломом.

Eindecker ✈ *m* моноплан.

eindringen в-, проникать [-йкнуть]; врываться [ворваться].

Eindruck *m* впечатление; 2svoll выразительный; внушительный.

einengen стеснять [стеснить].

einerlei одинаковый; всё равно; безразлично.

einfach простой; элементарный.

Einfahrt *f* въезд.

Einfall *m* нашествие;

fig. идея; выдумка; *feindlich:* вторжение; ♀en приходить [прийти] на ум; ✕ вторгаться [вторгнуться].

einfältig простодушный.

einfarbig одноцветный.

einfassen окаймлять [-мить], обде́л(ыв)ать; *Edelsteine usw.:* оправлять [-авить].

einfinden: sich ~ являться [явиться].

Einfluß *m* влияние; **~ haben** [по]влиять.

einförmig однообра́зный.

Einfuhr *f* ввоз, импорт.

einführen ввозить [ввезти]; импортировать; *fig.* заводить [-вести]; *j-n:* вводить [ввести].

Einfuhr|erlaubnis *f* импортная лицензия; **~verbot** *n* запрещение ввоза. [вление.)

Eingabe *f* подача; заяв-)

Eingang *m* вход; получение; поступление.

Eingeborene(r) *m/f* уроженец (уроженка).

eingehen поступать [-пить]; **~ auf** (*A.*) соглашаться [-аситься] на (В); **~d** подробный; обстоятельный.

Eingemachte(s) *n* варе-

eingesteh(e)n при-, сознавать [-знать в (П).

Eingeweide *n* внутренности *f/pl.*; *Tier:* требуха; *Geflügel:* потроха *pl.*

eingießen на-, раз-, в-ли(ва)ть.

eingreifen способствовать.

Einhalt *m:* **~ tun** (*D.*) прекращать [-ратить]; ♀en *fig.* соблюдать [-юсти].

einhändigen вручать [-чить]; *Su.* вручение.

einheimisch туземный.

Einheit *f* единство; единица; ♀lich единый.

einholen на-, до-гонять [-гнать].

einig согласный; **~e** несколько; **~en: sich ~en** сходиться [сойтись] (на П); договариваться [-овориться] (о П) **~ermaßen** кое-как; **2keit** *f* единство; **2ung** *f* соглашение; единение.

einkaufen закупать [закупить].

Einkäufer *m* закупщик.

Einkaufspreis *m* покупная цена.

einkehren (bei) заезжать [заехать] (к).

einklammern [по]ставить в скобки.

Einklang *m* созву́чие; *fig.* согла́сие.

Einkommen *n* дохо́д; **~steuer** *f* подохо́дный нало́г.

einkreisen окружа́ть [-жи́ть].

einladen приглаша́ть [-ласи́ть].

Einlage *f* вложе́ние; вклад.

Einlaß *m* впуск.

einlassen впуска́ть [впусти́ть].

einlaufen ⚓ входи́ть (войти́) в га́вань; *Stoff:* сади́ться [сесть].

Einlegesohle *f* сте́лька.

einleiten нач(ин)а́ть; *Su.* введе́ние; **~d** вступи́тельный.

einlösen выкупа́ть [вы́купить].

einmal (оди́н) раз; одна́жды; ка́к-то раз; когда́-нибудь; **nicht ~** да́же не; **es war ~** жил-был; **auf ~** сра́зу.

einmischen (sich) вме́шивать(ся) [-ша́ть(ся)]; *Su.* вмеша́тельство.

einmütig единоду́шный.

Einnahme *f* прихо́д; дохо́д; ✗ заня́тие.

einnehmen получа́ть [-чи́ть]; *Medizin:* принима́ть [-ня́ть]; *Steuern:* соб(и)ра́ть; *Platz:* зани-

мать [-ня́ть]; **~d** привлека́тельный.

Einöde *f* глушь.

einpacken укла́дывать (уложи́ть), за-, у-пако́вывать [-ова́ть].

einprägen (sich) запечатле́(ва́)ть(ся); вкореня́ть [-ни́ть].

einquartieren вселя́ть [-ли́ть].

einrahmen вставля́ть [-а́вить] в ра́мку.

einräumen уб(и)ра́ть; *fig.* предоставля́ть [-а́вить].

einreiben втира́ть [втере́ть].

einreichen пода́(ва́)ть.

einreihig однобо́ртный.

Einreiseerlaubnis *f* разреше́ние на въезд.

einrichten устра́ивать [устро́ить], обставля́ть [-а́вить]; *Su.* устро́йство; обстано́вка; учрежде́ние.

eins одно́; раз; **es ist ~** час; *f* ♀ едини́ца.

einsam уедине́нный; *(allein)* одино́кий.

einsammeln соб(и)ра́ть.

Einsatz *m* вста́вка; *Spiel:* ста́вка.

einschalten *Elektrizität:* включа́ть [-чи́ть].

einschenken нали́(ва́)ть.

einschiffen нагружа́ть [нагрузи́ть]; *(Personen)*

брать [взять] на па-
ро́хо́д; **sich ~** сади́ться
[сесть] на парохо́д.

einschlafen засыпа́ть
[-сну́ть].

Einschlag *m* уда́р; **2en**
вби(ва́)ть; заби(ва́)ть;
прола́мывать [-ломи́ть];
Blitz: ударя́ть [-а́рить];
(gelingen) уда́(ва́)ться.

einschließ|en запира́ть
[-пере́ть] (на ключ);
заключа́ть [-чи́ть]; *fig.*
(mit) ~en включа́ть [-ю-
чи́ть]; **~lich** со включе́-
нием (P), включи́-
тельно; включа́я.

einschmuggeln ввози́ть
[ввезти́] контрабан-
до́й.

Einschnitt *m* над-, по-,
раз-ре́з.

einschränken ограни́чи-
(ва)ть; стесня́ть [-ни́ть];
свёртывать [свернуть].

Einschreibe|brief *m* за-
казно́е письмо́; **~gebühr**
f пла́та за заказно́е
письмо́; **~n!** заказно́е;
2n в-, за-, про-пи́сы-
вать [-са́ть]; зано́сить
[-нести́].

einsehen просма́тривать
[-мотре́ть]; *fig.* созна-
(ва́)ть(ся).

einseifen намы́ли(ва)ть.
einseitig односторо́нний.
einsenden прис(ы)ла́ть.

einsetzen вставля́ть [-а́-
вить]; вде́л(ыва)ть.

Einsicht *f* благоразу́мие.

einspannen в-, за-пряга́ть
[-я́чь].   [-пере́ть.]

einsperren запира́ть
einspritzen впры́скивать
[-снуть]; *Su.* впры́скива-
ние; инъе́кция.

Einspruch *m* возраже́-
ние; проте́ст.

einspurig одноколе́й-
ный.

einst одна́жды; когда́-
то; не́когда.

einstecken сова́ть [су́-
нуть] (в карма́н).

einstehen отвеча́ть, [по-]
стоя́ть *(für* за В).

einsteigen входи́ть [войти́],
сади́ться [сесть]
(в ваго́н).

einstellen нанима́ть [на-
ня́ть]; *(aufhören)* пре-
краща́ть [-крати́ть].

einstimmig *fig.* едино-
гла́сный; **2keit** *f* едино-
гла́сие.

einstöckig одноэта́ж-
ный.

Einsturz *m* обва́л; про-
ва́л.

einstweilen пока́, ме́ж-
ду тем.

einteilen разделя́ть
[-ли́ть]; распределя́ть
[-ли́ть].

eintönig моното́нный.

eintragen в-, заноси́ть [-нести́], в-, запи́сывать [-са́ть]; *Su.* распи́ска; пропи́ска.

einträglich дохо́дный.

eintreffen прибы(ва́)ть; приезжа́ть [-е́хать].

eintreiben взы́скивать [-ка́ть].

eintreten входи́ть [войти́]; вступа́ть [-пи́ть]; поступа́ть [-пи́ть]; (*sich ereignen*) случа́ться [-чи́ться].

Eintritt *m* вход; вступле́ние; поступле́ние; **kein** ~! (про́сят) не входи́ть!; **~s...** входно́й; **~sgeld** *n* ~**skarte** *f* входна́я пла́та ~**skarte** *f* входно́й биле́т.

einverleiben присоединя́ть [-ни́ть]. [ный.]

einverstanden согла́с-]

Einverständnis *n* согла́сие; соглаше́ние.

Einwand|(e)**r**er *m* иммигра́нт, переселе́нец, прише́лец; **2ern** иммигри́ровать, переселя́ться [-ли́ться]; *Su.* переселе́ние, иммигра́ция.

einweihen посвяща́ть [-яти́ть] [-рази́ть].]

einwenden возража́ть]

einwickeln завёртывать [заверну́ть].

einwilligen соглаша́ться [-ласи́ться].

Einwohner *m* жи́тель.

einzahlen вноси́ть [внести́]; *Su.* взнос.

Einzel... отде́льный, ча́стный; ро́зничный; ~**heit** *f* подро́бность; ча́стность; **2n** отде́льный; ча́стный; **в ро́зницу**; особняко́м; ~**verkauf** *m* ро́зничная прода́жа.

einziehen втя́гивать [втяну́ть]; взима́ть; *Erkundigungen:* наводи́ть [-вести́]; *Segel:* уб(и)ра́ть; *in e-e Wohnung:* въезжа́ть [-е́хать].

einzig еди́н(ствен)ный.

Einzug *m* вход; въезд.

Eis *n* лёд; *Speise:* моро́женое; ~**bahn** *f* като́к; ~**bär** *m* бе́лый медве́дь; ~**brecher** *m* ледоко́л.

Eisen *n* желе́зо; *in Zssgn* желе́зный.

Eisenbahn *f* желе́зная доро́га; *in Zssgn* железнодоро́жный; ~**damm** *m* полотно́ желе́зной доро́ги; ~**schiene** *f* ре́льса; ~**unglück** *n* железнодоро́жная катастро́фа, круше́ние по́езда; ~**wagen** *m* ваго́н; ~**zug** *m* по́езд.

eisern желе́зный.

Eis|gang *m* ледоход;
2kalt ледяной; **~läufer**
m конькобежец; **~meer**
n Ледовитый океан; **~-
schrank** *m* шкаф-ледник.

eitel тщеславный.

Eiter **2** *m* гной, материя; **2n** [за]гноиться.

Ekel *m* отвращение; **2-
haft** отвратительный; **-
2n: sich 2n vor** (*D.*) [по]чувствовать отвращение к; [по]брезгать (Т).

elastisch эластичный,
упругий.

Elefant *m* слон.

elegant изящный; элегантный; нарядный.

elektrisch электрический.

Elektrizität *f* электричество; **~swerk** *n* электрическая станция.

Elektromotor *m* электродвигатель; электромотор.

Element *n* стихия; элемент.

Elend 1. *n* беда, бедствие; **2.** **2** бед(ствен)ный; (*armselig*) жалкий, убогий.

Elfenbein *n* слоновая
кость *f*.

Ell(en)bogen *m* локоть.

Eltern *pl.* родители *m/pl.*;
in Zssgn родительский.

Empfang *m* приём;
встреча; **2en** (*fig.* восприниматься [-нять];
встречать [-етить]; получать [-чить].

Empfänger *m* получатель; адресат; *Radio:*
приёмник.

empfänglich восприимчивый (**für** к); впечатлительный.

Empfangs... приёмный;
~apparat *m* приёмник;
~tag *m* приёмный день;
~zimmer *n* гостиная,
приёмная.

empfehl|en [от-, за-, по-]
рекомендовать; *Su.*
рекомендация; **2ungs...**
рекомендательный.

empfind|en [по]чувствовать; [по]чуять; ощущать [-утить]; *Su.* ощущение, чувство; **~lich**
чувствительный; обидчивый.

empor вверх, кверху.

empören (**sich**) возмущать(ся) [-утить(ся)];
[вз]бунтовать(ся); восставать [-ста́(ва́)ть]; **~d** возмутительный; *Su.* бунт.

emsig прилежный.

Ende *n* конец; окончание; исход; **2n** оканчивать(ся) *u.* кончать(ся) [(о)кончить(ся)].

9*

Endkampf *m* фи́ниш.

endlich коне́чный; *adv.* наконе́ц.

Endstation *f* коне́чная ста́нция.

Endung *f* оконча́ние.

eng у́зкий; те́сный.

Enge *f* у́зость; теснота́.

Engel *m* а́нгел.

Eng|land *n* 'А́нглия ~länder *m* англича́нин.

englisch англи́йский.

Enkel *m* внук; ~in *f* вну́чка; ~ *pl.* внуча́та.

entbehr|en нужда́ться в (П); *Su.* нужда́; ~lich ненадо́бный; ненужный; изли́шний.

entbind|en освобожда́ть [-боди́ть (von от)]; *Su.* освобожде́ние; ♀ ро́ды *pl.*; ⚕ungsanstalt *f* роди́льный дом.

entblößen обнажа́ть [-нажи́ть]; оголя́ть [-ли́ть].

entdecken открыва́ть [-ы́ть]; *Su.* откры́тие.

Ente *f* у́тка.

entehren [о]бесче́стить.

enteignen отчужда́ть [-ди́ть]; *Su.* отчужде́ние.

Entenbraten *n* жа́реная у́тка.

entfallen выпада́ть [вы́пасть]; *Anteil:* (auf *A.*) доста́(ва́)ться (Д).

entfalten (sich) распу-

скáть(ся) [-стúть(ся)]; развёртывать [-вернýть].

entfernen от-, у-даля́ть [-ли́ть]; *Fleck:* вы-, с-води́ть [-вести́]; *Su.* удале́ние; расстоя́ние.

entfliehen убега́ть [убежа́ть].

entführen уводи́ть [увести́]; похища́ть [-и́тить].

entgegen (*D.*) про́тив, вопреки́; ~geh(e)n идти́ [пойти́] навстре́чу; ~gesetzt проти́в(опо-ло́ж)ный; ~kommen идти́ [пойти́] навстре́чу.

entgeh(e)n (*D.*) избега́ть [-éгнуть] (Р).

Entgelt *n* вознагражде́ние.

entgleisen сходи́ть [сойти́] с ре́льсов.

enthalten (in sich) содержа́ть(ся); ~ sich (*G.*) воз-, у-де́рживать-ся [-жа́ться] от.

enthüllen открыва́ть [-ы́ть]; *fig.* разоблача́ть [-чи́ть].

entkommen убега́ть [убежа́ть].

entkräften обесси́ли-(ва)ть; изнуря́ть [-ри́ть]; *fig.* опроверга́ть [-éргнуть].

entlang вдоль, по.

entlassen увольня́ть [уво́лить]; вы-, распуска́ть [-сти́ть]; освобожда́ть [-боди́ть]; *Su.* отста́вка; увольне́ние.

entnehmen [по]заи́мствовать.

entschädigen вознагражда́ть [-гради́ть]; *Su.* вознагражде́ние; возмеще́ние.

entscheiden (раз)реша́ть [-ши́ть]; *Su.* (раз)реше́ние.

entschieden, entschlossen реши́тельный.

entschlüpfen ускольза́ть [-зну́ть].

Entschluß *m* реше́ние.

entschuldigen (sich) извиня́ть(ся) [-ни́ть(ся)]; ~ **Sie!** извини́те!, винова́т!; *Su.* извине́ние.

entsetz|en: sich ~en ужаса́ться [-сну́ться]; ~**lich** ужа́сный; стра́шный.

entsprechen (*D.*) соотве́тствовать, отвеча́ть [-е́тить].

entsteh(e)n происходи́ть [произойти́]; возника́ть [-и́кнуть]; появля́ться [-ви́ться]; -кази́ть].⟩

entstellen искажа́ть [-кази́ть].

enttäuschen разочаро́вывать [-рова́ть].

entwaffnen разоружа́ть [-у́жить]; обезору́живать [-жить].

entweder ... oder ли́бо ... ли́бо; и́ли ... и́ли.

entwerfen набра́сывать [-роса́ть]; [на]черти́ть.

entwerten обесце́ни(ва)ть.

entwick|eln (sich) развива́ть(ся) [-ви́ть(ся)]; проявля́ть [-ви́ть]; *Su.* разви́тие; проявле́ние; **2ler** *m* прояви́тель.

Entwurf *m* набро́сок, прое́кт; план; черно-ви́к.

entzücken 1. восхища́ть [-ити́ть]; **2. 2** *n* восто́рг; ~**d** восхити́тельный.

entzünden зажига́ть [зажѐчь]; воспламеня́ть [-ни́ть]; **sich** ~ воспаля́ться [-ли́ться]; *Su.* воспале́ние.

entzwei на́двое; сло́манный.

er он.

erbärmlich жа́лкий.

erbau|en [по]стро́ить; сооружа́ть [-уди́ть]; воздвига́ть [-и́гнуть]; созда(ва́)ть.

Erbe 1. *m* насле́дник; **2.** *n* насле́дство.

erben [у]насле́довать.

Erbin *f* насле́дница.

erbitten вы-, у-, испра́шивать [-проси́ть].

erbittern ожесточа́ть [-чи́ть].

erblich насле́дственный.

erblicken [у]ви́деть.

erblinden [о]слепну́ть.

Erbrechen *n* рво́та.

Erbschaft *f* насле́дство.

Erbse *f* горо́шина; **~n** *pl.* горо́х.

Erd... земл(я́)но́й; **~beben** *n* землетрясе́ние; **~beere** *f* земляни́ка, клубни́ка; **~boden** *m* земля́; по́чва.

Erde *f* земля́; **2n** заземля́ть [-ли́ть].

Erd|geschoß *n* пе́рвый эта́ж; **~leitung** *f* подзе́мный про́вод; **~öl** *n* нефть *f*; **~rutsch** *m* о́ползень; **~stoß** *m* подзе́мный уда́р.

ereig|nen: sich ~nen случа́ться [-чи́ться]; происходи́ть [произойти́]; **2nis** *n* собы́тие, происше́ствие; приключе́ние.

erfahren 1. узна(ва́)ть; **2.** *adj.* о́пытный, све́дущий; **Su.** о́пыт.

erfind|en изобрета́ть [-ести́]; **2er** *m* изобрета́тель; **2ung** *f* изобрете́ние.

Erfolg *m* успе́х, уда́ча; **2los** безуспе́шный; неуда́чный; **2reich** успе́шный.

erforder|lich потре́бный,

ну́жный; **2nis** *n* потре́бность *f*.

erforschen иссле́довать.

erfreu|en [об-, по]ра́довать; **~lich** отра́дный.

erfrieren замерза́ть [замёрзнуть].

erfrischen освежа́ть [-жи́ть]; **~d** прохлади́тельный; **Su.** освеже́ние; [-о́лнить].)

erfüllen вы-, ис-полня́ть

ergänzen до-, по-полня́ть [-о́лнить]; добавля́ть [-а́вить].

ergeb|en 1. sich ~en ока́зываться [-за́ться]; получа́ться [-чи́ться]; *dem Feinde* сда(ва́)ться; **2.** *adj.* пре́данный, поко́рный; **2nis** *n* результа́т.

ergreifen схва́тывать [-ти́ть]; брать [взять]; хвата́ть [-ти́ть]; бра́ться [взя́ться] за (В); принима́ть [-ня́ть]; *Besitz* ~ овладе́(ва́)ть.

erhaben возвы́шенный; велича́вый; вели́чественный; *Geist* вели́кий; ⊕ вы́пуклый, релье́фный.

erhalten сохраня́ть [-ни́ть]; *(empfangen)* получа́ть [-чи́ть].

erheb|en поднима́ть [-ня́ть]; возвыша́ть [-вы́сить]; возводи́ть

[-вести́] *Zoll usw.*: брать [взять]; взыск(ив)а́ть; взима́ть; **~en** восста(ва́)ть; *Su.* подня́тие; возведе́ние; взима́ние, сбор; **~lich** значи́тельный.

erhöhen увели́чи(ва)ть, по-, воз-выша́ть [-ы́сить].

erholen: sich ~ отдыха́ть [-дохну́ть]; *Su.* о́тдых.

erinnern напомина́ть [-о́мнить]; **sich ~** по́мнить, при-, вс-помина́ть [-о́мнить]; *Su.* воспомина́ние.

erkälten (sich) просту́живать(ся) -уди́ть (-ся); *Su.* просту́да.

erkennen опо-, по-, узна(ва́)ть.

erkennt|lich призна́тельный; **2nis** *f* по-, созна́ние.

erklären по-, разъ-ясня́ть [-ни́ть]; *Su.* по-, объ-ясне́ние.

erkranken заболе́(ва́)ть.

erkundigen: sich ~ über (*A.*) справля́ться [-а́виться] о (*П*) осведомля́ться [-е́домиться] о (*П*); *Su.* спра́вка, осведомле́ние.

erlangen достига́ть [-и́гнуть] (*Р*); доста(ва́)ть.

Erlaß *m* ука́з, прика́з.

erlaub|en позволя́ть [-о́лить] (**sich** себе́); разреша́ть [-ши́ть]; **2nis** *f* позволе́ние, разреше́ние. [пережи́(ва́)ть.]

erleben дожи(ва́)ть;

erledigen ока́нчивать [око́нчить]; исполня́ть [-о́лнить] [-чи́ть].

erleichtern облегча́ть

erleiden [по]терпе́ть.

erleuchten освеща́ть [-ети́ть].

Erlös *m* вы́ручка.

erlöschen [по]га́снуть.

ermäßigen сбавля́ть [-а́вить]; уменьша́ть [-ши́ть]; понижа́ть [-и́зить]. [-ка́ть.]

ermitteln изы́скивать

ermöglichen [с]де́лать возмо́жным.

ermorden уби(ва́)ть.

ermüden утомля́ть [-ми́ть]. [ободри́ть.]

ermutigen ободря́ть

ernähren [на]корми́ть, пита́ть; *Su.* пита́ние.

ernennen (zu) назнача́ть [-а́чить] (*Т*).

erneuern об-, под-новля́ть [-ви́ть].

erniedrigen унижа́ть [-и́зить.]

Ernst 1. *m* серьёзность *f*; **2.** серьёзный.

Ernte *f* жа́тва, урожа́й; **2n** [с]жа́ть; пож(ин)а́ть.

erobern завоёвывать [завоева́ть]; покоря́ть [-ри́ть]; *Su.* завоева́ние; захва́т. [*Su.* откры́тие.]

eröffnen откры(ва́)ть;)

erörtern обсужда́ть [-уди́ть].

erpressen вымога́ть; *Su.* вымога́тельство; шанта́ж. [-та́ть).\

erproben испы́тывать [-та́ть).\

erraten от-, у-га́дывать [-да́ть].

erregen возбужда́ть [-уди́ть]; [вз]волнова́ть.

erreichen достига́ть [дости́гнуть, дости́чь (P)]; доби(ва́)ться; *Zug usw.*: поспева́ть [-пе́ть] на (B).

errichten воздвига́ть [-дви́гнуть]; возводи́ть [-вести́]; учрежда́ть [учреди́ть]; созда(ва́)ть.

erröten [по]красне́ть.

Errungenschaft *f* достиже́ние; приобрете́ние.

Ersatz *m* заме́на; замеще́ние; суррога́т; ~*teil* *m* запасна́я часть.

erscheinen (по)явля́ться [-яви́ться]; *Buch*: выходи́ть [вы́йти] (из печа́ти); *Su.* (по)явле́ние; я́вка.

erschießen рас-, за-стре́ливать [-ли́ть].

erschöpfen истоща́ть [истощи́ть]; изнуря́ть [-ри́ть].

erschrecken (sich) (vor *D.*) [ис]пуга́ть(ся P).

erschüttern потряса́ть [-сти́].

ersetzen замени́ть [-ни́ть]; замеща́ть [-мести́ть] (durch T).

ersparen скопи́ть *pf.*; *2nis* *f* сбереже́ние.

erst то́лько; ~ перво́; ~*e* перво́ [о]цепене́ть [о]коченеть.

erstarren возвраща́ть [-ати́ть]; **Bericht** ~ докла́дывать [доложи́ть].

Erstaufführung *f* премье́ра.

erstaunen удивля́ться [-ви́ться].

erstaunlich удиви́тельный; порази́тельный; изуми́тельный.

erste(r) пе́рвый.

ersticken [за-]души́ть; задыха́ться [-дохну́ться].

erst|klassig первокла́ссный; ~*malig* впервы́е.

erstrecken: sich ~ простира́ться [-стере́ться].

erteilen (от)да(ва́)ть; *Verweis* ~ [с]де́лать.

Ertrag *m* вы́ручка; (*Gewinn*) прибыль *f*; *2en* вы-. пере-носи́ть

[-нести́]; вы́держ(ив)ать.

erträglich терпи́мый.

ertränken [у]топи́ть.

ertrinken [у]тону́ть.

erwachen просыпа́ться [-сну́ться].

erwachsen взро́слый.

erwähnen упомина́ть [-мяну́ть] о (П).

erwarten [подо-, про]жда́ть, подо́-, о-жида́ть (Р, В); Su. ожида́ние.

erweisen ока́зывать [-за́ть]; отда(ва́)ть.

erweitern расширя́ть [-ри́ть]; увели́чи(ва)ть.

Erwerb m приобрете́ние; 2en приобрета́ть [-ести́]; доб(ы)ва́ть; ~los, ~slose(r) m безрабо́тный.

erwidern возража́ть [-ази́ть]; отвеча́ть [-е́тить].

erwischen лови́ть [пойма́ть]; застига́ть [-и́гнуть, -и́чь].

Erz n руда́.]

erzähl|en расска́зывать [-за́ть]; Su. расска́з; по́весть f.

erzeug|en производи́ть [-вести́]; fig. (за-, по)рожда́ть [-оди́ть]; 2nis n произведе́ние; проду́кт; изде́лие.

erzieh|en воспи́тывать [-та́ть]; ~er(in f) m вос-

пита́тель(ница); Su. воспита́ние.

es оно́; A.: его́.

Esel m осёл.

eßbar съедо́бный.

essen 1. [съ]есть; [по]ку́шать; **zu Abend ~** [по]у́жинать; **zu Mittag ~** [по]обе́дать; **2.** 2 n еда́; ку́шанье.

Essig m у́ксус.

Eß|löffel m столо́вая ло́жка; **~waren** f/pl. съестны́е припа́сы m/pl.; **~zimmer** n столо́вая.]

Etui n футля́р. [ло́вая.]

etwa приблизи́тельно; о́коло; до; ра́зве.

etwas что́-нибудь; что́-то; немно́го; adv. немно́го.

euch D.: вам; A.: вас, себя́.

euer das: ваш (-a, -e, -и).

Euro|pa n Евро́па; 2päisch европе́йский.

ewig ве́чный.

Examen n экза́мен.

Exekutiv... исполни́тельный.

Exist|enz f существова́ние; 2ieren [про]существова́ть.

explo|dieren взрыва́ться [взорва́ться]; 2sion f взрыв. [порт.]

Export m вы́воз, экс-]

Extra... экстренный.

Exzellenz f превосходи́тельство.

F

Fabel f ба́сня; фа́була;
2haft баснсло́вный;
чуде́сный.

Fabrik f фа́брика; заво́д;
.... фабри́чный; *in
Zssgn Abk.* фаб; заво́д-
ский; *in Zssgn Abk.* зав.

Fabrikbesitzer m заво́д-
чик; фабрика́нт.

Fach n по́лка; отделе́-
ние; предме́т; **....** спе-
циа́льный; *in Zssgn
Abk.* спец.

Facharzt m врач-специа-
ли́ст.

Fachmann m специа-
ли́ст.

Faden m ни́тка; нить f;
~nudel f вермише́ль.

fähig спосо́бный.

Fahne f зна́мя n, флаг.

Fahr|bahn f мостова́я;
2bar прое́зжий; **⚓** су-
дохо́дный.

Fähre f перево́з; паро́м.

fahren [по-, с]везти́,
[по]вози́ть; до-, про-
вози́ть [-везти́]; ката́ть
[-ти́ть]; *v/i.* [по]е́хать,
[по-, с]ъе́здить; **⚓** [по]-
плы́ть.

Fahrer m ездо́к; *s. Auto2.*

Fahr|gast m пасса-
жи́р; **~geld** n пла́та
за прое́зд; **~karte** f би-

лéт (на прое́зд); **~**
kartenschalter m би-
ле́тная ка́сса; **2lässig** нео-
сторо́жный; **~plan** m
расписа́ние движе́ния
(поездо́в); **~preis** m це-
на́ за прое́зд od. провоз;
~rad n велосипе́д; **~**
schein m биле́т (на прое́-
зд); **~stuhl** m лифт.

Fahrt f езда́; (*Reise*)
пое́здка; **⚓** рейс.

Falke m со́кол.

Fall m паде́ние; (*Zu2*)
слу́чай; *Gram.:* паде́ж.

Falle f западня́, капка́н.

fallen па́дать [упа́сть];
Preise: понижа́ться
[-и́зиться].

fällen [с]руби́ть; *Urteil:*
выноси́ть [-нести́].

fällig сро́чный; *Zug usw.:*
очередно́й.

falls в (том) слу́чае,
е́сли.

Fallschirm m парашю́т;
~springer m парашю-
ти́ст.

falsch непра́вильный;
фальши́вый; подло́ж-
ный; подде́льный; неве́-
рный; ло́жный; *fig.*
двули́чный.

fälschen фальсифици́-
ровать, подде́л(ыв)ать.

Fälschung f подлог, подделка.

Faltboot n складная лодка.

Falte f складка; морщина; ~n складывать [сложить].

Familie f семейство, семья; ~nname m фамилия.

Fang m (у)лов(ля); ~en ловить [поймать].

Farbband n лента (пишущей машины).

Farbe f цвет; краска.

färben [по]красить.

Färberei f красильня.

farbig цветной.

Fasching m карнавал.

Faser f волокно; fig. фибра.

Faß n бочка.

fassen хватать(ся) [-тить (-ся), схватить]; Beschluß: принимать [-нять]; s. a. begreifen.

Fassung f редакция; оправа; fig. самообладание.

fast s. beinahe.

faul гнилой; тухлый; (träge) ленивый; ~en гнить od. [сгнить]; [про]тухнуть.

faulenz|en [по]лениться; бездельничать; ~er m лентяй.

Faulheit f леность, лень.

Faust f кулак; ~kampf m бокс.

Februar m февраль.

fechten фехтовать.

Feder f перо; ⊕ пружина; рессора; ~bett n перина; ~halter m ручка.

fegen [по]мести [.ка.].

fehlen ошибаться [-биться]; (an D.) недоставать (P); (abwesend sein) отсутствовать.

Fehler m ошибка; недостаток; порок; ~haft ошибочный; порочный; ~los безошибочный; безупречный.

Fehl|schlag m неудача; промах; ~tritt m проступок.

Feier f торжество; ~lich торжественный; ~n [от]праздновать; ~tag m праздник.

feige[1] трусливый.

Feige[2] f смоква, фига.

Feile f напильник.

fein тонкий; мелкий; fig. утончённый.

Feind m враг, неприятель; ~lich враждебный; вражеский; ~schaft f вражда; неприязнь.

Feinheit f тонкость; fig. утончённость.

Feld n поле; нива; e-r Tabelle: графа; ~herr m

полково́дец; ~weg *m*
просёлочная доро́га,
просёлок; ~zug *m* похо́д.

Fell *n* ко́жа, шку́ра.

Fels(en) *m* скала́; утёс.

Fenster *n* окно́; ~laden *m*
ста́вень; ~scheibe *f*
(око́нное) стекло́.

Ferien *f/pl.* кани́кулы.

Ferkel *n* поросёнок.

fern далёкий; *adv.* далеко́; **von ~** издалека́; **~e** *f* даль; **aus der ~e**
и́здали; **in der ~e** вдали́.

Fern|gespräch *n* междугоро́дный телефо́нный разгово́р; ~glas *n* подзо́рная труба́; ~schreiber *m* телета́йп; ~sehapparat *m* телеви́зор; ~sehen *n* телеви́дение; ~sprechamt *n* телефо́нная ста́нция; ~sprecher *m* телефо́н; ~zug 🚂 *m* по́езд да́льнего сле́дования.

Ferse *f* пя́тка.

fertig гото́вый; 2keit *f*
на́вык; **~ werden** справля́ться [-а́виться].

Fessel[n] 1. *f/pl.* канда́лы *m/pl.*, око́вы *f/pl.*; 2. 2
зако́вывать [-ова́ть]; *fig.* пленя́ть [-ни́ть].

fest[1] кре́пкий, твёрдый; пло́тный; про́чный; сто́йкий.

Fest[2] *n* пра́здник, торжество́; ~essen *n* банке́т, пара́дный обе́д.

Festland *n* матери́к; су́ша.

festlich пра́здничный; торже́ственный.

fest|nehmen заде́рживать [-жа́ть], аресто́вывать [-ова́ть]; ~setzen определя́ть [-ли́ть], устана́вливать [-нови́ть]; 2spiele *n/pl.* фестива́ль *m*.

Festung *f* кре́пость.

fett 1. жи́рный, ту́чный; 2. 2 *n* жир; са́ло.

feucht сыро́й, вла́жный.

Feuer *n* ого́нь *m*; (*Brand*) пожа́р; ~bestattung *f* крема́ция; 2fest несгора́емый, огнеупо́рный; 2gefährlich огнеопа́сный; ~löscher *m* огнетуши́тель; ~melder *m* пожа́рный сигна́л.

feuern [на]топи́ть; (*schießen*) стреля́ть.

Feuer|brunst *f* пожа́р; ~spritze *f* пожа́рный насо́с; ~versicherung *f* страхова́ние от огня́; ~wehr *f* пожа́рная кома́нда; ~wehrmann *m* пожа́рник; ~werk *n* фейерве́рк; ~zeug *n* зажига́лка.

Fibel *f* буква́рь *m*.

Fichte f сосна́.

Fieber n лихора́дка; **~mittel** n жаропони́жающее; **2n** быть в лихора́дке.

Figur f фигу́ра; (Wuchs) сложе́ние.

Filet n филе́(й); **~braten** m жарко́е из филе́.

Film m фи́льм(о); Fot. плёнка; **~aufnahme** f киносъёмка; **~buch** n сцена́рий; **2en** засня́ть pf.

Filz m во́йлок.

Finanz|amt n финотде́л; **~ierung** f финанси́рование.

finden находи́ть [найти́]; отыскивать [-ка́ть].

Finger m па́лец; **~hut** m напёрсток.

Fisch m ры́ба; **~er** m рыба́к; **~fang** m рыболо́в; **~suppe** f уха́.

flach пло́ский.

Flachs m лён.

Flagge f флаг; **2n** поднима́ть [-ня́ть] флаг.

Flak f зени́тная пу́шка; Fliegerabwehr f ПВО (противовозду́шная оборо́на).

Flamme f пла́мя n.

Flasche f буты́лка; (Reise-) фля́жка.

flau вя́лый.

Flaum m пух.

Flechte f коса́; ⚕ лиша́й; **2n** [с]плести́.

Fleck m (Stelle) ме́сто; Schmutz: пятно́; **~typhus** m сыпно́й тиф.

Fledermaus f лету́чая мышь.

Flegel m неве́жа m.

flehen моли́ть, умоля́ть.

Fleisch n мя́со; **~brühe** f бульо́н; **~er** m мясни́к.

Fleiß m прилежа́ние; **2ig** приле́жный.

Flicken 1. m запла́та; **2.** 2 [по]чини́ть.

Flieder m сире́нь f.

Fliege f му́ха; **2n** [по]лете́ть, [по]лета́ть; **~nfänger** m мухоло́вка.

Flieger ✈ m лётчик, авиа́тор.

fliehen бежа́ть (от).

fließen [по]те́чь, [по]ли́ться; **~d** теку́чий; пла́вно; бе́гло, свобо́дно (кий.).

flink прово́рный; бо́йкий.

Flinte f ружьё.

Flitter m блёстки f/pl.; **~wochen** f/pl. медо́вый ме́сяц.

Floh m блоха́.

Floß n плот.

Flosse f плавни́к.

Flöte f флéйта.

Flotte f флот.

Fluch m прокля́тие; **2en** руга́ться.

Flucht f бе́гство, побе́г.
flüchtig бе́глый; *fig.* пове́рхностный.
Flüchtling m бе́женец; бегле́ц.
Flug m полёт, перелёт; лёт; **∼blatt** n листо́вка.
Flügel m крыло́; флю́гель; ♪ роя́ль.
Flug|gast m лётный пассажи́р; **∼hafen** m, **∼platz** m аэродро́м; **∼post** f s. **∼schein** m биле́т на полёт; **∼sport** m авиоспо́рт; **∼wesen** n авиа́тика, авиа́ция; **∼zeug** n аэропла́н, самолёт; **∼zeugführer** m пило́т.
Flunder f камба́ла.
Flur 1. f (*Feld*) ни́ва; по́ле; **2.** m се́ни pl.
Fluß m река́; пото́к.
flüssig жи́дкий; **2keit** f жи́дкость.
flüstern [про]шепта́ть [-пну́ть].
Flut f прили́в.
Fohlen n жеребёнок.
Folge f (по)сле́дствие; результа́т; **2n** (*D.*) [по]сле́довать за (Т); идти́ (пойти́) за (Т); *fig.* вытека́ть [вы́течь]; **2rn** заключа́ть [-чи́ть].
folglich сле́довательно.
Folter f пы́тка; **2n** пыта́ть; (*quälen*) му́чить.

fordern [по]тре́бовать; вы́з(ы)ва́ть; *Su.* (вос-)тре́бование.
fördern спосо́бствовать (Д); разви(ва́)ть; *Kohlen:* добы́(ва́)ть.
Form f фо́рма; о́браз.
Formular n бланк.
forsch|en иссле́довать; **2er** m иссле́дователь.
Forst m лес.
Förster m лесни́чий.
fort прочь; вон; (*weiter*) да́лее; **∼dauern** продолжа́ться [-о́лжиться]; **∼kommen** преуспе(ва́)ть; **2schritt** m прогре́сс; успе́х; **∼setzen** продолжа́ть [-о́лжить]; *Su.* продолже́ние; **∼während** беспреста́нный; постоя́нный.
Fotografie f фотогра́фия; **2ren** [с]фотографи́ровать.
Fracht f фрахт, груз; **∼brief** m накладна́я; **∼gut** n груз ма́лой ско́рости.
Frage f вопро́с; **∼bogen** m анке́та; **2n** спра́шивать [спроси́ть].
fraglich сомни́тельный.
franko беспла́тно.
Frankreich n Фра́нция.
Franzose m францу́з.
Frau f же́нщина; жена́; *Anrede:* госпожа́.

Fräulein n Anrede: госпожа.

frech дерзкий; нахальный; наглый.

frei свободный; вольный; вакантный; незанятый; открытый; (kostenlos) бесплатный; **2denker** m свободомыслящий.

Freie: im ~n на воздухе, под открытым небом.

frei|gebig щедрый; **2gepäck** n бесплатный багаж; **2handel** m свободная торговля; **2heit** f свобода; вольность; воля; **~lassen** вы-, отпускать [-стить] на свободу.

freilich конечно; ~! разумеется!

Frei|lichtbühne f открытая сцена; **~marke** f почтовая марка; **2-sprechen** оправдывать [-дать]; **~tag** m пятница; **2willig** добровольно.

fremd чужой, чуждый; посторонний; (unbekannt) незнакомый; **ich bin hier ~** я не здешний.

Fremde 1. f чужбина; **2. ~(r)** m/f чужеземец; незнакомец (-мка).

Fremden-| иностранный; **~führer** m проводник; **~verkehr** m туризм; **~**

zimmer n комната для приезжих (гостей).

Freude f радость; отрада.

freudig радостный.

freuen [по]радовать; es freut mich меня радует, я рад; **sich** (über A.) [об-, по]радоваться (Д).

Freund|(in f) m друг (подруга), приятель (-ница); **2lich** любезный; приветливый; ласковый; **~schaft** f дружба; **2schaftlich** дружеский; дружественный.

Friede|(n) m мир; покой; **~nsbruch** m нарушение мира; **~nsverhandlungen** f/pl. мирные переговоры; **~nsvertrag** m мирный договор.

Friedhof m кладбище.

frieren [о]зябнуть; мёрзнуть; замерзать [-мёрзнуть]; **ich friere** мне холодно.

frisch свежий; (kühl) прохладный; **2e** f свежесть; прохлада.

Friseur m парикмахер; **~salon** m парикмахерская.

Friseuse f парикмахерша.

frisieren причёсывать [-чесать].

Frist f срок.

Frisur f причёска.

froh весёлый; ра́дост-ный; (*über A*.) рад (Д).

fröhlich весёлый.

fromm набо́жный.

Front f фаса́д; ✕ фронт; строй.

Frosch m лягу́шка.

Frost m моро́з.

Frucht f плод, фрукт; **2bar** плодоро́дный; плодови́тый; ту́чный; *fig.* плодотво́рный; **~saft** m морс.

früh ра́нний; *adv.* ра́но; (*zeitig*) зара́нее; **2e** f рань; **in der ~** ра́но у́тром; **~er** пре́жний, бы́вший; *adv.* ра́ньше, пре́жде.

Früh|ling m весна́; **im ~ling** весно́й; **~stück** n за́втрак; **2stücken** [по]за́втракать; **2zeitig** ра́нний; *adv.* зара́нее, во́время.

Fuchs m лиси́ца, лиса́.

fühlbar ощути́тельный.

fühlen [по]чу́вствовать; ощуща́ть [ощути́ть]; (*be~*) [по]щу́пать.

Fuhre f воз.

führen [по]вести́, води́ть; руководи́ть (Т); **~d** передово́й.

Führer m вождь; руково-ди́тель; проводни́к; *in Buchform*: путево-ди́тель; **~schein** m сви-

де́тельство на пра́во управле́ния маши́ной.

Führung f веде́ние; руково́дство; (*Betragen*) поведе́ние.

Fülle f полнота́; изоби́лие.

füllen наполня́ть [-о́лнить]; наби(ва́)ть.

Füllfeder(halter m) f ве́чное перо́.

Füllung f наби́вка; *Kochkunst*: фарш; начи́нка; *Zahn*: пло́мба.

Fund m нахо́дка; **~büro** n бюро́ нахо́док.

Fünfjahrplan m пятиле́тка.

funkeln сверка́ть [-кну́ть]; [за]блесте́ть.

Funken 1. f и́скра; **2.** переда(ва́)ть по ра́дио.

Funker m ради́ст.

Funk|spruch m ра́дио-(теле)гра́мма; **~station** f радиоста́нция.

Funktionär m активи́ст, функционе́р.

funktionieren де́йствовать (диосвя́зь.)

Funkverbindung f ра-

für (*A*.) за (B); на (B); для (P); о, об, обо (П); **was ~ (ein)** что за, ка-

Furche f борозда́.

Furcht f боя́знь, страх; **2bar** стра́шный; ужа́сный; гро́зный;

fürchten (*a.* sich ~ [vor D.]) [по]боя́ться (P); опаса́ться (P).

furcht|los безбоя́зненный; бесстра́шный; **~sam** боязли́вый.

Für|sorge *f* попече́ние; **~sprache** *f* хода́тайство.

Fürst *m* князь; **2in** *f* княги́ня; **2lich** кня́жеский.

Furt *f* брод.   [кул.]

Furunkel *m* ⚕ фуру́н-⚕

Fuß *m* нога́; но́жка; *e-s*

Berges: подно́жие; *Maßeinheit:* фут; **~ball** (-spiel *n*) *m* футбо́л; **~ball(spiel)er** *m* футболи́ст; **~boden** *m* пол; **~gänger** *m* пешехо́д; **~sohle** *f* ступня́; **~weg** *m* тропа́, тропи́нка.

Futter *n* корм; *Stoff:* подкла́дка.

Futteral *n* футля́р, чехо́л.

füttern [на]корми́ть; *Kleider:* подби́(ва́)ть.

G

Gabe *f* дар; пода́рок; *fig.* дарова́ние.

Gabel *f* ви́лка; (*Heu2*) ви́лы *pl.*; **~frühstück** *n* лёгкий за́втрак, заку́ска.

Gage *f* жа́лованье.

gähnen зева́ть [зевну́ть].

Galgen *m* ви́селица.

Galle *f* жёлчь; **~nstein** *m* жёлчный ка́мень.

Gang *m* ход, похо́дка; (*Durch2*) прохо́д; **2bar** (удобо)проходи́мый; хо́дкий; *im* **~e** sein быть в ходу́; *in* **~** setzen пуска́ть [-сти́ть] в ход.

Gans *f* гусь *m*.

Gänse|braten *m* (жа́реный) гусь; **~klein** *n* гуси́ные потроха́ *m/pl.*

ganz весь (вся, всё, *pl.*: все), це́л(ьн)ый; *co*-всём; *im* **~en** всего́.

gänzlich соверше́нный; *adv.* совсе́м, вполне́; всеце́ло.

gar гото́вый; **~ nicht** ниско́лько; **~ nichts** ничего́.

Garage *f* гара́ж.

Garbe *f* сноп.

Garderobe *f* гардеро́б; *Thea.* убо́рная.

gären [за]броди́ть.

Garn *n* ни́тки *f/pl.*

Garten *m* сад; (*Gemüse2*) огоро́д.

Gärtner *m* садо́вник; **~ei** *f* садово́дство.

Gas *n* газ; **~anstalt** *f* га́зовый заво́д; **~be-**

leuchtung f газовое освещение; **~leitung** f газовый провод; **~maske** f противогаз; **~messer** m газомер(т)р.

Gasse f (маленькая) улица, переулок.

Gast m гость, f: гостья; **2frei** гостеприимный, радушный; **~freund** m хлебосол; **~haus** n, **~hof** m гостиница, отель; **~spiel** n гастроль f; **~stube** f гостиная f; **~wirt** m хозяин; **~wirtschaft** f ресторан.

Gatte m муж.

Gattin f жена.

Gattung f вид; род; (Rasse) порода; (Sorte) сорт.

Gaumen m нёбо.

Gauner m мошенник, плут.

Gaze f газ.

Gebäck n печенье; Kuchen: пирожное.

Gebärde f жест.

gebären рождать [родить].

Gebäude n здание; строение.

geben (от)да(ва)ть; fig. прида(ва)ть.

Gebet n молитва.

Gebiet n область f, территория; округ; район; fig. поприще; сфера.

gebildet образованный.

Gebirge n горы f/pl.

Gebiß n зубы m/pl.; künstliches: вставные зубы.

geboren (у)рождённый.

Gebrauch m употребление; (Sitte) обычай; обряд; **2en** употребля́ть [-бить], [вос]по́льзоваться (Т).

gebräuchlich употребительный; обычный.

Gebrauchsanweisung f способ употребления.

Gebrech|en n (физический) недостаток; **2lich** дряхлый; слабый.

Gebühr f плата; сбор.

Geburt f рождение; роды m/pl.

gebürtig урождённый; родом.

Geburts|helfer m акушёр; **~ort** m месторождение; **~schein** m метрика; **~tag** m день рождения.

Gebüsch n кустарник.

Gedächtnis n память f.

Gedanke m мысль f; **2nlos** рассеянный; **2nvoll** задумчивый.

Gedärm(e) n кишки f/pl.

Gedeck n (столовый) прибор.

gedeihen процветать [-цвести]; преуспе(ва)ть.

Gedicht *n* стихотворе́-
ние.

gediegen соли́дный.

Gedränge *n* да́вка; толкотня́; теснота́.

Geduld *f* терпе́ние; **sich**
2en име́ть терпе́ние;
2ig терпели́вый.

geeignet (при)го́дный;
подходя́щий.

Gefahr *f* опа́сность.

gefährlich опа́сный.

gefahrlos безопа́сный.

Gefährte *m* това́рищ;
(*Reise*2) спу́тник.

Gefälle *n* скат.

gefallen 1. [по]нра́вить-
ся; **2.** 2 *n* одолже́ние;
услу́га.

gefällig услу́жливый;
учти́вый.

Gefangen|e(r) *m/f* плён-
ник (-ица); **2nehmen**
брать [взять] в плен;
~schaft *f* заточе́ние,
плен, нево́ля.

Gefängnis *n* тюрьма́.

Gefäß *n* сосу́д.

gefaßt споко́йный.

Gefecht *n* сраже́ние; бой.

Geflügel *n* пти́ца.

Geflüster *n* шёпот.

Gefolge *n* сви́та.

gefrier|en замерза́ть,
[за]мёрзнуть; **2punkt** *m*
то́чка замерза́ния.

Gefrorene(s) *n* моро́же-
ное.

Gefühl *n* чу́вство; ощу-
ще́ние; чутьё; **2los** бес-
чу́вственный.

gegen (*A.*) про́тив (*P*);
вопреки́ (*Д*); о́коло
(*P*); к, ко (*Д*); от, ото
(*P*); под, подо (*Д*); до
(*P*). [ме́стность.]

Gegend *f* страна́, край;∫

Gegen|gewicht *n*; про-
тивове́с; **~mittel** *n* средство про́тив (*P*); **~**
revolution *f* контррево-
лю́ция; **~satz** *m* про-
тивополо́жность *f*; кон-
тра́ст; **2seitig** взаи́м-
ный, обою́дный; **~**
stand *m* предме́т; сю-
же́т; **im ~teil** *n* напро́-
тив; наоборо́т; **2über** *f*
(*D.*) (на)про́тив (*P*);

~wart *f* прису́тствие;
настоя́щее вре́мя *n*;
совреме́нность; **2wär-**
tig настоя́щий; совре-
ме́нный; **~wert** *m* рав-
ноце́нность *f*, экви-
вале́нт; **~wirkung** *f* про-
тиводе́йствие; **~zug**
m встре́чный по́езд.

Gegner *m* проти́вник.

Gehalt 1. *m* содержа́ние;
2. *n* жа́лованье; окла́д.

geheim та́йный, секре́т-
ный; **2nis** *n* та́йна,
секре́т; **2polizist** *m*
аге́нт та́йной поли́ции;
2schrift *f* шифр.

gehen идти́ (*a.* итти́) [пойти́], [по]ходи́ть; (bis [zu]) доходи́ть [дойти́]; **wie geht es Ihnen?** как (вы) пожива́ете?

Gehilfe *m* помо́щник.

Gehirn *n* мозг; *Speise:* мозги́ *m/pl.;* ∼erschütterung *f* сотрясе́ние мо́зга.

Gehöft *n* двор, уса́дьба; ху́тор.

Gehölz *n* ро́ща, лесо́к.

Gehör *n* слух.

gehorchen (*D.*) [по]слу́шаться (Р).

gehören принадлежа́ть.

gehorsam 1. послу́шный; *2.* ♀ *m* послуша́ние.

Geier *m* ко́ршун.

Geige *f* скри́пка; ♀n игра́ть [сыгра́ть] на скри́пке; ∼nbogen *m* смычо́к.

Geisel *m* зало́жник.

Geiß *f* коза́; ∼bock *m* козёл.

Geist *m* дух; ум; (*Gespenst*) привиде́ние, при́зрак.

geistes|abwesend рассе́янный; ♀gegenwart *f* прису́тствие ду́ха; ∼krank умалишённый; ∼schwach слабоу́мный.

geistig у́мственный; ∼e Getränke *n/pl.* кре́пкие напи́тки *m/pl.*

Geistlich|e(r) *m* духо́вное лицо́; свяще́нник; ∼keit *f* духове́нство; клир.

geistreich остроу́мный.

geizig скупо́й.

Gelächter *n* смех; хо́хот.

Geländer *n* пери́ла *n/pl.;* балюстра́да.

gelangen попада́ть [-па́сть]; доходи́ть [дойти́].

gelassen споко́йный.

geläufig бе́глый; (*frei*) свобо́дный; привы́чный.

gelaunt: gut (schlecht) ∼ в хоро́шем (дурно́м) настрое́нии.

gelb жёлтый; ♀sucht *f* желту́ха.

Geld *n* де́ньги *f/pl.;* ∼beutel *m* кошелёк; ∼mangel *m* безде́нежье; ∼strafe *f* штраф; пе́ня; ∼stück *n* моне́та.

gelegen расположе́нный; кста́ти; ♀heit *f* слу́чай; по́вод; ∼tlich случа́йный.

Gelehrte(r) *m* учёный.

Geleise *n* колея́; 🚂 (ре́льсовый) путь *m.*

geleiten провожа́ть [-води́ть].

Gelenk *n* суста́в; сгиб; ♀ig ги́бкий.

Geliebte(r) *m/f* любо́вник

(-ица); возлю́бленный (-ная).

gelingen **1.** уда(ва́)ться; **2.** ♀ *n* уда́ча, успе́х.

gelten стои́ть; быть действи́тельным (*als, für*) счита́ться (Т).

Geltung *f* сто́имость; значе́ние.

Gemahl (in *f*) *m* муж, (жена́).

Gemälde *n* карти́на.

gemäß (D.) согла́сно (с Т); по (Д); ~igt уме́ренный.

gemein о́бщий; *fig.* по́длый; ни́зкий.

Gemeinde *f* общи́на; (Pfarr♀) прихо́д.

gemein|sam совоку́пный; совме́стный; ~schaftlich о́бщий; коллекти́вный; *adv.* вме́сте; ♀schaftsleben *n* обще́ние.

Gemisch *n* смесь *f*.

Gemüse *n* о́вощ *f* (*mst pl.*), зе́лень *f*.

Gemüt *n* душа́; хара́ктер; ♀lich ую́тный; *Person:* прия́тный.

Gemüts|art *f* нрав, хара́ктер; ♀krank душевнобольно́й.

genau то́чный; подро́бный; отчётливый; аккура́тный.

genehmigen позволя́ть

[-о́лить]; *Su.* разреше́ние.

geneigt располо́женный; (zu) скло́нный.

General *m* генера́л; ~streik *m* всео́бщая забасто́вка.

genesen выздора́вливать [-рове́ть].

Genf *n* Жене́ва.

Genick *n* заты́лок.

Genie *n* ге́ний; ♀ren (sich) стесня́ть(ся).

genießbar съедо́бный.

genießen вкуша́ть [вку́си́ть]; наслажда́ться [-ди́ться].

Genosse *m* това́рищ; ~nschaft *f* това́рищество, арте́ль; коопера́ция, кооперати́в.

Genossin *f* това́рищ.

genug дово́льно; доста́точно.

genügen хвата́ть [-ти́ть]; ~d доста́точный.

Genuß *m* наслажде́ние.

Gepäck *n* бага́ж; ~annahme *f* (~ausgabe *f*) приём (вы́дача) багажа́; ~netz *n* бага́жная се́тка; ~schein *m* бага́жная квита́нция; ~stück *n* ме́сто; ~träger *m* носи́льщик.

gerade прямо́й; *adv.* пря́мо; и́менно; (*eben*) как раз; Zahl: чётный

~aus ~zu пря́мо; про́-
сто.

Gerät n прибо́р; ору́дие;
снаря́д; у́тварь f.

geraten попада́ть [-па́сть];
очути́ться; вы-, за-хо-
ди́ть [вы́-, за-йти́] уда́-
(ва́)ться.

Geratewohl: aufs ~ нау-
га́д; науда́чу; наобу́м.

geräumig просто́рный;
вмести́тельный.

Geräusch n шум; шо́рох.

gerecht справедли́вый;
2igkeit f справедли́-
вость.

Gerede n то́лки m/pl.;
dummes: болтовня́.

Gericht n ку́шанье,
блю́до; t/t суд; **2lich**
суде́бный; **~sbarkeit** f
подсу́дность; **~sver-
fahren** n судопроиз-
во́дство; **~svollzieher** m
суде́бный исполни́тель.

gering незначи́тельный;
ма́лый; **nicht im ~sten**
ниско́лько, во́все не.

Gerippe n скеле́т, о́стов.

gern охо́тно; **~ haben**
люби́ть.

Gerste f ячме́нь m; **~n-
korn** n ячме́нное зерно́.

Geruch m за́пах; *Sinn*:
обоня́ние.

Gerücht n слух, молва́.

Gerüst n помо́ст; (*Bau2*)
леса́ m/pl.

gesamte(r) весь;
о́бщий.

Gesandt|e(r) m по́с-
ник; **~schaft** f по́с-
ство.

Gesang m пе́ние;
пе́сня.

Geschäft n де́ло;
торго́вый дом;
делово́й, по дел...
führer m управл...
(торго́вым до́мо...
mann m деле́ц...
мерса́нт; **~sstoc...**
засто́й в дела́х.

geschehen сл...
[-чи́ться].

gescheit (раз)у́мн...

Geschenk n по...
дар.

Geschicht|e f ...
(*Erzählung*) р...
2lich истори́чес...

Geschick n судьба́...
keit f ло́вкос...
иску́сный; ло́вк...

Geschirr n посу́...

Geschlecht n род...
ле́ние; пле́мя n ...
2lich полово́й.

Geschmack m вку...
безвку́сно; **2**...
вку́сом.

geschmeidig ги́бк...

Geschöpf n суще...

Geschoß n пу́ля, с...
△ эта́ж.

Geschrei n крик.

Geschütz n орудие.

Geschwader n эскадра; эскадрилья.

geschwind скорый, быстрый; **~igkeit** f скорость, быстрота; **~igkeitsmesser** m тахометр.

Geschworene(r) m присяжный.

Geschwulst f опухоль.

Geschwür n нарыв; язва.

Gesell(e) m товарищ; подмастерье.

Gesellschaft f общество; товарищество; **~er** m собеседник; ✝ компаньон; **~sordnung** f общественный строй.

Gesetz n закон; **~gebung** f законодательство; **2lich** законный; легальный; **2widrig** противозаконный; беззаконный.

Gesicht n лицо; **~spunkt** m точка зрения.

Gesindel n сброд.

Gesinnung f настроение; убеждение.

Gespann n запряжка.

Gespenst n привидение; призрак; дух.

Gespräch n разговор; речь f; **2ig** разговорчивый; **~spartner** m собеседник.

Gestalt f образ, вид; форма; стать f; **~en:** sich

2en слагаться [сложиться].

Geständnis n при-, сознание.

Gestank m вонь f, зловоние.

gestatten s. erlauben.

gesteh(e)n при-, сознаваться (в П).

Gestell n станок, подставка; остов; каркас.

gestern вчера.

Gestüt n конный завод.

Gesuch n прошение.

gesund здоровый.

Gesundheit f здоровье; **zur ~!** за od. на (ваше) здоровье!; **~swesen** n здравоохранение.

Getöse n гром, рокот.

Getränk n напиток; питьё.

Getreide n (зерновой) хлеб, жито; зерно.

Gevatter m кум, крёстный отец; **~in** f кума, крёстная мать.

Gewächs n растение; **~haus** n теплица.

Gewähr f ручательство; гарантия; **2en** предоставлять [-авить]; уделять [-лить].

Gewalt f власть; (Kraft) сила; (Tätigkeit) насилие; **~herrschaft** f деспотизм; **2ig** сильный; (mächtig) могущественный; 2sam, 2tätig наси́ль(ствен)ный.

gewandt ло́вкий; бо́йкий.

Gewässer *n* во́ды *pl.*

Gewebe *n* ткань *f.*

Gewehr *n* ружьё; винто́вка. [*m*/*pl.*]

Geweih *n* оле́ньи рога́|

Gewerb|**e** *n* про́мысел; ремесло́; 2smäßig профессиона́льный.

Gewerkschaft *f* профессиона́льный сою́з, *Abk.* профсою́з; ~s... проф...; *in Zssgn Abk. für* профсою́зный.

Gewicht *n* вес, тя́жесть *f;* ги́ря.

Gewinn *m* при́быль *f*, нажи́ва; *im Spiel:* вы́игрыш; 2**anteil** *m* дивиде́нд; 2**en** добы(ва́)ть; вы́игр(ыв)ать (von y); (für) склоня́ть [-ни́ть]; ~**sucht** *f* корыстолю́бие.

gewiß ве́рный; *adv.* наве́рно(е); коне́чно.

Gewissen *n* со́весть *f;* 2**haft** добросо́вестный; 2**los** бессо́вестный.

Gewißheit *f* уве́ренность.

Gewitter *n* гроза́.

gewöhnen приуча́ть [-чи́ть] (an *A.* к); sich ~ привыка́ть [-ы́кнуть] (an *A.* к); свыка́ться

[свы́кнуться] (an *A.* с Т).

Gewohnheit *f* привы́чка; обы́чай; на́вык.

gewöhnlich обы́чный; обыкнове́нный; обы́денный; рядово́й.

gewohnt привы́чный; ich bin ~ я привы́к.

Gewölbe *n* свод; склеп.

Gewürz *n* пря́ность *f.*

geziert чо́порный.

gezwungenermaßen поnево́ле.

Gicht ♂ [♂] пода́гра.

Giebel *m* фронто́н.

Gier *f* жа́дность; жа́жда.

gieß|**en** [по]ли́ть; вы-, отли́(ва́)ть; es gießt льёт дождь; 2**kanne** *f* ле́йка.

Gift *n* яд, отра́ва; 2**ig** ядови́тый. [верх.]

Gipfel *m* верши́на, *fig.*|

Gitter *n* решётка.

Glacéhandschuh *m* ла́йковая перча́тка.

Glanz *m* блеск; гля́нец.

glänzen блесте́ть [блесну́ть]; [за-, про]сия́ть; лосни́ться; ~**d** блестя́щий.

Glas *n* стекло́; (*Trink*2) стака́н, рю́мка.

Glaser *m* стеко́льщик.

gläsern стекля́нный.

glatt гла́дкий; ро́вный; ско́льзкий.

Glatteis *n* гололе́дица.

Glatze f плешь, лы́сина.

Glaube(n) m ве́ра; 2n (an A.) [по]ве́рить (Д od. в В); полага́ть; ду́мать.

gläubig ве́рующий.

gleich ра́вный, одина́ковый; (sofort) сейча́с; тотча́с; ~artig подо́бный; подобно; 2berechtigung f равнопра́вие; ~en (D.) походи́ть (на В); ~falls та́кже, то́же; 2gewicht n равнове́сие; ~gültig безразли́чный; равноду́шный; 2heit f ра́венство; ~mäßig равноме́рный; ро́вный; ~stellen [с]равни́ть; 2strom ⚡ m постоя́нный ток; ~wohl всё-таки, всё же; ~zeitig одновре́менный; ра́зом.

gleiten скользи́ть [-зну́ть]; 2flug ✈ m плани́рующий полёт.

Glied n член; am Finger: суста́в; (Ketten2) звено́.

glimmen тлеть.

glitzern блиста́ть.

Glocke f ко́локол; (Klingel) звоно́к; ~nturm m колоко́льня.

Glück n сча́стье; ~ Glück f сча́стливый; ~sspiel n аза́ртная игра́.

Glückwunsch m поздравле́ние.

Glühbirne f ла́мпочка.

glühen fig. [за]пыла́ть; горе́ть; ~d раскалённый; калёный.

Glüh|lampe f (электри́ческая) ла́мпочка; ~wein m глинтве́йн.

Glut f пыл, жар.

Gnade f ми́лость; поща́да.

gnädig ми́лостивый.

Gold n зо́лото; 2en золото́й; ~währung f золота́я валю́та.

Golf m (морско́й) зали́в; ~spiel n (игра́ в) гольф.

gönn|en [по]жела́ть (Р); 2er m доброжела́тель, покрови́тель.

Gott m бог; (Herr) госпо́дь; ~ sei Dank! сла́ва бо́гу!; ~esdienst m богослуже́ние.

Gött|in f боги́ня; 2lich боже́ственный.

Götze m и́дол, куми́р.

Grab n моги́ла, гроб.

graben 1. [вы́]копа́ть; [по]ры́ть; 2. 2 m ров; кана́ва.

Grab|hügel m моги́ла; ~schrift f эпита́фия; ~stein m надгро́бный ка́мень od. па́мятник.

Grad m гра́дус; сте́пень f.

Gram m скорбь f, грусть f.

grämen: sich ~ скорбе́ть; грусти́ть.

Gras *n* трава́.

gräßlich ужа́сный; отврати́тельный.

Gräte *f* (ры́бья) кость.

gratis да́ром; беспла́тный.

gratulieren поздравля́ть [-а́вить] (j-m zu B с T).

grau се́рый; *Haar:* седо́й; **~enhaft** стра́шный.

Graupen *f/pl.* крупа́.

grausam жесто́кий; свире́пый; **2keit** *f* жесто́кость; свире́пость; изуве́рство.

greifen схва́тывать [-ти́ть]; **~** *nach* хвата́ть(-ся) [схвати́ть(ся)] за (B).

Greis *m* стари́к; **~in** *f* стару́ха.

Grenze *f* грани́ца; рубе́ж; межа́; преде́л; **2n** (an *A.*) грани́чить (с T); **2nlos** безграни́чный.

Grenz|gebiet *n* окра́ина; пограни́чная о́бласть *f*; **~station** *f* пограни́чная ста́нция; **~zoll** *m* тамо́женная по́шлина; **~zone** *f* пограни́чная зо́на.

Greuel *m* у́жас, ме́рзость *f.*

Griechenland *n* Гре́ция.

Grieß *m* ма́нная крупа́.

Griff *m* руко́ятка, ру́чка.

Grimm *m* гнев, я́рость *f*; озлобле́ние.

Grippe ⚕ *f* грипп.

grob гру́бый; **2heit** *f* гру́бость.

Groll *m* неприя́знь *f*, зло́ба.

groß большо́й; вели́кий; высо́кий (ро́стом); кру́пный; *(sehr ~)* огро́мный; **~artig** великоле́пный; велича́ственный; **2bauer** *m* кула́к; **2britannien** *n* Великобрита́ния.

Größe *f* величина́; разме́р; *fig.* вели́чие.

Groß|handel *m* опто́вая торго́вля; **~macht** *f* вели́кая держа́ва; **2mütig** великоду́шный; **~mutter** *f* ба́бушка; **~stadt** *f* большо́й го́род; **2städtisch** столи́чный; **2tenteils** по бо́льшей ча́сти.

Großvater *m* дед.

Grube *f* я́ма; ⚒ рудни́к, ша́хта.   [тёр.]

Grubenarbeiter *m* шах-

grün зелёный.

Grund *m* дно; по́чва; грунт; *fig.* основа́ние; причи́на; **~besitz** *m* землевладе́ние.

gründen осно́вывать [-ова́ть]; созда(ва́)ть; учрежда́ть [-реди́ть].

Grund|gesetz *n* основно́й зако́н; **~lage** *f* осно́ва.

основа́ние; ба́за; ба́-
зис.

gründlich обстоя́тель-
ный.

Grund|satz m пра́вило,
при́нцип; 2**sätzlich**
принципиа́льный; ~
stein m пе́рвый ка́мень;
fig. фунда́мент.

Gründung f основа́ние,
учрежде́ние.

Gruppe f гру́ппа; брига́да.

Gruß m приве́т, покло́н.

grüßen кла́няться [поклони́ться] (Д).

Grütze f крупа́; *gekochte:*
ка́ша.

gültig действи́тельный;
Münze: ходя́чий.

Gummi m рези́на; ~**schuh**
m гало́ша.

Gunst f ми́лость.

günstig благоприя́тный;
благополу́чный; удо́бный; *Wind:* попу́тный.

Gurgel f го́рло; ~**wasser** n
полоска́ние.

Gurke f огуре́ц.

Gürtel m по́яс; куша́к.

Guß m литьё; (*Regen*2)
ли́вень; ~**eisen** n чугу́н;
2**eisern** чугу́нный.

Gut¹ n име́ние, поме́стье;
(*Habe*) иму́щество;
(*Ware*) това́р, груз.

gut² хоро́ший; до́брый;
~! хорошо́!; так!; ла́дно!; 2**achten** n о́тзыв;
2**achter** m экспе́рт; 2**-
dünken** n усмотре́ние.

Güte f доброта́; *Ware:*
ка́чество; **haben Sie die** ~
бу́дьте так добры́.

Güter|abfertigung f отпра́вка гру́зов; ~**zug** m
това́рный по́езд.

Guthaben ✝ n ба́нковый
вклад; акти́в.

gütig любе́зный.

Gutschein m тало́н.

Gymnastik f гимна́стика.

H

Haar n во́лос, во́лосы
m/pl.; ~**bürste** f воло-
ся́ная щётка; ~**färbemittel**
n кра́ска для воло́с; 2**ig**
волоса́тый; мохна́тый; ~
nadel f шпи́лька; ~
schneiden n стри́жка
воло́с; ~**tracht** f причёс-

ка; ~**waschmittel** n сре́д-
ство для мытья́ воло́с;
~**wickel** m папильо́т-
ка.

Habe f иму́щество.

haben име́ть; **ich habe**
у меня́ (есть); **ich habe
nicht** у меня́ нет.

Habgier f корыстолю́-
бие; а́лчность.

Habicht m я́стреб.

Habseligkeiten f/pl. добро́.

Hacke f кирка́; мотыга.

hacken [рас]коло́ть; [на-]руби́ть.

Hafen m порт, га́вань f.

Hafer m овёс.

Haft f аре́ст.

haftbar отве́тственный.

haften приста́(ва́)ть (**an**
D. к); **~ für** отвеча́ть за
(B).

Haftpflicht f отве́тствен-
ность.

Hagel m град; es 2t град
идёт.

hager худо́й; худоща́-
вый.

Hahn m пету́х; *Leitung:*
кран.

Hai(fisch) m аку́ла.

Hain m ро́ща.

Haken m крюк; крючо́к;
застёжка.

halb полови́нный; *adv.*
наполови́ну; **eine ~e
Stunde** полчаса́; 2insel
f полуо́стров; 2jahr
n полуго́дие; 2kugel
f полуша́рие; 2mond m
полуме́сяц; 2schuhe
m/pl. (полу)боти́нки
m/pl.; 2zeit f тайм.

Hälfte f полови́на.

Halle f 🏠 наве́с; 🚂

анга́р; (*Saal*) (большо́й)
зал.

hallen раздá(вá)ться.

Halm m сте́бель; (*Stroh2*)
соло́минка.

Hals m ше́я; *an Gefäßen:*
го́рлышко; **~band** n
оше́йник; **~schmerzen**
m/pl. боль в го́рле;
~schmuck m ожере́лье;
колье́; **~tuch** n шарф,
кашне́.

Halt m опо́ра; (*Stillstand*)
остано́вка; **~!** (по)сто́й
(-те)!, стоп!; 2bar про́ч-
ный; 2en [по]держа́ть;
(*einhalten*) соблюда́ть
[соблюсти́]; счита́ть
[счесть] (**für** A. T од. за
B); *Rede:* произноси́ть
[-нести́]; *Fahrzeug z.B.*
v/i. остана́вливаться
[-нови́ться]; [по]сто-
я́ть; *Vorlesungen:* чи-
та́ть; **~estelle** f ста́нция,
остано́вка.

Haltung f оса́нка.

Hammel m бара́н; **~-
braten** m жа́реная ба-
ра́нина; **~fleisch** n ба-
ра́нина.

Hammer m молото́к.

Hamster m хомя́к; **~er**
m мешо́чник.

Hand f рука́, кисть
(руки́); **~arbeit** f руко-
де́лие; **~ball(spiel** n) m
гандбо́л; **~bremse** f руч-

nói tórmoz; **~buch** n руково́дство; спра́-вочник; **e-r** *Sprache*: толко́вый слова́рь m.

handeln поступа́ть [-пи́ть]; де́йствовать; † торгова́ть (mit T); **um was handelt es sich?** в чём де́ло?

Handels... торго́вый; **in** *Zssgn Abk.* торг.; комме́рческий; **~gesellschaft** f торго́вое о́бщество; **~kammer** f торго́вая пала́та; **~vertreter** m торгпре́д (торго́вый представи́тель); **~vertretung** f торго́вое представи́тельство, торгпре́дство.

Hand|gelenk n ручно́й суста́в; **~gepäck** n ручно́й бага́ж; **~griff** m приём; **~koffer** m чемода́н.

Händler m торго́вец.

Handlung f посту́пок; де́йствие; магази́н; **~sgehilfe** m торго́вый слу́жащий; **~sreisende(r)** m коммивояжёр.

Hand|schrift f по́черк; ру́копись; **~schuh** m перча́тка; **~tuch** n полоте́нце; **~werk** n ремесло́; **~werker** m ре-

méсленник; куста́рник; **~werkzeug** n инструме́нты m/pl.

Hanf m конопля́.

Hänge|brücke f вися́чий мост; **~matte** f гама́к.

hängen v/i. [по]висе́ть; ве́шать [пове́сить].

Harke f гра́бли f/pl.

harmlos безоби́дный.

Harn m моча́.

hart твёрдый; жёсткий; чёрствый; жесто́кий; суро́вый; **Härte** f твёрдость; жёсткость.

hart|gekocht круто́й, вкруту́ю; **~näckig** упря́мый; упо́рный.

Harz n смола́.

Hase m за́яц.

Haselnuß f лесно́й оре́х.

Hasenbraten m жа́реный за́яц.

Haß m не́нависть f.

hassen [воз]ненави́деть.

häßlich безобра́зный.

Hast f торопли́вость; суета́; **2ig** торопли́вый.

Haube f чепе́ц.

Hauch m дунове́ние.

hauen [на]руби́ть, сечь; [по]би́ть.

Haufe(n) m ку́ча; копна́; гру́да; (*Volk*) толпа́.

häufen: **sich ~** умножа́ться. [ча́сто.]

häufig ча́стый; *adv.*

Haupt n голова́; (Ober2) глава́ m, шеф; ~bahnhof m центра́льный вокза́л; ~mann m капита́н; ~postamt n гла́вный почта́мт; ~sache f гла́вное (де́ло); 2sächlich гла́вный; adv. гла́вным о́бразом; ~stadt f столи́ца.

Haus n дом; nach ~e домо́й; zu ~e до́ма; ~arzt m дома́шний врач; ~besitzer m домовладе́лец. [(жива́ть.]

hausen обита́ть; про-

Haus|flur m сени f/pl.; ~frau f дома́шняя хозя́йка; ~halt m дома́шнее хозя́йство; ~herr m хозя́ин (до́ма).

Haus|industrie f куста́рная промы́шленность; ~knecht m дво́рник.

häuslich дома́шний.

Haus|mädchen n го́рничная; ~mittel n дома́шнее сре́дство; ~schlüssel m ключ от до́ма; ~schuh m (дома́шняя) ту́фля; ~suchung f о́быск (в до́ме); ~tür f нару́жная дверь; ~wirt m домохозя́ин.

Haut f ко́жа; оболо́чка; ~krankheit f нако́жная боле́знь; ~verletzung f сса́дина.

Hebamme f акуше́рка.

Hebel m рыча́г.

heben поднима́ть [подня́ть]; (erhöhen) повыша́ть [-вы́сить].

Hecht m щу́ка.

Heck n ♺ корма́; ~e f и́згородь; [а́рмия.]

Heer n во́йско (mst pl.),

Hefe f дро́жжи f/pl.

Heft n тетра́дь f; 2en [с]броширова́ть.

heftig пы́лкий; стреми́тельный; поры́вистый; бу́рный; я́рый; вспы́льчивый; Kälte usw. си́льный.

Heftpflaster n ли́пкий пла́стырь m.

Hehler m укрыва́тель.

Heide 1. m язы́чник; 2. f пу́стошь.

Heidelbeere f черни́ка.

heikel щекотли́вый.

Heil 1. n бла́го(получ)ие; (Glück) сча́стье; 2. 2 adj. це́л(ьн)ый; невреди́мый; [лече́бница.]; ~anstalt f лече́бница; 2bar излечи́мый; 2en лечи́ть; излечи́вать [-чи́ть]; v/i зажив(а́ть).

heilig свято́й; свяще́нный; ~en [о]святи́ть.

Heil|mittel n лека́рство (gegen от); ~stätte f здра́вница; ~ung f излече́ние.

Heim n дом; общежи́тие; ~arbeit f куста́рный про́мысел.

Heimat|(land n) f ро́дина; 2lich родно́й; 2los безро́дный.

heim|gehen возвраща́ться [-рати́ться, верну́ться] домо́й; ~isch дома́шний, родно́й; 2kehr f возвраще́ние (домо́й od. на ро́дину); ~lich та́йный; adv. тайко́м, втайне́; 2weg m обра́тный путь; 2weh n тоска́ по ро́дине.

Heirat f жени́тьба; 2en вступа́ть [-пи́ть] в брак; Mann: жени́ться (на П); Frau: выходи́ть [вы́йти] за́муж (за В).

heiser (о)хри́плый; си́плый.

heiß жа́ркий, горя́чий; drückend: зно́йный.

heißen v/i. наз(ы)ва́ться; звать (bezeichnen als T); зна́чить; wie ~ Sie? как вас зову́т? wie heißt auf russisch? как (сказа́ть) по-ру́сски?; das heißt зна́чит; то́ есть, Abk. т.е.

heiter весёлый; я́сный.

Heiz|apparat m калори́фер; 2en (ис-, на)топи́ть; отпла́ивать [отопи́ть]; ~er m истопни́к;

~material n то́пливо; ~sonne f рефлéкторная ла́мпа-гре́лка.

Heizung f отопле́ние.

Held m геро́й; ~enmut m герои́зм; ~entat f (геро́йский) по́двиг.

helfen помога́ть [-мо́чь].

Helfer m помо́щник.

hell све́тлый; я́сный.

Helm m ка́ска; шлем.

Hemd n руба́шка, руба́ха, соро́чка.

hemm|en [вос]препя́тствовать; остана́вливать [-нови́ть]; 2schuh m то́рмоз; fig. препя́тствие.

Hengst m жеребе́ц.

Henker m пала́ч.

Henne f ку́рица.

her сюда́; hin und ~ взад и вперёд.

herab вниз; с, со (P); ~fallen спада́ть [спасть]; ~lassen спуска́ть [-сти́ть]; ~lassend снисходи́тельный; ~setzen понижа́ть [-ни́зить]; ~steigen сходи́ть [сойти́], слез(а́)ть.

heran побли́же; ~kommen подходи́ть [подойти́]; ~nahen приближа́ться [-ли́зиться]; ~ziehen привлека́ть [-вле́чь]; притя́гивать [-тяну́ть].

herauf вверх, наве́рх.

heraus|fallen выпада́ть [вы́пасть]; **~fordern** вы́з(ы)ва́ть; *Su.* вы́зов; **~geben** выда(ва́)ть; *Geld:* да(ва́)ть сда́чу; *Buch:* изда(ва́)ть; **2-geber** *m* изда́тель; **~kommen** выходи́ть [вы́йти]; **~lassen** выпуска́ть [-стить]; **~nehmen** вынима́ть [вы́нуть]; **~reißen** вы́р(ы)ва́ть.

herb те́рпкий; (*bitter*) го́рький.

herbei сюда́; **~rufen** приз(ы)ва́ть.

Herberge *f* ночле́г.

Herbst *m* о́сень *f*; **im ~** о́сенью; **2lich** осе́нний.

Herd *m* оча́г; плита́.

Herde *f* ста́до; *Pferde:* табу́н.

herein внутрь; **~!** войди́(те)!

Hering *m* селёдка; сельдь *f*.

herkommen приходи́ть [прийти́]; (*herrühren*) происходи́ть [-изойти́].

Herkunft *f* происхожде́ние.

Hermelin *n* горноста́й.

Herr *m* господи́н; (*Haus-* 2) хозя́ин; *Tanz:* кавале́р; **für ~en** для мужчи́н.

herrichten устра́ивать [устро́ить]; пригото́вля́ть [-о́вить].

herrlich прекра́сный; великоле́пный.

Herrschaft *f* госпо́дство; власть; **meine ~en!** господа́! **2lich** госпо́дский.

herrschen госпо́дствовать, ца́рствовать.

herrühren происходи́ть [-изойти́] (**von** от).

herstellen изготовля́ть [-о́вить], выраба́тывать [-ботать]; *Su.* произво́дство.

herüber че́рез.

herum круго́м; **um ... ~** вокру́г (Р).

herunter вниз, **~lassen** о-, с-пуска́ть [пусти́ть]; **~nehmen** снима́ть [снять].

hervor изнутри́; **~bringen** производи́ть [-вести́]; **~ragend** выдаю́щийся; замеча́тельный; **~rufen** вызыва́ть [вы́звать]; зарожда́ть [-роди́ть]; возбужда́ть [-буди́ть].

Herz *n* се́рдце.

Herz|klopfen *n* сердцебие́ние; **2lich** серде́чный, (*zu*) душе́вный.

Herzschlag *m* бие́ние (парали́ч) се́рдца.

hetzen [за]трави́ть.

Heu *n* се́но.

Heuch|elei f лицеме́рие; **2ein** лицеме́рить.

heulen выть; [за-, про]реве́ть.

heut e сего́дня; **~ig** сего́дняшний; **~zutage** ны́не.

Hexe f ве́дьма.

Hieb m уда́р.

hier здесь, тут; **~ ist** вот; **~auf** на э́то; зате́м; **~aus** отсю́да; из э́того; **~bei** при э́том; **~durch** че́рез э́то; э́тим, **~her** сюда́; **~in** в э́том; **~mit** (c) э́тим, сим; **~über** об э́том; **~unter** под э́тим; **~von** от э́того (od. из) э́того; об э́том.

hiesig зде́шний.

Hilfe f по́мощь; (zu) **~!** на по́мощь! **~ruf** m крик о по́мощи.

hilflos беспо́мощный.

Hilfs... вспомога́тельный.

Himbeere f мали́на.

Himmel m не́бо; **~sgegend** f страна́ све́та.

himmlisch небе́сный.

hin туда́; **~ und wieder** иногда́; **~ und zurück** туда́ и обра́тно.

hinab вниз; **~steigen** спуска́ться [-сти́ться].

hinauf вверх, кве́рху; **~geh(e)n** в(о)сходи́ть [взойти́].

hinaus вон; **über ... (A.)** ~ свы́ше (P); **~gehen** выходи́ть [вы́йти]; **~schieben** fig. откла́дывать [отложи́ть]; **~werfen** выбра́сывать [вы́бросить]; **~zögern** отсро́чи(ва)ть.

Hinblick m: im ~ **auf** (A.) ввиду́ (P).

hinder|lich препя́тствующий; **~n** [вос]препя́тствовать; [по]меша́ть; **2nis** n препя́тствие; поме́ха; прегра́да.

hindurch че́рез, сквозь; **~gehen** проходи́ть [пройти́].

hinein внутрь; **~gehen** входи́ть [войти́]; вмеща́ться [вмести́ться].

hingehen идти́ [пойти́] (туда́).

hinken [за]хрома́ть.

hinlegen класть [положи́ть]; sich ~ ложи́ться [лечь].

hinreichend доста́точ-
Hinreise f пое́здка туда́.

hinrichten казни́ть; Su. казнь f.

Hinsicht f отноше́ние; **2lich** (G.) по отноше́нию к; относи́тельно (P).

hinten позади́, сза́ди.

hinter (D., A.) за (B, T), позади́ (P); **~gehen**

обма́нывать [-ну́ть]; 2grund *m* за́дний план, фон; *Thea.* глубина́ сце́ны; ~lassen оставля́ть [-а́вить]; 2list *f* кова́рство; 2treppe *f* за́дняя (*od.* чёрная) ле́стница.

hinüber че́рез; ~gehen переходи́ть [перейти́].

Hin- und Rückfahrkarte *f* биле́т туда́ и обра́тно.

hinunter вниз, долой; hinweg прочь.

Hinweis *m* указа́ние, ссы́лка; 2en ука́зывать [-за́ть].

hinziehen рас-, затя́гивать [-тяну́ть].

hinzu|~, ~fügen до-, прибавля́ть [-ба́вить].

Hirn *n* мозг; ~schlag *m* (мозгово́й) уда́р.

Hirsch *m* оле́нь.

Hirt(e) *m* пасту́х.

hissen поднима́ть [-ня́ть] (на флагшто́к).

historisch истори́ческий.

Hitz|e *f* жар; (*Sommer*2) жара́; (*Sonnen*2) зной; 2ig горя́чий, вспы́льчивый; ~schlag *m* со́лнечный уда́р.

Hobel *m* руба́нок; ~bank *f* верста́к.

hoch высо́кий; (*vornehm*) зна́тный; ~! ура́!; *Alter*: глубо́кий; ~achten глу-

бокó уважа́ть; ~achtungsvoll с соверше́нным почте́нием; 2antenne *f* возду́шная анте́нна; 2bahn *f* надзе́мная желе́зная доро́га; 2frequenz *f* высо́кая частота́; 2haus *n* небоскрёб; ~mütig высокоме́рный; надме́нный; 2ofen *m* до́мна; 2schule *f* вы́сшее уче́бное заведе́ние, *Abk.* ВУЗ; 2spannung *f* высо́кое напряже́ние.

höchst|e(r) (наи)вы́сший; *adv.* кра́йне; ~ens в кра́йнем слу́чае; са́мое бо́льшее; 2geschwindigkeit *f* максима́льная ско́рость; 2leistung *f* максима́льная мо́щность; *Sport*: реко́рд.

Hoch|verrat *m* госуда́рственная изме́на; ~wasser *n* полово́дье; 2wertig высокока́чественный; ~zeit *f* сва́дьба.

Hof *m* двор.

hoffen наде́яться (auf A. на B); ~tlich на́до наде́яться (что).

Hoffnung *f* наде́жда; 2slos безнадёжный; 2svoll по́лный наде́жды.

höflich ве́жливый; учти́вый.

Höhe f вышина; высота.

Höhen|flug m высотный полёт; **~sonne** f горное солнце.

hohl полый; пустой.

Höhle f пещера; нора.

Hohlmaß n мера ёмкости.

Hohn m (язвительная) насмешка.

höhnisch язвительный.

holen идти [пойти] (*mit dem Wagen* [по]ехать) за (Т); **~ lassen** пос(ы)лать за (Т).

Hölle f ад.

Holz n дерево; (*Brenn*2) дрова n/pl.; (*Bau*2) лес; **~handel** m торговля лесом; **~kohle** f древесный уголь m; **~pflaster** n торцовая мостовая; **~wolle** f древесная стружка.

Homöopathie f гомеопатия.

Honig m мёд.

Hopfen m хмель.

hörbar слышный, внятный.

horchen прислуш(ив)аться (**auf** *A.* к); подслушивать.

Horde f шайка; орда.

hören [у]слышать; **~ auf** (*A.*) [по]слушать (-ся).

Hörer m слушатель; ⊕

слуховая (*od.* телефонная) трубка.

Horizont m небосклон.

Hör|rohr n слуховой рожок; **~saal** m аудитория; **~spiel** n радиопьеса.

Hose f брюки f/pl.; **~nträger** m/pl. подтяжки f/pl.; **~** помочи pl.

Hotel n отель m, гостиница.

hübsch хорошенький; красивый.

Huf m копыто; **~eisen** n подкова.

Hüfte f бедро.

Hügel m холм, бугор; **2ig** холмистый.

Huhn n курица.

Hühner pl. куры; **~** куриный; **~auge** n мозоль f; **~stall** m курятник.

Hülse f гильза; ⊕ втулка; **~nfrucht** f стручковый плод.

human человечный, гуманный.

Hummel f шмель m.

Hummer m омар.

Humor m юмор.

Hund m собака; **junger** щенок.

Hundehütte f конура.

Hündin f сука.

Hunger m голод; **2ig** голодный; **~kur** f ле-

10*

ché|ние го́лодом; $\mathfrak{L}$n голода́ть; **~snot** *f* го́лод.

Hupe *f* гудо́к.

Hürde *f* барье́р; плете́нь *m*; **~rennen** *n* ска́чки с препя́тствиями.

husten 1. [за]ка́шлять; **2.** $\mathfrak{L}$ *m* ка́шель.

Hut *m* шля́па.

hüten [со]храни́ть, [по]стере́чь; [по]бере́чь; *Vieh:* пасти́; **sich ~** остерега́ться [-ре́чься] **(vor** *D.* P).

Hütte *f* хи́жина; ха́та.

Hymne *f* гимн.

Hypothek *f* ипоте́ка.

I

ich я; **~ und du** (**Sie**) мы с тобо́й (ва́ми).

Idee *f* иде́я, мысль; поня́тие.

identi|**fizieren** опозна́(ва́)ть; **~sch** тожде́ственный.

Igel *m* ёж. [им.]

ihm ему́; **mit ~** о нём.

ihn его́; **über ~** о нём.

ihnen им; $\mathfrak{L}$ вам.

ihr её; её; *pl.:* вы; их; $\mathfrak{L}$ ваш.

ihrer её; *pl.:* их; $\mathfrak{L}$ вас.

ihretwegen из-за неё (*pl.* них; $\mathfrak{L}$ вас).

Imbiß *m* заку́ска.

immer всегда́; постоя́нно; **~hin** всё-таки.

impfen приви́(ва́)ть; *Su.* приви́вка.

imstande sein быть в состоя́нии.

in (*D., A.*) в (В, П); на (В, П).

Inder *m* инди́ец.

indessen ме́жду тем.

indiskret нескро́мный.

Industrie *f* промы́шленность; инду́стрия.

Infanterie $\times$ *f* пехо́та.

Infektion *f* зара́за.

infolge (*G.*) всле́дствие (Р); в си́лу (Р); по (Д); **~dessen** всле́дствие э́того.

Inhaber *m* владе́лец.

Inhalt *m* содержа́ние; **~sverzeichnis** *n* оглавле́ние; указа́тель *m.*

Injektion *f* инъе́кция; впры́скивание; уко́л.

inliegend вло́женный.

innehaben занима́ть; име́ть.

innen внутри́.

inner(**e**)**r** вну́тренний; **~halb** внутри́ (Р); *zeitlich:* че́рез, в (В); **~lich** вну́тренний.

innig задушéвный.

Innung *f* цех.

insbesondere особéнно.

Inschrift *f* нáдпись.

Insekt *n* насекóмое.

Insel *f* óстров.

Inser|at *n* (газéтное) объявлéние; ~ieren помещáть [-мести́ть] объявлéние в газéте.

Installateur *m* электромонтёр.

Inszenierung *f* постанóвка.

Intelligenz *f* интеллигéнтность; интеллигéнция.

interess|ant интерéсный; занимáтельный; ~e *n* интерéс; ~ieren (sich) [за]интересовáть(ся) (für T).

intern внýтренний.

international междунарóдный. [тервью.]

Interview *n* бесéда, интервью.

inzwischen мéжду тем.

irgend|ein ктó- *od.* какóйнибудь (-либо -то); ~etwas чтó-нибудь (-либо, -то), кóе-что, нéчто; ~wie кáк-то, кóе-как; ~wo гдé-нибудь (-либо, -то), кóе-где.

irre помéшанный.

irren: sich ~ ошибáться [-би́ться]; **~anstalt** *f* дом для умали́шённых.

Irr|sinn *m* сумасшéствие; помéшательство; ~tum *m* оши́бка, заблуждéние; ~tümlich оши́бочный.

isolieren изоли́ровать.

Italien *n* Итáлия; ~isch италья́нский.

J

ja да.

Jacke *f* кýртка, тужýрка; *Damen:* кóфта.

Jackett *n* пиджáк; *Damen:* жакéт.

Jagd *f* охóта; ~flugzeug *n* самолёт-истреби́тель *m*; ~hund *m* гóнчая (собáка).

jagen охóтиться; [по-]гнáть; [по-, у]мчáться.

Jäger *m* охóтник.

Jahr *n* год (2—4 ~e ... гóда, *aber* 5, 6 *usw.* ~e ... лет); **ein halbes** ~ полгóда; ~estag *m* годовщи́на; ~eszeit *f* врéмя *n* гóда, сезóн; ~hundert *n* столéтие; век.

jährlich годовóй; ежегóдный.

Jahr|markt m я́рмарка; **~tausend** n тысячеле́тие.

jähzornig вспы́льчивый.

Jammer m го́ре; вопль m.

jämmerlich жа́лкий; плаче́вный.

Januar m янва́рь.

Japan n Япо́ния.

je когда́-нибудь; по (Д, В); **je ... desto** чем ... тем; **~ nachdem** смотря́ по тому́.

jede,~r, ~s (ein ~r) ка́ждый, вся́кий; **~nfalls** во вся́ком слу́чае; **~s-mal** ка́ждый раз.

jederzeit во вся́кое вре́мя.

jedoch одна́ко (же).

jeher: von ~ и́здавна.

jemals когда́-либо.

jemand кто́-нибудь, (-либо, -то), не́кто.

jene|r, ~, ~s тот, та, то, *pl.:* те.

jenseits по ту сто́рону; за.

jetzig тепе́решний.

jetzt тепе́рь; в настоя́щее вре́мя; **bis ~** до сих пор.

Joch n ярмо́.

Johannisbeere f сморо́дина.

Jubel m весе́лье; **2n** [воз]ликова́ть.

jucken [по]чеса́ться.

Jude m евре́й.

Jüdin f евре́йка.

jüdisch евре́йский.

Jugend f ю́ность; мо́лодость; ю́ношество; мо́лодёжь; **2lich** ю́ношеский; ю́ный.

Juli m ию́ль.

jung молодо́й; ю́ный.

Junge 1. m ма́льчик; **2. ~(s)** n детёныш.

Junggeselle m холостя́к.

Jüngling m ю́ноша m.

Juni m ию́нь.

juristisch юриди́ческий.

Juwel n драгоце́нный ка́мень m; **~ier** m ювели́р; золоты́х дел ма́стер.

K

Kabel n ка́бель m.

Kabeljau m треска́.

Kabine f каю́та, каби́нка.

Kader m кадр.

Käfer m жук, бука́шка.

Kaffee m ко́фе m; **~haus** n кафе́; **~kanne** f ко́фейник.

Käfig m кле́тка.

kahl го́лый; плеши́вый.

Kahn *m* ба́ржа; ло́дка, я́лик.

Kai *m* на́бережная.

Kaiser *m* импера́тор; **~in** *f* императри́ца.

Kalb *n* телёнок; **~fleisch** *n* теля́тина; **~sbraten** *m* жа́реная теля́тина.

Kalender *m* календа́рь.

Kalk *m* и́звесть *f.*

kalt холо́дный; **~ werden** [по]холоде́ть; засты́(ва́)ть; [о]сты́(ну)ть; **2blütigkeit** *f* хладнокро́вие.

Kälte *f* хо́лод; стужа.

Kamel *n* верблю́д.

Kamerad(in *f*) *m* това́рищ.

Kameramann *m* кинооператор.

Kamm *m* гребёнка; гре́бень *f.*

kämmen чеса́ть, причёсывать [-чеса́ть].

Kammer *f* чула́н; ко́мната; *Pol.* пала́та.

Kampagne *f* кампа́ния.

Kampf *m* бой; *fig.* борьба́.

kämpfen [по]боро́ться; сража́ться [срази́ться].

Kämpfer *m* бое́ц; борьба sl.

Kampfmittel *n* сре́дство борьбы́.

Kanarienvogel *m* канаре́йка.

Kaninchen *n* кро́лик.

Kanne *f* кру́жка; кувши́н.

Kanone *f* пу́шка.

Kante *f* край.

Kantine *f* буфе́т.

Kanu *n* челно́к, чёлн.

Kanzlei *f* канцеля́рия.

Kap *n* мыс.

Kapaun *m* каплу́н.

Kapell|e *f* часо́вня; *♪* орке́стр; **~meister** *m* капельме́йстер; дирижёр.

Kapitän *m* капита́н.

Kapitel *n* глава́.

Kappe *f* ша́пка, колпа́к.

Kapuze *f* капюшо́н; *für Frauen:* ка́пор; (мона́шеский) клобу́к.

kärglich скудный.

kariert кле́тчатый.

Karo *n* четырёхуго́льник; *Spiel:* бубны *pl.*

Karosserie *f* (автомоби́льный) кузов.

Karotte *♀ f* морко́вь *f.*

Karpfen *m* карп.

Karre *f* та́чка, теле́жка.

Karte *f* ка́рта, биле́т; **~nspiel** *n* коло́да карт; *Spiel:* игра́ в ка́рты.

Kartoffeln *f/pl.* карто́фель *m.*

Käse *m* сыр.

Kaserne *f* каза́рма.

Kasse *f* ка́сса.

Kassierer(in *f*) *m* касси́р (-ша).

Kastanie *f* кашта́н.

Kasten *m* я́щик, ларь.

Kater *m* кот; *fig.* похме́лье.

Katheder *m od. n* ка́федра.

Kathedrale *f* собо́р.

Kattun *m* си́тец.

Katze *f* ко́шка.

kauen [c]жева́ть.

Kauf *m* поку́пка, ку́пля; **2en** покупа́ть [купи́ть].

Käufer *m* покупа́тель.

Kaufhaus *n* универма́г (универса́льный магази́н).

Kaufmann *m* коммерса́нт; купе́ц.

Kaukasus *m* Кавка́з.

kaum едва́ (ли), вряд ли; е́ле-е́ле; лишь; чуть.

Kaution *f* зало́г.

Kaviar *m* икра́.

Kegel *m* ко́нус; ке́гля; **∼ schieben**, **2n** [по]игра́ть в ке́гли.

Kehl|e *f* горта́нь, го́рло; **∼kopf** горта́нь *f*.

kehren [вы́]мести.

Kehricht *m od. n* (му́)сор.

Keil *m* клин. [дыш.)

Keim *m* росто́к; заро́-/

kein ни оди́н; никто́; **∼(erlei)** никако́й; **∼eswegs** ниско́лько; отню́дь не.

Kelle *f* половни́к.

Keller *m* по́греб; **∼(geschoß** *n*) *m* подва́л.

Kellner *m* официа́нт; ке́льнер.

kennen знать; **∼ Sie ihn?** знако́мы ли вы с ним?

Kenner *m* знато́к.

Kenntnis *f* све́дение; (по)зна́ние. [приме́та.)

Kennzeichen *n* при́знак;/

kentern опроки́дывать [-ки́нуть] (*v/i.* -ся).

Kerker *m* тюрьма́.

Kern *m* ко́сточка, *fig.* суть *f*.

Kerze *f* свеча́; све́чка.

Kessel *m* котёл.

Kette *f* цепь, цепо́чка; **∼n** *pl.* (*Fesseln*) око́вы *f/pl.*

Keuchhusten *m* коклю́ш.

keusch целому́дренный; де́вственный.

Kiefer 1. *m* че́люсть *f*; **2. ♀** *f* сосна́.

Kies(sand) *m* гра́вий; ще́бень.

Kiesel(stein) *m* креме́нь.

Kind *n* дитя́, ребёнок; **∼erfräulein** *n* бо́нна; **∼ergarten** *m* де́тский сад; **∼erwagen** *m* (де́тская) коля́ска; **∼heit** *f* де́тство; **2isch** ребя́ческий; **2lich** де́тский.

Kinn *n* подборо́док.

Kino(theater) *n* кино́.

Kirche *f* це́рковь, храм; *lutherisch:* ки́рка; *römisch-katholisch:* костёл.

Kirchhof *m* кла́дбище.

Kirsch(likör) *m* вишнёвка.

Kirsche *f* ви́шня.

Kissen *n* поду́шка; **~bezug** *m* на́волочка.

Kiste *f* я́щик.

Kitt *m* зама́зка.

Kittel *m* хала́т, ки́тель.

kitzeln [по]щекота́ть.

Klage *f* жа́лоба, иск; 2n пода́(ва́)ть жа́лобу; иска́ть (B *od.* с P); [по]жа́ловаться.

Kläger *m* исте́ц; жа́лобщик.

Klammer *f* скоба́; ско́бка; 2n: sich 2n цепля́ться (an *A.* за B).

Klang *m* звон, звук, тон.

Klappe *f* кла́пан; задви́жка.

klar све́тлый; чи́стый; я́сный; чёткий; прозра́чный; 2heit *f* чистота́; я́сность; отчётливость.

Klasse *f* класс; разря́д; **~n...** кла́ссовый, кла́ссный.

klassisch класси́ческий.

klatschen аплоди́ровать; *fig.* [на]спле́тничать.

Klaue *f* ко́готь *m*.

Klavier ♪ *n* пиани́но; **~stimmer** *m* настро́йщик.

kleben кле́ить.

Klee *m* кле́вер.

Kleid *n s.* **~ung**; 2en (sich) оде́(ва́)ть(ся).

Kleider|haken *m* ве́шалка; **~schrank** *m* гардеро́б.

Kleidung *f* оде́жда, пла́тье.

klein ма́ленький, ма́лый; ме́лкий; **~bürgerlich** мелкобуржуа́зный; 2geld *n* ме́лкие де́ньги *f/pl.*; ме́лочь *f*; 2handel *m* ро́зничная торго́вля.

Kleinigkeit *f* ме́лочь(ность); безде́лица; пустя́к.

kleinlich ме́лочный.

Klempner *m* жестя́ник.

Klerus *m* духове́нство.

klettern [по]ле́зть; ла́зить.

Klima *n* кли́мат.

Klinge *f* клино́к, ле́звие.

Klingel *f* звоно́к; 2n [по]звони́ть.

klingen [за-, про]звене́ть; [про]звуча́ть.

Klinik *f* кли́ника; лече́бница.

Klinke *f* ру́чка (две́ри); щеко́лда.

Klippe *f* подво́дный ка́мень *m*, утёс.

klopfen стуча́ть [посту-ча́ть, сту́кнуть].

Klops *m* бито́к.

Klosett n убо́рная.

Kloster n монасты́рь m.

Klotz m коло́дка; чурба́н.

Kluft f уще́лье; про́пасть.

klug (благоразу́)у́мный; **2heit** f благоразу́мие, ум.

Klumpen m глы́ба; ком.

Knabe m ма́льчик.

knacken щёлкать [щёлкнуть].

Knall m треск; хло́панье; **2en** хло́пать [-пнуть].

knapp те́сный; у́зкий; ску́дный.

knarren [про]скрипе́ть.

Knäuel m od. n клубо́к; **2ig** скупо́й.

Knebel m кляп.

Kneipe F f каба́к; пивна́я (ла́вка).

kneten [с]меси́ть; [с-, по-]мя́ть.

Knie n коле́но; **~hosen** f/pl. коро́ткие штаны́ pl.; **2n** стоя́ть на коле́нях.

Kniff m щипо́к; fig. уло́вка.

knipsen Fahrkarte: компости́ровать; Fot. фотографи́ровать.

Knoblauch m чесно́к.

Knöchel m щи́кол(от)ка.

Knochen m кость f; **~bruch** m перело́м ко́сти.

Knödel m клёцка.

Knopf m пу́говица; за́понка; кно́пка; **~loch** n петли́ца; пе́тля.

Knospe f по́чка; буто́н.

Knoten(punkt) m у́зел.

knurren [по]воркча́ть.

Koalition f коали́ция.

Koch m по́вар; **2en** [за-, с]кипе́ть; [с]вари́ть(ся); [со]стря́пать; **2endes Wasser** n кипято́к; **~herd** m плита́.

Köchin f куха́рка.

Kochtopf m котело́к; кастрю́ля.

Koffer m (Hand2 ручно́й) чемода́н.

Kohl m капу́ста.

Kohle f у́голь m.

Kohlen|bergwerk n у́гольная копь f; **~säure** f углекислота́.

Kohl|rübe f брю́ква; **~suppe** f щи pl.

Kolben m дуби́на; по́ршень; Gewehr: прикла́д.

Kolik ♣ f ко́лики pl.; резь.

Kolleg|e m, (**~in** f) това́рищ, сослужи́вец (-ви́ца), колле́га m/f.

Kollektivwirtschaft f колхо́з (коллекти́вное хозя́йство).

Kölnischwasser n одеколо́н.

Kolonialware f бакале́я; ∼nhandlung f бакале́йная ла́вка.

komisch коми́ческий; смешно́й.

Komitee n комите́т.

Komma n запята́я.

Kommandantur f комендату́ра.

kommen приходи́ть [прийти́]; приезжа́ть [прие́хать]; явля́ться [яви́ться]; **wie kommt das?** отчего́ э́то?

Kommission f комми́ссия.

Kommunis|mus m коммуни́зм; ∼t m коммуни́ст; ∼tisch коммуни́стический; ∼tischer Jugendverband m (KJV) Комсомо́л (Коммунисти́ческий Сою́з Молодёжи); ∼tische Partei f s. KPdSU.

Komödie f коме́дия.

Kompa(g)nie f ✝ компа́ния, това́рищество; ✠ ро́та.

kompliziert сло́жный.

Komponist m компози́тор. ∼ [ская.)

Konditorei f конди́тер-)

Konfekt n конфе́ты f/pl.

Konfektionsgeschäft n магази́н гото́вого пла́тья.

Konferenz f конфере́нция.

Konfession f вероиспове́дание.

konfiszieren конфискова́ть.

Konfitüre f варе́нье.

Kongreß m конгре́сс; съезд.

König m коро́ль; ∼in f короле́ва; ∼reich n, ∼tum n короле́вство.

können [c]мочь; [c]суме́ть; ∼ **Sie Deutsch?** вы говори́те по-неме́цки?

konsequent после́довательный.

Konserve f консе́рвы pl.

Konsulat n ко́нсульство.

Konsum(verein) m потреби́тельская коопера́ция (Verbrauch) потребле́ние.

Konto ✝ n счёт.

Kontrolle f контро́ль m; п(р)ове́рка.

Konzentrationslager n концла́герь m (концентрацио́нный ла́герь).

Konzept n черновик, набро́сок.

Kopeke f копе́йка.

Kopf m голова́; ∼hörer m (ра́дио-)нау́шник; ∼kissen n поду́шка; ∼schmerz m головна́я боль f; **ich habe** ∼

schmerzen у меня голова́ болит.

Kopie f ко́пия, спи́сок; **2ren** [с]копи́ровать.

Korb m корзи́на.

Korinthe f кори́нка.

Kork m про́бка; **~en- zieher** m што́пор.

Korn n (зерново́й) хлеб; зерно́.

Körper m те́ло; ко́рпус; **~bau** m телосложе́ние; **~kultur** f, **~pflege** f физи́(ческая) культу́ра.

korrekt пра́вильный.

korrespondieren перепи́сываться.

korrigieren по-, испра́влять [-а́вить].

Kost f пи́ща, стол; **2bar** (дра́го)це́нный.

kosten 1. сто́ить; *Speisen:* [по]пробовать; **2.** 2 *pl.* расхо́ды *m/pl.*; изде́ржки *f/pl.*; **~los** беспла́тный.

Kot m грязь f; кал, помёт.

Kotelett n котле́та.

Kotflügel ⊕ m щит, крыло́ (от гря́зи).

KPdSU (Kommunistische Partei der Sowjet-Union) КПСС (Коммунисти́ческая па́ртия Сове́тского Сою́за).

Krach m шум; треск.

Kraft f си́ла; мощь; **~-**

~brühe f бульо́н; **~- m** автомобили́ст; фёр.

kräftig си́льный; кий.

Kraft|wagen m автомоби́ль; **~werk** n электроста́нция.

Kragen m воро́т(ни

Krähe f воро́на.

Kralle f ко́готь m.

Krampf m 2 m су́до спа́зма; **2haft** су́до ный.

Kranich m журав

krank больно́й; н ро́вый; **er ist ~** о лен; **~ sein** хво боле́ть.

kränken огорча́ть[- оскорбля́ть [-би́т

Kranken|haus n ни́ца, го́спиталь **kost** f дие́та; **~р** ухо́д за больны́м **schwester** f мед ская сестра́; **~wa** санита́рная а ши́на; **~wärter(in** санита́р(ка).

krank|haft боле́зне **2heit** f боле́знь;

Kränkung f огорч оскорбле́ние.

Kranz m вено́к.

kratzen [по]чеса́ть; цара́пать [-пнуть

kraus кудря́вый; **~**

Kraut n травá; зéлень f.

Krawatte f гáлстук.

Krebs m рак; ∼suppe f рáковый суп.

Kredit m: auf ∼ в долг, в кредит; ∼brief m кредитное письмó.

Kreide f мел.

Kreis m круг; óкруг.

kreischen [за]визжáть.

Kreisel m юлá.

Kreml m Кремль.

Krempe f поля́ (у шля́пы) n/pl.

krepieren издыхáть, [из-]дóхнуть; околе(вá)ть.

Kreuz n крест; Anat. крестéц, поясни́ца; ∼band n бандерóль f; 2en пересекáть [-сéчь]; ⚓ скрéщивать [скрести́ть]; ⚓ ✚ креи́сер; ∼schmerzen m/pl. боль f в поясни́це; ∼ung f скрéщивание; перекрёсток; перепýтье.

kriechen [по]пóлзать, [по]ползти́.

Krieg m войнá; ∼ erklären объяви́ть [-ви́ть] войнý; ∼ führen [по]воевáть; 2en s. bekommen.

Kriegs... воéнный, вóинский; боевóй; ∼beschädigte(r) m/f инвали́д войны́; ∼gefahr f опáсность войны́; ∼gefange-

ne(r) m/f военноплéнный (-ная); ∼schauplatz m теáтр войны́, воéнных дéйствий.

Krippe f я́сли pl.

Krise f кри́зис.

Kristall 1. n хрустáль; **2.** m кристáлл.

Kritik f кри́тика, разбóр; ∼er m кри́тик.

kritisieren критиковáть.

krönen короновáть.

Krönung f коронáция.

Kropf m зоб.

Kröte f жáба.

Krücke f костьíль m.

Krug m крýжка, кувши́н.

Krümel m крóшка.

krumm кривóй.

krümm|en искривля́[-ви́ть]; [с-, по]криви́ть; 2ung f изви́лина; изги́б.

Krüppel m калéка m/f.

Kruste f корá; кóрка.

Kübel m чан; кáдка; ушáт.

Küche f кýхня; fig. стол.

Kuchen m пирóжное.

Küchen|schabe f тарака́н; ∼schrank m кýхонный шкаф.

Kugel f шар; (Flinten2) пýля; Sport: ядрó; ∼stoßen n толкáние ядрá.

Kuh f корóва.

kühl прохла́дный; *fig.* холо́дный; **2apparat** *m*, **2er** *m*, **2raum** *m* холоди́льник; [ный].

kühn сме́лый; отва́жный.

Kultur *f* культу́ра; ~arbeit *f* культрабо́та.

Kümmel *m* тмин.

Kummer *m* го́ре; печа́ль *f*.

kümmer|lich жа́лкий; ~n:sich...n [по]забо́титься (um о П).

Kund|e 1. *f* све́дение; **2.** *m* клие́нт; (постоя́нный) покупа́тель, зака́зчик; ~gebung *f* демонстра́ция.

kundig зна́ющий, све́дущий.

kündigen (Д) отка́зывать(ся) [-за́ть(ся)] *от*; увольня́ть [-о́лить] *Su.* отка́з *от*; увольне́ние.

künftig бу́дущий.

Kunst *f* иску́сство.

Künstler *m* худо́жник; арти́ст; **2isch** худо́жественный.

künstlich иску́сственный.

Kunst|seide *f* иску́сственный шёлк; ~stück *n* фо́кус; ~werk *n* худо́жественное произведе́ние.

Kupfer *n* (кра́сная) медь *f*; ~stich *m* гравю́ра.

Kuppel *f* ку́пол; глава́.

Kur *f* курсово́е лече́ние.

Kurbel *f* рукоя́тка.

Kürbis *m* ты́ква.

kurieren [по]лечи́ть.

Kurort *m* куро́рт; (минера́льные) во́ды *f/pl.*

Kurs *m* курс; ~buch *n* железнодоро́жный спра́вочник.

Kürschner *m* скорня́к.

Kursus *m* курс.

Kurtaxe *f* куро́ртный сбор.

Kurve *f* крива́я (ли́ния); *Straße:* закругле́ние (пути́).

kurz коро́ткий; кра́ткий; *adv.* вкра́тце; ~ nach вско́ре по́сле.

Kürze *f* кра́ткость.

kürzlich неда́вно.

Kurz|schluß *m* коро́ткое замыка́ние (то́ка); ~schrift *f* стеногра́фия; **2sichtig** близору́кий; ~waren *f/pl.* галанте-ре́йные това́ры *m/pl.*; ~wellensender *m* коротковолно́вый переда́тчик.

Kuß *m* поцелу́й.

küssen [по]целова́ть.

Küste *f* морско́й бе́рег, побере́жье; взмо́рье.

Kutsch|bock *m* ко́злы *pl.*; ~e *f* каре́та; ~er *m* ку́чер; изво́зчик.

L

lächeln улыба́ться [улыбну́ться].

lachen [по]смея́ться (über *A.* над).

lächerlich смешно́й.

Lachs *m* сёмга, лосо́сь.

lackieren [от]лакирова́ть.

laden¹ на-, по-гружа́ть [-узи́ть]; ✗ ⚡ заряжа́ть [-яди́ть].

Laden² *m* ла́вка, магази́н; **~tisch** *m* прила́вок, сто́йка.

Ladung *f* груз; кладь; ✗ ⚡ заря́д.

Lage *f* (рас)положе́ние; местоположе́ние; обстано́вка.

Lager *n* 🌾 склад; ✗ ла́герь *m*; стан; ло́же.

lahm хромо́й.

lähmen парализова́ть; *Su.* парали́ч.

Laie *m* дилета́нт; профа́н.

Laken *n* простыня́.

Lamm *n* ягнёнок.

Lampe *f* ла́мпа; **~nschirm** *m* абажу́р.

Land *n* земля́; страна́; край.

landen причали(ва)ть, приста(ва́)ть (к бе́регу); ✗ снижа́ться [сни-зи́ться], спуска́ться [-сти́ться].

Land|haus *n* да́ча, ви́лла; **~karte** *f* географи́ческая ка́рта; **~schaft** *f* пейза́ж; ландша́фт; **~smann** *m* земля́к; соотéчественник; **~straße** *f* больша́я проéзжая доро́га.

Landung *f* вы́садка; сниже́ние, поса́дка; ✗ деса́нт; **~sbrücke** *f*, **~splatz** *m* при́стань *f*; ✗ мéсто поса́дки.

Landwirtschaft *f* сéльское хозя́йство; **~s...** сельскохозя́йственный.

lang дли́нный; до́лгий; **wie ~e?** до каки́х пор? до́лго ли?; **schon ~e** ужé давно́.

Länge *f* длина́; долгота́; **~nmaß** *n* мéра длины́.

Langeweile *f* ску́ка.

langsam мéдленный; медли́тельный, ти́хий.

längst давно́.

langweilen надоеда́ть [-éсть]; **sich ~** [по]скуча́ть.

Lappen *m* лоску́т; тря́пка.

Lärm *m* шум; **2en** [на-, про]шумéть.

lassen да(ва́)ть; оставля́ть [-а́вить]; отпуска́ть [-сти́ть].

Last f но́ша (a.) *fig.* тя́гость; бре́мя n; ~auto n грузово́й автомоби́ль m.

Laster n поро́к.

lästig тя́гостный; несно́сный.

Lastwagen m грузови́к.

lateinisch лати́нский; *adv.* по-лати́нски.

Laterne f фона́рь m.

Latte f пла́нка; ре́йка.

Laub n листва́.

Laube f бесе́дка.

Laubwald m ли́ственный лес, чернолесье.

Lauf m бег, пробе́г; тече́ние; ход; *Gewehr:* ствол; ~bahn f карье́ра; стаж.

laufen [по]бежа́ть; [по]бега́ть; [по]те́чь; ~d бегу́щий; теку́щий.

Läufer m бегу́н; (*Treppenläufer*) доро́жка.

Laun|e f настрое́ние; капри́з; при́хоть; причу́да; 2enhaft, 2isch капри́зный; прихотли́вый.

Laus f вошь.

lauschen подслу́ш(ив)ать; прислу́ш(ив)аться.

laut 1. *adj.* гро́мкий;

шу́мный; *adv.* ~ко, вслух; **2.** *p*(?) согла́сно (Д); звук.

läuten [по]звони́т(?)

Lautsprecher m громкоговори́те(?)

leben 1. [по]жи́т(?) жи́(ва́)ть; ~ Sie(?) проща́йте!; es(?) (hoch)! да здра́вс(?) ~d живу́щий; ж(?) **2.** 2 n жизнь жи́вой; *fig.* ож(?) ный.

Lebens|art f в(?) ~beschreibung f(?) неописа́ние; ~ фия; ~gefahr f(?) ность для жи́з(?) länglich пожи́зне(?) ~lauf m биогра́ф(?) mittel n/pl. съ(?) припа́сы m/pl.; (?) во́льствие; ~mitt(?) lung f продово́л(?) ный магази́н m;(?) m сре́дства n(?) жизнь; ~versich(?) страхова́ние жи(?)

Leber f пе́чень, ка; ~wurst f ли́(?) колбаса́.

lebhaft живо́й, б(?) оживлённый.

Leb|kuchen m п(?) 2los безжи́знен(?) **wohl** проща́й!

leck 1. у́тлый; ~ **sein** течь; **2.** 2 *n* течь [-чи].

lecken [по]лиза́ть [лизну́ть].

lecker ла́комый, вку́сный; 2**bissen** *m* ла́комый кусо́чек, делика́тес.

Leder *n* ко́жа.

ledig пусто́й; свобо́дный; *Mann*: холосто́й; *Frau*: незаму́жняя.

leer пусто́й; *Magen*: тоща́й; 2**e** *f* пустота́; **en** опорожня́ть [-ожни́ть].

legen класть [положи́ть]; закла́дывать [заложи́ть]; *j-n*: укла́дывать [уложи́ть]; *Eier*: [с]нести́; **sich ~** ложи́ться [лечь]; *fig.* за-, при-, у-тиха́ть [-ти́хнуть].

legitimieren: sich ~ удостоверя́ть [-ве́рить] (свою́) ли́чность.

Lehm *m* гли́на.

Lehne *f* спи́нка.

Lehr|anstalt *f* уче́бное заведе́ние; ~**buch** *n* уче́бник; ~**e** *f* уче́ние; уро́к; 2**en** [на]учи́ть, обуча́ть [-чи́ть]; ~**er(in** *f*) *m* учи́тель(ница); преподава́тель(ница); ~**ling** *m* (ма́льчик-)учени́к; ~**mädchen** *n* учени́ца; ~**zeit** *f* вре́мя *n* уче́ния.

Leib *m* те́ло; (*Bauch*) живо́т; ~**binde** *f* набрю́шник; ~**esübung** *f* физи́ческое упражне́ние; ~**schmerz** *m* боль *f* в животе́; ~**wäsche** *f* нате́льное бельё.

Leiche *f* труп; мертве́ц.

Leichen|begängnis *n* вы́нос (те́ла); ~**halle** *f* покойни́цкая; ~**verbrennung** *f* крема́ция.

leicht лёгкий; (*~hin*) слегка́; *fig.* игри́вый; ~**gläubig** легкове́рный; 2**Industrie** *f* лёгкая промы́шленность; ~**sinnig** легкомы́сленный.

leid: es tut mir ~ мне жаль, я сожале́ю.

leiden 1. [по]страда́ть (**an** *D*); **2.** 2 *n* страда́ние, неду́г; ~**d** страда́ющий.

Leidenschaft *f* страсть; 2**lich** стра́стный.

leider *v* сожале́нию.

Leierkasten *m* шарма́нка.

Leih|bibliothek *f* (публи́чная) библиоте́ка; 2**en** ссужа́ть [ссуди́ть]; ода́лживать [одолжи́ть]; да(ва́)ть взаймы́; 2**en** *sich* ~ занима́ть [заня́ть]; ~**haus** *n* ломба́рд; 2**weise** (*gegen Entgelt*) напрока́т.

Leim *m* клей; 2**en** кле́ить.

Leine f верёвка; повод; вожжа́.

lein|en полотня́ный; 2en n, 2wand f полотно́, холст, холсти́на; Kino: экра́н.

leise ти́хий.

Leiste f пла́нка; ✶ пах.

leisten [c]де́лать; исполня́ть[-о́лнить]; Hilfe: ока́зывать [-за́ть].

Leistung f достиже́ние; исполне́ние; ⊕ мо́щность; 2sfähig ⊕ мо́щный, производи́тельный.

Leitartikel m передова́я (статья́).

leiten руководи́ть (Т); управля́ть (Т); заве́довать (Т); ⚡ проводи́ть (Т); **~d** руководя́щий.

Leiter 1. m руководи́тель; заве́дующий, Abk. зав; ⚡ проводни́к; **2.** f ле́стница.

Leitung f руково́дство; (у)правле́ние; ⊕ про́вод.

Lektion f уро́к.

Lektüre f чте́ние.

Lende f ля́жка.

lenk|en направля́ть [-а́вить], устремля́ть [-ми́ть]; Fahrzeug: пра́вить (Т); 2stange f руль m.

Lerche f жа́воронок.

lernen 1. [на]учи́ться (Д); обуча́ться [-чи́ться] (Д); (er~) выу́чива(ть)(ся Д); **2.** 2 n (об)уче́ние.

Lesehalle f чита́льня.

lesen [п(р)о]чита́ть [проче́сть].

Leser m чита́тель.

leserlich чёткий; разбо́рчивый.

Lesezimmer n чита́льня.

letzte(r) после́дний; кра́йний; (vorig) про́шлый.

Leucht... in Zssgn свето́вой; 2en свети́ть(ся); **~er** m подсве́чник; **~turm** m мая́к.

leugnen отрица́ть, отрека́ться [-ре́чься] (от).

Leute pl. лю́ди.

Leutnant m лейтена́нт.

Licht 1. n свет; ого́нь m; (Kerze) свеча́; Auto: фона́рь m. **2.** 2 све́тлый; **~bild** n сни́мок, фотогра́фия; 2empfindlich светочувстви́тельный; **~spieltheater** n s. Kino; **~strahl** m луч све́та; **~ung** f поля́на.

lieb ми́лый; родно́й; (teuer) дорого́й.

Liebe f любо́вь.

lieben [по]люби́ть; **~s-würdig** любе́зный.

lieber лу́чше; скоре́е.

Liebes|erklärung *f* объясне́ние в любви́; **~paar** *n* любо́вная па́ра.

Lieb|haber *m* люби́тель; любо́вник; 2**-kosen** [по-, при]ласка́ть; **~ling** *m* люби́мец; **~schaft** *f* любо́вная связь.

liebste(r) са́мый люби́мый; **am ~** охо́тнее [всего́.]

Lied *n* пе́сня.

liederlich неря́шливый; беспу́тный.

Lieferant *m* поставщи́к.

liefern по-, доста́влять [-а́вить].

Lieferung *f* по-, доста́вка; доставле́ние; (*Heft*) вы́пуск.

liegen [п(р)о]лежа́ть.

Likör *m* ликёр; нали́вка.

lila лило́вый.

Limonade *f* лимона́д.

Linde *f* ли́па.

linder|n облегча́ть [-чи́ть]; *Su.* облегче́ние.

Lineal *n* лине́йка.

Linie *f* ли́ния; черта́; маршру́т.

linke(r) ле́вый.

links нале́во; **nach ~** вле́во; **von ~** сле́ва.

Linse *f* чечеви́ца; ли́нза.

Lippe *f* губа́; **~nstift** *m* губна́я пома́да.

lispeln шепеля́вить.

List *f* хи́трость.   [*m*.\

Liste *f* спи́сок, пе́речень\

listig хи́трый, лука́вый.

Literatur *f* литерату́ра, слове́сность.

Lob *n* (по)хвала́; 2**en** [по]хвали́ть.

Loch *n* дыра́; отве́рстие; сква́жина.

Locke *f* ло́кон; прядь; **~n** *pl.* ку́дри *pl.*; 2**n** за-ви(ва́)ть; [по-, при]мани́ть.

locker ры́хлый, ша́ткий.

lockig кудря́вый.

lodern [за]пыла́ть.

Löffel *m* ло́жка.

Loge *f* ло́жа.

Logis *n* кварти́ра.

Lohn *m* жа́лованье; за́работная пла́та, зарпла́та; вознагражде́ние; **das lohnt sich nicht** (э́то) не сто́ит.

Lokal *n* помеще́ние; рестора́н; *in Zssgn* ме́стный.

Lokomotive *f* парово́з.

Lorbeer *m* лавр.

Los[1] *n* жре́бий; (*Lotterie*2 лотере́йный) биле́т; *fig.* судьба́, у́часть *f*.

los[2] свобо́дный; **~!** дава́й(те)!; **was ist ~?** что случи́лось?

Lösch|apparat *m* огнетуши́тель; **~blatt** *n* промока́тельная бума́га.

2en [по]гаси́ть; [по]туши́ть; *Durst:* утоля́ть [-ли́ть].

lose ша́ткий; свобо́дный; развесно́й.

lösen брать [взять]; *Aufgabe:* реша́ть [-ши́ть]; *Rätsel:* от-, раз-га́дывать [-да́ть].

los|gehen уходи́ть (уйти́); развя́зываться [-за́ться]; es geht los! начина́ется!; ~lassen (у-, от)пуска́ть [-сти́ть].

Lösung *f* 2~ раство́р; *Rätsel:* отга́дка; *fig.* развя́зка; (раз)реше́ние.

Lot *n* грузи́ло. [ние.)

löten [за]пая́ть. }

Lotse 🕂 *m* ло́цман.

Lotterie *f* лотере́я.

Löwe *m* лев.

Löwin *f* льви́ца.

Lücke *f* пробе́л; про́пуск; 2nhaft непо́лный; с пробе́лами.

Luft *f* во́здух; ~abwehr *f*, *s.* Fliegerabwehr; ~aufklärung *f* возду́шная разве́дка; ~ballon *m* возду́шный шар, аэроста́т; 2dicht гермети́ческий; ~druckbremse *f* пневмати́ческий тормоз.

lüften прове́три(ва)ть.

Luft|fahrt *f* авиа́ция; ~heizung *f* возду́шное

отопле́ние; 2ig возду́шный; прохла́дный; ~kissen *n* надувна́я поду́шка; ~kurort *m* климати́ческий куро́рт; 2~ leer безвозду́шный; ~post *f* возду́шная по́чта; аэропо́чта; ~pumpe *f* возду́шный насо́с; ~reifen *m* пневмати́ческая ши́на; ~schiff *n* возду́шный кора́бль *m*, дирижа́бль *m*, цеппели́н; ~schutz *m* ПВО (противовозду́шная оборо́на); ~schutzraum *m* бомбоубе́жище; ~streitkräfte *f*/*pl.* ВВС (вое́нно-возду́шные си́лы). [ние, вентиля́ция.}

Lüftung *f* прове́трива- }

Luftverkehr *m* возду́шное сообще́ние.

Lüge *f* ложь; вы́мысел; 2n [со]лга́ть.

Lügner *m* лжец.

Lump *m* негодя́й.

Lunge *f* лёгкое; ~n entzündung *f* воспале́ние лёгких.

Lupe *f* лу́па.

Lust *f* охо́та; (*Begierde*) по́хоть; ich habe ~ мне хо́чется; ~barkeit *f* увеселе́ние.

lustig весёлый.

Lustspiel *n* коме́дия.

Luxus *m* ро́скошь *f*.

M

machen [c]делать; совершать [-шить]; производить [-вести]; (aus~) составлять [-áвить] (veranlassen) заставлять [-áвить]; Bett: постí(и)лать; Platz: да(вá)ть; Vergnügen: доставлять [-áвить]; sich ~ an (A.) принимáться [-нáться] за (B); das macht nichts (это) ничего.

Macht f власть; (Kraft) сúла, мощь; (Staat) держáва.

mächtig сúльный; могýчий; могýщественный; держáвный.

Mädchen n дéвочка; (junges) дéвушка, девúца.

Magen m желýдок.

mager худóй; тóщий; Fleisch: пóстный.

Magnet m магнúт.

mähen [c]косúть.

Mahl n обéд, едá; ⁀en [c]молóть; ⁀zeit f едá; mittags: обéд; abends: ýжин.

Mähne f грúва.

mahnen напоминáть [-óмнить].

Mai m май.

Mais m мáис, кукурýза.

Majestät f велúчество.

Mal 1. n (Mutter⁀) (родúмое) пятнó; (Zeichen) (прú)знак; 2. ♀ раз.

malen [на]писáть (крáсками).

Maler m живопúсец; худóжник; △ маляр; ⁀ei f живóпись.

Malz n сóлод.

man sagt говорят.

manch инóй; ⁀e pl. нéкоторые; ⁀mal иногдá.

Mandel f миндáль m.

Mangel m недостáток (an D. в П); 2haft недостáто(ч)ный (an D. P.); 2n недостава́ть (an D. P.); 2s (G.) за недостáтком (P).

Mann m мужчúна m; (Ehe2) муж, pl.: мужья́.

Männchen n Tier: самéц.

mannigfaltig разнообрáзный.

männlich мужскóй; (tapfer) мýжественный.

Mannschaft f Schiff, Sport: комáнда.

Manschette f манжéта; ⁀nknopf m зáпонка (от манжéт).

Mantel m пальтó; мантó; ärmeloser: плащ;

Autoreifen: покры́шка; *Uniform:* шине́ль *f.*

Manuskript *n* ру́копись *f.*

Mappe *f* су́мка; па́пка.

Märchen *n* ска́зка.

Marder *m* куни́ца.

Marine *f* (вое́нно-)морско́й флот.

Mark 1. *n* (ко́стный) мозг; **2.** *f* ма́рка.

Marke *f* *Brief:* ма́рка; сорт.

markieren отмеча́ть [-ме́тить].

Markt *m* ры́нок; база́р; ~halle *f* торго́вые ряды́ *m/pl.*

Marmelade *f* мармела́д, повидло.

Marmor *m* мра́мор.

Marsch 1. *m* похо́д, марш; *(Tages2)* перехо́д; **2.** *f* ни́зменное ме́сто.

Marter *f* му́ка; муче́ние; *(Folter)* пы́тка; **2n** му́чить; *(foltern)* пыта́ть.

März *m* март.

Masche *f* пе́тля.

Maschine *f* маши́на; ~bau *m* машинострое́ние; ~ngewehr *n* пулемёт; ~npistole *f* автома́т, пистоле́т-пулемёт.

Maschinen- und Traktorenstation *f* МТС (маши́нно-тра́кторная ста́нция).

Masern *pl.* корь *f.*

Maske *f* ма́ска; *(müde)* ли́чина; *Thea.* грим; ~nball *m* маскара́д.

Maß *n* ме́ра; ме́рка; разме́р; **nach** ~ по ме́рке.

Masse *f* ма́сса; ~n... ма́ссовый; **2nhaft** ма́ссами.

maßgebend авторите́тный.

mäßig уме́ренный; ~en умеря́ть [-е́рить].

maß|los безме́рный; 2nahme *f* мероприя́тие; ме́ра; 2stab *m* мери́ло.

mästen отка́рмливать [-корми́ть].

Materi|e *f* мате́рия, вещество́; 2ell материа́льный.

Matinee *f* у́тренник.

Matrose *m* матро́с.

matt сла́бый; *(müde)* уста́лый; *(glanzlos)* ма́товый; ту́склый.

Matte *f* цыно́вка, рого́жа.

Mattscheibe *f* ма́товое стекло́.

Mauer *f* (ка́менная) стена́; *(Schutz2)* огра́да.

Maul *n* мо́рда, пасть *f*; ~beere *f* ту́товая я́года.

Maul|esel *m* мул, лоша́к; ~korb *m* намо́рдник; ~wurf *m* крот.

Maurer m ка́менщик.

Maus f мышь; **⸗efalle** f мышело́вка.

Mausoleum n мавзоле́й.

Mechanik f меха́ника; **⸗er** m меха́ник.

Medaille f меда́ль.

Medizin f лека́рство; медици́на; **⸗er** m ме́дик; **2isch** медици́нский.

Meer n мо́ре; **⸗busen** m зали́в; **⸗enge** f проли́в; **⸗rettich** m хрен.

Mehl n мука́.

mehr бо́лее, бо́льше; свы́ше; **⸗ere** мно́гие; не́сколько (P); **⸗fach** многокра́тный; **2heit** f большинство́; **⸗mals** неоднокра́тно, не́(сколько) раз; **2zahl** f большинство́; *Gram.* мно́жественное число́.

meiden избега́ть [-бегну́ть] (P).

Meile f ми́ля.

mein мой, моя́, моё, *pl.*: мой; свой, своя́ *usw.*

Meineid m лжеприся́га; клятвопреступле́ние.

meinen [по]ду́мать, полага́ть.

meinetwegen из-за (*od.* ра́ди) меня́.

Meinung f мне́ние; *nach meiner* ⸗ по-мо́ему.

Meißel m резе́ц; долото́; зуби́ло.

meist наибо́льший; по бо́льшей ча́сти; *am* ⸗ бо́льше всего́.

Meister m ма́стер; *Sport:* чемпио́н; **2haft** мастерско́й, отли́чный.

Melde|amt n бюро́ пропи́ски; **2n** пропи́сывать (прописа́ть); сообща́ть [-щи́ть]; докла́дывать [доложи́ть] (о П).

Meldung f извеще́ние, докла́д.

melken дои́ть.

Melone f ды́ня.

Menge f мно́жество, коли́чество; *Leute:* толпа́.

Mensch m челове́к; **⸗en** *pl.* лю́ди.

Menschen|freund m филантро́п; **2leer** безлю́дный; **⸗liebe** f человеколю́бие; **⸗menge** f толпа́.

Mensch|heit f челове́чество; **2lich** челове́ческий; челове́чный; гума́нный; **⸗lichkeit** f челове́чность; гума́нность.

merk|en замеча́ть [-ме́тить]; **2mal** n (при́)знак, приме́та; **⸗würdig** удиви́тельный; стра́нный.

Messe f я́рмарка; *Kirche:* обе́дня.

messen [c]мéрить.
Messer n нож.
Messing n латýнь f;
жёлтая медь f.
Metall n метáлл; ~indu-
strie f металлопромы́ш-
ленность.
Metzger m мясни́к.
Meuter|ei f бунт; мятéж;
~er m мятéжник; бунт-
овщи́к; 2n [вз]бунто-
вáть(ся).
mich меня́; durch ~ мной,
мнóю; über ~ обо мне.
Miene f ми́на, вид.
Miet... наёмный, про-
кáтный; ~e f наём;
(~zins) плáта за наём;
2en нанимáть [-нять],
брать [взять] внаймы́;
снимáть [снять]; ~er m
съёмщик, жилéц; ~-
vertrag m квартúрный
контрáкт.
Milch f молокó; dicke
(saure) ~ простоквáша;
~brötchen n бýлочка
бýл(оч)ка; ~geschäft n
молóчная (лáвка od.
торгóвля; ~kanne f
молóчник.
mild мя́гкий; крóткий;
~ern смягчáть [-чи́ть].
Militär n войскá n/pl.;
~... войнский; воéн-
ный.
Miliz f милúция.
Milz f селезёнка.

minder мéньший; adv.
мéньше, менéе; 2heit f
меньшинствó; ~jährig
малолéтний, несовер-
шеннолéтний; ~n у-
меньшáть [-шить]; ~-
wertig недоброкáчест-
венный.
mindest наимéньший;
~(ens), zum ~en по
крáйней мéре; сáмое
мéньшее.
Mine f ми́на, подкóп.
Ministerium n министéрство.
Minute f минýта; eine
halbe ~ полминýты.
mir мне; bei ~ у меня́.
mischen [пере-, с]ме-
шáть; Su. смешéние;
смесь f.
miß|achten пренебрегáть
[-брéчь] (Т); ~billigen
не одобря́ть [одóбрить]
(Р); порицáть; 2brauch
m злоупотреблéние; ~-
brauchen злоупотре-
бля́ть [-би́ть] (Т).
Miß|erfolg m неудáча;
~ernte f неурожáй; ~-
fallen n неудовóль-
ствие; ~geschick n (Un-
glück) несчáстие; 2-
glücken не удавáться
[удáться]; ~griff m прó-
мах, оши́бка; 2handeln
жестóко обращáться
(Т); Su. жестóкое об-

ращение; ~klang m диссонáнс; *fig.* разлáд, несоглáсие; ~kredit m недовéрие; 2lingen не удá(ть)ся; 2mutig угрю́мый; ~stimmung f дурнóе настроéние; 2-trauen не доверя́ть [-éрить]; 2trauisch недовéрчивый; ~verständnis n недоразумéние; 2verstehen лóжно понимáть [-ня́ть]; 2wirtschaft f бесхозя́йственность.

Mist m навóз.

mit (*D.*) с, со (Т), вмéсте с (Т); по (Д); ~ der Feder перóм; ~ Wasser водóй; 2arbeiter m сотрýдник; 2bürger m согражданин; ~einander друг с другóм; вмéсте (с Т); 2esser *g* m ýгорь; 2gefühl n сочýвствие; 2gift f придáнoe; 2glied n член; 2leid n (mit) сострадáние (к), жáлость f; сожалéние; ~leidig сострадáтельный; ~nehmen брать [взять] с собóй; захвáтывать [-ти́ть]; 2schüler m товáрищ по шкóле; ~spielen учáствовать в игрé.

Mittag m пóлдень; zu ~

essen [по]обéдать; ~essen n обéд; ~szeit f обéденное врéмя n.

Mitte f середи́на; *fig.* средá.

mitteilen сообщáть [сообщи́ть]; [вéстить]; *Su.* извé-, сообщéние.

Mittel n срéдство (gegen от); орýдие; 2los без срéдств, несостоя́тельный; 2mäßig посрéдственный; заурáдный; ~meer n Средизéмное мóре; ~punkt m средотóчие, центр; 2s (*G.*) при пóмощи, посрéдством (Р).

mitten auf, in (*D.*) среди́, посреди́ (Р).

Mitternacht f пóлночь.

mittler|e(r) срéдний; ~weile тем врéменем.

Mittwoch m средá.

mit|unter иногдá; ~wirken содéйствовать (Д *od.* в П); *Su.* содéйствие.

Möbel n мéбель f; ~tischler m мéбельщик.

Mobiliar n обстанóвка.

Mobilmachung f мобилизáция.

möblieren меблировáть.

Mode f мóда.

modern мóдный; совремéнный.

Modistin *f* модистка.

mögen [за]хотеть; [по]желать (P); *(lieben)* любить; **ich möchte (gern)** мне хочется; **möge** пусть.

möglich возможный; **ist das ~?** неужели?; **2keit** *f* возможность; **~st** по возможности.

Mohn *m* мак.

Mohrrübe *f* морковь.

Molkerei *f* молочное заведение.

Moment *m* момент; миг; мгновение; **~aufnahme** *f* моментальный снимок.

Monarchie *f* монархия.

Monat *m* месяц; **2lich** (еже-, по)месячный; **~schrift** *f* ежемесячник.

Mönch *m* монах.

Mond *m* луна; месяц; **~finsternis** *f* затмение луны́.

Montag *m* понедельник.

Moor *n* болото; **~bad** *n* грязи *f/pl.*

Moos *n* мох.

Moral *f* мораль, нравственность.

Morast *m* трясина; топь *f.*

Mord *m* убийство; **2en** уби(ва́)ть.

Mörder(in *f)* *m* убийца *m/f.*

morgen завтра.

Morgen *m* у́тро; **2s, am ~** у́тром, поутру́; **guten ~!** с добрым у́тром!; до́брое у́тро!; **~dämmerung** *f* рассве́т; **2 früh** завтра у́тром; **~rock** *m* хала́т; **~rot** *n* у́тренняя заря́.

morgig за́втрашний.

Moskau *n* Москва́; **~er (-in** *f) m* москвич(ка).

Most *m* су́сло.

Mostrich *m* горчи́ца.

Motor *m* дви́гатель, мото́р; **~boot** *n* мото́рная ло́дка; **~rad** *n* мотоци́кл; **~radfahrer** *m* мотоцикли́ст.

Motte *f* моль.

Möwe *f* ча́йка.

Mücke *f* комар; мошка.

müde уста́лый.

Muff *m* му́фта.

Mühe *f* труд; стара́ние; **2los** без труда́; **2voll** (мно́го)тру́дный.

Mühle *f* ме́льница.

mühsam тру́дный; *adv.* с трудо́м. *[mst pl.]*

Müll *m* му́сор; отбро́с(ы)

Müller *m* ме́льник.

multiplizieren по-, у-, умножа́ть [-мно́жить].

Mund *m* рот; **~art** *f* наре́чие, диале́кт.

münden втека́ть [втечь], впада́ть [впасть].

mündig совершенноле́т-ний.

mündlich у́стный, сло-ве́сный. [дение.]

Mündung f у́стье; впа-

Mundwasser n полос-ка́ние (для рта).

munter бо́дрый; живо́й.

Münze f моне́та; (*Münz-amt*) моне́тный двор.

mürbe ры́хлый, мя́гкий.

murmeln [про]бормо-та́ть; *Bach*: журча́ть; **2tier** n суро́к.

murren [воз-, за]ропта́ть.

Mus n пови́дло; пюре́.

Muschel f ра́ковина.

Museum n музе́й.

Musik f му́зыка; **2alisch** музыка́льный; **~er** m музыка́нт.

Muskel m му́скул, мы́ш-ца.

Muße f досу́г.

müssen: ich muß я до́л-жен; **er mußte** он до́л-жен был.

müßig пра́здный.

Muster n образе́ц; узо́р; **2haft** образцо́вый, при-ме́рный; **2n** осма́три-вать [осмотре́ть]; ⚔ [о]свиде́тельствовать; **~ung** f осма́тривание; смотр (Д); ⚔ освиде́-тельствование.

Mut m му́жество, хра́-брость f; до́блесть f; **2ig** му́жественный, хра́-брый; до́блестный; **~maßen** предполага́ть [-ложи́ть]; дога́дывать-ся [-да́ться].

Mutter f мать.

mütterlich матери́нский.

Muttersprache f родно́й язы́к.

mutwillig преднаме́рен-ный.

Mütze f ша́пка.

N

Nabel m пуп(о́к).

nach (D.) *örtlich*: в (В), к (Д), на (В), за (Т); *gemäß*: по (Д); согла́сно (Д); *zeitlich*: по́сле (Р); че́рез (В). **~ und ~** ма́ло-пома́лу.

nachahmen подража́ть (Д).

Nachbar m сосе́д; **~schaft** f сосе́дство.

nachdem по́сле того́, как.

nachdenken [по]ду́мать; размышля́ть (über *A.* о П).

Nachdruck m настойчи́-вость; *Typ.* перепеча́тка.

nach|einander друг за дру́гом; подря́д; оди́н за други́м; 2folge *f* прее́мственность; ~folgen (*D.*) [по]сле́довать за (*T*); 2folger *m* насле́дник; прее́мник; ~forschen (*D.*) разы́скивать [-ка́ть]; *Su.* ро́зыск; по́иски *m/pl.*; 2frage *f* спрос; ~fragen справля́ться [-а́виться] (nach o *П*); ~geben уступа́ть [-пи́ть]; ~gehen (*j-m*) идти́ [пойти́] вслед за (*T*); *Uhr:* отста(ва́)ть; ~giebig усту́пчивый; ~her потом, после (того́).

Nachkomme *m* пото́мок; 2n (*D.*) поспе(ва́)ть за (*T*); исполня́ть [-о́лнить]; ~nschaft *f* пото́мство.

Nach|kriegszeit *f* послевое́нное вре́мя *n*; ~laß *m* насле́дство; (литерату́рное) насле́дие; 2lassen ослабля́ть [-а́бить]; уменьша́ть [-е́ньшиться]; 2lässig небре́жный; 2machen подража́ть; подде́л(ыв)ать; 2mittags после обе́да; пополу́дни; ~nahme *f* нало́женный платёж; 2prüfen проверя́ть [-е́рить]; ~

richt *f* изве́стие; извеще́ние; све́дение; весть; ~richtendienst *m* телегра́фное аге́нтство; ~ruf *m* некроло́г; 2~schicken пос(ы)ла́ть вслед; ~schlüssel *m* отмы́чка; 2sehen [по]смотре́ть (Д) вслед; проверя́ть [-е́рить]; ~sicht *f* снисходи́тельность.

nächste(r) ближа́йший; бли́жний; сле́дующий. nach|stehen уступа́ть [-пи́ть]; ~stellen (*D.*) [по]гна́ться за (*T*). nächstens в ско́ром вре́мени; на днях.

Nacht *f* ночь; *bei* ~, *des* ~s, 2s но́чью; gute ~! споко́йной но́чи!

Nachteil *m* убы́ток; ущерб.

Nacht|essen *n* у́жин; ~geschirr *n* ночно́й горшо́к; су́дно; ~hemd *n* ночна́я руба́шка *od.* соро́чка.

Nachtigall *f* солове́й. Nachtisch *m* десе́рт. Nachtrag *m* дополне́ние; 2en дополня́ть [-о́лнить]; *fig.* быть злопа́мятным. Nachttisch *m* ночно́й сто́лик. Nach|weis *m* доказа́тельство; удостовере́ние;

~welt f потóмство; **~wuchs** m подрастáющее поколéние; **Ωzahlen** допла́чивать [-ати́ть]; *Su.* доплáта.

Nacken m затылок.

nackt гóлый, нагóй.

Nadel f иглá, иго́лка; (*Steck*Ω) булáвка; *Kompaß*: стрéлка; **Nagel** m гвоздь; *Anat.* нóготь; **~bürste** f щёточка для ногтéй; **~feile** f пи́лка для ногтéй.

nagen [раз]гры́зть; (*ab~*) глодáть.

nah(e) бли́зкий; недалёкий; **~ bei** (*D.*) близ (*P.*); óколо (*P.*); под (*T.*).

Näharbeit f шитьё.

Nähe f бли́зость.

nähen [с]шить.

näher бóлее бли́зкий; *adv.* бли́же.

Näherin f швея́.

nähern (sich) приближáть(ся) [-бли́зить(ся)] (*D.*) к.

Nähnadel f иго́лка.

nähren питáть.

nahrhaft пита́тельный; сы́тный.

Nahrung f пи́ща; корм; **~smittel** n пищевы́е проду́кты m/pl.

Naht f шов.

Name m (*Vor*Ω) и́мя n; (*Familien*Ω) фами́лия;

(*Benennung*) назвáние; **~nstag** m имени́ны f/pl.

nämlich adv. и́менно.

Narbe f рубéц.

Narkose f наркóз.

Narr m дура́к; шут.

Naschwerk n лáкомство.

Nase f нос; **~nloch** n ноздря́.

naß мóкрый; *Wetter:* ненáстный; **~ werden** [про]мóкнуть.

Nässe f мокротá.

national национáльный;

Natur f приро́да; fig. нату́ра.

natürlich натурáльный; приро́дный; естéственный; adv. конéчно.

Naturwissenschaft f естествознáние, естéственные нау́ки.

Nebel m тумáн, мгла.

neben (*D., A.*) вóзле, пóдле, у, óколо (*P.*); ря́дом с (*T.*); *in Zssgn* посторóнний; добáвочный; второстепéнный; побо́чный; **~an** пóдле, ря́дом; **Ωbuhler** m сопéрник; **~einander** ря́дом; **Ωfluß** m прито́к; **Ωsache** f второстепéнное дéло; **~sächlich** второстепéнный; **Ωstraße** f переу́лок; **Ωzimmer** n сосéдняя кóмната.

necken [по]дразни́ть.

Neffe *m* племя́нник.

Neger(in *f*) *m* негр(итя́н-ка).

nehmen брать [взять]; (*an*~) принима́ть [-ня́ть]; (*weg*~) отнима́ть [-ня́ть].

Neid *m* за́висть *f*; 2isch зави́стливый.

neigen (sich) на-, с-клоня́ть(ся) [-ни́ть(ся)]; *Su.* с-, на-клоне́ние; с-, у-клон *m*; *fig.* расположе́ние; скло́нность *f*.

nein нет.

Nelke *f* гвозди́ка.

nennen называ́ть, звать [назва́ть] (*bezeichnen als* T); ~nswert значи́тель-ный.

nervös не́рв(о́з)ный.

Nerz *m* но́рка.

Nest *n* гнездо́.

nett сла́вный, ми́лый.

Netz *n* сеть *f*; се́тка; ~~ сёточный.

neu но́вый; von ~em сно́ва, вновь; 2erung *f* но́вшество; 2gier(de) *f* любопы́тство; ~gierig любопы́тный; 2heit *f* новина́; но́вость; но-визна́ *f*.

Neuigkeit *f* но́вость.

Neujahr *n* Но́вый год.

neulich неда́вно.

neutral нейтра́льный; 2i-tät *f* нейтралите́т.

Neuzeit *f* но́вое вре́мя *n*.

nicht не; ~ viel немно́го; 2angriffspakt *m* догово́р о ненападе́нии.

Nichte *f* племя́нница.

Nichteinmischung *f* не-вмеша́тельство. [стой.\]

nichtig ничто́жный; пу-\]

Nichtraucher *m* некуря́-щий; ~abteil *n* купе́ для некуря́щих.

nichts ничто́, ничего́; ~destoweniger тем не ме́нее.

nieder ни́зкий; просто́й; ~! доло́й!; 2gang *m* *fig.* упа́док; паде́ние; ~gehen *K* снижа́ться [сни́зиться]; 2lage *f* пораже́ние; ~ депо́, склад; ~lassen спуска́ть [-сти́ть]; sich ~lassen посели́ться [-ли́ться]; 2schlag *m* оса́док; fig. ~ trächtig по́длый.

niedlich миловидный.

niedrig ни́зкий.

niemals никогда́ (не).

niemand никто́.

Niere *f* по́чка.

niesen чиха́ть [чихну́ть].

nirgends нигде́ (не).

noch ещё; ~ nicht ещё не(т); weder ~ ни – ни; ~mals ещё раз.

Nomade *m* коче́вник.

Nonne *f* мона́хиня.

Nord, ~en *m* се́вер.

nördlich се́верный.

Nord|licht n се́верное сия́ние; **~pol** m Се́верный по́люс; **~see** f Неме́цкое мо́ре.

Norm f но́рма.

Norwegen n Норве́гия.

Not f нужда́; беда́; бе́дствие; **~ausgang** m запасно́й вы́ход; **~bremse** f стоп-кра́н.

Note f биле́т; примеча́ние; **~** но́та. [чай.]

Notfall m кра́йний слу́-] **notieren** отмеча́ть [-ме́-тить]; **~** запи́сывать [-са́ть].

nötig ну́жный; **~en** по-вы-, при-нужда́ть [-ну́дить]; **~enfalls** в слу́чае надо́бности.

Notiz f от-, за-ме́тка. **~buch** n записна́я (od. па́мятная) кни́жка.

Not|landung ⚡ f вы́нужденная поса́дка; 2-**leidend** нужда́ющийся; **~signal** n трево́жный сигна́л; **~wehr** f самооборо́на; 2**wendig** необходи́мый; ну́жный.

Novelle f по́весть.

November m ноя́брь.

nüchtern тре́звый; *Magen*: то́щий.

Nudel f вермише́ль.

Null f нуль m, ноль m.

Nummer f но́мер.

nun тепе́рь; ну.

nur то́лько, лишь.

Nuß|(baum m) оре́х; **~knacker** m щи́пчики pl. для оре́хов.

nutzen 1. приноси́ть [-нести́] по́льзу; 2. 2 m по́льза, вы́года.

nützlich поле́зный.

nutzlos бесполе́зный.

O

ob ли; **als ~** как бу́дто (бы).

Obacht f: **~ geben** обраща́ть [-рати́ть] внима́ние.

Obdach n кров, прию́т.

oben наверху́, вверху́; **~nach** наве́рх; вверх кве́рху; **~drein** сверх того́.

Ober... ве́рхний; гла́вный; ста́рший; **~arzt** m ста́рший врач; **~befehlshaber** m главнокома́ндующий; **~fläche** f пове́рхность; 2**halb** поверх; **~hand** f первенство; **~haupt** n глава́ m; **~haus** n ве́рхняя пала́та; **~hemd** n (верхняя; соро́чка; руба́шка; ~ung *f* гла́вное управле́ние; ⚡ надзе́мный (возду́шный) про́вод; ~schenkel *m* бедро́.

Oberst ✕ *m* полко́вник.

oberst|e(r) вы́сший; верхо́вный; ~e **Heeresleitung** *f* верхо́вное кома́ндование; ~er **Sowjet** *m* **der UdSSR** Верхо́вный Сове́т СССР.

obgleich хотя́, хоть.

Obhut *f* надзо́р.

Obrigkeit *f* нача́льство.

Obst *n* фру́кты; ~baum *m* фрукто́вое (*od.* плодо́вое) де́рево.

Ochse *m* вол.

öde пусты́нный, глухо́й.

oder и́ли; ли́бо.

Ofen *m* печь *f*, пе́чка.

offen откры́тый; *fig.* откровенный; прямо́й; *Stelle*: вака́нтный; ~bar, ~sichtlich ви́димый, очеви́дный.

öffentlich публи́чный; обще́ственный; всенаро́дный; гла́сный.

offiziell официа́льный.

Offizier *m* офице́р.

öffnen вс-, рас-, от-кры́ть [-ва́ть]; от-, рас-творя́ть [-ри́ть]; *Brief*: распеча́т(ыв)ать; *Su.* вскры́тие; откры́тие; отве́рстие.

oft ча́сто, нере́дко.

öfter(s) ча́сто, не раз.

ohne (*A.*) без (*P*); ~, daß ... без того́, чтобы.

Ohnmacht ✕ *f* (~**anfall** *m*) о́бморок, бесчу́вствие.

ohnmächtig ✕ в о́бмороке.

Ohr *n* у́хо; ~enarzt *m* врач по ушны́м боле́зням; ~läppchen *n* мо́чка; ~ring *m* серьга́.

ökonomisch экономи́ческий; эконо́мный.

Oktober *m* октя́брь; ~... октя́брьский.

Öl *n* ма́сло; ⚡en [п(р)о-]ма́слить; ~farbe *f* ма́сляная кра́ска; ~gemälde *n* карти́на, пи́санная ма́сляными кра́сками; ⚡ig ма́сляный; ~kanne *f* масле́нка.

Omelett(e *f*) *n* омле́т; блин.

Omnibus *m* авто́бус.

Onkel *m* дя́дя *m*.

Oper *f* о́пера; ~nglas *n* бино́кль *m*.

Opfer *n* же́ртва; ⚡n [по-]же́ртвовать.

Optiker *m* о́птик.

Orchester *n* орке́стр.

ordentlich поря́дочный; аккура́тный.

ordn|en разбира́ть [разобра́ть;] нала́живать [-ла́дить;] 2ung *f* поря́док; строй.

Organ *n* о́рган; 2isieren [с]организова́ть; устра́ивать [устро́ить].

Orgel *f* орга́н.

Orient *m* Восто́к; 2alisch восто́чный; sich 2ieren ориенти́роваться.

Orkan *m* урага́н.

Ort *m* ме́сто; ме́стность *f*.

orthodox правосла́вный.

örtlich ме́стный.

Ortschaft *f* населённый пункт.

Öse *f* пе́тля; ушко́.

Ost, ~en *m* восто́к.

Oster-... пасха́льный; ~fest *n* = ~n *n* па́сха.

Österreich *n* ʼАвстрия.

östlich восто́чный.

Ostsee *f* Балти́йское мо́ре.

Ozean *m* океа́н; ~flug 🛪 *m* полёт через океа́н.

P

Paar *n* па́ра, чета́; 2en случа́ть [-чи́ть], спа́ри(ва)ть; 2 не́сколько.

Pacht *f* аре́нда; 2en арендова́ть.

Pächter *m* аренда́тор.

packen укла́дывать(ся) [уложи́ть(ся)]; [у]пакова́ть; *(ergreifen)* хвата́ть [схвати́ть].

Pädagogische Hochschule *f* педву́з (педагоги́ческое вы́сшее уче́бное заведе́ние).

Paddelboot *n* байда́рка.

Paket *n* паке́т; (почто́вая) посы́лка.

Palast *m* дворе́ц.

Panne *f* ава́рия.

Pantoffel *m* (дома́шняя) ту́фля.

Panzer *m* танк; па́нцырь, броня́; ~abwehr... противота́нковый; ~(kampf)wagen *m* танк; ~schiff *n* броненосец.

Papagei *m* попуга́й.

Papier *n* бума́га; ~geld *n* бума́жные де́ньги *f/pl.*; ~handlung *f* писчебума́жный магази́н.

Papp|e *f*, ~deckel *m* па́пка, карто́н.

Pappel *f* то́поль *m*.

Papst *m* (ри́мский) па́па *m*.

päpstlich па́пский.

Paradies *n* рай.

Parfüm *n* духи́ *pl.*

Paris *n* Пари́ж.

Park *m* парк; 2en *Auto* стоя́ть; ~en verboten!

стоя́нка автомаши́н запрещена́!

Partei *f* па́ртия; сторона́; **~...** парти́йный; **2isch** парти́йный; **~lichkeit** *f* пристра́стие; **2los** беспарти́йный; **~mitglied** *n* член па́ртии.

Parzelle *f* ме́лкий уча́сток.

Paß *m* перева́л; (*Reise2*) па́спорт.

passen подходи́ть [подойти́]; приходи́ться [прийти́сь]; **~d** подходя́щий; уме́стный; впо́ру.

passier|en проходи́ть [пройти́]; (*geschehen*) случа́ться [-чи́ться]; **2schein** *m* про́пуск.

Pastete *f* паште́т, пирожо́к.

Pate *m/f* кре́стный оте́ц (кре́стная мать *f*), кум(а́); *Pol.* шеф.

patentieren патентова́ть.

Patient *m* пацие́нт.

Pauke *f* литавры *pl.*

Pause *f* переры́в, па́уза, переме́на; *Thea.* антра́кт.

Pech *n* смола́; *fig.* неуда́ча.

Pein *f* муче́ние, му́ка; **2igen** истяза́ть [за-] му́чить; **2lich** неприя́тный.

Peitsche *f* кнут, плеть;

бич; *Kosaken*: нага́йка; (*Reit2*) хлыст; **2n** хлеста́ть [-стну́ть]; стега́ть [-гну́ть].

Pellkartoffeln *f/pl.* карто́фель *m* в мунди́ре.

Pelz *m* шку́ра, мех; шу́ба; тулу́п; **~mantel** *m* шу́ба; **~mütze** *f* папа́ха; мехова́я ша́пка; **~werk** *n* мех.

Pendel *n* ма́ятник.

Pension *f* пансио́н; (*Ruhegehalt*) пе́нсия; **perfekt** соверше́нный.

Perl|e *f* жемчу́жина, же́мчуг; **~mutter** *f* перламу́тр.

Person *f* лицо́, персо́на, челове́к; **~al** *n* (ли́чный) соста́в; **~alausweis** *m* удостовере́ние ли́чности; **~enkraftwagen** *m* легково́й автомоби́ль; **~enzug** *m* пассажи́рский по́езд.

persönlich ли́чный; **2keit** *f* ли́чность.

Perücke *f* пари́к.

Pest *f* чума́.

Petroleum *n* кероси́н.

Pfad *m* доро́жка, тропи́(нк)а́.

Pfahl *m* сва́я, кол; столб.

Pfand *n* зало́г.

pfänden брать [взять] в зало́г; *Su.* наложе́ние аре́ста, конфиска́ция.

Pfandleihe f ломба́рд.

Pfann|e f сковорода́; **~kuchen** m по́нчик; бли́нчик.

Pfarrer m свяще́нник; па́стор.

Pfau m павли́н.

Pfeffer m пе́рец; **~büchse** f пе́речница; **~kuchen** m пря́ник.

Pfeife f свисто́к; (*Tabaks*) тру́бка; **2n** [за]свиста́ть; [за]свисте́ть [сви́стнуть].

Pfeil m стрел(к)а́; **~er** m столб.

Pferd n ло́шадь f; конь m.

Pferde|**milch** f кумы́с; **~rennen** n ска́чки f/pl., бега́ m/pl.; **~stall** m коню́шня.

Pfiff m свисто́к, свист.

Pfingst|**en** n, **~fest** n тро́ица.

Pfirsich m пе́рсик.

Pflanze f расте́ние; **2n** сажа́ть [посади́ть].

Pflaster ⚕ n пла́стырь m; *Straße*: мостова́я; **2n** [вы]мости́ть.

Pflaume ⚘ f сли́ва; gedörrte **~** pl. черносли́в.

Pflege f ухо́д (за T); попече́ние; **2n** ходи́ть *od.* уха́живать за (T).

Pflicht f долг, обя́занность f; пови́нность f; **2-treu** ве́рный до́лгу.

pflücken [на]рва́ть; срыва́ть [сорва́ть]; соб(и)ра́ть.

Pflug m плуг.

pflügen [вс]паха́ть.

Pforte f воро́та pl.

Pförtner m швейца́р.

Pfosten m столб; кося́к.

Pfropfen m про́бка.

Pfund n фунт.

Pfütze f лу́жа.

Photographie f s. Fotografie. [(фи́зик.)]

Physik f фи́зика; **~er** m⏌

Pickel m прыщ.

picken клева́ть [клю́нуть].

Pille f пилю́ля.

Pilz m гриб.

Pinsel m кисть f.

Pionier m пионе́р; ✗ сапёр; **~leiter** m вожа́тый.

Pistole f пистоле́т.

Plage f му́ка, муче́ние.

Plan m план, прое́кт.

planen плани́ровать.

Planet m плане́та.

plan|**los** беспла́новый; **~mäßig** планоме́рный; **2-wirtschaft** f пла́новое хозя́йство.

platt пло́ский.

Platte f пласти́н(к)а; блю́до; *Stein*: плита́.

Plätt|**eisen** n утю́г; **2en** [вы́]гла́дить; [вы́-, по]утю́жить.

Plattform f платфо́рма.
Platz m ме́сто; пло́щадь f; (z.B. Sport2) площа́дка; **nehmen Sie ~!** сади́тесь! 2en [по-]тре́скаться; ло́паться [ло́пнуть]; **~karte** f плацка́рта.
Plom|be f пло́мба; 2**bieren** [за]пломбирова́ть.
plötzlich внеза́пный; adv. вдруг, внеза́пно.
plump неуклю́жий.
plündern [раз]гра́бить; Su. грабёж.
Pockenimpfung f оспопри́вива́ние.
poetisch поэти́ческий.
Pokal m бока́л, ку́бок.
Pökelfleisch n солони́на.
Pol m по́люс.
Pole m поля́к; **~n** n По́льша.
polieren [от]полирова́ть.
Polin f по́лька.
Polit|büro n des ZK der KPdSU Политбюро́ ЦК КПСС; **~ik** f поли́тика; **~iker** m поли́тик; 2**isch** полити́ческий; in Zssgn Abk. полит-; 2**ischer Leiter** m политру́к; 2**ische Schulung** f политучёба.
Polizei f поли́ция; 2**lich** полице́йский; **~revier** n полице́йский уча́сток.
Polizist m полице́йский.

Pope m поп.
Por|e f по́ра; 2**ös** по́ристый.
Portemonnaie n кошелёк.
Portier m швейца́р.
Portion f по́рция.
Porto n почто́вый сбор; 2**frei** без опла́ты почто́вым сбо́ром.
Porzellan n фарфо́р.
Posaune f тромбо́н.
Posse f фарс, шу́тка.
Post f по́чта; **mit der ~** по́чтой; **~amt** n почто́вая конто́ра; почта́мт; **~anweisung** f (почто́вый) перево́д.
Posten m пост; ме́сто; ✕ часово́й; Ware: па́ртия.
Post|karte f почто́вая ка́рточка, откры́тка; 2**lagernd** до востре́бования; **~paket** n почто́вый паке́т; посы́лка; 2**wendend** с обра́тной по́чтой. **[ность.]**
Pracht f ро́скошь; пы́ш-**prächtig** роско́шный, великоле́пный.
prägen [вы]чека́нить.
prahlen [по]хва́стать(ся) (mit T).
Prahler m хвасту́н.
Prakt|iker m пра́ктик; 2**isch** практи́ческий; практи́чный.
Prämie f пре́мия; награ́да.

Präsident m президе́нт.

Praxis f пра́ктика.

Präzision f то́чность.

predig|en пропове́д(ы)в)ать; **2er** m пропове́дник; **2t** f про́поведь.

Preis m цена́; (*Belohnung*) награ́да; *Sport:* приз; **um keinen ~** ни за что.

Preiselbeere f брусни́ка.

preisen восхваля́ть; [про]сла́вить.

Preis|erhöhung f повыше́ние цен; **~ermäßigung** f ски́дка; **~gericht** n жюри́; **~liste** f прейскура́нт.

Presse f пре́сса, печа́ть; ⊕ пресс; тиски́; **2n** дави́ть; [из-, по-, с]мя́ть; сж(им)а́ть.

Preßluftreifen m пневмати́ческое колесо́.

Priester m свяще́нник.

privat ча́стный.

Prob|e f про́ба; образе́ц; *Thea.* репети́ция; **~ezeit** f испыта́тельный стаж; **2ieren** [по]про́бовать.

Produkt n проду́кт; произведе́ние; **~ion** f производство; **2iv** производи́тельный.

produzieren производи́ть [-вести́].

Profit m при́быль f.

Programm n програ́мма.

Prokur|a f дове́ренность; **~ist** m дове́ренный.

Proletarier m пролета́рий.

Propaganda f пропага́нда; **~.....** пропаганди́стский.

prophezeien предска́зывать [-за́ть].

Prosa f про́за.

prosit! за (ва́ше) здоро́вье!

protestieren [за-, о]протестова́ть.

Proviant m провиа́нт, продово́льствие.

Provinz f прови́нция; о́бласть.

Provi|sion f комиссио́нные (де́ньги) f/pl.; **2sorisch** временный.

prüf|en п(р)оверя́ть [-е́рить]; [про]экзамено́вать; испы́тывать [-та́ть]; **2ung** f п(р)ове́рка; экза́мен; испыта́ние.

Prügelei f дра́ка.

Prunk m пы́шность f, ро́скошь f.

Publikum n пу́блика.

Puder m пу́дра; **~dose** f пу́дреница; **2n** [на]пу́дрить(ся).

Puls m пульс f; **~ader** f арте́рия; **~schlag** m (бие́ние) пу́льс(а).

Pulver *n* порошо́к; (*Schieß*2) по́рох.

Pumpe *f* насо́с; 2n [на-]кача́ть (насо́сом).

Punkt *m* то́чка; (*Ort*) пункт; *Sport*: очко́; 2 **drei** (*Uhr*) ро́вно (в) три часа́.

pünktlich аккура́тный.

Pupille *f* зрачо́к.

Puppe *f* ку́кла.

Pute *f* инде́йка.

Putz *m* наря́д, убо́р; 2en [по]чи́стить, вычища́ть [вы́чистить]; у-б(и)ра́ть; (*kleiden*) наряжа́ть [-яди́ть]; ~**macherin** *f* моди́стка.

Q

Qual *f* муче́ние, му́ка.

quälen [по]му́чить; [ис]терза́ть; томи́ть; **zu Tode** ~ замучи́ть до сме́рти.

Qualität *f* ка́чество; ~s... высокока́чественный.

Qualm *m* чад; 2en [на]чади́ть.

Quantität *f* коли́чество.

Quantum *n* коли́чество.

Quarantäne *f* каранти́н.

Quark *m* творо́г.

Quartier *n* кварти́ра.

Quatsch *m* болтовня́.

Quecksilber *n* ртуть *f*.

Quelle *f* ключ; родни́к; исто́к; исто́чник.

quer попере́чный; **kreuz und** ~ вдоль и попере́к; ~**durch** попере́к; 2**schnitt** *m* попере́чный разре́з; 2**straße** *f* попере́чная у́лица.

quetschen контузить, [с-, из-, по]мя́ть; *Su.* конту́зия, уши́б.

Quitte *f* айва́.

quitt|ieren распи́сываться [-са́ться] в (П); 2**ung** *f* квита́нция; распи́ска.

R

Rabatt *m* усту́пка; ски́дка.

Rabe *m* во́рон. [ние.]

Rache *f* месть, (от)мще́-

Rachen *m* пасть *f*; зев.

rächen (**sich**) мстить [ото]мсти́ть].

Rad *n* колесо́; *s.* Fahr2.

Radfahr... велосипе́дный; 2en е́здить *od.*

[po]éхать на велосипéде; ~er m велосипеди́ст.

radier|en стира́ть [стере́ть]; 2gummi m рези́нка.

Radieschen n реди́ска.

Radio n ра́дио; ~aktivität f радиоакти́вность.

Rad|reifen m ши́на; ~rennbahn f велодро́м; ~rennen n велосипе́дные го́нки f/pl.; ~speiche f спи́ца.

Ragout n рагу́.

Rahm m сли́вки f/pl.

Rahmen m ра́ма.

Rand m край; окра́ина; кайма́.

Rang m ранг, чин; степень f; Thea. я́рус.

Ranke f у́сик.

Ränke m/pl. про́иски, интри́ги f/pl.

ranzig прого́рклый.

Rappe m вороно́й (ло́шадь) f.

rasch ско́рый, бы́стрый.

rasen¹ мча́ться; fig. беснова́ться.

Rasen² m газо́н, дёрн.

Rasier... бри́твенный; ~apparat m безопа́сная бри́тва; 2en (sich) [(по)бри́ть(ся); ~messer n бри́тва; ~zeug n бри́твенный прибо́р.

Rasse f поро́да, ра́са.

rassig поро́дистый.

Rast f о́тдых; 2en отдыха́ть [отдохну́ть].

Rat m сове́т; Titel: сове́тник.

Räte... сове́тский; s. Sowjet.

raten [по]сове́товать.

Rathaus n ра́туша.

ratlos беспо́мощный.

Rätsel n зага́дка.

Ratte f кры́са.

Raub m разбо́й, грабёж; 2en похища́ть [-ити́ть]; [раз]гра́бить.

Räuber m разбо́йник; граби́тель.

Raub|gier f хи́щность; ~tier n хи́щник, хи́щное живо́тное.

Rauch m дым; 2en [за-, на]дыми́ть(ся); Tabak: [по]кури́ть; ~en n куре́ние; ~en verboten! кури́ть воспреща́ется; ~er m куря́щий; кури́льщик; ~erabteil n купе́ для куря́щих.

räuchern [за]копти́ть.

Rauf|bold m озорни́к, ~erei f дра́ка.

rauh гру́бый; жёсткий; шерша́вый; Klima: суро́вый; 2reif m и́зморозь f; и́ней.

Raum m простра́нство; помеще́ние.

räumen очища́ть [очи́стить]; уб(и)ра́ть.

Räumung *f* очи́стка; убо́рка; ⨯ эвакуа́ция.

Raupe *f* гу́сеница.

Rausch *m* хмель; *fig.* уга́р. — [за]журча́ть.}

rauschen [про]шуме́ть;}

räuspern: sich ~ поперхну́ться *pf.*

Razzia *f* обла́ва.

real реа́льный, веще́ственный. [лоза́.)

Rebe *f* виногра́дная)

Rebhuhn *n* куропа́тка.

Rechen *m* гра́бли *f/pl.*; **~fehler** *m* оши́бка в счёте; **~maschine** *f* арифмо́метр; **~schaft(s-bericht** *m)* отчёт.

rechn|en счита́ть; **2en** *n* счисле́ние, (рас)счёт; **2ung** *f* счёт.

recht 1. пра́вый; *Winkel:* прямо́й; *Zeit:* подходя́щий; *adv.* во́время; **mir ist es** ~ я согла́сен; **Sie haben** ~ вы пра́вы; **2.** **2** *n* пра́во; пра́вда; **2eck** *f* пра́вая рука; **2eck** *n* прямоуго́льник; **~fertigen** оправда́ть [-да́ть]; *Su.* оправда́ние; **~lich** правово́й; **~los** бесправный.

rechts: (nach ~) напра́во, впра́во.

Rechtsanwalt *m* адвока́т.

Rechtschreibung *f* правописа́ние.

rechts|gültig зако́нный; **~widrig** противозако́нный.

rechtzeitig заблаго-, своевре́менный; *adv.* во́время.

Redakteur *m* реда́ктор.

Rede *f* речь, сло́во; **es ist nicht der** ~ **wert** об э́том не сто́ит и говори́ть; **2n** говори́ть, разгова́ривать; [по]толкова́ть; **~nsart** *f* оборо́т (ре́чи), выраже́ние.

Red|ner *m* ора́тор; **2selig** разгово́рчивый.

Reede ⚓ *f* рейд; **~rei** *f* парохо́дство.

reell че́стный; *Ware:* доброка́чественный.

referieren докла́дывать [доложи́ть] (über *A.* о П).

reflektieren отража́ть [отрази́ть]; *v/i.* рассчи́тывать (auf *A.* на в).

Regal *n* по́лка.

Regatta *f* (па́русные) го́нки *f/pl.*

rege живо́й; де́ятельный; подви́жной.

Regel *f* пра́вило; **2mäßig** пра́вильный; **2n** [у]регули́ровать.

regen[1] (sich) дви́гать(ся) [дви́нуть(ся)].

Regen² *m* дождь; **~bogen** *m* ра́дуга; **~guß** *m* ли́вень; **~mantel** *m* непромока́емый плащ; **~schirm** *m* (дождево́й) зо́нтик; **~wetter** *n* дождли́вая пого́да.

Regie *f* режиссу́ра; постано́вка.

regieren пра́вить (Т); управля́ть (Т). **~ство.**

Regierung *f* прави́тель-

regne|n: es regnet (stark) идёт (си́льный) дождь; **~risch** дождли́вый.

regulieren [y]регули́ровать.

Reh *n* козу́ля. [ва́ть.]

reiben [по]тере́ть; *Su.* тре́ние.

Reich¹ *n* держа́ва; госуда́рство; (*Monarchie*) импе́рия.

reich² (an *D.*) бога́тый (Т); оби́льный (Т); **~en** пода(ва́)ть; *v/i.* хвата́ть [-ти́ть] (Р); дост(ав)а́ть; **~lich** оби́льный.

Reichtum *m* бога́тство; оби́лие.

reif спе́лый, зре́лый.

Reifen¹ *m* о́бруч; *Auto usw.* ши́на.

reifen² [со-, вы́]зре́ть; спеть, поспе́(ва́)ть.

Reihe *f* ряд; верени́ца; (*~nfolge*) о́чередь; се́рия; поря́док.

Reim *m* ри́фма.

rein чи́стый; *fig.* го́лый; **2gewinn** *m* чи́стая при́быль *f*; **~igen** [по-, вы́]чи́стить; **2igung** *f* чи́стка.

Reis *m* рис.

Reise *f* пое́здка, путеше́ствие; **~büro** *n* бюро́ путеше́ствий; **~führer** *m* *Buch*: путеводи́тель; **~gepäck** *n* бага́ж; **~koffer** *m* чемода́н.

reisen [по]е́хать; (*umher~*) [по]е́здить, [по]путеше́ствовать, [по]стра́нствовать; **2de(r)** *m/f* путеше́ственник (-ица), пассажи́р(ка).

Reise|paß *m* заграни́чный па́спорт; **~route** *f* маршру́т; **~tasche** *f* саквоя́ж; су́мка.

reißen [разо-, изо]рва́ть; *v/i.* обрыва́ться [оборва́ться].

Reißzwecke *f* (чертёжная) кно́пка.

reiten е́здить *od.* [по]е́хать верхо́м.

Reiter *m* вса́дник; ездо́к.

Reit|peitsche *f* хлыст; **~pferd** *n* верхова́я ло́шадь *f*; **~weg** *m* верхова́я доро́га.

Reiz *m* раздраже́ние; *fig.* пре́лесть *f*; **2en** раздража́ть [-жи́ть]; [по]дразни́ть; *fig.* прельщать [прельсти́ть]; ♀end прелестный.

relativ относительный.

religiös религиозный.

Ren(tier) n се́верный оле́нь m.

Renn... беговой, скаково́й; гоночный; ♀bahn f ипподро́м; велодро́м; трек; ♀en [по]бежа́ть стремгла́в; ♀en n бега́ m/pl.; ска́чки f/pl.; го́нки f/pl.; ♀fahrer m го́нщик на автомоби́ле; ♀wagen m го́ночный автомоби́ль.

Rente f пе́нсия; ре́нта.

Repa|ratur f ремо́нт, почи́нка; ♀rieren [по]чини́ть, почини́ть; поправля́ть [-а́вить].

Reproduktion f воспроизведе́ние.

Reptil n пресмыка́ющееся (живо́тное).

Republik f респу́блика.

Reserve f резе́рв, запа́с.

Resolution f резолю́ция; постановле́ние.

Rest m оста́ток; bei Zahlungen сда́ча.

Restaurant n рестора́н.

rett|en спаса́ть [-сти́]; ♀er m спаси́тель m.

Rettich m ре́дька.

Rettung f спасе́ние; избавле́ние; ♀sboot n спа-

са́тельная ло́дка; ♀slos безнаде́жный; ♀sstelle f пункт пе́рвой (ско́рой) по́мощи.

Reue f раска́яние.

Revier n уча́сток.

Revolution f револю́ция; ♀är m революционе́р.

Rezept n реце́пт.

Rhabarber m реве́нь m.

Rheumatismus m ревмати́зм.

richten выра́внивать [вы́ровнять]; устремля́ть [-ми́ть], направля́ть [-а́вить], наводи́ть [-вести́], обраща́ть [-ати́ть] (auf A. на В); ♀sich осужда́ть [осуди́ть].

Richter m судья́ m.

richtig ве́рный, пра́вильный; ♀! вер́но?

Richt|linien f/pl. директи́ва; но́рма; ♀ung f направле́ние; ♂ курс.

riechen [по]ню́хать, обоня́ть; v/i. [за]па́хнуть (nach T).

Riegel m задви́жка.

Riemen m реме́нь m.

Riese m велика́н, гига́нт.

riesig грома́дный, огро́мный.

Rind n рога́тый скот.

Rinde f кора́; ко́рка.

Rindfleisch n говя́дина.

Ring m кольцо́; ♀bahn f

окружна́я желе́зная доро́га.

ring|en выжима́ть [вы́жать]; v/i. [по]боро́ться; ♀kampf m борьба́.

Rinne f жёлоб; кана́вка.

Rippe f ребро́; ♀fellentzündung f плеври́т.

Risiko n риск.

Riß m тре́щина; щель f; разры́в.

Ritt m верхова́я езда́.

Ritter m ры́царь.

Ritze f щель; ♀n цара́пать.

Rizinusöl n касто́ровое ма́сло.

Rock m пиджа́к; Frau: ю́бка.

rodel|n [по]ката́ться на сала́зках; ♀schlitten m сала́зки f/pl.

Rogen m икра́.

Roggen m рожь f.

roh сыро́й; fig. гру́бый.

Rohr n труба́; ♀ камы́ш.

Röhre f труба́.

Rohrpost f пневмати́ческая по́чта.

Rohstoffe m/pl. сырьё.

Rolle f като́к; ро́лик; Thea. роль f; [по]ката́ть; [по]кати́ть(ся).

Roll|film m катушечная плёнка; ♀schuhe m/pl. ро́лики m/pl.; ♀treppe f эскала́тор.

Rom n Рим.

Röntgenstrahlen m/pl. рентге́новские лучи́.

rosa(farben) ро́зовый.

Rose f ♀ ро́за; ♀ ро́жа.

Rosine f изю́мин(к)а, ♀n pl. изю́м.

Rost m ржа́вчина; Ofen: колосни́к.

Rostbraten m ро́стбиф.

rosten [за]ржа́веть.

rösten поджа́ри(ва)ть; кали́ть.

rot кра́сный; румя́ный; Haare: ры́жий; ♀armist m красноарме́ец.

Röte f краснота́; румя́нец; ♀n [на]румя́нить.

Rotwein m кра́сное вино́.

Rübe f ре́па; gelbe ~ морко́вь; rote ~ свёкла; rote ~suppe f борщ.

Rubel m рубль.

Ruck m толчо́к.

rücken¹ пере-, по-двига́ть [-дви́нуть].

Rücken² m спина́; Buch: корешо́к.

Rück|fahrkarte f обра́тный биле́т; ♀fahrt f обра́тный путь; ♀fall m рециди́в; ♀grat n хребе́т; позвоно́чный столб; ♀kehr f возвраще́ние.

Rucksack m вещево́й мешо́к, кото́мка.

Rück|schritt m регре́сс; ♀seite f оборо́т(ная стороно́); тыл; ~sicht f внима́ние; ~sitz m за́днее ме́сто; ~sprache f перегово́ры m/pl.; 2ständig отста́лый; ~tritt m отступле́ние; ухо́д; 2wärts обра́тно, наза́д; ~weg m обра́тный путь; ~zug m отступле́ние, отхо́д.

Ruder n весло́; *Steuer:* руль m; ~boot n гребна́я ло́дка; 2n [по]грести́; ~sport m гребно́й спорт.

Ruf m крик; зов; призы́в; *fig.* сла́ва; 2en крича́ть; [по]зва́ть.

Ruhe f споко́йствие, поко́й; тишина́; о́тдых.

ruhig (с)поко́йный; ти́хий; сми́рный; ~! ти́ше!, молча́ть!

Ruhm m сла́ва.

rühmen [про]сла́вить; sich ~ [по]хва́статься.

Ruhr ♀ f дизенте-ри́я.

Rührei n яи́чница.

rühren дви́гать [дви́нуть], [по]шевели́ть; (*um*~) [за-, пере-, с-] меша́ть; *fig.* умиля́ть [-ли́ть]; тро́гать [тро́нуть]; ~d тро́гательный.

Rührung f умиле́ние.

Ruin m разоре́ние; руи́на; ~en *pl.* разва́лины.

Rum m ром.

Rumpf m ту́ловище; ко́рпус.

rund кру́глый; 2fl круговой полёт; 2funken ger m радиоприём 2funkübertragung f радиопереда́ча; 2gang m обхо́д; 2schau f зре́ние.

rupfen [об-, о]щипа́ть.

Ruß m са́жа.

Russe m ру́сский.

Rüssel m хо́бот.

Russ|in f ру́сская; ~isch ру́сский, росси́йский; *adv.* по-ру́сски; Sozialistische Föderative Sowjetrepublik f (R.) Росси́йская Сове́тская Федерати́вная Социали́стическая Респу́блика (РСФСР).

Rußland n Росси́я.

rüst|en вооружа́ть [-жи́ть]; sich ~en [при]готовля́ться [-о́виться]; ~ig бо́дрый; 2industrie f вое́нная промы́шленность.

Rute f прут, ро́зга.

rutschen скользи́ть [-зну́ть].

rütteln [по]трясти́

S

Saal m зал.

Saat f посёв; семена n/pl.

Säbel m сабля.

Sach|e f вещь; дело; 2gemäß надлежащим образом; ⸏kenntnis f знание дела; 2lich объективный; деловитый.

Sachsen n Саксония.

Sachverständige(r) m эксперт. [тупик.)

Sack m мешок; ⸏gasse f

säen [по]сеять.

Saft m сок; сироп.

Sage f предание.

Säge f пила.

sag|en [по]говорить [сказать]; man ⸏t говорят.

säge|n пилить; 2werk n лесопильный завод.

Sahne f сливки f/pl.; ⸏saure ⸏ сметана.

Saite ♪ f струна.

Salat m салат; ⸏schüssel f салатник.

Salbe f мазь.

Salmiak m нашатырь.

Salz n соль f; ⸏büchse f солонка; 2ig солёный; ⸏säure f соляная кислота.

Samen m семя n.

sammel|n со-, на-б(и)рать; 2punkt m, 2stelle f сборный пункт.

Samm|ler m собиратель; ⸏lung f собрание, коллекция; сборник.

Samt m бархат.

Sand m песок; ⸏bank f мель, отмель; перекат; ⸏stein m песчаник.

sanft тихий; мягкий; нежный; кроткий.

Sänger(in f) m певец (певица); (Chor2) певчий (-чая).

Sanität|er m санитар; ⸏s... санитарный.

Sardelle f анчоус.

Sardine f сарди́н(к)а.

Sarg m гроб.

satt сытый.

Sattel m седло; 2n [о-] седлать.

sättigen насыщать [насытить].

Sattler m шорник.

Satz m (Sprung) скачок; прыжок; Kaffee: осадок; Steuer: ставка; Gram. предложение; Sachen: комплект; набор.

sauber чистый.

säubern очищать [очистить].

sauer кислый; (schwer) трудный; 2kraut n кислая капуста.

Sauerstoff *m* кислоро́д.

Säugetier *n* млекопита́-
ющее (живо́тное).

Säugling *m* младе́нец,
грудно́й ребёнок.

Säule *f* столб, коло́нна.

Saum *m* кайма́; подо́л;
рубе́ц.

sausen жужжа́ть; *Fahrzeug:* мча́ться.

Saxophon ♪ *n* саксо-
фо́н.

Schabe *f* тарака́н; пру-
са́к; 2n [по]скобли́ть.

schäbig изно́шенный.

Schach *n* шах; (*~spiel*
игра́ в) ша́хматы *pl.;*
~brett *n* ша́хматная
доска́; *~spieler* *m* шах-
мати́ст.

Schacht *m* ша́хта.

Schachtel *f* коро́бка.

schade (es ist) *~* жаль,
жа́лко.

Schädel *m* че́реп.

schaden 1. поврежда́ть;
[по]вреди́ть; **2.** 2 *m*
вред, убы́ток; уще́рб;
изъя́н.

schäd|**igen** [по]вреди́ть
(Д); *Su.* поврежде́ние;
~lich вре́дный.

Schaf *n* овца́; *~bock* *m*
бара́н.

schaffen [с]де́лать; ус-
пе́(ва́)ть; [со]твори́ть;
созда́(ва́)ть; учрежда́ть
[-реди́ть].

Schaffner *m* конду́ктор;
проводни́к.

Schaft *m* сте́ржень;
(*Stiefel*2) голени́ще.

schal[1] безвку́сный; вы́-
дохшийся.

Schal[2] *m* шаль *f*, кашне́.

Schale *f* ча́ш(к)а; ше-
луха́; *Apfelsine:* кожу-
ра́, ко́рка; *Apfel:* ко́-
жица; (*Nuß*2) скор-
лупа́.

schälen [об]лупи́ть; очи-
ща́ть [-и́стить].

Schall *m* звук; 2en [про]-
звуча́ть; *~geschwindig-
keit* *f* ско́рость зву́ка;
~platte *f* (граммофо́н-
ная) пласти́нка; *~welle*
f звукова́я волна́.

schalten включа́ть
[-чи́ть].

Schalter *m* (раздвижно́е)
око́шко, (биле́тная)
ка́сса; ⚡ выключа́тель.

Schaltjahr *n* високо́сный
год.

Scham *f* стыд.

schämen: sich *~* [по]сты-
ди́ться; *ich schäme mich*
мне сты́дно.

Schande *f* стыд; срам,
позо́р.

schänden [о]позо́рить.

schändlich (по)сты́дный,
позо́рный.

Schar *f* толпа́, ста́я.

scharf о́стрый; *fig.* рез-

кий; (ätzend) éдкий;
2blick m проницáтель-
ность f.

Schärfe f острота́; fig.
рéзкость; (ätzend) éд-
кость; **2n** заостри́ть
[-ри́ть]; [на]точи́ть.

Scharf|richter m пала́ч;
~sinn m остроу́мие;
проница́тельность f.

Scharlach m, **~fieber** n
скарлати́на.

Schatten m тень f.

schattig тени́стый.

Schatz m сокро́вище;
клад.

schätzen [о]цени́ть, оцé-
нивать; уважа́ть; доро-
жи́ть (T).

Schätzung f оцéнка.

Schau f показ; осмо́тр;
~bude f балага́н.

Schauder m дрожь f;
ýжас; **2haft** ужа́сный;
жу́ткий.

schauen [по]смотрéть;
[по]гляде́ть.

Schaufel f лопа́та; ло́-
пасть f; **2n** вика́пывать.

Schaufenster n витри́на.

Schaukel f качéли f/pl.;
2n [по]кача́ть(ся) (по-
кола́хать [-хну́ть].

Schaum m пéна.

schäumen [вс]пéниться.

Schaumwein m шампа́н-
ское.

Schau|platz m сцéна;

теа́тр; **~spiel** n спек-
та́кль m, дра́ма; **~spieler**
(**-in** f) m актёр (актри́-
са), арти́ст(ка).

Scheck † m чек; **~buch** n
чéковая кни́жка.

Scheibe f диск; круг;
Brot: ломо́ть m; (Fen-
ster2) стекло́.

scheiden отделя́ть [-ли́ть]
Eheleute: разводи́ть
[-вести́]; v/i. расста-
(ва́)ться; **sich ~ lassen**
разводи́ться [разве-
сти́сь].

Scheidung f разво́д.

Schein m блеск, сия́ние;
(Licht) свет; (Anschein)
вид; **2bar** мни́мый; adv.
повиди́мому; **2en** [по]-
свети́ть(ся); [по]каза́ть-
ся (als T); **es scheint mir**
мне ка́жется; **~werfer**
m прожéктор; Auto:
фа́ра.

Scheit n полéно.

Scheitel m (Gipfel) вер-
ши́на; des Kopfhaares:
пробо́р.

scheitern разби(ва́)ться;
fig. не уда(ва́)ться.

Schelle f (Klingel) зво-
но́к.

Schelm m плут, шалу́н.

schelten [вы́]брани́ть.

Schema n схéма.

Schemel m табурéт(ка).

Schenke f каба́к.

Schenkel *m* ля́жка, бедро́.

schenken [по]дари́ть.

Scherbe *f* черепо́к; оско́лок.

Schere *f* но́жницы *f/pl.*

Scherz *m* шу́тка.

scheu 1. боязли́вый; *Pferde*: пугли́вый; **2.** ♀ *f* боя́знь; ро́бость; **~en:** sich **~en** (vor *D.*) боя́ться (Р).

scheuern [по]тере́ть; *Fußboden:* [вы́]мыть.

Scheune *f* сара́й.

scheußlich отврати́тельный.

Schi *m* лы́жа; **~läufer** *m* лы́жник.

Schicht *f* слой; сме́на.

schick|en слать, пос(ы)ла́ть; отправля́ть [-а́вить]; sich **~en** быть прили́чным; **~lich** прили́чный; **2sal** *n* судьба́.

schieb|en подвига́ть [-и́нуть]; *(a.* fig. спекуля́нт; **2ung** *f* спекуля́ция.

Schieds|gericht *n* трете́йский суд; **~spruch** *m* реше́ние трете́йского суда́.

schief косо́й; кривой́.

Schiefer *m* сла́нец; **~tafel** *f* а́спидная доска́.

schielen коси́ть (глаза́[ми]).

Schienbein *n* го́лень *f*.

Schiene *f* ♥ ши́на; 🚂 рельс; **~n...** ре́льсовый.

Schieß... огнестре́льный; **2en** стреля́ть [вы́стрелить]; **~en** *n* стрельба́; **~pulver** *n* по́рох.

Schiff *n* кора́бль *m*, су́дно.

Schiffahrt *f* судохо́дство; навига́ция; (море)пла́вание.

Schiff|bau *m* кораблестрое́ние; судострое́ние; **~bruch** *m* кораблекруше́ние; **~er** *m* моря́к, шки́пер; **~smannschaft** *f* экипа́ж.

Schild 1. *m* щит; **2.** *n* вы́веска; бля́ха; **2ern** опи́сывать [-са́ть]; **~kröte** *f* черепа́ха; **~wache** *f* часово́й.

Schilf *n* камы́ш; (*~rohr*) тростни́к.

Schimmel *m* пле́сень *f*; (*Pferd*) бе́лая (*od.* си́вая) ло́шадь *f*.

schimpfen [вы́-, об]руга́ть. [ветчина́.]

Schinken *m* о́корок,)

Schirm *m* (*Regen2* дождево́й) зо́нтик; *an Mützen:* козырёк; (*Ofen2*) экра́н; (*Wand2*) ши́рма.

Schlacht *f* сраже́ние; би́тва; бой; **2en** [за]ре́зать.

Schlächter m мясни́к.

Schlachthof m бо́йня.

Schlaf m сон; im ~(e) во сне.

Schläfe f висо́к.

schlafen [по]спа́ть.

schläf(e)rig со́нный.

schlaff вя́лый; отви́слый.

schlaf|los бессо́нный; 2**losigkeit** f бессо́нница; 2**mittel** n снотво́рное сре́дство; 2**rock** m хала́т; 2**wagen** 🚍 m спа́льный ваго́н; 2**zimmer** n спа́льня.

Schlag m уда́р; _Herz:_ бие́ние; ~**anfall** 🞂 m уда́р, парали́ч; ~**baum** m шлагба́ум; 2**en** [по]би́ть, ударя́ть [-а́рить]; _Sahne:_ взби(ва́)ть; _Uhr:_ проби́ть _pf._; ~**er** m fig. боеви́к; 2**fertig** нахо́дчивый; ~**ring** m ка́стет; ~**sahne** f би́тые сли́вки f/pl.

Schlamm m ил, ти́на.

Schlange f змея́.

schlänge|ln: sich ~ извива́ться; ~ (кий.)

schlank стро́йный, то́нкий.

schlau хи́трый.

schlecht худо́й, плохо́й, дурно́й; скве́рный.

schleich|en кра́сться; 2**handel** m контраба́нда; торго́вля из-под полы́.

Schleier m вуа́ль f.

Schleif|e f бант; 2**en** [на]точи́ть, [от]шлифова́ть; ~**er** m точи́льщик; ~**stein** m (точи́льный) ка́мень.

Schleim m слизь f; мокро́та.

Schlepp|dampfer m букси́р; ~**e** f шлейф; 2**en** [по]тащи́ть, таска́ть; ⚓ букси́ровать.

Schlesien n Силе́зия.

schleudern мета́ть [метну́ть],швыря́ть[-рну́ть].

Schleuse f шлюз.

schlicht скро́мный; (_einfach_) просто́й; ~**en** fig. ула́живать [ула́дить]; _Su._ ула́живание.

schließ|en закры(ва́)ть, затвори́ть [-ри́ть]; запира́ть [-пере́ть]; замыка́ть [замкну́ть]; (_beendigen_) конча́ть [ко́нчить]; _Vertrag usw.:_ заключа́ть [-чи́ть]; ~**lich** оконча́тельный; _adv._ наконе́ц, в конце́ концо́в; 2**ung** f закры́тие.

schlimm дурно́й, плохо́й.

Schlinge f пе́тля.

Schlips m га́лстук; ~**nadel** f була́вка для га́лстука.

Schlitten m са́ни f/pl.

~ fahren [по]ката́ться на саня́х.

Schlittschuh m конёк; ~laufen [по]ката́ться od. бе́гать на конька́х; ~bahn f като́к; ~läufer m конькобе́жец [(рез.).

Schlitz m про́рез, раз-

Schloß n замо́к; дворе́ц; an Türen: замо́к.

Schlosser m сле́сарь.

Schlucht f овра́г; уще́лье.

schluchzen рыда́ть; всхли́пывать [-и́пнуть].

Schluck m глото́к; ~auf m ико́та; 2en глота́ть [проглоти́ть, глотну́ть].

Schlummer m дремо́та; 2n [по]дрема́ть.

Schlüpfer m трико́ (да́мское).

Schluß m оконча́ние, коне́ц, заключе́ние; (Schließung) закры́тие.

Schlüssel m ключ; ~loch n замо́чная сква́жина.

Schmach f позо́р; бес-че́стие; 2en [ис]хули́ться.

schmächtig хи́лый; худо́й.

schmachvoll позо́рный.

schmackhaft вку́сный.

schmähen поноси́ть pf.; руга́ть.

schmal у́зкий; Kost: ску́дный; ~spurig узко-коле́йный.

Schmalz n топлёное са́ло.

Schmarotzer m парази́т.

schmecken v/t. [по]про́бовать; das schmeckt gut э́то вку́сно.

Schmeich|elei f лесть; 2eln [по]льсти́ть.

Schmelz m эма́ль f; 2en [рас]пла́вить; [рас]топи́ть; v/i. [рас]та́ять.

Schmerz m боль f; 2en боле́ть; 2haft болéзнен-ный; adv. бо́льно; 2los безболéзненный; 2stillendes Mittel n боле-утоля́ющее сре́дство.

Schmetterling m ба́бочка.

Schmied m кузне́ц; ~e f ку́зница; 2en [с]кова́ть.

Schmier|e f мазь, сма́зка; 2en [на-, по]ма́зать; сма́з(ыв)ать; ~öl n сма́-зочное ма́сло.

Schminke f rote: румя́на f/pl.; Thea.: грим; 2n [на]румя́нить; гримиро-ва́ть.

Schmorbraten m тушёная говя́дина.

schmoren [с]туши́ть.

Schmuck m украше́ние; (~sachen f/pl.) драгоцéнно-сти) f/pl.

schmücken украша́ть [укра́сить]; уб(и)ра́ть.

Schmugg|el m контра-ба́нда; ~ler m контра-банди́ст.

Schmutz *m* грязь *f*; 2ig гря́зный.

Schnabel *m* клюв.

Schnalle *f* пря́жка.

Schnaps *m* во́дка; ~glas *n* рю́мка.

schnarchen [за-, по-, про-] храпе́ть.

Schnauze *f* мо́рда; ры́ло; *Gefäß:* но́сик.

Schnecke *f* ули́тка.

Schnee *m* снег; ~ball *m* снежо́к; ~flocke *f* снежи́нка; ~gestöber *n* мете́ль *f*; вьюга; бура́н.

Schneide *f* ле́звие; остриё.

schneiden ре́зать; *Getreide:* [с]жать; *Haare:* [по-, о]стри́чь; *fig.* игнори́ровать; ~d ре́зкий.

Schneider *m* портно́й; ~in *f* портни́ха.

schneien: es schneit снег идёт. [стрый.]

schnell ско́рый, бы-]

Schnell|igkeit *f* ско́рость, быстрота́; ~zug *m* ско́рый (*od.* курье́рский) по́езд.

schneuzen (sich [*die Nase*] ~) [вы]сморка́ть(ся) [-кну́ть(ся).

Schnitt *m* разре́з; *Kleid:* покро́й; ~e *f* кусо́к, ломо́ть *m*; ~muster *n* вы́кройка; ~wunde *f* ре́заная ра́на, поре́з.

Schnitz|el *n Kochkunst* шни́цель *m*; ~er *m* ре́зчик; *fig.* оши́бка.

schnüffeln обню́х(ив)ать; *fig.* шпио́нить.

schnupfen 1. [по]ню́хать (таба́к); **2.** 2 ♂ *m* на́сморк.

Schnur *f* шнур(о́к), верёв(оч)ка.

schnüren [за]шнурова́ть.

Schnurrbart *m* усы́ *m/pl.*

Schnür|senkel *m* шнуро́к; ~stiefel *m* боти́нки *m/pl.* на шнурка́х.

Schokolade *f* шокола́д.

Scholle *f Erde:* земля́; *Eis:* льди́на, глы́ба; *Zo.* ка́мбала.

schon уже́, уж; ещё; ~ gut! ла́дно!

schön изя́щный, краси́вый; ~! хорошо́!

schonen [по]щади́ть; [по]бере́чь; ~d бе́режный.

Schön|heit *f* красота́; краса́вица; ~mittel *n* космети́ческое сре́дство.

Schonung *f* пощада; ♀ запове́дник, 2slos беспоща́дный.

schöpf|en че́рпать [-пну́ть]; 2ung *f* творе́ние; созда́ние.

Schorf *m* струп.

Schornstein *m* (дымова́я)

trubá; ~feger *m* trubo-
chíst.

Schoß *m Rock*: polá.

Schote *f* struchók; zelё́-
nyj goró͡shek.

schräg kosój; *adv.* vkos.

Schramme *f* shram; ssá-
dina; carápina.

Schrank *m* shkaf; ~e *f*
barьér.

Schraube *f* vint; ~n-
mutter *f* gájka; ~n-
schlüssel *m* gáechnyj
kljuch; ~nzieher *m* ot-
vё́rtka.

Schreck, ~en¹ *m* ispúg;
úzhas; ~en² [is]pu-
gátь; zapúgivatь [-gátь];
2lich uzhásnyj, strásh-
nyj.

Schrei *m* krik.

schrei|ben [na]pisátь;
Schreibmaschine: [na]pe-
chátatь; **2en** *n* pisá-
nie; (*Brief*) pisьmó;
2er *m* píshushchij; pí-
sarь; **2feder** *f* peró;
2fehler *m* opíska; **2heft**
n tetrádь *f*; **2mappe** *f*
bjuvár; **2maschine** *f*
píshushchaja mashín(k)a;
2papier *n* (píschaja) bu-
mága; **2tisch** *m* písьmennyj stol, bjuró.

schreien [za]krichátь.

schreiten [za]shagátь
[shagnútь].

Schrift *f* pisьmó; (*Hand*2)

pó͡cherk; (*Druckschrift*)
shrift, pechátь; (*Werk*)
trud, sochinénie; **2lich**
písьmennyj; ~steller *m*
ávtor, pisátelь; ~
wechsel *m* perepíska.

Schritt *m* shag; póstupь *f*;
~macher *m* líder.

schroff krutój; rézkij.

Schrot *m od.* ~*n* drobь *f*.

Schub|fach *n*, ~lade *f*
vydvizhnój ́jashchik.

schüchtern róbkij; za-
sténchivyj.

Schuft *m* negodjáj, pod-
lé͡c.

Schuh *m* botínok; bash-
mák; túflja; ~bürste *f*
sapózhnaja shchё́tka; ~
macher *m* sapózhnik;
~sohle *f* podóshva; pod-
mё́tka; ~warengeschäft
n magazín óbuvi; ~werk
n óbuvь *f*; ~wichse *f*
(sapózhnaja) váksa.

Schuld *f* dolg; viná; **2en**
bytь dólzhnym; **2ig**
dólzhnyj; vinóvnyj;
vinovátyj; **2los** ne-
vínnyj; ~ner *m* dólzh-
ník.

Schule *f* shkóla; uchí-
li͡shche.

Schüler(in *f*) *m* uchení́k
(-í͡ca).

Schul|ferien *pl.* kaní͡ku-
ly *pl.*; ~mappe *f* ráne͡c,
súmka.

Schulter f плечо́.

Schuppe f чешуя́; *Kopf~* пе́рхоть.

Schuppen m сара́й; (*Auto2*) гара́ж; ✈ анга́р.

Schurke m негодя́й.

Schürze f передни́к, фа́ртук.

Schuß m вы́стрел.

Schüssel f блю́до.

Schußwaffe f огнестре́льное ору́жие.

Schutt m (му́)сор.

schütteln [по]трясти́.

Schutz m защи́та, охра́на; покрови́тельство (Д.); ~**brille** f (очки́-)консе́рвы m/pl.

Schütze m стрело́к; 2n защища́ть [-ити́ть]; предохраня́ть [-ни́ть] (*vor D.* от).

Schutz|haft f предвари́тельное заключе́ние; ~**los** беззащи́тный; ~**marke** f фабри́чная ма́рка, ~**mittel** n предохрани́тельное сре́дство; ~**zoll** m покрови́тельственная по́шлина.

schwach сла́бый.

Schwäche f сла́бость; 2n ослабля́ть [-а́бить].

Schwachheit f сла́бость.

schwach|sinnig слабоу́мный; 2**strom** ⚡ m сла́бый ток.

Schwager m де́верь; шу́рин; своя́к; зять.

Schwägerin f золо́вка; своя́ченица; неве́стка.

Schwalbe f ла́сточка.

Schwamm m гу́бка.

Schwan m ле́бедь.

schwanger бере́менная.

Schwank m шу́тка; фарс; 2en шата́ться [(по)шатну́ться]; *fig.* [за-, по]колеба́ться.

Schwanz m хвост.

Schwarm m рой; ста́я; коса́к; *Menschen~:* толпа́.

schwärmen [от]рои́ться (*D.*); *fig.* мечта́ть; увлека́ться [увле́чься].

Schwärmer m мечта́тель; 2isch мечта́тельный.

schwarz чёрный; *fig.* та́йный; 2**brot** n чёрный хлеб.

Schwarz|erde f чернозём; ~**hörer** m ра́диозаяц.

Schwebe|bahn f подвесна́я желе́зная доро́га; 2n висе́ть; **in** (*Gefahr*) 2n находи́ться (*od.* быть) в (П).

Schweden n Шве́ция.

Schwefel m се́ра.

schweig|en [за]молча́ть; ~**sam** молчали́вый.

Schwein n свинья́.

Schweine|braten m жа́реная свини́на; ~**fleisch** n

свини́на; ~rei f сви́нство.

Schweiß m пот.

Schweiz f Швейца́рия; ~er m швейца́рец.

schwelgen роско́шествовать. [(шпа́ла.)]

Schwelle f поро́г; 🚟

schwellen [рас]пу́хнуть.

schwer тяжёлый; тя́жкий; fig. тру́дный; 2e f тя́жесть; ~hörig туго́й на́ ухо; 2industrie f тяжёлая промы́шленность; ~mütig грусти́ный; тоскли́вый; 2punkt m центр тя́жести.

Schwert n меч.

Schwester f сестра́; (Kranken2) сиде́лка.

Schwieger|mutter f тёща; свекро́вь; ~sohn m зять; ~tochter f неве́стка, сноха́; ~vater m тесть; свёкор.

schwierig тру́дный; затрудни́тельный; 2keit f тру́дность; затрудне́ние.

Schwimm|anstalt f, ~bad n купа́льня; 2en п(р)о-пла́вать; [по]плы́ть.

Schwind|el m головокруже́ние; fig. моше́нничество; mir wird 2ig у меня́ кру́жится голова́; 2eln [с]моше́нничать.

Schwindler m (тёмный) аферист, жу́лик.

Schwind|sucht f чахо́тка; 2süchtig чахо́точный.

Schwitz|bad n (парова́я) ба́ня; 2en [вс]поте́ть.

schwören присяга́ть [-гну́ть], [по]кля́сться.

schwül ду́шный, зно́йный.

Schwung m взмах; разма́х; fig. подъём; ~rad n махови́к.

Schwur m кля́тва.

See 1. f мо́ре; zur ~ мо́рем; 2. m о́зеро; ~bad n примо́рский куро́рт; ~fahrt f морепла́вание; ~handel m морска́я торго́вля; 2-krank страда́ющий морско́й боле́знью.

Seele f душа́.

See|mann m моря́к; ~reise f морско́е путеше́ствие; рейс; ~streitkräfte f/pl. морски́е си́лы f/pl.

Segel n па́рус; ~boot n па́русник; ~flug m планери́зм; планиру́ющий полёт; ~flugzeug n планёр; 2n пла́вать на паруса́х, [по]плы́ть; ~sport m па́русный спорт; ~tuch n паруси́на.

Segen m благослове́ние.

segnen благословля́ть [-слови́ть].

sehen [у]ви́деть; [по-] смотре́ть; **man kann ~** ви́дно; **2würdigkeit** f достопримеча́тельность.

Sehne f сухожи́лие; жи́ла.

sehnen: sich ~ nach скуча́ть od. тоскова́ть по (Д od. П).

Sehnsucht f тоска́; мечта́.

sehr о́чень, весьма́; кра́йне; **zu ~** сли́шком.

Sehweite f по́ле зре́ния.

seicht ме́лкий.

Seide f шёлк; **2n** шёлковый; **~nzucht** f шелково́дство.

Seife f мы́ло.

Seil n кана́т.

sein¹ 1. быть; **was ist** (od. **sind**) **das für ...** что э́то за ...; (existieren) существова́ть; **2. 2** n бытие́.

sein² его́; свой.

seit (D.) с (Р), от (Р); **~dem** с тех пор.

Seite f сторона́, бок; Buch: страни́ца; **zur ~** в сто́рону.

Seiten|flügel m фли́гель; **~gasse** f переу́лок; **~zahl** f число́ страни́ц.

seitwärts бо́ком, сбо́ку.

sekundär второстепе́нный; втори́чный.

Sekunde f секу́нда.

selbst сам (f -á, n -ó, pl.: са́ми); adv. да́же; хоть; **~ wenn** хотя́ бы; **~ändig** самостоя́тельный; **2anschluß** m автомати́ческое соедине́ние; **2bewußtsein** n чу́вство со́бственного досто́инства; **2kostenpreis** m себесто́имость f; **2kritik** f самокри́тика; **2mord** m самоуби́йство; **2mörder** m самоуби́йца m/f; **2sucht** f самолю́бие, эгои́зм; себялю́бие; **~tätig** автомати́ческий; **~verständlich** само́ собо́й разуме́ется; **2verwaltung** f самоуправле́ние.

Sellerie m od. f сельдере́й.

selten ре́дкий; **nicht ~** adv. нере́дко.

Selterwasser n зе́льтерская (вода́).

seltsam стра́нный.

Semmel f бу́л(оч)ка.

send|en при-, по-с(ы)ла́ть; Radio: перед(ав)а́ть; **2er** m переда́тчик, радиоста́нция; **2ung** f посы́лка; (пере-) да́ча.

Senf m горчи́ца.

sengen [о]пали́ть.

Senk|el m тесём(оч)ка, тесьма́; **2en** опуска́ть [-сти́ть]; понижа́ть [-ни́зить]; Kopf: потупля́ть

[-пи́ть]; 2recht перпендикуля́рный; вертика́льный;

sensationell сенсацио́нный.

Sense f коса́.

September m сентя́брь.

Serv|ice n серви́з; 2ieren пода́(ва́)ть.

Serviette f салфе́тка.

Sessel m кре́сло.

setzen сажа́ть [посади́ть]; уса́живать [усади́ть]; *Тур.* наб(и)ра́ть; *Kaffee z. B.:* оседа́ть [осе́сть]; **sich ~** сади́ться [сесть]; уса́живаться [усе́сться]; **bitte, ~ Sie sich!** сади́тесь, пожа́луйста!

Setzmaschine f набо́рная маши́на.

Seuche f эпиде́мия.

seufz|en вздыха́ть [вздохну́ть]; 2er m вздох.

Sibirien n Сиби́рь f.

sich себя́.

Sichel f серп.

sicher безопа́сный; ве́рный.

Sicherheit f безопа́сность; **~snadel** f англи́йская була́вка; **~sschloß** n францу́зский замо́к.

sicher|lich наве́рно(е); **~n (sich)** обеспе́чи(ва)ть (себе́ *od.* за собо́й);

2ung f обеспе́чение; **~** предохрани́тель m.

Sicht f вид; 2bar ви́дный; ви́димый;

sie она́, *A.:* её; *pl.:* они́, *A.:* их; **Sie** вы, *A.:* вас.

Sieb n си́то; решето́; гро́хот.

siech ча́хлый; хи́лый.

sied|en [за-, с]кипе́ть; 2punkt m то́чка кипе́ния.

Sieg m побе́да.

Siegel n печа́ть f; **~lack** m сургу́ч.

sieg|en побежда́ть [-беди́ть]; 2er m победи́тель.

Silbe f слог.

Silber(waren f/pl.) n серебро́.

singen [с]петь.

sinken па́дать [(у)па́сть]; снижа́ться [сни́зиться]; ♣ [по-, у]тону́ть; *(abnehmen)* у-, с-бы(ва́)ть.

Sinn m чу́вство; смысл; **~bild** n си́мвол; 2lich чу́вственный; 2los бессмы́сленный; неле́пый.

Sirup m па́тока, сиро́п.

Sitte f обы́чай; обыкнове́ние; обы́чай; **~n** pl. нра́вы m/pl.

sittlich нра́вственный.

Sitz m сиде́нье; *(Ort)* местонахожде́ние; 2en [по]сиде́ть; **~platz** m сидя́чее ме́сто; **~ung** f заседа́ние; се́ссия.

Ski m s. **Schi.**

Skizze f набро́сок; эски́з.

Sklav|e m славяни́н; **~in** f раба́.

Slaw|e m славяни́н; **~in** f славя́нка; **~isch** (что)! славя́нский.

so так; тако́й; **~!** вот!

sobald как то́лько.

Socken f/pl. носки́ m/pl.

Sodbrennen ⚕ n изжо́га.

soeben то́лько что.

sofort сейча́с, то́тчас; сию́ мину́ту; сра́зу.

sogar да́же.

Sohle f подо́шва, подмётка.

Sohn m сын. [тако́й.]

solch ein(er), ein solcher

Soldat m солда́т; вое́нный; рядово́й.

Soll ✶ n дебе́т.

sollen: ich soll я до́лжен (*od.* должна́ *f*).

Sommer m ле́то; **im ~** ле́том; **~frische** f да́ча, да́чная ме́стность.

Sonder... отде́льный; осо́б(енн)ый; экстренный; специа́льный; *in Zssgn Abk.* спец; **~bar** стра́нный; **~ling** m чуда́к, оригина́л; **~n** c; a; **~zug** 🚂 m экстренный по́езд.

Sonnabend m суббо́та.

Sonne f со́лнце.

Sonnen|aufgang m восхо́д со́лнца; **~bad** n со́лнечная ва́нна; **~bräune** f зага́р; **~finsternis** f затме́ние со́лнца; **~schirm** m зо́нтик; **~stich** m со́лнечный уда́р; **~untergang** m захо́д со́лнца.

Sonntag m воскресе́нье.

sonst a то; ина́че; впро́чем.

Sorge f (**um**) забо́та (о П); **~n** [по]забо́титься; [по]хлопота́ть (für о П).

Sorg|falt f тща́тельность; **~fältig** тща́тельный.

Sorte f сорт, разря́д.

so|viel сто́лько; так мно́го; ско́лько; постоль́ку; **~weit** (на)ско́лько.

Sowjet m сове́т; **~isch** сове́тский; **~macht** f Сове́тская власть; **~union** f Сове́тский Сою́з; **~wirtschaft** f совхо́з (сове́тское хозя́йство).

sowohl ... als auch и ... и, как ... так и.

sozial социа́льный; *in Zssgn Abk.* соц; **~versicherung** f соцстра́х (социа́льное страхова́ние).

Spalt|e f щель, тре́щина; сква́жина; *Typ.* столбе́ц; **~ung** f раско́л.

Spange f застёжка; пря́жка.

Spanien n Испа́ния.

spannen натя́гивать (натяну́ть); **~d** занима́тельный, увлека́тельный. [ная кни́жка.)

Sparbuch n сберега́тель-)

sparen (на)копи́ть; сберега́ть (сбере́чь); (с)эконо́мить.

Spargel m спа́ржа.

Sparkasse f сберега́тельная ка́сса.

spärlich ску́дный; скупо́й; ре́дкий.

sparsam бережли́вый; эконо́мный.

Spaß m шу́тка; поте́ха.

spät поздний; adv. по́здно; **wie** ~ **ist es?** кото́рый час? [пáта.)

Spaten m за́ступ, ло-)

später по́зже; затем; **~hin** впосле́дствии.

spazieren, **~gehen** (по)гуля́ть, идти́ (пойти́) гуля́ть; **~fahren** (по)ката́ться.

Spazier|fahrt f ката́ние; **~gang** m прогу́лка; **~stock** m трость f; па́лка.

Speck m (свино́е) са́ло.

Speer m копьё.

Speiche f спи́ца.

Speichel m слюна́.

Speicher m амба́р.

Speise f ку́шанье, пи́ща;

едá; (süße) ~ сла́дкое; **~eis** n моро́женое; **~haus** n столо́вая; **~karte** f меню́; **~wagen** 🚃 m ваго́н-рестора́н.

Spende f дар; поже́ртвование.

Sperling m воробе́й.

Sperr|e f рога́тка; барье́р; **~en** закры(ва́)ть; запреща́ть (-ети́ть); ⚓ блоки́ровать.

Spesen † pl. накладны́е расхо́ды m/pl.

Spezial... специа́льный; in Zssgn Abk. спец; **~arzt** m врач-специали́ст.

Spiegel m зе́ркало; **~ei** n/pl. яи́чница-глазу́нья; **~n** (sich) отража́ть(ся) [-рази́ть(ся)].

Spiel n игра́; **~bank** f иго́рный банк; **~en** (по)игра́ть, (сыгра́ть) (Ball, Karten: в B, Instrument: на П); **~er** m игро́к; **~karte** f (игра́льная ка́рта); **~plan** m репертуа́р; **~raum** m зазо́р; **~zeug** n игру́шка.

Spieß † pl. пи́ка; копьё; (Brat2) ве́ртел.

Spinat m шпина́т.

Spinn|e f паук; **~en** (с)прясть; **~gewebe** n паути́на.

Spion *m* шпио́н.

Spirale *f* спира́ль.

Spiritus *m* спирт; **∼kocher** *m* спирто́вка.

spitz о́стрый; **2bube** *m* плут, моше́нник.

Spitze *f* остриё; ко́нчик; *Baum*: верху́шка; *Berg*: верши́на; *Turm*: шпиль *m*; *Zigaretten*: мундшту́к; *Gewebe*: кружева́ *n/pl*.

Spitzel *m* шпио́н.

spitzen заостри́ть [-ри́ть]; *Bleistift*: [о]чини́ть;

Splitter *m* зано́за; оско́лок.

Sporn *m* шпо́ра.

Sport *m* спорт; **∼ler** *m* спортсме́н; **∼platz** *m* спорти́вная площа́дка.

Spott *m* насме́шка.

spotten насмеха́ться [-ме́яться] (*über A.* над); [по]глуми́ться (над).

Sprache *f* язы́к; речь; **∼führer** *m* разгово́рник; **∼rohr** *n* ру́пор.

sprech|en [по]говори́ть, (*russisch* по-ру́сски); [про]мо́лвить; **∼er** *m* *Radio*: ди́ктор; **2stunde** *f* приёмный час; **∼zimmer** *n* приёмная (ко́мната).

spreng|en взрыва́ть [взорва́ть]; (*gießen*) поли(ва́)ть; *fig.* разгоня́ть

[разогна́ть]; **2stoff** *m* взры́вчатое вещество́.

Sprichwort *n* посло́вица.

Spring|brunnen *m* фонта́н; **2en** пры́гать [-гнуть]; *Glas*: [по]тре́скаться [тре́снуть].

Spritze *f* шприц; (*Feuer-2*) пожа́рная труба́; **2n** бры́згать [-знуть].

Sprosse *f* ступе́нь(ка).

Spruch *m* изрече́ние.

sprühen и́скриться; *Regen*: [за]моро́сить.

Sprung *m* тре́щина; (*Satz*) прыжо́к; скачо́к.

spucken плева́ть [плю́нуть].

Spule *f* кату́шка.

spülen [про]полоска́ть.

Spur *f* след.

spüren [по]чу́вствовать.

Staat *m* госуда́рство; (*Putz*) наря́д; **2lich** госуда́рственный; *in Zssgn Abk.* гос; **2liche Plankommission** *f* Госпла́н (Госуда́рственная пла́новая коми́ссия); **∼sangehörigkeit** *f* по́дданство; **∼sanwalt** *m* прокуро́р; **∼sbank** *f* Госба́нк; **∼smann** *m* госуда́рственный де́ятель; **∼sverfassung** *f* конститу́ция.

Stab *m* па́лка; ✗ штаб.

Stachel *m* жа́ло; колю́чка; **~beere** *f* крыжо́вник.

Stadt *f* го́род; **~...** городско́й; **~bahn** *f* городска́я желе́зная доро́га.

städtisch городско́й, муниципа́льный.

Stadt|teil *m*, **~viertel** *n* кварта́л, часть *f* го́рода.

Staffel *f* ⚔ отря́д; **~ei** *f* мольбе́рт.

Stahl *m* сталь *f*; **~...** стально́й; **~kammer** *f* сейф.

Stall *m* хлев; *Pferde-*: коню́шня.

Stamm *m* ствол; (*Volks-*₂) пле́мя *n*.

stammeln [про]лепета́ть.

stammen происходи́ть [-изойти́].

Stand *m* ме́сто (стои́нки); сосло́вие; (*Beruf*) зва́ние; (*Lage*) положе́ние; **~bild** *n* ста́туя.

Ständer *m* сто́йка.

Standesamt *n* ЗАГС (отде́л за́писи а́ктов гражда́нского состоя́ния); **~** [дый].

standhaft сто́йкий; твёрдый; **~ständig** неизме́нный; постоя́нный.

Stand|ort *m* ме́сто (стои́нки); **~punkt** *m* то́чка зре́ния.

Stange *f* шест; сте́ржень *m*.

Stapel *m* ку́ча; стопа́; **~lauf** *m* спуск на́ во́ду.

Star *m* скворе́ц; ⚕ бельмо́, катара́кта.

stark си́льный, кре́пкий; могу́чий; (*dick*) то́лстый.

Stärke *f* си́ла; мо́щность; (*a.* **~mehl** *n*) крахма́л; **2n** *v*, подкрепля́ть [-пи́ть]; [на]крахма́лить; **~ный** ток].

Starkstrom ⚡ *m* си́льный.

starten стартова́ть; ✈ взлета́ть [-лете́ть].

Station *f* ста́нция; **~svorsteher** *m* нача́льник ста́нции.

statt (*G.*) вме́сто (*P.*).

Stätte *f* ме́сто.

statt|finden состоя́ться *pf.*; **~lich** ста́тный.

Staub *m* пыль *f*; **2ig** пы́льный, в пыли́; **~sauger** *m* пылесо́с.

staunen удивля́ться [-ви́ться]; изумля́ться [-ми́ться].

stechen коло́ть [кольну́ть]; [у]жа́лить.

stecken сова́ть (су́нуть]; **~bleiben** застрева́ть [-ря́ть]; *im Schlamm z.B.*: [у-, за]вя́знуть.

Steck|er ⚡ *m* ште́псель; **~kontakt** ⚡ *m* ште́псельный конта́кт; **~nadel** *f* була́вка.

Steg m мо́стик; ⚓
схо́дни f/pl.

stehen [по]стоя́ть; **wie
steht es (mit)** что (od.
как) насчёт (P); **das
steht Ihnen gut** э́то вам
идёт; **~bleiben** стать;
приостана́вливаться
[-нови́ться]; **~des Heer**
n постоя́нное во́йско;
~lassen оставля́ть [оста́-
вить].

stehlen ворова́ть, [у-]
кра́сть.
         [ме́сто.]
Stehplatz m стоя́чее]
Steigbügel m стре́мя n.
steigen поднима́ться
[-ня́ться]; повыша́ться
[-вы́ситься].
steigern повыша́ть [по-
вы́сить].
Steigung f подъём.
steil круто́й.

Stein m ка́мень; *Obst:* ко́-
сточка; *Spiel:* ша́шка;
~bruch m каменоло́мня;
~ern ка́менный; **~kohle**
f ка́менный у́голь m;
~pflaster n булы́жная
мостова́я.
Stelle f ме́сто; *Amt:* конто́ра.
stellen [по]ста́вить; **~nachweis** m би́ржа труда́.
Stellung f положе́ние;
ме́сто, до́лжность; ✕
пози́ция.

Stellvertreter m заме-
сти́тель.
         [(стаме́ска.)]
Stemmeisen n долото́,]
Stempel m ште́мпель;
печа́ть f; ♣ клеймо́; **~n**
штемпелева́ть.
Stengel m сте́бель.
Stenotypistin f маши-
ни́стка, стенотипи́стка.
Steppdecke f стёганое
одея́ло.
Steppe f степь.   [ре́ть).]
sterben умира́ть [уме-]
sterblich сме́ртный.
Stern m звезда́; **~warte** f
обсервато́рия.
stetig постоя́нный.
stets всегда́.
Steuer 1. f нало́г; 2. n
Auto, ♣ & руль m; **~frei** освобождённый от
нало́гов; **~mann** m & n
рулево́й; шту́рман; **~n**
пра́вить (рулём).
Steuerung f рулево́е
управле́ние; *Auto:*
рулево́й механи́зм.
Stich m уко́л; гравю́ра;
Spiel: взя́тка; **im ~
lassen** покида́ть [-ки́-
нуть].   [язы́к.]
Stichflamme f о́гненный]
stick|en вы́ши(ва́)ть; **~erei** f вы́шивка; **~ig**
уду́шливый; **~stoff** 🜇
m азо́т.
Stiefbruder m сво́дный
брат.

Stiefel *m* сапо́г; **~bürste** *f* сапо́жная щётка.

Stief|mutter *f* ма́чеха; **~schwester** *f* сво́дная сестра́; **~sohn** *m* па́сынок; **~tochter** *f* па́дчерица; **~vater** *m* о́тчим.

Stiel *m* рукоя́тка, ру́чка; ♀ стебе́ль.

Stier *m* бык; **~kampf** *m* бой быко́в.

Stift *m* штифт(ик); (*Blei*♀) каранда́ш; **♀en** учрежда́ть [-ди́ть]; осно́вывать [-ова́ть]; **~ung** *f* учрежде́ние.

still (с)споко́йный; ти́хий; смирный; **♀e** *f* споко́йствие, тишина́; безмо́лвие; *Wind:* зати́шье; **~en** корми́ть гру́дью; *Durst:* утоля́ть [-ли́ть]; *Blut:* остана́вливать [-нови́ть]; **~halten** остана́вливать (-ся) [-нови́ть(ся)]; **♀-stand** *m* засто́й, зати́шье.

Stimm|band *n* голосова́я свя́зка; **♀e** *f* го́лос; **♀en** пода́(ва́)ть го́лос, вотировать; ♪ [на]стро́ить.

Stimmung *f* настрое́ние, расположе́ние (ду́ха).

stinken воня́ть (**nach** T.).

Stirn *f* лоб.

Stock *m* па́лка; (**~werk** *n*

эта́ж; **♀en** (при)остана́вливаться [-нови́ться]; **~fisch** *m* треска́.

Stoff *m* вещество́; мате́рия; *fig.* сюже́т.

stöhnen [за-, про]стона́ть. [-тхну́ться.]

stolpern спотыка́ться]

stolz 1. го́рдый (**auf** A. T.); **2.** **♀** *m* го́рдость *f*.

stopfen [за]што́пать; *Pfeife:* наби́(ва́)ть; (*v./i.*) **♀fe** выз(ы)ва́ть запо́р; [за]крепи́ть.

Stoppuhr *f* секундоме́р.

Stör *m* осётр.

Storch *m* а́ист.

stören наруша́ть [нару́шить]; [по]беспоко́ить; [по]меша́ть; *Su.* наруше́ние; ⊕ повре́ждение.

Stoß *m* толчо́к; уда́р; (*Stapel*) ку́ча; **♀en** толка́ть [-кну́ть]; ушиба́ть [-би́ть].

Stott|erer *m* (**~rerin** *f*) зайка *m/f*; **♀ern** заика́ться.

straf|bar наказу́емый; **♀e** *f* наказа́ние; ка́ра; взыска́ние; у штраф; **~en** нака́зывать [наказа́ть]; [о]штрафова́ть.

straff туго́й.

Sträfling *m* ареста́нт.

Strafporto *n* допла́тный (почто́вый) сбор.

Strahl m луч; (*Wasser*2) струя́; 2en [за-, про-] сия́ть.

stramm туго́й; *fig.* бо́д[рый].

Strand m пляж; взмо́рье; побере́жье; 2en сади́ться [сесть] на мель.

Straße f у́лица.

Straßen... у́личный; ~bahn f трамва́й; ~beleuchtung f у́личное освеще́ние; ~ecke f у́гол у́лицы; ~feger m мете́льщик у́лиц; ~kreuzung f перекрёсток; ~pflaster n мостова́я.

Strauch m куст.

Strauß m буке́т; *Zo.* стра́ус.

streb|en (nach) стреми́ться (к); 2er m карьери́ст; ~sam усе́рдный.

Strecke f рассто́яние; путь m, ли́ния; 🚄 перего́н; 2n вытя́гивать [вы́тянуть].

Streich m уда́р; *fig.* ша́лость; 2eln [по]гла́дить (руко́й); 2n [по]гла́дить; *mit Butter:* нама́з(ыв)ать; *(malen)* [о-, на]кра́сить; ~holz n спи́чка; ~holzschachtel f спи́чечная коробка; ~orchester n стру́нный орке́стр.

Streit|band n бандеро́ль f; ~e f патру́ль m; 2en

(слегка́) заде́(ва́)ть (за B); прикаса́ться [-косну́ться] (к); ~en m полоса́.

Streik m забасто́вка, ста́чка; 2en [за]басто́вать; ~ende(r) m забасто́вщик.

Streit m спор; ссо́ра; 2en [по]спо́рить (о П); [по]ссо́риться; 2süchtig сварли́вый.

streng стро́гий; суро́вый; круто́й; 2e f стро́гость.

streu|en [по]сы́пать; ~zucker m са́харный пе-)

Strich m черта́. (со́к.)

Strick m верёвка; 2en [с]вяза́ть; ~jacke f вя́заная ко́фта; ~nadel f спи́ца.

strittig спо́рный.

Stroh n соло́ма; ~hut m соло́менная шля́па.

Strolch m хулига́н; бродя́га.

Strom m (больша́я) река́; пото́к; ⊕ ⚡ ток.

strömen течь, [по]ли́ть (-ся.)

Strom|kreis m цепь f тока; ~schnelle f поро́ги m/pl.; ~stärke f си́ла тока.

Strömung f тече́ние.

Strudel m водоворо́т; слоёный пиро́г.

Strumpf *m* чуло́к; **~band** *n* подвя́зка.

Stube *f* ко́мната; **~n-mädchen** *n* го́рничная.

Stück *n* кусо́к, штýка; вещь *f*; *Thea.* пье́са.

Studie *f* этю́д.

studieren учи́ться; [про]штуди́ровать.

Studium *n* заня́тия *n/pl.*; изуче́ние.

Stufe *f* ступе́нь; сте́пень.

Stuhl *m* стул; **~gang** *m* испражне́ние, стул.

stumm нело́й.

stumpf тупо́й; **~sinnig** тупоýмный; [уро́к:]

Stunde *f* час; *Unterricht:*]

stunden отсро́чи(ва)ть.

stündlich ежеча́сный.

Sturm *m* бу́ря; ♻ шторм; ✕ штурм, при́ступ.

stürm|en штурмова́ть; **~isch** бу́рный.

Sturmwind *m* урага́н.

Sturz *m* сверже́ние; паде́ние.

stürzen сверга́ть [све́ргнуть]; низлага́ть [-ло-

житъ]; **sich ~** броса́ться [бро́ситься].

Stute *f* кобы́ла.

Stütze *f* подпо́р(к)а; опо́ра; подста́вка.

stützen подпира́ть [-пере́ть]; поддержива́ть [-жа́ть]; **sich ~** опира́ться [опере́ться].

Suche *f* по́иски *m/pl.*; **~n** [по]иска́ть (P); **~r** *m* иска́тель.

Sucht *f* страсть, ма́ния.

Süd, ~en *m* юг; **~länder** *m* южа́нин; **~lich** ю́жный; **~ost** *m* юго-восто́к; **~west** *m* юго-за́пад.

sühnen искупа́ть [-пи́ть].

Sülze *f* студе́нь *m*; заливно́е.

Summe *f* су́мма; ито́г.

Sumpf *m* боло́то.

Sünde *f* грех; **~r** *m* гре́шник.

Suppe *f* суп.

süß сла́дкий; **2igkeit** *f* сла́дость; **2igkeiten** *pl.* сла́сти.

Szene *f* сце́на; явле́ние.

T

Tabak *m* таба́к; **~laden** *m* таба́чная ла́вка; **~s-beutel** *m* кисе́т; **~sdose** *f* табаке́рка; **~spfeife** *f* тру́бка.

Tablette *f* табле́тка.

Tadel *m* порица́ние; упрёк; **2los** безукори́зненный; **2n** порица́ть; укоря́ть [-ри́ть].

Tafel f доска́; *Schokolade*: плитка; (*Tisch*) стол; ~geschirr n (столо́вая) посу́да.

Tag m день; (~eslicht) свет; guten ~ здра́вствуй(те); am (bei) ~e днём; ~ und Nacht (zusammen) су́тки f/pl.

Tage|buch n дневни́к, журна́л; ~lohn m подённая пла́та; 2n заседа́ть; es tagt рассвета́ет.

Tages|anbruch m рассве́т; ~frage f зло́ба дня; ~licht n дневно́й свет; ~ordnung f пове́стка дня; ~zeit f вре́мя n дня.

täglich ежедне́вный.

Tagung f съезд; се́ссия.

Takt m такт; 2los беста́ктный; 2voll такти́чный.

Tal n доли́на.

Talent n тала́нт.

Talg m са́ло.

Tank m танк, бак; 2en наб(и)ра́ть горю́чее; ~stelle f бензи́новая коло́нка.

Tanne f ель, ёлка.

Tante f тётка, тётя.

Tanz m та́нец; пля́ска; 2en [по]танцева́ть.

Tänzer m танцо́р.

Tapete f обо́и m/pl.

Tapezierer m обо́йщик.

tapfer хра́брый; сме́лый.

Tasche f карма́н; (*Reise*2) су́мка; ~ndieb m карма́нный вор; ~nmesser n карма́нный нож; ~nspieler m фо́кусник; ~ntuch n носово́й плато́к.

TASS(Telegrafenagentur f der Sowjetunion) ТАСС (Телегра́фное Аге́нтство Сове́тского Сою́за).

Tasse f ча́шка.

Taste f кла́виш(а).

Tat f де́ло; де́йствие; посту́пок; (*Helden*2) по́двиг.

Täter m вино́вник.

tätig де́ятельный; акти́вный.

Tat|kraft f эне́ргия; ~ort m ме́сто преступле́ния; ~sache f факт, де́ло; 2sächlich действи́тельный; факти́ческий.

Tatze f ла́па.

Tau[1] n кана́т, прича́л.

Tau[2] m роса́.

taub глухо́й.

Taube f го́лубь m.

Taub|heit f глухота́; 2stumm глухонемо́й.

tauch|en погружа́ть[-грузи́ть]; ныря́ть [ныр-ну́ть]; 2er m водола́з.

tauen [рас]та́ять.

Tauf|e f крести́ны pl.; **2en** [o]крести́ть; **~schein** m свиде́тельство о креще́нии.

taug|en [при]годи́ться; **~lich** (при)го́дный.

taumeln шата́ться [(по-)шатну́ться]; [по]кача́ться.

Tausch m обме́н; **2en** [по]меня́ть.

täuschen обма́нывать [-ну́ть].

Tauschhandel m менова́я торго́вля.

Täuschung f обма́н.

Tauwetter n о́ттепель f.

Tax|e f та́кса; Auto: такси́ n; таксомото́р; **2ieren** оце́нивать[-ни́ть].

Techni|k f те́хника; **~ker** m те́хник; **2sch** техни́ческий; in Zssgn Abk. tex; **~sche Hochschule** f ВТУЗ (вы́сшее техни́ческое уче́бное заведе́ние).

Tee m чай; **~kanne** f ча́йник; **~maschine** f самова́р.

Teer m дёготь.

Tee|sieb n (ча́йное) си́течко; **~stube** f ча́йная.

Teich m пруд.

Teig m те́сто.

Teil m od. n часть f; до́ля = уча́сток; отде́л; zum ~ части́ю; **2en** [раз]де-

ли́ть; **~haber** m компаньо́н; **~nahme** f уча́стие; сочу́вствие; **2nehmen** уча́ствовать (an D. в П); принима́ть [-ня́ть] уча́стие (в П); **~nehmer** m уча́стник; **2s ... 2s** частью ... частью; **2weise** отча́сти; **~zahlung** f рассро́чка платежа́.

Telefon n телефо́н; **2isch** телефо́нный; **~nummer** f но́мер телефо́на; **~zelle** f телефо́нная каби́на.

telegrafieren телеграфи́ровать.

Telegramm n телегра́мма.

Teller m таре́лка.

Temperatur f температу́ра.

Tempo n темп.

Tenne f ток, гумно́.

Tennis|(spiel) n те́ннис; **~schläger** m раке́тка.

Tenor m те́нор.

Teppich m ковёр.

Termin m срок; ꭸ суде́бное заседа́ние.

Terpentin(öl) n скипида́р.

Testament n завеща́ние.

teuer дорого́й; **2ungszulage** f приба́вка на дорогови́зну.

Teufel m чёрт, дья́вол.

Text m текст.

Theater n театр; **~stück** n пьеса.

Thermosflasche f термос.

Thron m трон, престол.

tief глубокий; низкий; **2e** f глубина; **2flug** m бреющий полёт; **2gang** ♣ m осадка.

Tier n животное; *wildes*: зверь m; **~arzt** m ветеринар(ный врач); **~garten** m зоологический сад; **2isch** животный; *fig.* зверский.

Tiger m тигр.

tilgen уничтожать [-ожить]; *Schulden*: погашать.

Tinte f чернила n/pl.; **~nfaß** n чернильница.

Tisch m стол; **bei** ~ за столом; **nach** ~ после обеда; **~decke** f скатерть; **~ler** m столяр.

Titel m титул; заглавие.

toben бесноваться; возиться.

Tochter f дочь.

Töchterchen n дочка.

Tod m смерть f, кончина; **~esanzeige** f объявление о смерти; **~esstrafe** f смертная казнь.

tödlich смертельный.

Toilette f туалет; (*Abort*) уборная.

toll бешеный; **2wut** f бешенство.

Tomate f помидор.

Ton m тон, звук; глина.

Ton|film m звуковой фильм; **~leiter** f гамма.

Tonne f бочка; *Gewicht*: тонна.

Topf m горшок.

Töpfer m гончар.

Tor[1] n ворота n/pl.; *Sport*: гол.

Tor[2] m безумец, глупец; **~heit** f безумие.

töricht безумный.

Tornister m ранец.

Torpedoboot n миноносец.

Torte f торт.

Torwart m голкипер; вратарь.

tot мёртвый; умерший.

töten уби(ва)ть; умерщвлять [-ртвить].

Totengräber m могильщик.

Totschlag m (непреднамеренное) убийство; **2en** уби(ва)ть.

Tour f поездка, путь m; прогулка.

Trab m рысь f; **2en** бежать рысью.

Tracht f одежда; **2en** (*nach*) стремиться (к), добиваться (Р).

Trag|bahre f носилки f/pl.; **2bar** портативный; *fig.* терпимый; возможный.

träge лени́вый.

tragen [по]носи́ть; [по]нести́.

Träger m носи́льщик; △ подпо́р(к)а.

Trägheit f ле́ность; лень.

Tragödie f траге́дия.

Tragweite f ✗ дально-бо́йность; fig. значе́ние.

trainieren [на]трениро-ва́ть(ся).

Tran m во́рвань f.

Träne f слеза́.

Trank m напи́ток, питьё.

tränken [на]пои́ть.

Transport m тра́нспорт; перево́з(ка); прово́з.

Tratte ✝ f тра́тта, перево́дный ве́ксель m.

Traube f виногра́дная кисть, гроздь, f.

trauen [по]ве́рить; (kirch-lich) [об-, по]венча́ть.

Trauer f печа́ль; скорбь; (~kleid) тра́ур; ~spiel n траге́дия.

Traum m сон.

träumen (von) [у]ви́деть во сне; [при]сни́ться; fig. [по]грёзиться; [по]мечта́ть; es träumte mir мне сни́лось.

traurig печа́льный, гру́стный; уны́лый; скорбный.

Trauring m обруча́льное кольцо́.

Trauung f (kirchlich) венча́ние.

treff|**en** попа́дать [по-па́сть]; встреча́ть [встре́тить]; (antreffen) заста́(ва́)ть; ~**end** ве́рный; ме́ткий; 2**punkt** m ме́сто встре́чи.

treib|**en** [по]гна́ть; Handel: занима́ться (Т); 2**haus** n тепли́ца; 2**riemen** m переда́точный реме́нь.

trennen отделя́ть [-ли́ть]; разъединя́ть [-ни́ть]; Naht: распа́рывать [-поро́ть]; **sich** ~ расста́(ва́)ться (von с Т); Su. раз-, от-деле́ние; разлу́ка.

Treppe f ле́стница; крыльцо́; ~**nabsatz** m (ле́стничная) площа́дка; ~**ngeländer** n пери́ла n/pl.; ~**nläufer** m доро́жка.

treten ступа́ть [-пи́ть].

treu ве́рный; 2**e** f ве́рность; **los** вероло́мный.

Trichter m воро́нка.

Trieb m поры́в; влече́ние; ~**wagen** m мото́рный ваго́н.

Trink|**becher** m бока́л, ча́рка; 2**en** [вы́]пить; (sich satt 2**en** an D.) напи́(ва́)ться (Р); ~**er** m пья́ница *m/f;* ~geld *n* чаевы́е *n/pl.;* ein ~geld geben да(ва́)ть на чай; ~wasser *n* питьева́я вода́.

Tritt *m* шаг; (*Fuß2*) пино́к.

trocken сухо́й; 2heit *f* за́суха.

trocknen [вы́]сушить; [про]вя́лить; *v/i.* со́хнуть.

Trödel *m* хлам; ве́тошь *f.*

Trog *m* коры́то.

Trommel *f* бараба́н; 2n бараба́нить.

Trompete *f* труба́; 2n [за-, про]труби́ть.

tropfen 1. ка́пать [ка́пнуть]; **2.** 2 *m* ка́пля.

Trost *m* утеше́ние.

trösten утеша́ть [-е́шить].

trostlos безотра́дный.

trotz 1. (*G., D.*) несмотря́ на (В); вопреки́ (Д); **2.** 2 *m* упря́мство; ~dem не-смотря́ на э́то; всё-таки; всё же; тем не ме́нее.

trübe му́тный; (су́-) мра́чный; па́смурный; ту́склый; хму́рый.

trüben [за]мути́ть.

trügerisch обма́нчивый.

Truhe *f* сунду́к.

Trümmer *m/pl.* обло́мки *m/pl.,* разва́лины *f/pl.*

Trumpf *m* ко́зырь.

Trunksucht *f* пья́нство; запо́й.

Trupp *m* толпа́; ✂ отря́д; звено́; ~e *f Thea.* тру́ппа; ~en ✂ *pl.* войска́ *n/pl.*

Truthahn *m* инды́к.

Tschech|e *m* чех; ~in *f* че́шка; 2isch че́шский; ~oslowakei *f* Чехослова́кия.

Tuberkulose *f* туберкулёз.

Tuch *n* сукно́; плато́к.

tüchtig де́льный; (*fähig*) спосо́бный.

Tücke *f* кова́рство.

Tugend *f* доброде́тель.

Tulpe ♀ *f* тюльпа́н.

Tumult *m* волне́ние.

tun [с]де́лать.

Tunke *f* со́ус, подли́вка.

Tür(e) *f* дверь; (*Wagen2*) две́рцы *f/pl.*

Türkei *f* Ту́рция.

Türklinke *f* дверна́я ру́чка; щеко́лда.

Turm *m* ба́шня.

turn|en занима́ться гимна́стикой; 2en *n* гимна́стика; 2er *m* гимна́ст; 2halle *f* гимнасти́ческий зал.

Tusche *f* тушь.

Tüte *f* куле́к.

Typhus ⚕ *m* тиф.

Tyrann *m* тира́н; 2isch тирани́ческий.

U

übel 1. дурно́й; mir ist ~ мне ду́рно; меня́ тошни́т; **2.** ⚓ n зло, беда́; ⚓**keit** f дурнота́, тошнота́; ~**nehmen** обижа́ться [оби́деться]; ⚓**täter** m злоде́й.

üben упражня́ть(ся).

über (*D., A.*) над (Т); за (В, Т); пове́рх (В); сверх (Р); (*höher*) (с-) вы́ше (Р); (*hin~*) че́рез (В); (*von j-m*) (о)б, (об) (П); ~**all** (по)всю́ду; везде́; повсеме́стно; ~**aus** весьма́; ⚓**bleibsel** n оста́ток; ⚓**blick** m обозре́ние; ⚓**bringer** m пода́тель; предъяви́тель; ~**dies** кро́ме того́; ~**drüssig** надое́вший.

überein|kommen усло́вливаться [-о́виться]; соглаша́ться [-ласи́ться]; ~**stimmen** согласо́вываться [-сова́ться]; соотве́тствовать (Д); совпада́ть [-па́сть].

über|fahren переезжа́ть [-е́хать], зада́вливать [-дави́ть]; ⚓**fahrt** f перее́зд; перепра́ва; ⚓**fall** m нападе́ние; ~**fallen** напада́ть [-па́сть] на (В); ⚓**fluß** m изоби́лие; из-

бы́ток; ~**flüssig** (из-)ли́шний; ~**füllen** переполня́ть[-о́лнить];⚓**gabe** f переда́ча; сда́ча; ⚓**gang** m перехо́д; ~**geben** переда(ва́)ть; сда(ва́)ть; вруча́ть [-чи́ть]; ~**gehen** переходи́ть [перейти́]; ⚓**gewicht** n ли́шний вес; переве́с; ~**haupt** вообще́; ~**holen** перегоня́ть [-гна́ть]; обгоня́ть [обогна́ть]; опережа́ть [-реди́ть]; ~**lassen** уступа́ть [уступи́ть]; предоставля́ть [-а́вить]; ~**laufen** перебега́ть [-бежа́ть]; ⚓**lebende(r)** m/f оста́вшийся (-шаяся в живы́х; **legen 1.** adj. превосходя́щий; **2.** размышля́ть [-мы́слить]; [по]ду́мать; ⚓**legung** f соображе́ние; рассужде́ние; ⚓**macht** f превосхо́дство сил; ~**morgen** послеза́втра; ⚓**mut** m задо́р; ~**nachten** (пере)ночева́ть; ~**raschen** поража́ть [-рази́ть]; ~**reden** угова́ривать [-вори́ть]; ~**reichen** переда(ва́)ть; ⚓**rest** m оста́ток; ~**schätzen** переоце́нивать [-ни́ть];

schreiten переходи́ть [перейти́]; *fig.* превыша́ть [-вы́сить]; 2schrift *f* на́дпись, загла́вие; 2schuh *m* ка- *od.* га-ло́ша; 2schuß *m* изли́шек; избы́ток;
schwemmen наводня́ть [-ни́ть]; ~seeisch заокеа́нский; ~sehen (s)смотре́ть; просма́тривать [-смотре́ть]; *fig.* прогляде́ть *pf.*; недосмотре́ть *pf.*; ~senden перес(ы)ла́ть; ~setzen переправля́ть(ся) [-а́виться]; переводи́ть [-вести́] (in *A.* на *B*); *Su.* перево́д; ⊕ переда́ча; 2sicht *f* обзо́р; ~sichtlich я́сный; ~siedeln пересела́ть(ся) [-ли́ть(ся)]; ~spannt эксцентри́чный; ~steigen превыша́ть [превы́сить]; 2stunden *f/pl.* сверхуро́чная рабо́та; ~tragen переноси́ть [-нести́]; *Aufgabe:* поруча́ть [-чи́ть]; ~treffen превосходи́ть [превзойти́]; ~treiben преувели́чи(ва)ть; ~vorteilen брать [взять] ли́шнее с (P); обде́л(я́)ть; ~wältigen (пре)одоле́(ва́)ть; ~weisen переводи́ть [-вести́]; *Su.* перево́д.

~winden (пре)одоле́(ва́)ть; ~zeugen убежда́ть [убеди́ть]; уверя́ть [-е́рить]; *Su.* убежде́ние; 2zug *m* чехо́л; покры́шка.
üblich обы́чный; [-ва́]ть; *adv.* при́нято. [ло́дка.]
U-Boot *n* подво́дная übrig остально́й; ли́шний; про́чий; ~bleiben оста(ва́)ться; ~lassen оставля́ть [-а́вить].
Übung *f* упражне́ние.
UdSSR (Union *f* der Sozialistischen Sowjetrepubliken) СССР (Сою́з Сове́тских Социалисти́ческих Респу́блик).
Ufer *n* бе́рег.
Uhr *f* часы́ *m/pl.*; wieviel ~ ist es? кото́рый час?; ~macher *m* часовщи́к; ~werk *n* часово́й механи́зм.
Uhu *m* фи́лин.
um (*A.*): ~ (... herum) о́коло, вокру́г (P); (*über*) о, об, обо (П); *zeitlich:* в, на (B); (*für*) за (B); ~ so besser (mehr) тем лу́чше (бо́лее); ~ willen ра́ди (P); ~ zu чтоб(ы).
umändern переде́л(ыв)ать.
umarmen обнима́ть [-ня́ть].

Umbau *m* перестройка.

umbringen уби(ва́)ть.

umdrehen (sich) перевёртывать, перевора́чивать(ся) [перевернуть(ся)].

umfallen па́дать [упа́сть]; [по]вали́ться [мёр.]

Umfang *m* объём, разме́р.

umfassen обнима́ть [обня́ть]; **~d** обши́рный.

Umfrage *f* опро́с; анке́та.

Umgang *m* обраще́ние; **~ssprache** *f* разгово́рный язы́к.

umgeb|en окружа́ть [окружи́ть]; обводи́ть [-вести́]; **2ung** *f* = **Umgegend** *f* окре́стность.

umgehend неме́дленный.

umgekehrt обра́тный; *adv.* наоборо́т.

Umgestaltung *f* измене́ние; преобразова́ние.

Umhang *m* наки́дка, плащ.

umher круго́м, вокру́г.

umkehren поверну́ть *pf.* обра́тно; перевёртывать [перевернуть].

umkommen погиба́ть [-и́бнуть].

Umlauf *m* обраще́ние, циркуля́ция; **2en** обраща́ться.

Umlegekragen *m* отложно́й воротни́к.

umliegend окре́стный.

umpflanzen переса́живать [-сади́ть].

umringen окружа́ть [-жи́ть].

Umriß *m* ко́нтур; очерта́ние.

umrühren переме́шивать [-меша́ть].

Umsatz *m* оборо́т.

umschalte|n *f* переключа́ть [-чи́ть]; **2r** *f m* коммута́тор, переключа́тель.

Umschlag *m* обёртка; *Buch:* обло́жка; *Brief:* конве́рт; *f* компре́сс, примо́чка; *warmer:* припа́рка.

Umschwung *m* перело́м.

umsehen: sich ~ огля́дываться [огляде́ться]; *(zurück)* огляну́ться *pf.*

umsetzen переса́живать [-сади́ть]; *Typ.* пере́б(и)ра́ть; *f* прода(ва́)ть.

Umsicht *f* осмотри́тельность.

umsonst да́ром; напра́сно.

Umstand *m* обстоя́тельство.

umstehend на оборо́те (сего́).

umsteigen 1. переса́живаться [-се́сть]; **2.** **2** *n* переса́дка.

Umsturz *m* переворо́т; ниспроверже́ние.

Umtausch *m* обме́н; 2-en про-, об-ме́нивать [-ня́ть].

Umwälzung *f* переворо́т, револю́ция.

umwandeln превраща́ть [-врати́ть]; преобразо́вывать [-ова́ть].

umwechseln разме́нивать [-ня́ть].

Umweg *m* объе́зд; око́льный путь.

umwerfen опроки́дывать [-ки́нуть]; сва́ливать [-ли́ть].

umzäunen огора́живать [-роди́ть].

umziehen переезжа́ть [-е́хать]; **(sich)** переодева́ть(ся) [-оде́ть(ся)].

Umzug *m* перее́зд; *feierlich:* проце́ссия.

unab|hängig незави́симый; **~lässig** неотсту́пный; **~sichtlich** неча́янный; [тельный].

unachtsam невнима́-

unan|gebracht неуме́стный; **~genehm** неприя́тный; **~nehmbar** неприе́млемый; **~ständig** неприли́чный.

unaufhörlich не-, бес-преста́нный.

unaufmerksam невнима́тельный.

unbarmherzig немилосе́рдный.

unbe|deutend незначи́тельный; ме́лкий; **~dingt** безусло́вный; *adv.* непреме́нно; обяза́тельно; **~fugt** посторо́нний; **~greiflich** непоня́тный; **2hagen** *n* неприя́тное чу́вство; **~holfen** нело́вкий; **~kannt** неизве́стный; незнако́мый; **~liebt** нелюби́мый; **~mittelt** несостоя́тельный; **~quem** неудо́бный; **~rechtigt** непра́вомо́чный; *(unbegründet)* несправедли́вый; **~schädigt** неповреждённый; **~schränkt** неограни́ченный; **~schreiblich** неописуе́мый; **~sonnen** необду́манный; безрассу́дный; **~ständig** непостоя́нный; **~stimmt** неопределённый; **~waffnet** невооружённый; **~weglich** неподви́жный; **~wohnt** необита́емый; *Haus:* нежило́й; пусто́й; **~wußt** бессозна́тельный.

unbrauchbar непригодный.

und и; а; да; **~ so weiter** и так да́лее, *Abk.* и т. д.

undeutlich неясный; невнятный.

undurchdringlich непроходимый; непроницаемый.

unecht не настоящий; поддельный.

Uneinigkeit f несогласие, разлад.

unempfindlich нечувствительный.

unendlich бесконечный.

unent|behrlich необходимый; ~geltlich бесплатный, безвозмездный; adv. даром; ~schlossen нерешительный.

uner|fahren неопытный; ~hört неслыханный; ~laubt непозволительный; ~müdlich неутомимый; ~reichbar недосягаемый; ~schrok-ken неустрашимый; ~träglich несносный; ~wartet неожиданный; нежданный.

unfähig неспособный.

Unfall m несчастный случай; ~station f пункт скорой помощи.

unfrankiert неоплаченный (марками).

unfreiwillig невольный.

unfreundlich неприветливый.

Unfriede(n) m несогласие; раздор.

Ungarn n Венгрия.

unge|achtet (G) несмотря на (B); ~bildet необразованный; ~bräuchlich неупотребительный; не в ходу; ~bunden вольный; 2duld f нетерпение; ~fähr приблизительный; примерный; adv. около; ~heuer чудовищный; огромный; ~horsam непослушный; ~mein необыкновенный; ~mütlich неуютный; ~nügend неудовлетворительный; недостаточный; ~recht несправедливый; неправый.

ungern неохотно.

unge|schickt неловкий; неумелый; ~setzlich незаконный; нелегальный; ~sund нездоровый; ~wiß неизвестный; 2ziefer n вредные насекомые n/pl.

ungläubig неверующий.

unglaublich невероятный.

Unglück n несчастье; беда; 2lich несчастный; ~sfall m несчастный случай; ⊕ крушение (поезда) (~ный.)

ungültig недействитель-

Unheil n беда; несчастье; ♀bar неизлечимый.

unheimlich жуткий.

unhöflich невежливый.

Uniform f форма, мундир.

Union f союз.

Universität f университет.

Unkenntnis f незнание.

unklar неясный.

unklug не(благо)разумный.

Unkosten pl. издержки f/pl., расходы m/pl.

Unkraut n сорная трава.

unlängst на днях.

unleserlich неразборчивый.

unmittelbar непосредственный.

unmodern вышедший из моды.   [ный.\]

unmöglich невозмож-\

unmündig несовершеннолетний.

unnatürlich неестественный.

unnötig ненужный; излишний.

Unordnung f беспорядок.

unparteiisch беспристрастный.

unpraktisch непрактичный.

Unrecht n несправедливость f; ♀mäßig незаконный.

unreif незрелый; зелёный.

Unruh|e f беспокойство; тревога; суета; Pol. волнение; ♀ig беспокойный.

uns D.: нам, себе; A.: нас, себя; durch ~ нами.

unschädlich безвредный.

unschlüssig нерешительный.

Unschuld f невинность; ♀ig невинный.

unser G.: нас; наш, свой.

unsicher ненадёжный.

unsichtbar невидимый.

Unsinn m бессмыслица; абсурд.

unsterblich бессмертный.

Unstimmigkeit f разногласие.

untauglich негодный.

unten внизу; nach ~ вниз; von ~ снизу.

unter 1. (D., A.) под (B, T); между (T); среди (P); 2. adj. нижний; ~brechen прер(ы)вать; перебить(ва́ть); ~ разъединять [-нить]; Su. перерыв; ~bringen разу-у-, по-мещать [-местить]; ~dessen между тем; ~drücken угнетать; притеснять [-нить]; подавлять [подавить]; ♀ernährung f недоедание;

2gang *m* заход; зака́т;
fig. ги́бель *f*; 2grund-
bahn *f* метро́; ~halb (*G.*)
внизу́, ни́же.

Unterhalt *m* содержа́ние;
2en содержа́ть; зани-
ма́ть [-ня́ть]; поддё́р-
живать [-жа́ть]; sich
2en [по]бесе́довать;
разгова́ривать.

unter|handeln вести́ пе-
регово́ры; 2hose(*n* *pl.*)
f кальсо́ны *pl.*; ~irdisch
подзе́мный; 2kiefer *m*
ни́жняя че́люсть *f*; ~
lassen упуска́ть [-сти́ть];
2leib *m* живо́т; ~liegen
подлежа́ть; быть по-
беждённым; 2mieter *m*
жиле́ц; ~nehmen пред-
принима́ть [-ня́ть]; *Su.*
предприя́тие; 2nehmer
m предпринима́тель; ~
ordnen подчиня́ть [-чи-
ни́ть]; 2redung *f* пере-
гово́ры *m/pl.*; 2richt *m*
(об)уче́ние; препода-
ва́ние; ~richten [об-]
учи́ть, обуча́ть (*D.*)
преподава́ть; ~sagen
за-, вос-преща́ть [-пре-
ти́ть]; ~scheiden от, раз-
лича́ть [-чи́ть]; 2schied
m ра́зница, раз-, от-ли́-
чие; ~schlagen утаи́вать
[-и́ть]; растра́чивать
[-а́тить]; *Su.* растра́та;
~schreiben подписы́-

вать(ся *v/i.*) [-писа́ть
(-ся)]; 2schrift *f* по́д-
пись; 2seeboot ⚓ *n*
подво́дная ло́дка; ~
sinken [по-, за- у-]
тону́ть; 2stand *m* блин-
да́ж; ~stehen под-
чиня́ться [-ни́ться]; sich
~stehen осме́ли(ва)ться,
[по]сме́ть; ~stellen под-
ставля́ть [-а́вить]; под-
чиня́ть [-ни́ть]; при-
пи́сывать [-писа́ть]; ~
stützen поддё́рживать
[-жа́ть]; помога́ть [по-
мо́чь] (*D.*) *Su.* под-
дё́ржка; посо́бие; ~
suchen иссле́довать;
разбира́ть [разобра́ть];
🏛 [о]свиде́тельство-
вать; осма́тривать [ос-
мотре́ть]; *Su.* иссле́до-
вание; разбо́р; 🏛 ос-
мо́тр, освиде́тельство-
вание; 🏛 сле́дствие;
2tan *m* по́дданный; 2
tasse *f* блю́дечко; ~
wegs по *od.* в пути́; по
od. в доро́ге; ~werfen
покоря́ть [-ри́ть]; под-
чиня́ть [-ни́ть]; ~ziehen
(sich) подверга́ть(ся)
[-ве́ргнуть(ся)].

untreu неве́рный.
unüberlegt необду́ман-
ный.
unumschränkt неогра-
ни́ченный.

unver|ántwortlich bezотве́тственный; ~besserlich неисправи́мый; ~
~bindlich ни к чему́
не обя́зывающий; ~
geßlich незабве́нный; ~
~heiratet Mann: нежена́
тый; Frau: незаму́жняя; ~nünftig неразу́мный; ~schämt
де́рзкий; на́глый; беззасте́нчивый; (schamlos) бессты́дный; ~
ständlich непоня́тный;
~wüstlich несокруши́
мый; ~zeihlich непрости́тельный; ~züglich
неме́дленный.

unvollkommen несоверше́нный.

unvor|bereitet неподгото́вленный; ~sichtig
неосторо́жный.

unwahr неве́рный; ло́жный; ~scheinlich невероя́тный.

unweit недалеко́; вблизи́.

Unwesen n бесчи́нство.

unwesentlich несуще́ственный; незначи́тельный.

Unwetter n непого́да.

unwillkürlich нево́льный; adv. нево́льно.

unwissen|d незна́ющий;
2heit f неве́жество,
незна́ние.

unwohl нездоро́вый; 2
sein n недомога́ние.

unzählig бесчи́сленный.

unzertrennlich неразлу́чный.

unzu|frieden недово́льный; ~länglich недоста́точный; ~treffend
неве́рный, нето́чный;
~verlässig ненадёжный.

unzweckmäßig нецелесообра́зный.

üppig роско́шный.

Uraufführung f премье́ра.

Urheber m вино́вник;
а́втор.

Urin m моча́.

Urkunde f докуме́нт;
гра́мота.

Urlaub m о́тпуск.

Ursache f причи́на;
вина́; keine ~! не сто́ит
(благода́рности)!

Ursprung m происхожде́ние.

ursprünglich первонача́льный.

Urteil n реше́ние, пригово́р; о́тзыв; 2en суди́ть.

Urwald m де́вственный
лес.

USA (Vereinigte Staaten
m/pl. von Amerika)
США (Соединённые
Шта́ты Аме́рики).

V

Vagabund *m* бродя́га.

Vanille *f* вани́ль.

Vater *m* оте́ц; **~land** *n* оте́чество; ро́дина; **2-ländisch** оте́чествен-ный.

väterlich оте́ческий.

Vater|schaft *f* отцо́вство; **~sname** *m* о́тчество; **~stadt** *f* родно́й го́род.

Vegetarier *m* вегетариа́-нец.   (ти́ль *m.*)

Ventil *n* кла́пан; вен-

verab|folgen отпуска́ть [-сти́ть]; **~reden** до-, с-, у-гова́риваться [-во́риться]; усло́вливать-ся [-виться]; *Su.* угово́р.

verabschieden: sich ~ проща́ться [прости́ть-ся] (с Т).

verachten презира́ть; *Su.* презре́ние.

veraltet устаре́лый.

veränderlich переме́н-ный.

verändern из-, переме-ня́ть [-ни́ть]; *Su.* переме́на; измене́ние.

veranlassen заставля́ть [-а́вить]; *Su.* по́вод.

veranstalten устра́ивать [устро́ить]; *Su.* устро́й-ство; *Thea.* постано́вка.

verantwort|en отвеча́ть [-ве́тить] за (В); **~lich** отве́тственный; **2ung** *f* отве́тственность.

veräußern прода́(ва́)ть.

Verband *m* сою́з, това́-рищество; ❖ повя́зка.

verbannen ссыла́ть [со-сла́ть]; *Su.* ссы́лка; изгна́ние.

verbergen скры(ва́)ть.

verbessern ис-, по-правля́ть [-а́вить]; улуч-ша́ть [улу́чшить].

verbeugen: sich ~ кла́-няться [поклони́ться].

verbieten за-, воспре-ща́ть [-прети́ть].

verbind|en соединя́ть [-ни́ть]; сочета́ть; *Wun-de:* перевя́зывать [-за́ть]; **~lich** обяза́тельный; **2ung** *f* соедине́ние; сочета́ние; связь; сооб-ще́ние.

verblüffen поража́ть [по-рази́ть]; ошеломля́ть [-ми́ть].

verblühen отцвета́ть [от-цвести́].

verborgen скры́тый.

Verbot *n* вос-, за-пре-ще́ние.

Verbrauch *m* потребле́-ние; расхо́д; **2en** по-

требля́ть [-би́ть]; [ис-]
тра́плять.

Verbrech|en *n* преступле́ние; **~er** *m* престу́пник.

verbreiten распространя́ть [-ни́ть].

verbrennen *v/i.* сгора́ть [сгоре́ть]; *v/t.* сжига́ть [сжечь]; обжига́ть (обже́чь); *Su.* сожже́ние.

verbringen *Zeit:* проводи́ть [-вести́].

verbünde|n: sich ~n заключа́ть [-чи́ть] сою́з; **2te(r)** *m* сою́зник.

Verdacht *m* подозре́ние.

verdächtig подозри́тельный.

verdammen осужда́ть [осуди́ть].

verdanken быть обя́занным (Т).

verdauen перева́ривать [-ри́ть]; *Su.* пищеваре́ние.

Verdeck *n* верх *m*; ⚓ па́луба; **2en** по-, закры(ва́)ть; заслоня́ть [-сони́ть].

Verderb *m* ги́бель *f*; **2en** [ис]по́ртиться; *v/t.* [ис]по́ртить; (*sittlich*) развраща́ть [-рати́ть]; **~en** *n* ги́бель *f*.

verdienen зараба́тывать [-бо́тать]; *fig.* заслу́живать [-жи́ть].

Verdienst 1. *n* заслу́га; **2.** *m* за́работок.

verdoppeln удва́ивать [удво́ить]; *Su.* удвое́ние.

verdorben испо́рченный; *Magen:* расстро́енный.

Verdruß *m* доса́да; огорче́ние.

verdunkeln затемня́ть [-ни́ть].

verdunsten испаря́ться [-ри́ться].

verdursten [ис]томи́ться от жа́жды.

verehr|en поклоня́ться [-ни́ться]; почита́ть [-чти́ть]; **2er** *m* почита́тель; покло́нник.

Verein|(igung *f*) *m* о́бщество; сою́з; **2achen** упроща́ть [упрости́ть]; **2(ig)en** со-, объедини́ть [-ни́ть].

verfahren 1. поступа́ть [-пи́ть]; **2.** **2** *n* спо́соб; ме́тод; прие́м; ⚖ де́ло.

Verfall *m* упа́док; разложе́ние; ✝ просро́чка; **2en 1.** приходи́ть [прийти́] в упа́док; *in Fehler:* впада́ть [впасть]; **2.** *adj.* просро́ченный.

verfass|en составля́ть [-а́вить], сочиня́ть [сочини́ть]; скла́дывать; слага́ть [сложи́ть]; **2er** *m* состави́тель, а́втор.

2ung f настрое́ние; *Pol.* конститу́ция.

verfaulen [c]гнить; [про-]ту́хнуть.

verfehlen прома́хиваться [-махну́ться]; не заста́(ва́)ть (P).

verfolgen пресле́довать.

verfügen (über *A.*) распоряжа́ться [-ряди́ться], располага́ть, владе́ть, облада́ть (T); 2u. распоряже́ние.

verführen обольща́ть [обольсти́ть]; соблазня́ть [-ни́ть].

vergangen проше́дший; про́шлый; бы́лой.

Vergaser ⊕ *m* карбюра́тор.

vergeb|en отда́(ва́)ть; (*verzeihen*) проща́ть [прости́ть]; *Su.* проще́ние; **лich** напра́сный; тще́тный.

vergehen 1. проходи́ть [пройти́]; минова́ть [мину́ть]; **2.** 2 *n* просту́пок.

vergelten воздá(ва́)ть; отпла́чивать [-лати́ть].

vergessen забы́(ва́)ть; 2heit *f* забве́ние.

vergeßlich забы́вчивый.

vergeuden растра́чивать [-тра́тить]; [про]ловать.

vergewaltigen [из]наси́-/

vergewissern: sich ~ удо-

стоверя́ться [-е́риться]; убежда́ться [убеди́ться].

vergiften отравля́ть [-ра-ви́ть]; *Su.* отравле́ние.

Vergleich *m* сравне́ние; ♣♣ соглаше́ние; 2en сра́внивать [сравни́ть]; сверя́ть [све́рить].

vergnügen: sich ~ весели́ться.

Vergnüg|en *n* удово́льствие, увеселе́ние; заба́ва; **лungsreise** *f* увесели́тельная пое́здка.

vergolden [по]золоти́ть.

vergraben зака́пывать [-копа́ть].

vergröße|rn увели́чи(ва)ть; *Su.* увеличе́ние; 2ungs- увеличи́тельный.

vergüten возмеща́ть [возмести́ть]; *Su.* возмеще́ние.

verhaften арестова́ть.

verhalten 1. sich ~ относи́ться [-нести́сь]; держа́ть себя́, поступа́ть [-пи́ть]; **2.** 2 *n* о́браз де́йствий, поведе́ние.

Verhältnis *n* отноше́ние; обстоя́тельство; связь *f*; 2mäßig сравни́тельный.

verhandeln вести́ перегово́ры; *Su.* перегово́ры *m/pl.*

verhängnisvoll роково́й.

verheimlichen ута́ивать [утаи́ть]; скры(ва́)ть.

verheirate|n: sich ~ вступа́ть [-пи́ть] в брак; *Mann:* жени́ться (на П); *Frau:* выходи́ть [вы́йти] за́муж (за В); **~t** *Mann:* жена́тый; *Frau:* заму́жняя.

verhindern [вос]препя́тствовать.

Verhör *n* допро́с; **2en** допра́шивать [-проси́ть]; **sich ~en** ослы́шаться.

verhungern умира́ть [умере́ть] с го́лоду.

verhüten предохраня́ть [-ни́ть].

verirren (sich) сби(ва́)ться с доро́ги; заблуди́ться *pf.*

Verkalkung *f* склеро́з.

Verkauf *m* прода́жа; **2en** прода(ва́)ть.

Verkäuf|er *m* продаве́ц; **~erin** *f* продавщи́ца; **2lich** продаже́н.

Verkehr *m* движе́ние; *(Umgang)* сноше́ние; **2en** (ча́сто) быва́ть (bei у); **2en mit** води́ть знако́мство с (Т); **2 ~** ходи́ть, курси́ровать; **~sampel** *f* светофо́р; **~sflugzeug** *n* пассажи́рский самолёт; **~smittel** *n* сре́дство передвиже-

ния; **~sstockung** *f* зато́р.

verklagen пода(ва́)ть жа́лобу *od.* иск (*j-n* на В).

verkleinern уменьша́ть [-шить].

verkommen 1. опуска́ться [-сти́ться]; **2.** *adj.* опусти́вшийся.

verkümmern [за]ча́хнуть, [за]хире́ть.

verkürzen укора́чивать [укороти́ть]; сокраща́ть [-рати́ть].

Verlag *m* изда́тельство.

verlangen 1. [по]тре́бовать (Р); спра́шивать [спроси́ть]; **2. 2** *n* жела́ние; тре́бование.

verlängern удлиня́ть [-ни́ть]; *fig.* продли́ть *pf.*

verlassen оставля́ть [-а́вить]; покида́ть [поки́нуть].

Verlauf *m* тече́ние; ход; **nach ~ (von)** спустя́ (В).

verleben прожи(ва́)ть; *Zeit:* проводи́ть [-вести́].

verleg|en 1. закла́дывать [заложи́ть]; *Buch:* изда(ва́)ть; **2.** *adj. fig.* смущённый; **2enheit** *f* смуще́ние; замеша́тельство; **2er** *m* изда́тель.

verleihen да(ва́)ть взаймы́; *Orden:* награжда́ть

[-гради́ть]; *fig.* прида́(ва́)ть. [-чи́ться].}

verlernen разучива́ться

verletzen [по]ра́нить; повреждать [-реди́ть]; *Gesetz:* наруша́ть [нару́шить]; *fig.* оскорбля́ть [-би́ть]; *Su.* повреждение; уши́б; ранение; *fig.* оскорбле́ние.

verleugnen отрица́ть

verleumden [на]клевета́ть на (В).

verlieben: sich ~ влюбля́ться [-би́ться].

verlieren [по]теря́ть; *Spiel:* прои́грывать [-гра́ть].

Verlobung *f* обруче́ние.

verlocken зама́нивать [-ма́нить]; прельща́ть [-льсти́ть].

verlogen лжи́вый.

verlorengehen [по]теря́ться; пропада́ть [-па́сть].

Verlust *m* поте́ря; утра́та; убы́ток; *Spiel:* про́игрыш.

vermehren раз-, у-множа́ть [-мно́жить].

vermeiden избега́ть [-е́гнуть] (Р).

Vermerk *m* по-, от-ме́тка.

vermieten сда(ва́)ть; отда́(ва́)ть внаём *od.* (*Sachen*) напрока́т.

vermindern уменьша́ть [-ши́ть].

vermischen сме́шивать [-ша́ть].

vermißt пропа́вший без вести.

vermitt|eln посре́дничать; 2**ler** *m* посре́дник.

vermögen 1. быть в состоя́нии; [с]мочь; 2. 2 *n* си́ла; спосо́бность *f*; иму́щество; достоя́ние.

vermut|en предполага́ть [-ложи́ть]; *Su.* предположе́ние; ~**lich** вероя́тный.

vernachlässigen запуска́ть [-сти́ть].

vernehmen допра́шивать [-проси́ть]; *Su.* допро́с.

verneinen отрица́ть; ~**d** отрица́тельный.

vernichten уничтожа́ть [-то́жить]; истребля́ть [-би́ть]; искореня́ть [-ни́ть].

Vernunft *f* ра́зум.

vernünftig (разу́мный; рассуди́тельный.

veröffentlichen обнаро́довать, [о]публикова́ть.

verordnen постановля́ть [-ви́ть]; пред- (*g* про-) писывать [-са́ть].

verpachten отда́(ва́)ть в аре́нду.

verpacken за-, у-паковывать [-ова́ть]; *Su.* упако́вка.

verpassen упуска́ть [упусти́ть]; *Zug:* опа́здывать [опозда́ть] на (В).

verpflichten обя́зывать [-за́ть]; *Su.* обя́занность *f,* обяза́тельство.

Verrat *m* изме́на; преда́тельство; 2en изменя́ть [-ни́ть] (Д); преда(ва́)ть.

Verräter *m* изме́нник; преда́тель.

verrechnen [по]ста́вить в счёт; *sich ~* обсчита́ться [-та́ться].

verreisen уезжа́ть [уе́хать]. [*pf.; Su.* вы́вих.]

verrenken вы́вихнуть]

verrückt безу́мный; сумасше́дший.

versagen отка́зывать [-за́ть]; *Motor:* переста(ва́)ть де́йствовать.

versammeln (sich) соб(и)ра́ть(ся); сходи́ться [сойти́сь]; *Su.* собра́ние.

Versand *m* рас-, пере-, от-сы́лка, отпра́вка.

versäumen пропуска́ть [-сти́ть].

verschaffen доста(ва́)ть.

verschieben передвига́ть [-ви́нуть].

verschieden ра́зный, разли́чный.

verschlafen (sich) просыпа́ть [-спа́ть].

verschlechtern ухудша́ть [уху́дшить].

verschleppen похища́ть [-хи́тить]; (*verzögern*) затя́гивать [-тяну́ть].

verschließen запира́ть [запере́ть] (на замо́к *od.* на ключ).

verschlimmern (sich) ухудша́ть(ся) [уху́дшить(ся)].

verschlucken прогла́тывать [-глоти́ть]; *sich ~* поперхну́ться *pf.*

Verschluß *m* затво́р.

verschneien заноси́ть [занести́] сне́гом.

verschonen [по]щади́ть.

verschreiben ис-, *Arznei:* пропи́сывать [-са́ть].

verschulde|n быть вино́вником; *~t* обременённый долга́ми; *Su.* вина́.

verschütten за-, про-, рас-сыпа́ть [-сы́пать].

verschweigen ума́лчивать [умолча́ть] о (П).

verschwenden расточа́ть [-чи́ть]; 2er *m* мот.

verschwiegen молчали́вый.

verschwinden исчеза́ть [-че́знуть]; пропада́ть [-па́сть].

Verschwörung *f* за́говор.

versehen 1. исполня́ть [-о́лнить]; *~ mit* снабжа́ть [-бди́ть] (Т); *sich ~*

ошиба́ться [-би́ться]; **2.**
2 *n* оши́бка, недосмо́тр.
versenden рассыла́ть
[разосла́ть].
versenken погружа́ть
[-узи́ть]; [по-, у]топи́ть.
versetzen переводи́ть
[-вести́]; перемеща́ть
[-мести́ть]; *(verpfänden)*
закла́дывать [заложи́ть].
versichern уверя́ть [уве́-
рить]; страхова́ть, за-
страхо́вывать [-ова́ть]
(от); *Su.* уве́рение;
страхова́ние.
versilbern [по]серебри́ть.
versinken утопа́ть [уто-
ну́ть]; [за-, у]вя́знуть.
versöhnen [по]мири́ть.
versorgen (mit) снаб-
жа́ть [снабди́ть] (Т);
обеспе́чи(ва)ть.
verspäten: sich ~ о-, за-
па́здывать [-позда́ть];
Su. опозда́ние.
versperren загора́живать
[-роди́ть]; прегражда́ть
[-гради́ть].
verspielen прои́грывать
[-гра́ть], [-мея́ть].}
verspotten осме́ивать
[-мея́ть].
versprechen [по]обеща́ть;
sich ~ проговари́ваться
[-говори́ться]; *Su.* обе-
ща́ние.
verstaatlichen национа-
лиз(и́р)ова́ть.

Verstand *m* (ра́з)ум, рас-
су́док.
verständig (раз)у́мный;
~en дать знать; уведом-
ля́ть [уве́домить]; **(sich)**
сноси́ться [снести́сь],
догова́риваться, [-гово-
ри́ться].
verständ|lich поня́тный;
2nis *n* понима́ние.
verstärk|en усили(ва)ть;
подкрепля́ть [-пи́ть];
2er *m* усили́тель.
verstauchen вы́вихнуть
pf.; Su. вы́вих.
Versteck *n* укры́тое
ме́сто; убе́жище; **2en**
[с]пря́тать, скры(ва́)ть.
verstehen понима́ть [по-
ня́ть]; соображáть [-ра-
зи́ть]; [с]уме́ть.
verstellen заставля́ть
[-а́вить] (Т); **sich ~** при-
твори́ться [-ри́ться].
verstimmt расстро́ен-
ный.
Verstopfung ❧ *f* за-
по́р.
verstorben уме́рший; по-
ко́йный.
verstoßen gegen et. [по]-
греши́ть, наруша́ть [на-
ру́шить] (зако́н).
Versuch *m* попы́тка,
о́пыт; **2en** [по]пробо́-
вать; [по]пыта́ться; **~-**
ung *f* искуше́ние.
vertagen отсро́чи(ва)ть.

vertauschen заменя́ть [-ни́ть].

verteidigen защища́ть [-ити́ть] (от); обороня́ть [-ни́ть]; отста́ивать [-стоя́ть]; *Su.* защи́та; оборо́на.

verteilen разда(ва́)ть; распределя́ть [-ли́ть]; *Su.* разда́ча.

verteuern удорожа́ть [-рожи́ть].

Vertrag *m* догово́р; контра́кт; 2en пере-, выноси́ть [-нести́].

vertrauen 1. (*j-m od.* auf *j-n*) доверя́ть(ся) [дове́рить(ся)] (Д); **2.** 2 *n* дове́рие.

vertraulich дове́рительный; конфиденциа́льный; [ный.]

Vertraute(r) *m* дове́ренный.

vertreiben из-, прогоня́ть [-гна́ть]; ✝ сбы(ва́)ть.

vertret|en замеща́ть [заместить]; *Su.* замеще́ние; представи́тельство; 2er *m* представи́тель; заместитель; аге́нт.

Vertrieb ✝ *m* сбыт.

verun|glücken потерпе́ть *pf.* ава́рию; **~reinigen** загрязня́ть *pf.*

verur|sachen причиня́ть [-чини́ть]; порожда́ть [-роди́ть]; **~teilen** присужда́ть [-суди́ть]; приговáривать [-говори́ть]; осужда́ть [-суди́ть]; *Su.* о-, присужде́ние.

vervielfältigen размножа́ть [-о́жить].

vervoll|kommnen [у]соверше́нствовать; **~ständigen** по-, дополня́ть [-о́лнить].

verwahrlost запу́щенный; беспризо́рный.

verwalt|en управля́ть (Т); 2er *m* управля́ющий; заве́дующий; *in Zssgn Abk.* зав.; 2ung *f* правле́ние, управле́ние (Т); (2ungsbehörde) администра́ция.

verwandeln (sich) превраща́ть(ся) [-рати́ть (-ся)]; *Su.* превраще́ние.

verwandt родно́й, ро́дственный; 2e(r) *m*/*f* ро́дственник (-ица); **~schaft** *f* родство́; (*Verwandte*) родны́е *pl.*, ро́дственники *m*/*pl.*

verwechseln сме́шивать [-ша́ть].

verwegen отва́жный; лихо́й.

verweigern отка́зывать [-за́ть] (в П).

Verweis *m* вы́говор; 2en

указывать [-зать] (auf A. на B); des Landes: изгонять [-гнать].

verwenden употреблять [-бить].

verwesen [ис]тлеть, разлагаться [-ложиться].

verwirklichen осуществлять [-ществить]; Su. осуществление.

verwirr|en запут(ыв)ать; смущать [смутить]; ~t смущённый.

verwöhnen [из]баловать.

verworren спутанный.

verwunde|n ранить; ~t раненый; Su. ранение.

verwundern (sich) удивлять(ся) [-вить(ся)].

verzählen: sich ~ обсчитываться [-таться].

verzehren съедать [-есть].

Verzeichnis n список, (Inhalts2) указатель m.

verzeih|en прощать [простить];извинять [-нить]; 2ung! прости(те)!, извини(те)!; Su. прощение, извинение.

Verzicht m отказ; 2en отказываться [-заться] (auf A. от).

verzöger|n замедлять [-едлить], 2ung f замедление; задержка.

verzollen оплачивать [оплатить] пошлиной.

verzweifeln отчаиваться

[-чаяться]; Su. отчаяние.

Vetter m двоюродный брат; кузен.

Vieh n скот; ~weide f выгон; ~zucht f скотоводство.

viel много (P); ~ besser гораздо лучше; ~ zu слишком; ~fach многократный.

vielleicht может быть; пожалуй.

viel|mals многократно, много; ~seitig многосторонний.

Vier|eck n четырёхугольник; ~sitzer m четырёхместный автомобиль.

Viertel n четверть f; (es ist) drei ~ fünf без четверти пять, три четверти пятого; ~jahr n четверть f года, квартал.

Violine f скрипка.

Visite f визит; ~nkarte f визитная карточка.

Visum n виза.

Vogel m птица; ~bauer n клетка; 2frei (объявленный) вне закона; ~schau f с (высоты) птичьего полёта; ~scheuche f чучело; пугало.

Volk n народ, нация.

Völkerrecht n междунаро́дное пра́во.

Volks|abstimmung f всенаро́дное голосова́ние, плебисци́т; **~kommissariat** n наро́дный комиссариа́т, *Abk.* нарком́ат; **~stamm** m пле́мя n; **2tümlich** наро́дный; популя́рный; **~wirtschaft(slehre)** f полити́ческая эконо́мия; **~zählung** f пе́репись населе́ния.

voll по́лный; наполненный; **~ auf** вдо́воль; **~bringen, ~enden** соверша́ть [-ши́ть].

völlig по́лный; совершённый; *adv.* вполне́; всеце́ло; до́тла.

voll|jährig совершенноле́тний; **~kommen** совершённый; по́лный; **2macht** f полномо́чие, дове́ренность; манда́т; **2mond** m полнолу́ние; **~ständig** *s.* völlig; **~strecken, ~ziehen** исполня́ть [-о́лнить].

von (D.) от (P); о(б) (П); из (P); с (P); *Preis usw.*: в (В).

vor (D., A.) пе́ред (В, Т); до (P); за (В, Т); ... тому́ наза́д; от (P); **~ allem** пре́жде всего́, гла́вное.

Vorabend m кану́н; **am ~** накану́не.

voran впереди́; вперёд; во главе́.

voraus вперёд, зара́нее; **~gehen** идти́ вперёд *od.* впереди́; **~sagen** предска́зывать [-за́ть]; **~setzen** предполага́ть [-ложи́ть]; *Su.* предпосы́лка; усло́вие; **~sichtlich** предусмотри́тельный; *adv.* вероя́тно.

Vor|bedacht m у́мысел; **~behalt** m огово́рка.

vorbei ми́мо (P); (*aus*) ко́нчено; **~gehen** проходи́ть [пройти́] (ми́мо); **im 2gehen** мимохо́дом.

vorbereiten под-, пригото́влять [-о́вить]; *Su.* приготовле́ние; подгото́вка.

vorbeugen (D.) предупрежда́ть [-преди́ть]; предохраня́ть [-ни́ть].

Vorbild n образе́ц.

vorder(e)(r) пере́дний; **2grund** m пере́дний план.

Vorder|haus n пере́дний дом; **~seite** f пере́дняя сторона́; фаса́д; лицо́; **~sitz** m пере́днее ме́сто.

voreilig торопли́вый; необду́манный.

vorerst сперва́; пре́жде всего́.

Vorfahr *m* пре́док; 2en подъезжа́ть [-е́хать].

Vorfall *m* слу́чай; происше́ствие; 2en случа́ться [-чи́ться].

Vorgang *m* происше́ствие; проце́сс. [ник.\]

Vorgarten *m* палиса́д-

vorgeben да(ва́)ть вперёд; утвержда́ть.

vorgehen идти́ вперёд; *Uhr:* спеши́ть (*drei Minuten* на́ три мину́ты); *fig.* поступа́ть [-пи́ть]. [ча́льник.\]

Vorgesetzte(r) *m* на́-

vorgestern тре́тьего дня.

vorhaben 1. име́ть пе́ред собо́й; намерева́ться; заду́м(ыв)ать; **2.** 2 *n* наме́рение; за́-, по́-мысел; зате́я.

Vorhalle *f* вестибю́ль *m*.

vorhanden нали́чный; ~ **sein** существова́ть, име́ть, име́ться.

Vorhang *m* за́навес(ка); гарди́на; портье́ра.

Vorhängeschloß *n* вися́чий замо́к.

vorher пе́ред тем; пре́жде; предвари́тельно; ~**gehend** предыду́щий.

vorige(r) пре́жний; про́шлый.

vorkommen случа́ться [-чи́ться]; води́ться; быва́ть.

Vorkriegs... довое́нный.

vorladen при-, вы-з(ы)-ва́ть.

Vorlage *f* предложе́ние.

Vorläuf|er *m* предше́ственник; 2ig предвари́тельный; *adv.* пока́.

vorlegen предъявля́ть [-ви́ть]; представля́ть [-а́вить].

vorlesen [про]чита́ть [прочте́сть] (вслух); *Su.* чте́ние; ле́кция.

Vorliebe *f* пристра́стие (für к).

Vormittag *m* у́тро; des ~s, am ~, ~(s) пе́ред обе́дом.

Vormund *m* опеку́н.

vorn впереди́.

Vorname *m* и́мя *n*.

vornehm ва́жный, благоро́дный.

Vorort *m* предме́стье; ~(s)... за́городный.

Vorrang *m* преиму́щество.

Vorrat *m* запа́с; припа́сы *m/pl.*

vorrätig запасно́й.

Vorratskammer *f* кладова́я; чула́н.

Vorrecht *n* преиму́щество.

Vorrichtung *f* приспособле́ние; прибо́р.

vorrücken п(р)одвига́ть (-ся) [-дви́нуть(ся)] вперёд.

Vorsatz *m* наме́рение.

vorsätzlich преднаме́ренный; умы́шленный; *adv.* наро́чно.

Vorschlag *m* предложе́ние; Qen предлага́ть [-ложи́ть].

vorschreiben предпи́сывать [-са́ть].

Vorschrift *f* предписа́ние; наставле́ние; пра́вило.

Vorschuß *m* зада́ток; ава́нс.

vorsehen: sich ~ [по-]бере́чься (P).

Vorsicht *f* осторо́жность; ~! осторо́жно!; ~! осторо́жно!; бере-ги́сь!; Qig осторо́жный.

Vorsitz *m* председа́тельство; ~ende(r) *m/f* председа́тель(ница).

Vorsorge *f* предусмотри́тельность.

Vorspeise *f* заку́ска.

Vorspiel *n* прелю́дия.

vorsprechen: bei (*j-m*) ~ заходи́ть [зайти́] к.

Vorsprung *m* вы́ступ; *fig.* преиму́щество.

Vorstadt *f* предме́стье; при́город.

Vorstand *m* правле́ние.

Vorsteher *m* нача́льник, заве́дующий.

vorstellen представля́ть [-а́вить] (*fig.* sich себе́);

Su. представле́ние; *fig.* поня́тие.

Vorteil *m* по́льза; вы́года; Qhaft поле́зный; вы́годный.

Vortrag *m* докла́д; ле́кция; Qen докла́дывать [доложи́ть]; [про]декламировать; [про]чита́ть; исполня́ть [-о́лнить].

vortrefflich отли́чный; превосхо́дный.

vorüber ми́мо; ~gehend проходя́щий. [док.]

Vorurteil *n* предрассу́-)

Vorverkauf *m* предвари́тельная прода́жа.

Vorwand *m* предло́г; отгово́рка.

vorwärts вперёд.

vorwerfen упрека́ть [-кну́ть].

Vorwort *n* предисло́вие.

Vorwurf *m* упрёк.

vorzeigen предъявля́ть [-ви́ть]; пока́зывать [-за́ть]; *Su.* предъявле́ние.

vorzeiten преждевре́менный. [-че́сть.]

vorziehen предпочита́ть)

Vorzimmer *n* пере́дняя.

Vorzug *m* преиму́щество; предпочте́ние.

vorzüglich превосхо́дный. [цена́.]

Vorzugspreis *n* льго́тная)

W

Waage *f* весы́ *m/pl.*; 2recht горизонта́льный.

Waagschale *f* ча́шка весо́в.

wach бо́дрствующий; ~ **sein** не спать, бо́дрствовать.

Wache *f* карау́л; ва́хта; 2n бо́дрствовать, не спать [вéльник.]

Wacholder *m* можже-)

Wachs *n* воск.

wachsam бди́тельный.

wachsen [на]вощи́ть; [вы́]расти́.

Wachstuch *n* клеёнка.

Wachstum *n* рост.

Wächter *m* сто́рож.

wack|(e)lig ша́ткий; ~eln шата́ться.

Wade *f* икра́.

Waffe *f* ору́жие.

Waffel *f* ва́фля.

Waffen... оруже́йный; ~stillstand *m* переми́рие.

wagen[1] рискова́ть [рискну́ть]; дерза́ть [-зну́ть].

Wagen[2] *m* пово́зка, экипа́ж, теле́га; *Auto*: маши́на; 🚃 (2. **Klasse** мя́гкий, **3. Kl.** жёсткий) ваго́н; ~führer *m* ваго́нновожа́тый; ~tür *f* дверца (*mst pl.*).

Wagnis *n* риск.

Wahl *f* избра́ние, вы́бор; *fig.* безу́мие; 2sinnig сумасше́дший.

wählen из-, вы́-б(и)ра́ть; *Tel.* (*e-e Nummer*) наб(и)ра́ть.

Wähler *m* избира́тель.

wählerisch разбо́рчивый.

Wahlrecht *n* избира́тельное пра́во.

Wahn|sinn *m* сумасше́ствие; *fig.* безу́мие; 2-sinnig сумасше́дший.

wahr и́стинный; ве́рный; *echt* настоя́щий; **nicht** ~? не так ли?

währen [про]дли́ться; ~d (*G.*) во вре́мя; в тече́ние.

wahrhaft правди́вый; *adv.* вои́стину; в са́мом де́ле.

Wahrheit *f* пра́вда, и́стина.

wahr|nehmen замеча́ть [-ме́тить]; *fig.* осяза́ть; *Interessen:* соблюда́ть [-блюсти́]; *Su.* восприя́тие; соблюде́ние; ~sagen [по]гада́ть; ~scheinlich вероя́тный; *adv.* вероя́тно; наве́рно(е).

Währung *f* валю́та.

Waise *f* сирота́ *m/f*.

Wal m кит.

Wald m лес; (Nadel2) бор.

Wal|nuß f грéцкий орéх; **₂roß** m морж.

Walze f вал, катóк.

wälzen [по]катáть.

Walzer m вальс.

Wand f стенá.

Wandel m перемéна.

Wander|er m стрáнник; **₂n** стрáнствовать; путешéствовать.

Wand|kalender m стеннóй календáрь; **₂uhr** f стенны́е часы́ m/pl.; **₂zeitung** f стенгазéта.

Wange f щекá.

wanken шатáться [(по)шатнýться]; [за-, по]колебáться.

wann когдá; **seit ₂?** с каки́х пор?

Wanne f, **₂nbad** n вáнна.

Wanze f клоп.

Wappen n герб.

Ware f товáр; издéлие; **₂nhaus** n универсáльный магази́н, Abk. универмáг; **₂nlager** n склад (товáров). [мне теплó.]

warm тёплый; mir ist ₂

Wärme f, теплотá f; **₂n** [по]грéть, на-, согрé(ва)ть.

Wärm|flasche f грéлка.

Warm|luft f, **₂wasserheizung** f калори́ферное отоплéние.

warnen (vor D.) [пред]остерегáть [-рéчь] (от); предупреждáть [-преди́ть]; Su. предостережéние.

Warschau n Варшáва.

warten (auf A.) [подо]ждáть (P, B); ожидáть (P); (pflegen) ходи́ть за (Т).

Wartesaal m станцио́нный зал.

warum почемý, зачéм; отчегó.

Warze f бородáвка.

was что; **~ für ein?** что за?, какóй?, какóв?

Wasch|anstalt f прáчечная; **₂becken** n (умывáльный) таз.

Wäsche f бельé; (Waschen) мытьё, сти́рка.

waschecht не линя́ющий от сти́рки.

waschen [вы́]мыть; вы-, у-мы́(ва́)ть; Wäsche [вы́]стирáть.

Wäsche|rei f прáчечная; **~rin** f, **Waschfrau** f прáчка.

Waschtisch m умывáльник.

Wasser n водá; **₂dicht** непромокáемый; **~fall** m водопáд; **~flasche** f графи́н (для воды́); **~flugzeug** n гидроплáн.

wässerig водяни́стый.

Wasser|kraftwerk n гидростанция; ~leitung f водопровод; ~melone f арбуз.

wassern ⚓ снижаться [сни́зиться] на воду.

Wasser|sport m водный спорт; ~stoff m водоро́д; ~sucht f водя́нка; ~waage f ватерпас; ~weg m водный путь.

Watte f вата.

web|en [со]ткать; 2er m ткач; 2stuhl m ткацкий станок.

Wechsel m переме́на; (*Tausch*) ме́на; † ве́ксель, тра́тта; ~fieber n перемежа́ющаяся лихорадка; ~geld n разме́нная моне́та.

wechseln [по]меня́ть(ся); разме́нивать [-ня́ть].

Wechselstrom ⚡ m переме́нный ток.

wecken [раз]будить.

Wecker m будильник.

weder ... noch ни ... ни.

Weg¹ m дорога, путь.

weg² прочь, вон, долой.

wegen (*G.*) ради; по (*Д*); из-за (*P*).

weg|fahren bsn.-у-езжать [-ехать]; *v/t.* от-, у-вози́ть [-везти́]; 2fall m отмена; ~fliegen улетать [-те́ть]; ~gehen уходи́ть [уйти́]; отлучаться

[-чи́ться]; ~nehmen отнима́ть [-ня́ть]; отбира́ть [отобра́ть]; ~schicken отсыла́ть [отосла́ть]; ус(ы)ла́ть.

Wegweiser m указатель дороги.

wegwerfen бросать [бро́сить] [бо́льно].

weh: es tut mir ~ мне

wehen I. [по]ве́ять, [по]ду́ть; 2. 2 f/pl. родовые схватки pl.

wehmütig уны́лый.

Wehr n запру́да, плоти́на; 2los беззащи́тный; ~pflicht f во́инская повинность (*od.* обя́занность).

Weib n же́нщина; жена́; *verächtlich:* баба; 2lich же́нский.

weich мя́гкий.

Weiche ⚙ f стре́лка.

weichen уступа́ть [уступи́ть].

Weichensteller ⚙ m стре́лочник.

weichgekocht *Ei:* всмя́тку.

Weide f вы́гон, па́стбище; ⚘ и́ва.

weiden пасти́(сь).

weigern: sich ~ отка́зываться [-за́ться]; *Su.* отка́з.

Weihe f (по)свяще́ние; 2n (п)освяща́ть [-яти́ть].

Weihnacht, ∼en *f* рождество́; ∼abend *m* (рожде́ственский) соче́льник; ∼sbaum *m* (рожде́ственская) ёлка.

Weihrauch *m* ла́дан.

weil потому́ что, так как; и́бо. [мя *n.*]

Weile *f* не́которое вре́-)

Weiler *m* дереву́шка.

Wein *m* вино́.

weinen [за-, по]пла́кать.

Wein|glas *n* рю́мка; ∼handlung *f* виното́рго́вля; ∼keller *m* ви́нный по́греб; ∼lese *f* сбор виногра́да; ∼traube *f* гроздь виногра́да; ∼trauben *pl.* виногра́д.

weise[1] *a* му́дрый.

Weise[2] *f* спо́соб, мане́ра; *f* мело́дия; напе́в.

Weisheit *f* му́дрость.

weiß бе́лый; ℒbrot *n* бе́лый хлеб; (*Semmel*) бу́лка; ∼en [вы́]бели́ть; ℒkohl *m* бе́лая капу́ста; ℒwein *m* бе́лое вино́.

weit далёкий, да́льний; отдалённый; просто́рный; широ́кий; обши́рный; ℒe *f* даль; просто́р; ширина́; широта́.

weiter да́льнейший; да́льше; ∼gehen идти́ [пойти́] да́льше.

weither издалека́.

weit|läufig простра́нный; да́льний; ∼sichtig дальнозо́ркий.

Weizen *m* пшени́ца.

welche|(r, ∼, ∼s) кото́рый (-рая, -рое, *pl.*: -рые).

welk вя́лый; ∼en [за-, у]вя́нуть.

Welle *f* волна́; вал; ℒnförmig волни́стый; ℒnlänge *f* длина́ волны́; ∼nschlag *m* прибо́й (волн).

Welt *f* свет, мир; ∼all *n* мир, вселе́нная; мирозда́ние; ∼anschauung *f* мировоззре́ние; миросозерца́ние; ∼geschichte *f* всеми́рная исто́рия; ∼handel *m* мирова́я торго́вля; ∼krieg *m* мирова́я война́; ℒlich све́тский; ∼meister *m* чемпио́н ми́ра; ∼postverein *m* всеми́рный почто́вый сою́з; ∼reise *f* кругосве́тное путеше́ствие; ∼stadt *f* мирово́й го́род; ∼wirtschaft *f* мирово́е хозя́йство.

wem кому́; mit ∼ с кем.

wen кого́.

wenden (sich) повора́чивать(ся) [поверну́ть(-ся)]; sich ∼ an (*A.*) обраща́ться [обрати́ться] к; направля́ться

[-а́виться]; *Su.* поворо́т; *fig.* перело́м.

wenig ма́ло; ~ немно́го; ~er ме́ньше; ~stens по кра́йней ме́ре; хоть.

wenn е́сли; ~ **auch** хотя́ (и).

wer кто.

werben [за-, на]вербова́ть; ~ **für** агити́ровать за (B); *Su* вербо́вка.

werden станови́ться [стать]; [с]де́латься.

werfen броса́ть [бро́сить].

Werft *f* верфь.

Werk *n* де́ло; творе́ние; произведе́ние, сочине́ние, труд; (*Fabrik*) заво́д; ~**statt** *f* мастерска́я; ~**tag** *m* бу́дний день; бу́дни *pl.*; 2**tätig** трудово́й; *in Zssgn Abk.* труд; трудя́щийся; ~**zeug** *n* ору́дие, инструме́нт.

wert 1. досто́йный; (*teuer*) дорого́й; **2.** 2 *m* досто́инство; сто́имость *f*; це́нность *f*; 2**brief** *m* це́нное письмо́; ~**los** ничто́жный; 2**sache** *f* це́нная вещь; ~**voll** (драго)це́нный.

Wesen *n* существо́; ство́; свойство; 2**tlich** существенный; гла́вный.

weshalb почему́; из-за чего́; отчего́; для чего́; на что.

Wespe *f* оса́.

wessen чей (чья, чьё, *pl.*: чьи).

West, ~en *m* за́пад.

Weste *f* жиле́т.

westlich за́падный.

Wettbewerb *m* соревнова́ние, состяза́ние; конкуре́нция.

Wett|e *f* пари́ *n*; ~**eifer** *m* соревнова́ние; 2**eifern** соревнова́ться; 2**en** держа́ть пари́.

Wetter *n* пого́да; ~**bericht** *m* метеорологи́ческая сво́дка; ~**fahne** *f* флю́гер; ~**leuchten** *n* зарни́ца.

Wett|kampf *m* состяза́ние, матч; ~**streit** *m* состяза́ние; спор.

wetzen [на]точи́ть.

Wichse *f* ва́кса; 2**n** [на-]ва́ксить.

wichtig ва́жный; 2**keit** *f* ва́жность.

wider (*A.*) про́тив (P); вопреки́ (Д); ~**fahren** случа́ться [-чи́ться]; ~**hall** *m* о́тклик; э́хо; о́тзвук; ~**legen** опроверга́ть [-ве́ргнуть]; ~**rufen** отмени́ть [-ни́ть]; 2**schein** *m* отраже́ние; ~**setzen: sich ~setzen**

[вос]проти́виться; со-
противля́ться; упря́моть упря́мый; **sprechen**
возража́ть [-рази́ть];
противоре́чить; 2stand
m сопротивле́ние; ё ре-
ста́т; 2wille *m* отвра-
ще́ние; **willig** с от-
враще́нием; неохо́тно.
widmen посвяща́ть [-я-
ти́ть]; Su. посвяще́ние.
widrig проти́вный.
wie как; *(auf welche Weise)* каки́м о́бразом.
wieder опя́ть; вновь,
сно́ва; 2aufbau *m* вос-
становле́ние; 2aufnah-
me *f* возобновле́ние;
~bekommen получа́ть
[-чи́ть] обра́тно; ~er-
kennen узна(ва́)ть; ~
erstatten возвраща́ть
[-врати́ть]; 2gabe *f* воспроизведе́-
ние; 2gutmachung *f*
поправле́ние; возме-
ще́ние; 2herstellung *f*
восстановле́ние; ~holen
повторя́ть [-ри́ть]; Su.
повторе́ние; 2kehr *f*
возвраще́ние; ~kehren
возвраща́ться [возвра-
ти́ться] 2sehen *n* сви-
да́ние; auf 2sehen! до
свида́ния!; ~um опя́ть;
2verkauf *m* перепро-
да́жа.
Wiege *f* колыбе́ль.

wiegen [по]кача́ть; *Ware:*
взве́шивать [взве́сить];
ве́сить.
Wiese *f* луг.
wie|**so** отчего́; ~**viel**
ско́лько (P).
wild 1. ди́кий; бу́йный;
я́рый; 2. 2 *n* дичь *f*; 2.
dieb *m*, 2erer *m* бра-
коньер; 2leder *n* за́мша.
Wille, ~**n** *m* во́ля; ~ns-
kraft *f* си́ла во́ли.
willkommen жела́нный;
прия́тный; ~ **heißen**
приве́тствовать.
Willkür *f* произво́л; 2-
lich произво́льный.
wimmeln [за]кише́ть (Т).
Wimper *f* ресни́ца.
Wind *m* ве́тер.
Windel *f* пелёнка.
winden [с]вить.
Wind|**hund** *m* борза́я; 2ig
ве́треный; ~**mühle** *f*
ветряна́я ме́льница; ~
schutzscheibe *f* защи́т-
ное стекло́; 2still без-
ве́тренный, ти́хий; ~**stoß**
m поры́в ве́тра; шквал;
~**ung** *f* изви́лина; изги́б.
Wink *m* знак; намёк.
Winkel *m* у́гол.
winken маха́ть [махну́ть].
Winter *m* зима́; im ~
зимо́й; 2lich зи́мний;
~**sport** *m* зи́мний спорт.
winzig кро́шечный.
wir мы.

Wirbel *m* круже́ние; (*wind*) вихрь; *Anat.* позвоно́к; ~**säule** *f* позвоно́чный столб.

wirk|en [по]де́йствовать; ~**lich** действи́тельный, и́стинный; *adv.* пра́вда; ~**lich?** неуже́ли?; ~**sam** де́йствующий; де́йственный.

Wirkung *f* де́йствие; 2s-**los** безде́йственный; 2s-**voll** эффе́ктный.

wirr запу́танный; *Haar:* растрёпанный; 2**en** *f/pl.* волне́ния *n/pl.*; 2**warr** *m* хáос, сумато́ха; сумбу́р.

Wirt *m* хозя́ин; ~**in** *f* хозя́йка.

Wirtschaft *f* хозя́йство; (*Wirtshaus*) рестора́н; буфе́т; 2**lich** хозя́йственный; ~**s(abteilungs)leiter** *m* завхо́з (заве́дующий хозя́йством).

wissen I. знать; **2. ℚ** *n* зна́ние.

Wissenschaft *f* нау́ка; 2-**lich** нау́чный; 2**liches Forschungsinstitut** *n* нау́чно-иссле́довательский институ́т.

Witterung *f* пого́да; *Hund z.B.:* чутьё.

Witwe *f* вдова́; ~**r** *m* вдове́ц.

Witz *m* острота́.

wo где; **von** ~ отку́да.

Woche *f* неде́ля.

Wochen... неде́льный; ~**schau** *f Kino:* хро́ника; ~**tag** *m* день неде́ли.

wöchentlich (еже)неде́льный.

Wöchnerin *f* роди́льница.

wofür за что; для чего́.

Woge *f* вал; (*Welle*) волна́.

wo|her отку́да, с чего́; ~**hin** куда́.

wohl I. здоро́вый; *adv.* вероя́тно; пожа́луй; **2. ℚ** *n* бла́го; **auf Ihr ℚ!** за ва́ше здоро́вье!; ~**habend** состоя́тельный, зажи́точный; ~**riechend** благоуха́ющий; ~**schmeckend** вку́сный; 2**stand** *m* благосостоя́ние; 2**tat** *f* благодея́ние; 2**täter** *m* благоде́тель.

wohn|en жить; обита́ть; ~**haft** прожива́ющий; 2**haus** *n* жило́е зда́ние; (жило́й) дом; 2**ort** *m* местожи́тельство, местопребыва́ние.

Wohnung *f* жили́ще; кварти́ра; ~**s...** жили́щный.

Wolf *m* волк.

Wolke *f* о́блако, ту́ча; ~**nbruch** *m* проливно́й

дождь; ли́вень; ~n-
kratzer m небоскрёб.
wolkig о́блачный.
Wolle f шерсть.
wollen [за]хоте́ть; [по-]
жела́ть (P).
Wollust f сладостра́стие.
Wollwaren f/pl. шерстя-
ны́е това́ры m/pl.
womit чем?
Wonne f блаже́нство.
woran у чего́? о чём?
обо что.
Wort n сло́во.
Wörterbuch n слова́рь m.
Wort|führer m ора́тор;
представи́тель; ~laut m
текст.
wörtlich досло́вный.
Wort|spiel n каламбу́р;
~wechsel m спор.
worüber над чем? о чём.
wozu к чему́? для чего́?
на что, заче́м?
Wucher m ростовщи́-
чество; ~er m ростов-}
Wuchs m рост. {щи́к.}
Wucht f тя́жесть; си́ла.
wund изра́ненный; 2e f
ра́на.
Wunder n чу́до; 2bar
чуде́сный; 2lich стра́н-

ный; 2n: sich 2n (über
A.) удивля́ться [-ви́ть-
ся] (Д); 2voll чуд(ес)-
ный.
Wunsch m (по)жела́ние.
wünschen [по]жела́ть
(P); ~swert жела́тель-
ный.
Würde f досто́инство;
сан.
würdig досто́йный; ~en
цени́ть; удоста́ивать
[-сто́ить].
Wurf m бросо́к; Tiere:
помёт.
Würfel m куб; (игра́ль-
ная) кость f; ~zucker m
кусково́й са́хар.
würgen души́ть.
Wurm m червь, червя́к.
Wurst f колбаса́.
Würstchen n соси́ска.
Würze f припра́ва.
Wurzel f ко́рень m.
wüst запусте́лый; пу-
сто́й; fig. беспу́тный;
2e f пусты́ня; 2ling m
развра́тник.
Wut f бе́шенство; гнев,
я́рость.
wüten беси́ться; ~d
я́ростный.

X, Y

x-beinig кривоно́гий.
Xylophon ♪ n ксилофо́н.

Yard n ярд (englisches
Längenmaß).

Z

(Vgl. a. C *und* K.*)*

Zack|e f, **~en** m зубе́ц; **Qig** зубча́тый.

zaghaft ро́бкий.

zäh(e) вя́зкий; *Fleisch:* жёсткий.

Zahl f число́; ци́фра; *(Anzahl)* коли́чество.

zahlbar пла́тный.

zahlen [за-, у]плати́ть.

zählen [со]счита́ть [счесть]; **~** **zu** числи́ться (Т).

Zähler m счётчик.

zahl|los бесчи́сленный; **Qtag** m день платежа́; **Qung** f упла́та, платёж.

Zählung f (под)счёт.

zahlungs(un)fähig (не-) платёжеспосо́бный.

zahm ручно́й, [ручно́й.]

zähmen прируча́ть [при-]

Zahn m зуб *(pl.* зу́бы; ⊕ зубья́); **~arzt** m зубно́й врач; **~bürste** f зубна́я щётка; **~fleisch** n десна́; **Qlos** беззу́бый; **~paste** f зубна́я па́ста; **~pulver** n зубно́й порошо́к; **~radbahn** f зубча́тая желе́зная доро́га; **~schmerz** m зубна́я боль f; **~stocher** m зубочи́стка.

Zange f щипцы́ m/pl.; клещи́ f/pl.

Zank m ссо́ра; раздо́р; **Qen** (sich) [по]ссо́риться.

zart не́жный.

zärtlich не́жный; ла́сковый.

Zauber m обая́ние; **~er** m волше́бник; **Qn** колдова́ть.

zaudern [про]ме́длить.

Zaum m узда́.

Zaun m забо́р, огра́да.

Zeche f счёт; ⚒ ша́хта; **Qn** кути́ть.

Zehe f па́лец (на ноге́).

Zeichen n знак; (за-, от-, по)ме́тка; сигна́л; клеймо́.

zeichnen [на]рисова́ть; *Wäsche usw.:* [по]ме́тить; *Su.* ме́тка; чертёж; рису́нок.

Zeige|finger m указа́тельный па́лец; **Qn** (sich) пока́зывать(ся) [-за́ть (-ся)]; **~r** m стре́лка.

Zeile f строка́.

Zeit f вре́мя n; срок; пора́; **ich habe keine ~** мне не́когда; **~alter** n век; **~genosse** m совреме́нник; **Qig** заблаговре́менный; **~punkt** *m* вре́мя *n*, срок; моме́нт; **~raum** *m* пери́од; промежу́ток вре́мени; **~schritt** *f* периоди́ческое изда́ние, журна́л.

Zeitung *f* газе́та; **~sartikel** *m* газе́тная статья́; **~sverkäufer** *m* газе́тчик.

Zeitvertreib *m* времи-(пре)провожде́ние.

Zelle *f* ке́лья; ка́мера; кле́тка; (*Partei2*) ячейка.

Zelt *n* пала́тка, шатёр; **~bahn** *f* брезе́нт.

Zensur *f* цензу́ра; *Schule*: отме́тка, балл.

Zentral|**heizung** *f* центра́льное отопле́ние; **~komitee** *n* центра́льный комите́т.

Zentrum *n* центр.

zerbrech|**en** разби́(ва́)ть; [с]лома́ть(ся); **~lich** ло́мкий, хру́пкий.

zerfallen распада́ться [-па́сться]; развали́ваться [-ли́ться].

zerkleinern размельча́ть [-чи́ть].

zerlegen разлага́ть [-ложи́ть]; разбира́ть [разобра́ть].

zerlumpt обо́рванный.

zerreißen [изо-, разо-]рва́ть; пере-, по-рыва́ть [-рва́ть].

zerschneiden разреза́ть [-е́зать].

Zerstäuber *m* пульвериза́тор.

zerstören разруша́ть [-ру́шить]; разоря́ть [-ри́ть].

zerstreuen (**sich**) рассе́ивать(ся) [-се́ять(ся)]; рассыпа́ться [-ы́паться]; (*unterhalten*) развлека́ть(ся) [-вле́чь (-ся)]; *Su. fig.* развлече́ние.

Zerstreutheit *f* рассе́янность. [(ва́)ть.]

zertrümmern разби-)

Zettel *m* запи́ска; листо́к.

Zeuge *m* свиде́тель.

Zeughaus *n* арсена́л.

Zeugnis *n* свиде́тельство, аттеста́т.

Ziege *f* коза́.

Ziegel *m* кирпи́ч; (*Dach*2) черепи́ца; **~ei** *f* кирпи́чный заво́д.

ziehen [по]тяну́ть; влечь; **⚭** разводи́ть [-вести́]; ⊕ [по]воло-чи́ть; *Linie usw.*: проводи́ть [-вести́]; **es zieht hier** здесь сквози́т *od.* ду́ет.

Ziehung *f* тира́ж.

Ziel *n* цель *f*; *Sport*: фи́ниш; **~en** прице́ливаться [-литься] (**nach** в В); **2los** бесце́льный; **~scheibe** *f* мише́нь.

ziemlich поря́дочный; *adv.* дово́льно.

Ziffer *f* ци́фра.

Zigarette *f* папиро́са; **~nspitze** *f* мундшту́к.

Zigarre *f* сига́ра; **~nabschneider** *m* гильоти́нка; **~nspitze** *f* мундшту́к; **~ntasche** *f* портсига́р.

Zigeuner *m* цыга́н.

Zimmer *n* ко́мната; **~mädchen** *n* го́рничная; **~mann** *m* пло́тник.

Zimt *m* кори́ца.

Zinn *n* о́лово.

Zins|en *m/pl.* проце́нт; **~fuß** *m* проце́нт, проце́нтная ста́вка.

Zirkel *m* ци́ркуль; *fig.* кружо́к.

Zirkus *m* цирк.

zischen [про]шипе́ть.

Zitrone *f* лимо́н.

zittern [за]дрожа́ть; [за]трепета́ть; [за]трясти́сь.

zivil гражда́нский; шта́тский.

Zobel *m* со́боль.

zögern [про]ме́длить.

Zögling *m* воспита́нник; пито́мец.

Zoll *m* по́шлина; **~amt** *n* тамо́жня; **~beamte(r)** *m* тамо́женник; **2frei** беспо́шлинный; **2pflichtig** подлежа́щий опла́те

по́шлиной; **~revision** *f* тамо́женный осмо́тр.

Zone *f* по́яс, зо́на.

Zopf *m* коса́.

Zorn *m* гнев; **2ig** гне́вный.

zu (*D.*) к (Д); в (В); по (В); (*wozu?*) для (Р); на (В); **~** (*sehr*) сли́шком.

Zubehör *n* принадле́жность *f*.

zubereiten приготовля́ть, [при]гото́вить; выде́л(ыв)ать; [со]стря́пать.

zubringen приноси́ть [-нести́]; проводи́ть [-вести́].

Zucht *f* дисципли́на; разведе́ние; **~haus** *n* ка́торжная тюрьма́; **~häusler** *m* ка́торжник.

züchtigen нака́зывать [-за́ть].

Zucker *m* са́хар; **~dose** *f* са́харница; **~krankheit** *f* диабе́т; **~werk** *n* конфе́ты *f/pl.*

Zuckungen *f/pl.* су́дороги.

zudecken за-, по-кры́(ва́)ть.

zudringlich навя́зчивый.

zueinander друг к дру́гу.

zuerst пре́жде (всего́), снача́ла; сперва́, впервы́е.

Zufall *m* слу́чай; **durch ~** случа́йно.

zufällig случа́йный; неча́янный.

Zuflucht(sort *m*) *f* убе́жище; прию́т.

Zufluß *m* прито́к.

zufolge всле́дствие.

zufrieden дово́льный (mit T).

zufrieren замерза́ть [замёрзнуть].

zufügen прибавля́ть [-а́вить].

Zug *m* ше́ствие; ⚔ взвод; *im Ofen:* тя́га; *Vögel:* перелёт; *Luft:* сквозня́к; *beim Rauchen:* затя́жка; 🚂 по́езд; (*Gesichts⌢*) черта́.

Zugabe *f* прида́ча.

Zugang *m* до́ступ, вход.

zugänglich досту́пный.

zugeben прида(ва́)ть; прибавля́ть [-а́вить]; (*gestatten*) позволя́ть [-о́лить]; (*einräumen*) допуска́ть [-сти́ть].

zugegen sein прису́тствовать.

zugehen закры́(ва́)ться; при-, за-творя́ться [-ри́ться].

Zügel *m* по́вод; узда́; во́жжи *f/pl.*; ⚙los *fig.* необу́зданный.

Zugeständnis *n* усту́пка.

Zugführer 🚂 *m* гла́вный кондуктор.

zugleich одновреме́нно.

Zugpflaster *n* вытяжно́й пла́стырь *m*.

zugrunde: ⚙ gehen пропада́ть [-па́сть]; [по]ги́бнуть; ⚙ richten [по]губи́ть.

Zugstück *n* *Thea.* гвоздь *m* сезо́на, боеви́к.

zugunsten в по́льзу.

zuheilen зажи(ва́)ть.

zuhör|en [по]слу́шать; ⚙er *m* слу́шатель.

zuknöpfen застёгивать [-тегну́ть].

Zukunft *f* бу́дущее (вре́мя *n*).

zukünftig бу́дущий; гряду́щий.

Zulage *f* приба́вка.

zulassen допуска́ть [допусти́ть].

zulässig допусти́мый.

zuletzt наконе́ц; в конце́ концо́в.

zumuten тре́бовать (от).

zunächst пре́жде всего́.

Zunahme *f* прирост; увеличе́ние.

Zuname *m* фами́лия.

Zündholz *n* спи́чка.

zunehmen прибавля́ть [-а́вить]; *v/i.* увели́чи(ва)ться; *an Gewicht:* [по]полне́ть.

Zunft *f* *hist.* цех.

Zunge *f* язы́к.

zunichte machen уничтожа́ть [-о́жить].

zurechnungsfähig вменя́емый.

zurechtfinden: sich ~ находи́ть [найти́] доро́гу; разбира́ться [-бра́ться].

zureden (*j-m*) угова́ривать (B).

zurück наза́д, обра́тно; ~bleiben отста́(ва́)ть, оста́(ва́)ться; ~erstatten возвраща́ть [-рати́ть]; ~geben возвраща́ть [-рати́ть]; верну́ть; 2gezogenheit *f* уедине́ние; ~haltend сде́ржанный; 2haltung *f* сде́ржанность; ~kehren возвраща́ться [-рати́ться]; верну́ться; ~lassen оставля́ть [-а́вить]; ~legen откла́дывать [отложи́ть]; *Weg:* проходи́ть [пройти́]; *mit dem Wagen:* проезжа́ть [прое́хать]; ~nehmen брать [взять] обра́тно; ~reisen [по]е́хать обра́тно; ~schicken пос(ы)ла́ть обра́тно; ~treten отступа́ть [-пи́ть]; *fig.* выходи́ть [вы́йти] в отста́вку; ~weichen отступа́ть [-пи́ть]; ~weisen отверга́ть [-е́ргнуть]; отводи́ть [-вести́]; отка́зывать [-за́ть]; *Su.* отка́з; ~zahlen [за]плати́ть обра́тно; ~ziehen

[по]тяну́ть наза́д; **sich** ~ziehen отступа́ть [-ступи́ть]; отходи́ть [отойти́].

Zuruf *m* (о)́клик.

Zusage *f* обеща́ние; согла́сие.

zusammen вме́сте; 2bruch *m* круше́ние, разва́л; ~fallen [об]ру́шиться; *zeitlich:* совпада́ть [-па́сть]; 2fluß *m* слия́ние; ~gesetzt сло́жный; 2hang *m* связь *f*; ~kommen сходи́ться [сойти́сь]; 2kunft *f* схо́дка; съезд; слёт; свида́ние; ~legen скла́дывать [сложи́ть]; ~nehmen: *fig.* sich ~nehmen взять *pf.* себя́ в ру́ки; ~rücken сдвига́ть(ся) [сдви́нуть(ся)]; ~schließen: sich ~schließen объединя́ться [-ни́ться]; ~setzen составля́ть [-ста́вить]; *Su.* соста́в; 2spiel *n* анса́мбль *m*; ~stellen составля́ть [-а́вить]; *Su.* составле́ние; 2stoß *m* столкнове́ние; ~stürzen обру́ши(ва)ться; ~treffen сходи́ться [сойти́сь]; (*begegnen*) встреча́ться [встре́титься]; *zeitlich:* совпада́ть [-па́сть]; ~wirken *n* взаимоде́йствие; **~zählen** слага́ть [сложи́ть]; **~ziehen** стя́гивать [стяну́ть].

Zusatz *m* добавле́ние; при́месь *f*; *schriftlich:* припи́ска.

zuschau|en смотре́ть (*D.* на T); **2er** *m* зри́тель.

zuschicken прис(ы)ла́ть.

Zuschlag *m* прибавле́ние; приба́вка; 🏃 *usw.*: припла́та. [перѐть].

zuschließen запира́ть [за-].

zuschneid|en [вы-, с-] кро́ить; **2er** *m* закро́й-щик. [ва́ть.]

zuschnüren [за]шнуро-

zuschreiben приписы́вать [-са́ть].

Zuschuß *m* приба́вка.

zusehen смотре́ть.

zusenden прис(ы)ла́ть.

zusetzen прибавля́ть [-а́-вить].

zusichern [по]обеща́ть; *Su.* увере́ние.

Zustand *m* состоя́ние; положе́ние; вид.

zustande: ~ bringen осу-ществля́ть [-ви́ть]; **~ kommen** соверша́ться [-ши́ться]; осуществля́ться [-ви́ться].

zuständig подлежа́щий; tʒ подсу́дный.

zustellen доставля́ть [-а́-вить]; *Su.* доста́вка.

zustimmen (*D.*) согла-

ша́ться [согласи́ться] (с T); *Su.* согла́сие.

zustoßen случа́ться [-чи́ться].

Zutat *f* при́месь; (*Würze*) припра́ва; *Schneiderei:* прикла́д.

zutragen: sich ~ случа́ться [-чи́ться].

zutreffen ока́зываться [-за́ться] ве́рным.

Zutritt *m* до́ступ.

zuverlässig (благо)на-дёжный; достове́рный.

Zuversicht *f* уве́рен-ность; **2lich** достове́р-ный.

zuviel сли́шком мно́го.

zuvor пре́жде.

zuvorkommen (*D.*) опе-режа́ть [-реди́ть] (B); предупрежда́ть [-ди́ть] (B).

Zuwachs *m* приро́ст.

zuweilen иногда́.

zuwider (*D.*) вопреки́; напереко́р; про́тив (P); **~handeln** противоде́й-ствовать.

zuzahlen припла́чивать [-плати́ть].

zuziehen затя́гивать [за-тяну́ть]; **sich ~** навле́чь на себя́.

Zwang *m* принужде́ние; (*Gewalt*) наси́лие; **2los** непринуждённый; **~-arbeit** *f* ка́торга.

zwar хотя́.

Zweck *m* цель *f*; ⸰los бесце́льный; ⸰mäßig целесообра́зный; ⸰s с це́лью.

zweideutig двусмы́сленный.

Zweifel *m* сомне́ние; ⸰haft сомни́тельный; ⸰los несомне́нный; ⸰n сомнева́ться [усомни́ться].

Zweig *m* ветвь *f*; *fig.*] [о́трасль *f*.]

zwei|händig *∫* в две руки́; ⸰kampf *m* поеди́нок, дуэ́ль *f*; ⸰motorig двухмото́рный; ⸰reihig двубо́ртный; ⸰seitig двусторо́нний; ⸰sitzer *m* двухме́стный автомоби́ль; ⸰stöckig двухэта́жный.

Zwerchfell *n* диафра́гма.

Zwerg *m* ка́рлик.

Zwieback *m* суха́рь.

Zwiebel *f* лук.

Zwiegespräch *n* диало́г.

Zwilling *m* близне́ц; ⸰e *pl.* (= ⸰sgeschwister *pl.*) дво́йня, близнецы́.

zwingen принужда́ть [-ну́дить]; заставля́ть [-а́вить]; ⸰d принуди́тельный.

Zwirn *m* ни́тки *f/pl.*

zwischen ме́жду; ⸰fall инциде́нт; ⸰handel *m* перепрода́жа; ⸰landung ✈ *f* промежу́точная поса́дка; ⸰raum *m* промежу́ток; ⸰ruf *m* ре́плика; ⸰station *f* полуста́нок; ⸰zeit *f* промежу́ток вре́мени.

Zwist *m* раздо́р.

zwitschern щебета́ть.

Redewendungen — Обороты речи

Guten Morgen (Tag, Abend)!	Доброе у́тро (до́брый день, до́брый ве́чер)! *mst* здра́вствуй(те *pl.*)!
Wie geht es Ihnen?	Как вы пожива́ете?
Danke, sehr gut, und wie geht es Ihnen?	Спаси́бо, о́чень хорошо́, а вы как?
Ich fühle mich nicht wohl.	Мне не здоро́вится.
Was fehlt Ihnen?	Что с ва́ми?
Der Kopf tut mir weh.	У меня́ голова́ боли́т.
Welches Datum haben wir heute?	Кото́рое число́ сего́дня?
Es ist der 1. Mai.	Пе́рвое ма́я.
Wieviel Uhr ist es, bitte?	Кото́рый час, пожа́луста?
Es ist 10 Minuten nach 4.	Де́сять мину́т пя́того.
Ich muß jetzt gehen.	Мне ну́жно идти́.
Leben Sie wohl!	Проща́йте!
Auf Wiedersehen!	До свида́ния!
Wie ist das Wetter?	Какова́ пого́да?
Es wird regnen.	Пойдёт дождь.
Wissen Sie, wann ...?	Зна́ете ли вы, когда́ ...?
Bitte, sagen Sie mir...	Скажи́те, пожа́луйста ...
Wann gehen Sie nach ...?	Когда́ вы пойдёте в ...?
Wohin fahren Sie?	Куда́ вы е́дете?
Wie gefällt Ihnen ...?	Как вам нра́вится ...?
Sprechen Sie Deutsch?	Говори́те ли вы по-неме́цки?
Ein wenig, nicht viel.	Немно́го, ма́ло.
Nein, ich spreche nur Russisch.	Нет, я говорю́ то́лько по-ру́сски.
Verstehen Sie mich?	Понима́ете ли вы меня́?
Sprechen Sie bitte nicht so schnell.	Пожа́луйста, не говори́те так бы́стро.

Ich brauche ...	Мне ну́жен (нужна́, ну́жно *pl.*: ну́жны) ...
Haben Sie ...?	Есть ли у вас ...?
Kann ich einen Führer (in Buchform) durch Moskau bekommen?	Могу́ ли я получи́ть путеводи́тель по Москве́? [плати́ть?]
Was habe ich zu zahlen?	Ско́лько я до́лжен за-
Ist hier ein Telefon?	Есть ли здесь телефо́н?
(Verbinden Sie mich mit) Nr. ..., bitte.	Соедини́те (меня́) с но́мером ... *od.* прошу́ но́мер ...
Wie komme ich nach ...?	Как мне пойти́ в *od.* на ...
Ist dies der richtige Weg nach ...?	Иду́ ли я по направле́нию к ...?
Welche Straßenbahn fährt nach ...?	Како́й трамва́й е́дет в *od.* на ...? [моби́ль?]
Wo finde ich ein Auto?	Где мо́жно найти́ авто-
Fahren Sie mich nach ...	Повези́те меня́ в *od.* на ...
Wann geht der Zug ab?	Когда́ отхо́дит по́езд?
Wo ist das nächste Postamt?	Где ближа́йший почта́мт?
Was kostet ein Brief (eine Postkarte) nach ...?	Ско́лько сто́ит письмо́ (откры́тка) в ...?
Ist ein Brief für mich da?	Есть ли письмо́ для меня́?
Hier ist mein Paß.	Вот мой па́спорт.
Was kostet dies?	Ско́лько э́то сто́ит?
Das ist zu teuer.	Э́то сли́шком до́рого.
Haben Sie nichts Billigeres?	Нет ли у вас подеше́вле?
Senden Sie die Sachen an diese Adresse ...	Пошли́те ве́щи по э́тому а́дресу.
Können Sie mir ... wechseln?	Мо́жете ли вы мне разменя́ть ...?
Haben Sie Zimmer frei?	Есть ли у вас свобо́дные ко́мнаты?
Zu welchem Preise?	В каку́ю це́ну?
Haben Sie vielleicht ein	Нет ли у вас ко́мнаты

billigeres Zimmer im ersten Stock?	подешёвле на втором этаже?
Hier ist mein Gepäckschein.	Вот моя багажная квитанция.
Bringen Sie bitte mein Gepäck.	Пожалуйста, принесите мой багаж.
Geben Sie mir bitte die Speisekarte.	Пожалуйста, дайте мне меню.
Ober, die Rechnung!	Официант, прошу счёт.
Wann fahren Sie ab?	Когда вы уедете?
Ich reise morgen früh ab.	Я уеду завтра утром.
Wecken Sie mich um 6 Uhr.	Разбудите меня в шесть часов.
Wo ist der Bahnhof?	Где вокзал?
Wo ist der Fahrkartenschalter?	Где билетная касса?
Bitte eine Fahrkarte 2. (3.) Klasse nach ...	Дайте мне, пожалуйста, билет на место в мягком (жёстком) вагоне до ...
Ist dieser Platz besetzt (frei)?	Занято (свободно) ли это место?
Wo muß ich umsteigen?	Где мне пересесть?
Wo ist der Zug nach ...?	Где поезд в ...?
Wo ist das Raucherabteil (der Schlafwagen, der Speisewagen, der Gepäckwagen)?	Где отделение для курящих (спальный вагон, вагон-ресторан, багажный вагон)?
Wo ist die Zollrevision?	Где таможенный осмотр?
Haben Sie etwas Zollpflichtiges?	Есть ли у вас что-нибудь подлежащее пошлине?
Ich habe nur ...	У меня только ...
Ist hier eine Garage?	Есть ли здесь гараж?
Wie weit ist es bis ...?	Как далеко до ...?
Wo ist eine Reparaturwerkstatt?	Где ремонтная мастерская? [...]
Bitte reparieren Sie ...	Почините, пожалуйста

Zahlen — Числа

оди́н, одна́, одно́ *ein(s)*
два *m u. n*, две *f zwei*
три *drei*
четы́ре *vier*
пять *fünf*
шесть *sechs*
семь *sieben*
во́семь *acht*
де́вять *neun*
де́сять *zehn*
оди́ннадцать *elf*
двена́дцать *zwölf*
трина́дцать *dreizehn*
четы́рнадцать *vierzehn*
пятна́дцать *fünfzehn*
шестна́дцать *sechzehn*
семна́дцать *siebzehn*
восемна́дцать *achtzehn*
девятна́дцать *neunzehn*
два́дцать *zwanzig*
два́дцать оди́н *einund-zwanzig*
два́дцать два *zweiund-zwanzig*

три́дцать *dreißig*
со́рок *vierzig*
пятьдеся́т *fünfzig*
шестьдеся́т *sechzig*
се́мьдесят *siebzig*
во́семьдесят *achtzig*
девяно́сто *neunzig*
сто *hundert*
сто оди́н *hunderteins*
две́сти *zweihundert*
три́ста *dreihundert*
четы́реста *vierhundert*
пятьсо́т *fünfhundert*
шестьсо́т *sechshundert*
семьсо́т *siebenhundert*
восемьсо́т *achthundert*
девятьсо́т *neunhundert*
ты́сяча *tausend*
две ты́сячи *zweitausend*
три ты́сячи *dreitausend*
четы́ре ты́сячи *vier-tausend*
пять ты́сяч *fünftausend*
миллио́н *eine Million*

пе́рвый (1-й) *erste (1.)*
второ́й (2-й) *zweite (2.)*
тре́тий *dritte*
четвёртый *vierte*
пя́тый *fünfte*
шесто́й *sechste*

седьмо́й *siebente*
восьмо́й *achte*
девя́тый *neunte*
деся́тый *zehnte*
оди́ннадцатый *elfte*
двена́дцатый *zwölfte*

трина́дцатый *dreizehnte*	двухсо́тый *zweihundertste*
четы́рнадцатый *vierzehnte*	трёхсо́тый *dreihundertste*
пятна́дцатый *fünfzehnte*	четырёхсо́тый *vierhundertste*
шестна́дцатый *sechzehnte*	пятисо́тый *fünfhundertste*
семна́дцатый *siebzehnte*	шестисо́тый *sechshundertste*
восемна́дцатый *achtzehnte* [zehnte]	семисо́тый *siebenhundertste*
девятна́дцатый *neunzehnte*	восьмисо́тый *achthundertste*
двадца́тый *zwanzigste*	девятисо́тый *neunhundertste*
два́дцать пе́рвый *einundzwanzigste*	ты́сячный *tausendste*
два́дцать второ́й *zweiundzwanzigste*	двухты́сячный *zweitausendste*
тридца́тый *dreißigste*	трёхты́сячный *dreitausendste*
сороково́й *vierzigste*	четырёхты́сячный *viertausendste*
пятидеся́тый *fünfzigste*	пятиты́сячный *fünftausendste*
шестидеся́тый *sechzigste*	миллио́нный *millionste*
семидеся́тый *siebzigste*	
восьмидеся́тый *achtzigste*	
девяно́стый *neunzigste*	
со́тый *hundertste*	

$1/2$ полови́на *halb*; $1^1/2$ полтора́ *anderthalb*; $2^1/2$ два с полови́ной.

$1/3$ треть f *ein Drittel*; $2/3$ две тре́ти *zwei Drittel*.

$1/4$ че́тверть f *ein Viertel*; $3/4$ три че́тверти *drei Viertel*.

$1/5$ одна́ пя́тая (часть) f *ein Fünftel*.

$1/6$ одна́ шеста́я *ein Sechstel*.

0,5 нуль и пять деся́тых *Null Komma fünf*.

в(о)... = ...*ens*: во-пе́рвых *erstens*, во-вторы́х *zweitens*, в-тре́тьих *drittens*, в-четвёртых *viertens* usw.

...жды = ...*mal*: одна́жды = раз *einmal*, два́жды = два ра́за *zweimal*, три́жды = три ра́за *dreimal*, четы́режды = четы́ре ра́за *viermal*, *aber* пять, шесть *usw.* раз *fünfmal*, *sechsmal*.

2 дво́е, 3 тро́е, 4 че́тверо, 5 пя́теро, 6 ше́стеро, 7 се́меро, 8 во́сьмеро, 9 де́вятеро, 10 де́сятеро.

в... = ...жды: вдво́е = (в) два ра́за *od.* два́жды.

в...м = *zu* ...: вдвоём *zu zweien*, втроём *zu dreien*, вчетверо́м *zu vieren*, впятеро́м *zu fünfen usw.*

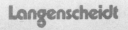